AVEC LA BÉNÉDICTION
DU CIEL

Edward Stewart

AVEC LA BÉNÉDICTION DU CIEL

Traduit de l'américain
par Yves Sarda

Collection « Suspense & Cie »
dirigée par Sybille Zavriew

Titre original :
Mortal Grace

1

Il faisait sombre dans le confessionnal. Et froid. Rester éveillé était un supplice. *Si seulement je pouvais dormir*, songeait Wanda Gilmartin. Il lui semblait n'avoir jamais fermé l'œil pendant ses seize années d'existence.

— Y a-t-il autre chose, mon enfant ?

Le prêtre n'était qu'une ombre d'un gris de cendre de l'autre côté de la grille.

— Faites une confession pleine et entière.

La tête de Wanda chancela et vint cogner la cloison de bois.

— J'ai piqué des pilules pour lutter contre le sommeil à un ami.

— Vous les avez toutes prises ?

Elle s'en glissa une dans la bouche.

— Il m'en reste deux.

— Vous devez les lui restituer et lui avouer ce que vous avez fait.

— Oui, mon père.

— Rien d'autre ?

— Non, mon père.

Le prêtre lui donna l'absolution.

— Dix Je Vous Salue. Dix Notre père.

Wanda chercha à tâtons ses béquilles. Elle trouva un équilibre précaire et sortit du confessionnal en trébuchant. Sa cheville lui faisait mal comme si on la lui avait transpercée avec une aiguille de glace.

Le prêtre la conduisit jusqu'à la sainte table. Les béquilles claquèrent sur les dalles de marbre. Elle s'agenouilla. Une chasuble blanc et or se glissa entre lumière et obscurité. Une voix psalmodia.

Wanda tourna la tête. L'église était une chambre d'écho, vide et voûtée, derrière elle. *Pourquoi il n'y a personne d'autre ici ? Pourquoi il fait si sombre ? Et si froid ?*

— Le corps du Christ.

Le prêtre déposa l'hostie entre ses mains offertes.

Toute sa vie elle avait eu froid, elle avait été seule, elle avait dû se justifier devant des étrangers, se soumettre aux rituels des autres. Toute sa vie.

— Le sang du Christ.

Le prêtre inclina le calice vers ses lèvres.

Elle eut l'impression de tomber dans le vin. Elle prit conscience qu'elle avait encore des bourdonnements à cause de toutes ces drogues — et de cette pilule rose, en particulier. Elle n'arrivait plus à suivre le déroulement des événements.

Des mains secourables la remirent d'aplomb sur ses béquilles, l'accompagnèrent interminablement le long du bas-côté. Le plâtre pesait sur sa cheville droite comme un bloc de ciment. Des mains l'aidèrent à franchir une porte et à grimper dans une fourgonnette.

Une voix lui posait des questions, avec compassion et onction.

— Dites-moi, mon enfant, à quand remonte votre fugue ?

Wanda ignorait la réponse qu'on attendait d'elle. *Faut toujours donner au client ce qu'il veut.*

— Ça fait longtemps.

Maintenant ils roulaient. De l'autre côté du pare-brise, des flocons de neige boursouflés flottaient en apesanteur dans et hors du faisceau lumineux des phares. Ses doigts jouaient avec la chaîne en or qu'elle avait nattée dans ses cheveux.

— Dites-moi, mon enfant, depuis quand vous prostituez-vous ?

— Depuis longtemps. J'avais onze ans.

La fourgonnette franchit un portail à barreaux de fer et entra dans un garage. Des mains l'aidèrent à descendre du siège avant et à gravir un étroit escalier. Ses béquilles heurtaient sourdement chaque marche de bois qui craquait. Arrivée en haut, elle dut se reposer un instant pour reprendre son souffle.

Une lampe à abat-jour de parchemin s'alluma avec un déclic. Elle se trouvait dans une petite pièce avec des sentences en lettres gothiques accrochées aux murs :

Conduisez les jeunes pécheurs jusqu'à moi.
Laissez venir à moi les petits enfants.
Mon Royaume n'est pas de ce monde.
Le Royaume des Cieux vous appartient.

Il vous faudra redevenir comme l'enfant qui vient de naître.
Celui qui meurt dans la rémission de ses péchés... gagne la vie éternelle !

L'air était plein de vapeurs suffocantes d'encens.

— Faut que j'aille à la salle de bains.

— C'est là.

Wanda appuya les béquilles contre le carrelage blanc du mur. Elle s'agenouilla devant la cuvette et essaya de vomir. Mais, malgré les spasmes, sa gorge ne restitua rien.

Elle revint en clopinant dans l'autre pièce. Du noir l'assaillait par vagues. Elle devait écarquiller les yeux pour les maintenir ouverts.

Le prêtre debout brûlait de l'encens dans une coupelle de cuivre.

— Dites-moi, mon enfant, depuis quand prenez-vous de la drogue ?

— Je sais pas, longtemps. Excusez-moi, mon père, mais tout se brouille. On pourrait pas parler de ça plus tard ? Faut vraiment que je dorme.

— Il reste encore à accomplir une petite partie de la cérémonie.

Quelque chose dans son visage ne cadrait pas. Le moment avait quelque chose de faussé. Un peu comme si le temps avait négocié un virage à quarante-cinq degrés.

— Je croyais que la cérémonie était finie, dit Wanda.

— Presque. C'est la dernière partie. Vous vous sentirez mieux si vous expiez.

— Je croyais avoir expié.

Nom de Dieu, j'ai pas cessé d'expier pour les péchés de l'un ou de l'autre depuis que je suis née.

— Non, mon enfant. Vous vous êtes confessée. Maintenant, il vous faut expier.

Le père ôta sa croix pectorale. Il la baisa et la déposa avec un léger bruit sourd sur le bureau, près d'un grand verre à moitié plein. Des glaçons s'entrechoquèrent quand il leva son verre. Il avala deux longues gorgées. Le rhum lui décocha dans la gorge un dard glacé à 75°. Il savoura un instant la sensation de chaud-froid. Puis il retira son étole brodée et la drapa soigneusement sur le dossier de la chaise.

Il devait traiter avec égard la fermeture Eclair de sa soutane noire : elle avait tendance à se coincer, les dernières fois qu'il l'avait portée. En tirant dessus patiemment et doucement, il parvint à se libérer. Il passa la soutane sur un portemanteau et l'étole par-dessus, les arrangeant de manière à ne pas les froisser. Puis accrocha les vêtements sacerdotaux dans la penderie.

Il décrocha de la patère un imperméable transparent qu'il enfila.

Il revint au bureau, avala le fond de rhum, se versa un nouveau verre. La jeune fille, renversée sur la chaise de cuir couleur pêche, le fixait d'un regard de noyée. Elle ne lui fit pas la remarque qui s'imposait en le voyant boire.

Le contenu du second verre avalé cul sec lui râpa le gosier. Il s'essuya les lèvres du dos de la main.

Son imper crissa quand il se baissa pour la soulever. Elle se laissa aller sans résistance dans ses bras. Il répartit bien son poids sur son épaule, s'assurant qu'elle ne risquait pas de glisser. Il descendit en biais l'étroit escalier, la transportant avec précaution.

Elle sursautait légèrement à chaque marche. Un souffle imperceptible lui entrouvrait les lèvres et à chaque fois l'imper laissait échapper comme un petit cri de souris.

Il traversa la cave et l'étendit dans le baquet à lessive en tôle. Il dégagea son front pâle et bombé, repoussant ses tresses. Ses yeux noirs exprimèrent la surprise, teintée d'autre chose.

Il lui ferma les yeux, lui baisa les paupières, lui embrassa les lèvres. Le rhum ne la fit pas broncher. L'intérieur de sa bouche avait le goût salé d'un pétard mouillé. Il la contemplait, éternisant cet instant d'intimité.

— Dieu t'aime, Wanda, chuchota-t-il. Moi aussi.

Il glissa dans son walkman une cassette du *Requiem* de Maurice Duruflé d'une beauté ineffable. Et chaussa ses écouteurs.

Le « Kyrie » éclata dans sa tête. Il enclencha la scie électrique, se raidissant contre les vibrations, et se mit au travail.

Kyrie Eleison.

Christe Eleison.

Deux heures plus tard, il acheva la bouteille de rhum et en entama une autre. Wanda était rangée proprement dans la glacière — les gros morceaux au fond, les plus petits par-dessus. Il prit une profonde inspiration et hissa la glacière à l'arrière de la fourgonnette, en la poussant le long de la glissière métallique.

Il conduisait lentement, s'enfonçant dans la nuit new-yorkaise inanimée. Le ciel, là-haut, était couleur de vieille ecchymose. Il avançait, légèrement courbé sur le volant, plissant les yeux pour garder une vision nette des rues de la ville. Accompagnant de la voix « l'Agnus Dei », il vira dans Central Park.

Les méandres des allées carrossables mal éclairées étaient déserts à cette heure. Il ne tint pas compte du panneau « Réservé au personnel du parc » et quitta la voie principale en contournant un chevalet de sciage pour s'engager dans une allée de service plongée dans le noir. Au bout de cinquante mètres, il s'arrêta dans un bosquet.

Bris de rameaux, frissons de buissons dépouillés de feuilles. Il coupa le moteur.

C'était l'apogée et il resta assis là, perdu en lui-même. Le « Sanctus » emplissait ses écouteurs. Un saupoudrage neigeux flottait dans l'air. La ville dormait, silencieuse.

Il prit la flasque de rhum dans sa poche et biberonna.

Y a encore du travail à faire, se remémora-t-il.

Il revissa le bouchon et se pencha derrière le siège pour attraper la pioche.

2

Sur une estrade en plein air, un groupe de jeunes clowns et de ballerines dansaient devant la foule. Ils déployèrent soudain dans leurs évolutions une énergie endiablée alors que l'orchestre Dixieland attaquait les dernières mesures de *New York, New York*.

Leurs bras se nouèrent. Leurs pieds retombèrent en pas parfaitement synchrones. Leurs jambes se levèrent en cadence comme celles des Rockettes du Radio-City Music Hall.

Et un. Et deux.

Chapeaux claques et cannes tracèrent en l'air des arcs de cercle.

Et un-deux-trois-quatre.

Encore une fois, battement-pirouette-battement, saut-grand écart-jeté-pirouette, on tient la position et on se fend d'un profond salut.

Un courant survolté électrisa la foule qui, battant des mains et poussant des cris, se fondit en une machine à applaudir. L'atmosphère vibrait de « on vous aime ».

Vingt saluts plus tard, les danseurs quittèrent la scène.

Derrière la toile peinte, Johanna Lowndes retira sa coiffe de Colombine. Dans un coin de l'estrade, elle reprit son souffle, la tête posée sur l'épaule de son Pierrot. Il lui glissa sans mot dire son bras autour de la taille.

Elle écoutait l'ovation, sifflets et vivats mêlés, qui n'en finissait pas.

— En entendant ça, tu comprends que rien d'autre ne compte dans la vie.

Enfin, *presque* rien d'autre. Elle sentait dans la moindre de ses fibres le désir aigu et familier, le manque de cette surtension si particulière que seule pouvait lui procurer une taffe du calumet enchanté.

— On a combien de temps jusqu'au prochain tableau ?

Pierrot consulta sa montre.

— Dix minutes, un quart d'heure.

— Je reviens.

Johanna l'embrassa et sauta au bas de la scène. On l'avait dressée à trois mètres des bois. A travers les arbres, par-delà les silhouettes de ses camarades de danse se soulageant dans les buissons, elle voyait jusqu'à la Cinquième Avenue.

Pas là, décida-t-elle in petto. *Un peu d'intimité s'impose.* Il ne lui restait qu'un demi-caillou glissé dans sa chaussette et elle n'était pas d'humeur à partager. *Après tout, une danseuse a besoin de toute l'énergie qu'elle peut rassembler.*

Elle se fraya un passage à travers la foule. Les Jardins Vanderbilt avaient connu une fermeture de trois ans due à un manque de crédits municipaux, mais grâce à une subvention de la Port Authority Foundation, une cérémonie de gala marquait aujourd'hui même leur réouverture. Ils étaient tous là : gratin mondain, célébrités, Rockettes, Guardian Angels, gosses des rues de Harlem et du South Bronx triés sur le volet, personnalités journalistiques, radiophoniques, télévisuelles, ecclésiastiques et laïques, bref tout le monde, quoi. Et d'autres encore franchissaient en foule le portail de fer forgé qui gardait autrefois l'hôtel particulier des Vanderbilt.

La musique tonitruait : fanfares, groupes de rock, chanteurs et cantatrices glapissant dans des micros sans fil. Quel vacarme ! Quel tintamarre !

Le cœur de Johanna faisait des bonds.

Les Bétacams pianotaient, les appareils photo lançaient leurs flashes, les visages, les coiffures s'épanouissaient au même titre que les fleurs. Il y avait même Bianca Jagger !

Johanna était tout sourire.

Et bien sûr, Tina Vanderbilt, doyenne officieuse de la bonne société new-yorkaise.

Johanna n'arrêtait pas de faire de petits signes de la main.

Et aussi Sheena Flynn, la blonde star des infos, criant des ordres à son équipe télé.

Johanna lui envoya un baiser du bout des doigts.

— Salut ! s'écria-t-elle. Salut !

A l'extrémité sud du jardin, elle s'extirpa de la cohue, écarta une branche de lilas et se faufila derrière les massifs de rhododendrons. Adossée au tronc d'un orme, elle se baissa et récupéra dans ses chaussettes son attirail pour la fumette.

Primo : placer bien au centre du fourneau de la pipe le précieux caillou. Deuzio : le maintenir à la flamme du briquet Bic jusqu'à temps qu'il cristallise. Tertio : porter la pipe à sa bouche, inhaler tout chaud les émanations dans les poumons et compter jusqu'à dix.

Elle se laissa glisser sur le sol et ferma les yeux à demi. A travers le filtre combiné des arbres et de ses paupières, le jardin devint un chatoiement de bleu, de rose et de jaune. Les ombres des feuilles paraissaient lui sourire. La rumeur de la fête semblait à des années-lumière.

Un écureuil fila telle une flèche, déchirant l'humeur du moment comme un coup de feu.

Johanna en lâcha sa pipe.

Elle poussa un petit cri de désespoir. Elle fouilla des yeux le sous-bois entrelacé de plantes grimpantes, tâchant d'apercevoir quelque chose. Puis se mit à quatre pattes et trifouilla dans les feuilles mortes.

Sa main cogna contre un truc solide, lisse et synthétique. Repoussant les feuilles, elle mit au jour le couvercle d'une sorte de glacière de pique-nique.

Elle fronça le sourcil, sa curiosité piquée au vif.

Elle souleva le couvercle.

— Qui l'a découvert ? demanda le lieutenant Vince Cardozo, de la Police de New York.

— Moi.

Une jeune femme se détacha du groupe des témoins. Vêtue d'un collant à rayures bleues et blanches et d'un tutu assorti, ses joues et le bout de son nez portaient des pastilles de clown bleues. Son maquillage avait coulé.

Cardozo pouvait voir qu'elle était assommée et que, encore sous le choc, elle restait incapable de s'empêcher de pleurer et de trembler, de contrôler sa respiration ou toute autre manifestation physique.

— Quel est votre nom ?

— Johanna Lowndes.

Sa voix chevrotait comme celle d'un enfant faisant tous ses efforts pour ne pas brailler.

— Comment se fait-il que vous vous trouviez dans ce bois ?

— Je faisais partie des danseuses. Colombine.

Elle désigna de la tête l'estrade, dressée à six mètres de là, sans quitter Cardozo des yeux.

— Fallait que je m'y trouve, vous comprenez...

— Je ne suis pas bien sûr de comprendre.

Le choc l'avait ramenée à des réflexes élémentaires et il s'aperçut qu'il était dévisagé par ces grands yeux clairs de la plus flatteuse des façons. *Elle me drague en me jouant la carte du sauvez-moi.* Carte qui, si elle n'est plus acceptable chez une femme douée d'une certaine conscience politique, l'est encore chez une adolescente.

Cardozo savait qu'il n'avait rien d'un play-boy — la quarantaine bien tassée, il avait beau être grand et se maintenir en bonne forme physique, il avait toujours eu tendance à être trapu. Ses cheveux et sa moustache se mouchetaient de gris et il avait remarqué que les jeunes femmes commençaient à le lorgner exactement comme cette petite le faisait en ce moment.

— J'avais besoin de faire pipi, dit-elle.

Il voyait clairement que la pauvre petite était gênée. Elle enfreignait un tabou de gosse en faisant allusion au pipi, et pour l'heure, elle ne savait plus l'âge qu'elle avait.

— Il n'y avait pas de toilettes. Alors je suis allée dans les buissons.

Cardozo mesura à vue d'œil la distance qui séparait la scène desdits buissons où l'on avait retrouvé le corps. Il lui avait fallu se frayer un chemin à travers une foule de trois cents personnes pour atteindre l'extrémité du jardin et les rhododendrons. Par ailleurs, des buissons tout aussi touffus poussaient juste derrière la scène et offraient au moins autant d'intimité.

— Vous avez choisi ces buissons-là pour une raison précise ?

Une certaine confusion se lut sur ses traits.

— Pardon ?

— Vous aviez une raison pour ne pas utiliser les buissons derrière la scène ?

Elle le regarda, bouche bée. Et ne répondit pas.

— Je peux peut-être vous aider ? dit une voix dans le dos de Cardozo.

Il se retourna. Un homme brun dans un impeccable costume gris d'homme d'affaires lui souriait. Son sourire n'avait rien de sociable et était des plus politiques : *Votre-vote- m'intéresse-mais-j'ai-pas-de-temps-à-perdre-avec-vos-emmerdes.*

— Je me présente : David Lowndes, le père de Johanna. Je suis l'avocat des sponsors de l'événement d'aujourd'hui.

— Oui ?

— Je trouve épouvantable que ce genre de chose survienne en milieu civilisé.

Comme celle de sa fille, la voix du père était sous-tendue par la connaissance de ses privilèges, même quand elle se plaignait. Mais contrairement à sa fille, cet homme avait une bonne maîtrise des nuances de l'intimidation.

Cardozo lui expédia d'un regard le message suivant : *Mon pote, ton sens des nuances, c'est peine perdue avec ce flic.*

Le sourire de Lowndes s'évapora de son visage lisse au bronzage parfait.

— Si vous désirez interroger ma fille, je me ferai un plaisir de lui servir d'avocat-conseil.

— Votre fille n'est pas en état d'arrestation.

— Je vous en sais gré.

Si c'est un remerciement, je veux bien être pendu. Ce n'en était pas un. Le sarcasme prend mille et une formes à New York et Cardozo les reconnaissait à 999 pour mille.

Il refit le trajet que Johanna Lowndes déclarait avoir effectué. Il se faufila aussi discrètement que possible à travers la nuée des invités. Certains frimaient, d'autres bavardaient. La plupart faisaient morosement la queue pour laisser leur nom et leur adresse à la police.

Il écarta les branches et pénétra dans l'ombre dense des bois. L'air humide était immobile. Les arbres semblaient repousser au loin les bruits de la circulation.

La brigade d'investigation criminelle avait creusé autour du conteneur, en dérangeant le moins de terre possible, et l'avait retiré de son trou d'un mètre cinquante. Cardozo resta là un bon moment à l'examiner. Il effleura sa moustache du bout des doigts — impulsion instinctive pour se couvrir la bouche qu'il réprima tout aussi instinctivement.

Le crâne était un crâne, sans contestation possible. Le reste était plus difficilement reconnaissable. Le temps et les vers avaient fait leur œuvre. Il y avait des os, de la terre, et autre chose entre les deux.

Lou Stein, du labo, était accroupi près de la boîte avec un mètre à ruban.

— Ce conteneur est destiné au transport.

— Au transport de quoi ?

Lou se releva en brossant de la main son pantalon, pour en faire tomber feuilles mortes et brindilles. Il retira ses lunettes pour y voir de près, qu'il glissa dans la poche de sa chemise. Ses yeux bleus rayonnaient d'énergie sous sa calotte chauve frangée de blond.

— Denrées périssables.

Cardozo réfléchit. Si un homme costaud pouvait avoir transporté le conteneur, il n'avait pu le faire ni facilement ni discrètement. A supposer pour le moment qu'on l'ait transbahuté ici en véhicule : comment ledit véhicule avait-il gagné cet endroit ?

Cardozo examina les bois alentour.

Dix grands pas vers le nord l'amenèrent jusqu'aux buissons en bordure du jardin. Il écarta cette hypothèse pour deux raisons : tout véhicule traversant le jardin se serait trouvé arrêté et n'aurait pu passer outre sans écraser des arbustes. Or, pour l'heure, les buissons formaient une muraille intacte.

Des chênes et des pins poussaient à l'est de la sépulture et leurs troncs étaient trop peu espacés pour permettre à quelque véhicule que ce soit, excepté une bicyclette, de passer.

Ce qui retranchait la moitié de la boussole des possibilités.

Cardozo se dirigea sans se presser et un peu au jugé vers le sud. Le sol se creusait d'une ravine profonde remplie de broussailles et de feuilles brunes. Il remarqua quelque chose de blanc qui dépassait de la végétation morte. Il repoussa les feuilles du bout de sa chaussure.

Des journaux, gobelets en plastique, emballages de carton et bouteilles avaient formé une bonne couche de détritus.

Il s'empara d'une branche morte et sonda à l'intérieur. Le bâton s'insinua dans le dépôt visqueux et compact. Il découvrit que la ravine faisait un mètre de large sur un mètre de profondeur au grand maximum, décrivant un arc de cercle de trois mètres — il se pouvait que ce fût le lit d'un ancien ruisseau ; en tout cas, elle était suffisamment large et profonde pour que les roues d'un véhicule puissent s'y enliser.

Ce qui excluait toute direction autre que l'ouest.

Là, les arbres, moins nombreux, poussaient moins dru. On y trouvait surtout fourrés et broussailles. Sur trois mètres, Cardozo aperçut les vestiges d'un ancien chemin de terre. En écartant feuilles et herbes, il aperçut un certain nombre de traces qui auraient aussi bien pu être le fait d'un homme que d'un animal. Quelques-unes même auraient pu passer pour des traces de pneus. Mais il doutait fort qu'aucune ne remonte à avant la dernière pluie.

Le chemin de terre serpentait entre les pins et les chênes pour se perdre à un mètre environ d'une route de service asphaltée à une voie. Une étroite rigole courant le long de l'asphalte ne présentait pas un obstacle insurmontable pour des pneus.

Cardozo commença à élaborer tout un scénario dans sa tête, une grossière esquisse de ce qui avait pu se passer. Quiconque avait abandonné le corps l'avait transporté en voiture ou en camionnette et avait quitté la route de service pour les buissons. Certains types de véhicule passaient inaperçus par ici. Ceux chargés de l'entretien du parc, par exemple. Qu'un homme ou une femme se promène dans le coin ou même y creuse à n'importe quelle heure du jour ou de la nuit, qui prendrait la peine de l'interpeller ou simplement de le remarquer ? Surtout si la personne en question portait l'uniforme des employés du parc ou avait la dégaine d'un sans-abri à mine patibulaire. On était à New York, après tout ; plus personne ne faisait attention à rien, en particulier dans le parc.

— Eh Vince, regarde-moi ça.

Lou Stein examinait une branche de cornouiller lui arrivant à l'épaule. C'était le seul représentant de son espèce parmi les chênes et les pins, probablement un parent éloigné des cornouillers plantés en fer à cheval qui marquaient les limites du jardin. Plusieurs rameaux de la branche avaient leurs pointes effilées projetées vers le bas. Ils avaient été cassés dans le même sens et de la même façon — l'écorce avait été arrachée sur cinq bons centimètres en surface. De la nouvelle écorce avait repoussé, plus claire comparée à l'ancienne.

— On les a coupés ?

Lou fit non de la tête.

— Pas avec une lame. On les a brisés net en hiver quand ils étaient cassants. Un truc est passé par là et les a chopés.

Il sortit son mètre à ruban et mesura la hauteur des rameaux brisés. Il jeta des chiffres sur un calepin.

— Ça a pu être causé par un véhicule quelconque.

— L'hiver dernier ?

Lou examina les cicatrices des boutons sur le rameau.

— Celui d'avant.

Cardozo porta son regard au-delà du cornouiller sur le chemin de terre envahi de végétation qui s'embranchait sur la route de service. Un paquet de feuilles était tombé depuis l'avant-dernier hiver.

— Des traces de pneus dans la terre ?

— Quelques-unes — difficiles à dater.

Lou commença à mitrailler les rameaux au flash.

— On verra bien.

Cardozo essaya de visualiser l'endroit en plein hiver. Entre les arbres sans feuilles, il pouvait apercevoir les Jardins Vanderbilt et leur portail. Par intermittence, il apercevait au-delà les tours d'immeubles de l'autre côté de la Cinquième Avenue.

Actuellement, la vue était obstruée, mais dans les mois d'hiver, elle devait être dégagée. Depuis un véhicule entre les arbres, on pouvait voir les immeubles. Et depuis ceux-ci, selon la lumière et l'heure, il était possible de voir un véhicule parmi les arbres.

Une nouvelle ampoule de flash de Lou sauta.

Un éclat de couleur inattendu dans le sous-bois attira l'attention de Cardozo, qui s'arrêta. Il reparcourut lentement du regard les buissons, sans arriver à le situer. Les traces légères de son passage étaient encore visibles dans la couche de feuilles. Il refit ses trois derniers pas en remettant exactement ses pieds dans leurs empreintes.

Puis il avança à nouveau, et cette fois il le vit.

A un mètre cinquante du cornouiller, et à pas plus de vingt centimètres du sol, un truc rouge pendillait dans la lumière tachetée d'ombre, accroché à la branche d'un buisson. C'était ce léger mouvement de balancier combiné à sa couleur insolite qui lui permettait de le voir maintenant.

Il s'en rapprocha. Il crut d'abord qu'il s'agissait des filaments d'une toile d'araignée entortillés sur eux-mêmes. Il s'accroupit et écarta une branche feuillue.

C'était un morceau de fil rouge.

Il sortit un stylo-bille de sa poche et en glissa la pointe

dans la boucle. Retenant son souffle, il libéra lentement et précautionneusement le fil de la branche.

Il voyait clairement à présent qu'il adoptait la forme d'un huit et qu'un petit tas de brindilles s'était pris dans la boucle du bas. Ou plus exactement qu'on avait noué trois fois le fil autour des brindilles.

Il les compta.

Il y en avait douze, plus ou moins droites, pratiquement de la même longueur, à savoir vingt-cinq centimètres, que maintenait quasiment parallèles le tortillon de fil.

— Eh Lou, tu veux bien venir une minute ?

Lou se leva avec un grognement et en balayant de la main une feuille morte du revers de son pantalon.

Cardozo lui montra le faisceau de brindilles.

— A ton avis, c'est quoi ça ?

— Des tiges qu'on a cisaillées.

Lou prit un air songeur.

— On dirait les restes d'un bouquet mélangé.

Il inclina ses lunettes de biais.

— Au hasard, je dirais lilas, lys et une certaine variété de roses.

— Ça ne te paraît pas bizarre ? demanda Cardozo. Une tombe par là, un bouquet par ici ?

— Dit comme ça, ça ne paraît plus si bizarre que ça.

Lou glissa les vestiges du bouquet dans la poche plastique de mise sous scellés.

— Un oiseau a pu le déplacer. Rien de bizarre là-dedans.

3

L'Institut médico-légal occupait l'angle nord-est de la 30ᵉ Rue et de la Première Avenue. Structurellement et architecturalement parlant, c'était le bâtiment le·plus au sud du complexe hospitalier universitaire. Administrativement parlant, c'était une entité séparée.

La réceptionniste rousse au niveau moins un remplissait un reçu pour un flic qui venait d'y déposer la victime d'un chauffard en fuite. Cardozo lui montra son insigne et signa le registre.

Au fur et à mesure qu'il dévalait l'escalier descendant au niveau moins deux, la température semblait baisser de trois degrés à chaque marche. La buée qu'il exhalait brillait dans la lumière fluo tombant du plafond. Cardozo poussa et franchit une lourde porte d'acier au chambranle de caoutchouc vert. Une senteur de formol et toute une gamme d'odeurs de corps humains en décomposition flottaient dans l'air ambiant comme du gaz lacrymogène.

Toutes les tables de dissection étaient occupées. Des draps verts recouvraient deux des cadavres. Une doctoresse s'occupait d'un troisième, celui d'une femme de race blanche. Cardozo avait toujours du mal à admettre que ce soit là un travail pour une femme.

Comme il la regardait, elle plongea ses mains gantées de plastique dans la cavité d'une poitrine ouverte et en extirpa un énorme foie aux luisances grisâtres. Elle le déposa sur le plateau d'une balance, accrochée au plafond, et fit glisser le curseur le long du fléau de réglage. Un boum-boum musical s'échappait faiblement des écouteurs de son walkman.

A la quatrième table, Dan Hippolito refermait la cage thoracique d'un jeune Noir. Il aperçut Cardozo et releva son masque protecteur en Plexiglas.

— Salut, Vince. T'es pile à l'heure.

Il s'essuya d'un geste auguste les mains sur son tablier de caoutchouc et acheva cet embryon de toilette sur sa blouse chirurgicale.

— Elle est par ici.

Il conduisit Cardozo jusqu'au mur de casiers en inox. Leurs pas résonnèrent sur le ciment humide. Dan déverrouilla le casier 317, dont il ouvrit grand la porte. L'obscurité parut se ruer au-dehors. Il se pencha et fit coulisser silencieusement la civière montée sur glissières à l'extérieur.

— C'est une jeune fille. Dan souleva le drap de nylon vert qui recouvrait les restes de la fille. On l'a découpée à la scie.

Cardozo regardait de tous ses yeux. Une chape de plomb s'abattit lentement sur ses épaules. On aurait dit qu'elle avait été enterrée à l'époque de Cro-Magnon et déterrée quinze mille ans plus tard. Les os, recouverts d'une croûte noirâtre, reposaient sur le mince matelas de caoutchouc, séparés en tas correspondant grosso modo aux membres et au tronc. Ces groupes d'os avaient été placés en relation anatomique approximative les uns avec les autres, comme si un paléontologue les avait préparés pour faciliter leur réassemblage.

Le crâne trônait sur un oreiller plat, du genre de ceux que les compagnies aériennes vous fournissent pendant les vols de nuit. Les orbites pleines d'obscurité, qui vous fixaient avec un calme empreint de dignité, paraissaient palpiter. Les lambeaux de peau sur le visage, ayant noirci de façon non uniforme, lui donnaient l'aspect d'une tête réduite, mais dont l'on n'aurait pas réduit les proportions. Des mèches de cheveux, encore fixées au cuir chevelu, s'entortillaient autour de cette face sans nez en deux longues tresses touffues.

— Probablement avec une scie à viande électrique à lame tournante.

— Le travail d'un boucher professionnel ?

— Un professionnel ne l'aurait pas sciée aux articulations.

Dan, de son index ganté d'épais latex, désigna les esquilles de certains interstices.

— C'est le boulot d'un type dépourvu de la moindre connaissance de l'anatomie des grands mammifères vertébrés et avec du temps à revendre.

— Combien de temps ?

— Ça lui a pris une bonne heure pour faire ça.

Dan Hippolito avait le front de plus en plus dégarni, ce qui dotait d'un relief sinistre son regard noir.

— Un professionnel aurait liquidé l'affaire en un quart d'heure.

— Elle est morte comment ?

Cardozo priait Dieu qu'elle soit morte avant le début de cette boucherie.

— On peut pas dire qu'elle était conservée pour la postérité dans cette glacière en polystyrène. La plupart des tissus ont disparu. Ce qu'il nous reste surtout, ce sont des os et des dents, et ça ne peut pas nous renseigner sur la façon dont elle est morte.

— Alors qu'est-ce qu'on sait au juste ?

— Qu'elle n'est pas morte d'une fracture. On peut dire à vue d'œil qu'elle est restée dans le parc d'un an à un an et demi. Ses fémurs et son bassin sont ceux d'une adolescente de quinze-seize ans, à un an près à tout casser. Son crâne nous indique qu'elle est de type caucasien, d'ascendance nord-européenne peut-être bien. Comme elle ne présente ni caries ni traces de soins dentaires, il se peut qu'elle ait grandi dans un État où l'eau est fluorée ou alors qu'elle ait été une gamine consciencieuse qui s'est brossé les dents en utilisant un fil dentaire après chaque repas. Je ne sais pas combien de repas équilibrés elle a fait — ses os sont à deux doigts de la décalcification, ce qui est inhabituel à cet âge-là. Mais elle a mangé peu de temps avant son décès. Elle a des débris de pain sur les dents. La pâte est bizarre — sans cellules de levure, mortes ou vivantes.

— Ce qui signifie ?

— Qu'elle a pu manger du pain azyme.

— Comme deux millions d'autres filles de son âge. Tu m'aides pas beaucoup, Dan.

— Bouge pas, il y a plus. Regarde sa troisième côte. Brisée deux fois, ressoudée idem. Pas aussi bien la deuxième fois, cependant.

— Qu'est-ce qui a pu causer ça ?

— Un coup de poing, une poêle à frire, un fer à repasser — tout et n'importe quoi de lourd et de massif.

— Donc quelqu'un l'a frappée ?

— L'a cognée dur quand elle avait huit-neuf ans, et encore plus dur quand elle en avait onze ou douze.

— Je ne me souviens pas que Sally se soit...

— Cassé une côte ? acheva Dan à sa place.

— Pas deux fois.

Cardozo fronça le sourcil, tentant de rappeler ses souvenirs.

— Une fois, j'aurais pu oublier ; deux fois, pas.

— D'après ce que tu m'as dit de Sally Manfredo, je doute fort qu'il s'agisse d'elle. Il faudra que je vérifie. Mais j'en doute fort.

Cardozo était partagé entre la douleur et le soulagement. Sa nièce avait disparu six ans auparavant et chaque fois qu'on découvrait le cadavre non identifié d'une adolescente, il connaissait un instant de terreur noire : *cette fois-ci, c'est Sally.*

— Tu veux bien vérifier, Dan ? Rien que pour me tranquilliser ? Je t'en serais reconnaissant.

Dan s'empara d'un os du bas de la jambe et, pendant un court instant surréaliste, Cardozo crut que Dan allait lui demander de le toucher, de le palper et de le reconnaître.

— Voici maintenant sa cheville gauche et ça — Dan parcourut du doigt une fissure irrégulière de deux centimètres et demi — c'est une mauvaise fracture. Elle est intervenue moins de deux mois avant la mort et n'a pas eu le temps de guérir. Elle aurait dû se reposer, mais il est évident qu'elle ne l'a pas fait. Un médecin la lui a probablement réduite, mais elle s'est appuyée de tout son poids dessus, ce qui explique qu'elle ait développé cette torsion de dix-sept degrés que tu vois là. On peut parier à coup sûr qu'elle prenait des analgésiques.

— Cette fille menait une vie à la dure.

— C'est encore sous-estimer son cas.

Dan lui désigna une zone au-dessus de la fracture.

— Il reste pas mal de tissus de la peau qui adhèrent au tibia, et ces trucs-là, ce sont des particules de cuir.

Cardozo plissa les yeux. Il y avait une couche de matière noirâtre collée à l'os et il ne distinguait pas les particules auxquelles Dan faisait allusion.

— Du cuir ?

Le regard sombre de Dan soutint celui de Cardozo. Il hocha la tête.

— Traité commercialement, tanné, et teint en noir. Difficile à voir sans microscope.

— Qu'est-ce que du cuir vient faire sur sa cheville ?

— Quelqu'un a pu immobiliser ses pieds nus avec une ceinture.

— Combien de temps avant sa mort ? demanda Cardozo, soucieux.

— On peut dire les choses comme ça : entre la présence de cette ceinture et sa mort, elle n'a pas pris de douche.

Maintenant Dan montrait la cage thoracique.

— Ces plaques sur le sternum, la clavicule, la septième côte, c'est exactement le même cas — son épiderme a été protégé.

Cardozo voyait bien des lambeaux grisâtres se détacher par intermittence sur l'ivoire de l'os, mais n'aurait jamais pensé que c'était de la peau.

— Protégé comment ?

— Par de la cire.

— Je pige pas.

— Quelqu'un a très vraisemblablement allumé une bougie qu'il a fait goutter sur elle. Probablement pendant qu'elle avait les pieds liés par cette ceinture. Peu de monde accepte sans broncher de se faire administrer de la cire chaude.

La main de Dan décrivit un arc de cercle vers les os du bras.

— Si des tissus autour du radius ou du cubitus avaient

subsisté, on pourrait voir qu'on lui avait également immobilisé les avant-bras.

Dan alla se placer à la tête de la civière.

— Je lui ai un peu nettoyé les cheveux — je voulais que tu voies comment on les a entrelacés avec ça.

Sa main gantée souleva l'une des tresses de la fille. Un corps étranger y brillait faiblement, quelque chose qui n'avait rien à voir ni avec de la poussière ni avec des cellules mortes ni avec de la végétation en décomposition.

Cardozo distingua une série de minuscules maillons de métal.

— On dirait une chaînette.

Ou un porte-clés de quatre sous qu'on avait transformé bon gré mal gré en bijou.

Dan approuva du chef.

— Elle n'a pas fait ça toute seule, on l'a aidée.

Il fouilla dans la poche de son tablier de caoutchouc.

— J'ai trouvé un autre bijou sur elle.

Il posa quelque chose sur la paume de son gant tendu. Un tout petit anneau de métal terni à l'extrême.

— Trop étroit, même pour le petit doigt, dit Cardozo en fronçant le sourcil.

— Ce n'est pas une bague. Je l'ai trouvé à la pointe de son sein gauche, conservé dans la cire. On lui a percé le téton quatre-cinq ans avant sa mort. Comme l'autre téton n'a pas subi le même traitement à la cire, impossible de savoir si cet anneau avait son pendant. Je n'en ai pas découvert d'autre parmi les os. Le labo a peut-être trouvé quelque chose dans la glacière.

Cardozo fit non de la tête.

— Pas encore.

— Les vers ont laissé un peu de moelle dans le fémur droit — je serai peut-être en mesure de liquéfier quelques cellules sanguines. N'en espère pas trop, mais parfois même quelques cellules peuvent suffire à nous dire ce qui lui contaminait le système et quelles drogues elle prenait.

Cardozo demeura immobile un instant, submergé par un flot de tristesse. C'était une tristesse qui venait de loin ; comme il faisait avec depuis six ans, il ferait avec à présent. Il n'allait pas laisser la tristesse l'empêcher de faire son boulot.

— Quel est ton sentiment, Dan ? C'est quoi son histoire ?

— Je déteste extrapoler, vu l'état dans lequel ce corps se trouve.

Dan lissa de ses gants sa blouse de chirurgien, laissant dessus des traînées cendreuses.

— Mais j'ai comme dans l'idée que c'était une ado qui se prostituait, avec des à-côtés à forte coloration sado-maso.

4

En gravissant le perron du commissariat, Cardozo s'aperçut que l'un des deux globes verts flanquant l'entrée avait été brisé une fois de plus. Il hocha la tête. S'il n'avait pas abrité le poste de police, le bâtiment de brique de quatre étages aurait été rayé purement et simplement de la 63e Rue parce qu'il dévalorisait le quartier. On avait rafistolé les carreaux cassés avec du scotch. La moitié des barreaux de fer des fenêtres avaient rouillé et la croûte de suie qui salissait la façade xixe datait de l'époque où Teddy Roosevelt était Préfet de Police. Depuis la Seconde Guerre mondiale, la mairie promettait sa reconstruction, qui ne venait jamais.

Cardozo pénétra à l'intérieur, où la peinture écaillée d'un vert industriel ne dérogeait pas à l'aspect minable de l'ensemble. A l'accueil, le lieutenant de garde, de sexe féminin, tentait de calmer une dame à cheveux bleu argent, qui faisait de grands gestes.

— Des rasoirs, je vous dis !

La dame agitait deux lanières de cuir bleu dépourvues de sac.

— Ces gamins avaient des rasoirs ! Et c'étaient des *Blancs* ! Votre salaire, c'est nous qui le payons et vous laissez des choses comme ça nous arriver !

Cardozo adressa un signe de sympathie au lieutenant et inspira profondément. Il avait deux étages à grimper. Il évita un livreur de pizzas dévalant les marches à toute allure et contourna deux avocats qui vociféraient tout en montant.

Un siècle de piétinements divers avait usé en creux le

marbre de l'escalier. Et le coup de balai-éponge hebdomadaire n'avait conservé au centre qu'un étroit sillon de la veine brun-gris originale.

Au premier étage, un skinhead de race blanche injuriait les trois sergents qui le poussaient dans la cellule, où un Noir lisait un vieux numéro d'*Us News and World Report*. Assise deux marches en dessous du palier du second étage, une femme tâchait de calmer un enfant qui hurlait.

— Pardon, lui dit Cardozo, se demandant comment elle pouvait rester assise là.

Au bord des marches, la croûte de crasse accumulée avait la couleur du pétrole brut.

— A qui est cette madone à l'enfant là-dehors ? cria-t-il en entrant dans la salle de garde des inspecteurs.

Des téléphones sonnaient. Des voix braillaient. Un fax bipait et une radio P.T.P. diffusait de la musique rock soft et des salves de friture.

— A moi ! beugla le sergent Henahan. Elle a assisté à une fusillade.

Cardozo dut se faufiler entre bureaux métalliques et tables en bois.

— Tu prends la déposition du bébé aussi ?

Henahan remplissait un formulaire, tapant avec deux doigts sur une antique machine à écrire.

— Elle a trouvé personne pour le garder.

— Un décibel de plus ou de moins, dit Cardozo avec un haussement d'épaules.

Il acheva sa traversée et atteignit son bureau, un petit box à une seule fenêtre qui donnait sur la salle principale. Il ferma la porte. Ça ne supprimait pas le boucan, mais savoir au moins qu'il avait essayé le soulageait.

La paperasse ayant trait au service avait le chic pour s'entasser sur son bureau. Il aurait juré que la pile avait gagné quelques centimètres pendant son absence. Il s'assit et dégagea un espace suffisant pour ouvrir le dossier de la fille trouvée dans la glacière.

AFFAIRE UP 61 N° 11214 DU 22ᵉ COMMISSARIAT, CONFIÉE À L'INSPECTEUR VINCENT R. CARDOZO MATRICULE N° 1864.

Il tourna les pages. Les éléments étaient toujours aussi effroyablement maigres :

JANE S., SEXE FÉMININ, RACE INDÉTERMINÉE, HOMICIDE DÛ À UNE CAUSE INCONNUE.

Dans quatre-vingts pour cent des affaires de meurtre, les

coups de pouce importants se produisent dans les premières quarante-huit heures ou jamais. Miss Glacière ne donnait pas l'impression qu'elle allait bénéficier d'un de ces coups de pouce-là.

Là où aurait été agrafée d'ordinaire une photo format passeport du visage de la morte, on avait agrafé à la place celle de son crâne. On aurait dit un objet façonné d'un musée d'art primitif.

L'heure et le lieu du crime étaient toujours en blanc. Laissée idem en blanc la description du crime proprement dit. Nom et profession de la victime, néant. Notification du décès à la famille, néant.

Par contre, la liste des noms et des adresses des personnes interrogées commençait à s'allonger. Jusqu'à présent, les inspecteurs avaient questionné un peu plus de trente invités de la cérémonie d'inauguration et une dizaine de portiers des immeubles d'habitation donnant sur le jardin. Cardozo survola leurs rapports.

Aucun des invités n'avait dit quelque chose d'utilisable. Aucun des portiers ne se rappelait avoir vu de camion ni de fourgonnette dans les jardins au cours des six derniers mois, exception faite des véhicules de service du parc.

Cardozo poussa un soupir qui se perdit dans le bruit de la climatisation.

Il glissa une cassette dans le magnétoscope et appuya sur la touche *play*. Les rushes du reportage télé sur l'inauguration du jardin apparurent sur l'écran. Il n'en était pas à sa première vision et savait que c'était loin d'être la dernière.

Des acteurs de *Sesame Street*[1], dans leur costume d'animaux, cabriolaient sur une scène construite tout spécialement. Des célébrités et des mondains côtoyaient dans la foule des Guardian Angels tentant leur come-back et des gamins du ghetto triés sur le volet, à l'air inoffensif.

La caméra glissa sur des visages à peau mate, bronzée ou jaune pour aller cadrer un autre groupe de Blancs. Cardozo reconnut des visages vus à la télé ou dans les journaux — Samantha et Houghton Schuyler, principaux piliers des fêtes de Manhattan, qu'ils les donnent ou qu'ils s'y rendent, bavardaient avec Tina Vanderbilt, l'antique Première Dame de la haute société new-yorkaise. L'homme à l'air lugubre, qui donnait le bras à Mme Vanderbilt, portait une perruque blonde, ça crevait les yeux.

---

1. Sesame Street, émission de télévision enfantine éducative célébrissime. (N.d.T.)

On frappa à la porte.

— Entre, fit Cardozo sans se retourner.

— Je viens d'avoir au téléphone le Fichier national des jeunes fugueurs.

Une femme pénétra dans le box.

Alors seulement il se retourna.

Les yeux noirs de l'inspecteur Ellie Siegel, au visage à peau de miel et à fine ossature, étaient fixés sur lui.

— D'après leur estimation, ils en ont plus de deux mille cent qui peuvent coller.

— Ils disent toujours le même chiffre. Ça les pose.

Cardozo stoppa la bande.

— C'est qui le type à la moumoute ?

Ellie se pencha sur l'image hoquetante. Elle portait aujourd'hui une robe violette qui épousait la moindre courbe, soigneusement entretenue, de son corps.

— Si l'on en croit les courriéristes, il s'appelle Withney Carls et c'est le bâton de vieillesse de Mme V.

Cardozo tapotait de son crayon le bras de sa chaise pivotante en bois. Peu de chose absorbait le bruit dans cet espace faiblement éclairé : pas de rideaux, pas de moquette. Par endroits, le linoléum usé montrait le plancher d'origine. Le mobilier métallique était du pur Ville de New York standard : un bureau délabré, un classeur sérieusement malmené, une chaise à dossier droit que les visiteurs choisissaient rarement d'occuper de leur propre chef.

— A-t-on une description un peu moins floue de la jeune morte ?

Ellie repoussa l'une des mèches brun clair qui lui tombaient sur l'œil.

— Ce n'est pas encore possible.

— Et les rayons X ?

Depuis quarante-huit heures, quatre inspecteurs avaient passé au peigne fin les registres des services d'urgence, sur les traces de toute fracture de cheville survenue à une jeune fille de dix-sept ans un ou deux ans auparavant.

Ellie secoua la tête.

— Rien jusqu'ici.

Cardozo leva les yeux : on frappait au battant de la porte ouverte. C'était l'inspecteur Greg Monteleone, calepin dans une main et bagel au fromage dans l'autre. Plafonnant à un mètre quatre-vingt-trois pour plus de cent kilos, c'était un gros mangeur invétéré. Il marmonna quelque chose.

L'image se figea, puis repartit en arrière en accéléré. Les clowns repoussèrent le truc boueux dans les buissons. La caméra s'éloigna en panotant. L'écran se surexposa.

— C'est quoi ce flash ?

Il appuya sur *forward*. La fille hurla. L'écran se surexposa une fraction de seconde. La caméra panota. Il recommença la manœuvre. Cri. Surex. Pano.

— T'es sûr que c'est pas un défaut ? dit Ellie.

— Le son continue, observa Greg, donc il n'y a pas de défaut sur la bande.

— C'est un truc dans l'image, dit Cardozo. Quelque chose envoie comme un flash là-bas dans le jardin.

Ellie réfléchissait.

— Peut-être un reflet sur un pare-brise. Reviens en arrière. Voyons voir ce qui se passe avec la circulation.

Cardozo rembobina la bande et, cette fois-ci, la fit se dérouler au ralenti en coupant le son.

La circulation sur la Cinquième Avenue était visible par intermittence à travers le rideau d'arbres et de fourrés. Par-dessus le mur du parc défilaient au ralenti pare-brise et toits — voitures et camions, limousines, taxis et bus, et même une camionnette ou deux.

— Le temps est trop couvert pour que ce soit un effet de solarisation, dit Greg.

— Alors c'est le flash d'un appareil photo braqué pile vers l'objectif de la Bétacam, conclut Cardozo.

— Ou au-delà.

Ellie se mordit la lèvre.

— Qui a le plan des lieux ?

— Toi, dit Greg.

— Non, Vince.

Ellie souleva tout un tas de paperasses sur le bureau et en tira une carte au tracé parfait, portant l'intitulé : Jardins Vanderbilt, 11 mai, 14 h 40.

Cardozo la regarda faire avec une légère irritation, qu'il savait infondée.

— Comment se fait-il que tu t'y retrouves mieux que moi dans mon bordel ?

— J'ai été mariée sept ans, répondit Ellie posant la gomme d'un crayon sur la carte, à l'endroit marqué « scène ».

— Moi aussi. Qu'est-ce que le mariage a à voir là-dedans ?

— Tout. Tu n'es pas aussi bordélique que lui l'était.

Maintenant la gomme en place, elle fit effectuer au crayon

une rotation jusqu'à lui faire traverser le point marqué « Bétacam ».

— Ahem.

Elle sourit comme pour dire : *N'est-ce pas que je fais ça
bien ?*

La pointe du crayon désignait le buisson marqué « emplacement du corps ».

— Ce flash, c'est peut-être quelqu'un qui photographiait le
buisson.

— Mais pourquoi le photographier justement ?

— Un paparazzo amateur en quête d'un scoop qui a
entendu les cris.

Cardozo fronça le sourcil.

— Au tout premier cri, avant que quiconque ait compris
ce qui se passait et où ça se passait, ce photographe x sait
exactement où il doit mitrailler ?

— Peut-être qu'à ce moment-là, il photographiait autre
chose qui se trouvait par hasard dans la même direction. Ou
peut-être qu'il savait de bonne source qu'il y avait un cadavre
derrière ce buisson. Ce ne sont pas les explications plausibles
qui manquent.

— Il savait de bonne source, comme s'il avait dissimulé le
corps là, lui-même ?

— Bonne source que nous ignorons encore.

Cardozo avait des doutes.

— Pourquoi photographier la découverte de ce dans quoi
on a trempé ?

— Tout ce que je dis c'est qu'on a tout un éventail de
possibilités et tout intérêt à n'en exclure aucune sans au moins
l'examiner de près.

— O.K. Examinons-les.

Cardozo rembobina la bande jusqu'au cri, puis la fit se
redérouler une fois encore. Juste avant le flash, il gela l'image.

— La définition de ce magnétoscope est pourrie, dit Ellie.
Tu peux pas empêcher l'image de danser ?

— Elle est au maxi de sa stabilité.

Ellie scruta l'écran.

— Notre photographe est quelqu'un qui regarde obliga-
toirement la Bétacam au lieu de la scène.

Greg tapota du doigt un groupe qui s'était retourné, et
dont les visages regardaient hors champ, yeux écarquillés.

— Un de ces cinq-là.

Cardozo eut un coup au cœur. Deux des hommes portaient

un col ecclésiastique, et Cardozo venait de reconnaître l'un d'entre eux.

5

Tout était exactement comme Cardozo s'en souvenait.

Malgré une dotation qui était, chuchotait-on, la seconde en importance de la ville de New York, l'église épiscopalienne de Saint-Andrew donnait davantage une impression de robustesse yankee que de splendeur typique de Manhattan. Ses dimensions et son design l'apparentaient à l'église fièrement dépouillée et à haute flèche d'une petite ville de Nouvelle-Angleterre, à deux détails près : l'utilisation par les architectes de granit gris pour le revêtement au lieu des traditionnelles planches à clin blanches, et l'absence de cimetière.

Le presbytère, par contraste, était une curiosité de brique rouge hérissée de tourelles et de pignons. Ce devait être le seul bâtiment de l'Upper East Side à étaler de tels ornements tarabiscotés en marbre blanc ; et certainement le seul dans son genre sur la portion bordée d'arbres de la 69e Rue Est qui va de Madison à Park Avenue.

Ce filigrane de marbre dentelé plus léger que l'air semblait sortir des *Mille et Une Nuits* et avoir été sculpté par des génies, se dit Cardozo.

Il appuya sur le bouton de sonnette du presbytère. Un instant plus tard, une jeune femme aux yeux verts et vifs, et aux cheveux blonds ondulés, ouvrit la porte. Elle portait un corsage gris et des jeans délavés. Il ne se rappelait pas l'avoir vue la dernière fois qu'il était venu.

— Vince Cardozo. J'ai rendez-vous avec le père Montgomery.

Elle lui sourit.

— Je suis la révérende Bonnie Ruskay.

Elle l'escorta jusqu'à la salle d'attente. Elle était toujours meublée dans ce style victorien quasi opulent dont se souvenait très bien Cardozo : chaises sculptées, palmiers en pot, abat-jour en perles, tables recouvertes de châles.

— Voulez-vous prendre place ? Le père Joe sera à vous dans un petit moment.

Deux femmes attendaient déjà. Bien habillées, faisant de l'effet l'air de ne pas y toucher, elles étaient plongées dans des magazines.

Cardozo s'installa dans un fauteuil et prit un numéro d'*Architectural Digest* posé sur la table. En l'ouvrant, il se retrouva nez à nez avec une photo en quadrichromie de la pièce même dans laquelle il était assis. « La Maison de Dieu que Joe a construite », claironnait une légende en caractères gras.

Le père Joe Montgomery canalise le tohu-bohu d'une paroisse prospère de l'Upper East Side pour de bonnes œuvres qui œuvrent efficacement. Socialement impeccable, socialement très recherché et socialement respectable, le vicaire du sang bleu de New York résume à lui seul le nouveau melting-pot des années 90. Est-il le paradigme qui peut faire tenir ensemble notre cité morcelée et morcelante et la faire entrer dans le prochain millénaire ? Miranda Lembeck a posé la question au père Joe de Saint-Andrew à Manhattan.

Cardozo feuilleta l'article. Plusieurs photos montraient un père Montgomery bien bâti, vigoureux, à cheveux gris, caracolant en manches de chemise et col ecclésiastique en compagnie de célébrités de sexe féminin instantanément reconnaissables — « dégustant des huîtres avec Nancy Reagan — mettant en scène Sonya Barnett dans le grand prix de l'émission de télévision scolaire de l'année dernière, *Saludos, Electra !* — entonnant avec Liza et Lena une version fort leste de *Swing Low, Sweet Chariot* — plaisantant avec la présidente du conseil paroissial Tina Vanderbilt ».

Cardozo ressentit une légère surprise en apprenant que Sonya Barnett — l'actrice chantante dansante émouvante mise au pinacle de tout temps par sa mère — était encore de ce monde. Au panthéon des valeurs américaines, la Barnett occupait une place aussi haute et presque aussi ancienne que la Statue de la Liberté et la bouteille de Coca-Cola. Bien qu'il n'ait pas vu de film avec elle depuis des années, il aimait à se la représenter semblable aux rôles qu'elle jouait — une vieille et insupportable W.A.S.P. de souche avec un accent Dixie à couper au couteau.

délits ; le nombre des délits non accompagnés de violence était gonflé des infractions d'atteinte à la qualité de la vie comme les dépôts sauvages d'ordures ou le tapage nocturne ; ainsi, le pourcentage des délits avec violence semblait décliner.

Cardozo sentit la colère lui brûler les tripes comme une boule de feu. Dans cette ville, le nombre de meurtres avait grimpé à une moyenne de douze par jour. Celui des attaques à main armée avoisinait quotidiennement la centaine. Les flics coinçaient les délinquants dans moins d'un tiers des cas. Le D.A. choisissait de poursuivre moins du tiers de ce tiers, et les jurys prononçaient une condamnation dans moins de seize pour cent des cas, tous procès criminels confondus. Ces condamnations étaient pour moitié révoquées en appel.

Trois mille six cents personnes étaient assassinées chaque année, la liste de celles qui étaient terrorisées se montait annuellement à un demi-million, et le maire et son préfet de police avaient décidé que la meilleure façon de se défendre contre les tigres humains qui déchiquetaient la ville à belles dents c'était d'élever des murailles de paperasse.

Cardozo fit une boulette de la directive et l'expédia à sa vraie place, dans la corbeille à papier.

— Dan Hippolito t'a laissé un message, dit Ellie.

Il avait toujours un goût de soufre dans la bouche et en conclut que c'était le gâteau de riz d'Ellie.

— Il est abominable ton truc.

— Tu passes de douze à quatorze heures par jour sans prendre un vrai repas. Tu ne peux pas vivre que de café. Tu dois fournir à ton organisme autre chose que de la mauvaise bouffe.

Il savait qu'il valait mieux ne pas argumenter avec Ellie. Sa seule porte de sortie était de changer de sujet.

— Et qu'est-ce qu'il voulait, Dan ?

— Il m'a dit qu'il avait de bonnes nouvelles et qu'il espérait que tu aurais le bon sens de ne pas les trouver mauvaises.

Cardozo remballa la portion de gâteau de riz et l'envoya rejoindre dans la corbeille à papier la dernière directive du préfet.

— Je préfère mal bouffer.

— Il m'a dit qu'en aucun cas miss Glacière ne peut être Sally.

Quand Cardozo leva les yeux, il vit qu'Ellie le fixait. Ses yeux légèrement fendus en amande donnaient à son expression une qualité étrangement personnelle, qui vous faisait y regarder à deux fois.

— Je te serais reconnaissant de ne pas me regarder de cette façon.

— Quelle façon ?

— Comme si tu prenais la mesure d'un suspect.

— Pardon, fit-elle. C'est fascinant de voir comme tu crispes les mâchoires quand tu te sens menacé.

— Je crispe les mâchoires quand je dois avaler la prose du préfet et un gâteau de riz qui m'emporte la bouche.

— Qui est Sally, Vince ?

Cardozo décapsula le jus d'orange, se rinça la bouche de son entremets au riz, puis avala le tout.

— Sally Manfredo. Tu l'as jamais rencontrée.

— La fille de ta sœur ?

Il fit oui de la tête.

— Elle a disparu, ça fait six ans de ça. Avant que je te connaisse.

Le fameux regard d'Ellie s'aiguisa.

— Et tu t'en fais toujours pour elle.

— Quand un truc style miss Glacière arrive, sûr que je m'en fais.

— Je comprends, dit Ellie, hochant la tête.

Elle fit mine de s'en aller.

— Oh au fait, quelqu'un d'autre a laissé un message. Un certain Sam Portola.

Il renversa la tête et vida la bouteille en plastique jusqu'à la dernière goutte.

— Je le connais ?

— C'est un portier de la Cinquième Avenue. Il pense qu'il a peut-être vu quelque chose dans le jardin.

Le 1010, Cinquième Avenue, immeuble d'avant-guerre à l'élégante façade de granit, se dressait juste en face des Jardins Vanderbilt. Ce devait être une de ces copropriétés où les charges étaient devenues si exorbitantes que les occupants avaient exigé un signe tangible de standing en contrepartie ; ce qui, dans ce cas, s'était traduit par un portier en grand uniforme trois pièces, même par une chaude journée.

Et pour être chaude, la journée était chaude.

Le nom arboré sur la veste de la livrée gris et or était Sam Portola. Il tint la porte ouverte en voyant approcher Cardozo, avec un sourire d'une affabilité allègrement contrefaite.

— Je peux vous parler un instant, Sam ? dit Cardozo en lui montrant sa plaque.

Portola blêmit.

— Bien sûr, mais je suis de service.

— Vous avez téléphoné au 22ᵉ commissariat. Vous vouliez signaler quelque chose que vous avez vu dans les Jardins Vanderbilt ?

— Oui. Un inspecteur m'a interrogé l'autre jour, et je m'étais pas souvenu. Mais aujourd'hui, c'est l'anniversaire de Ginny — ma gosse. Et ça m'est revenu. J'ai vu une fourgonnette dans le jardin, garée près d'un lampadaire.

· Cardozo sortit son calepin.

— A l'intérieur du jardin ?

Portola opina du bonnet.

— Oui, près des buissons où on a retrouvé cette...

Il n'acheva pas sa phrase.

Un couple vêtu de façon ostentatoire traversa le hall, effleurant à peine le sol.

Portola ne fit qu'un bond pour leur tenir la porte.

— Vous souvenez-vous approximativement de la date à laquelle vous avez vu cette fourgonnette ? demanda Cardozo.

— C'était il y a un an et trois mois. Le 7 mars.

Cardozo avait appris à se méfier de l'exactitude de la mémoire.

— Comment se fait-il que vous vous en souveniez ?

— Il y avait une espèce de soleil qui souriait peint sur le côté. Ça m'a rappelé qu'il fallait que j'achète des ballons « smile » à la fabrique de la 21ᵉ Rue Ouest. Pour Sammy, mon autre gosse. Le 7 mars, c'est son anniversaire. Si je n'avais pas vu la fourgonnette, j'aurais oublié.

— Est-ce que vous avez aperçu le conducteur ?

Portola secoua la tête.

— Vous n'avez vu personne aux alentours ?

Portola réfléchit en penchant la tête et en frottant du doigt son nez couperosé. Il garda le silence un bon moment avant d'acquiescer.

— Ben, y avait un mec dans les buissons, mais j'ai cru qu'il pissait, alors j'ai pas trop regardé.

— Et il a pissé longtemps ?

— Je l'ai pas vu longtemps par là-bas.

— Vous pouvez le décrire ?

— Bien peur que non.

— La fourgonnette est restée là combien de temps ?

— Oh, une bonne heure ; une heure et demie minimum.

— Vous rappelez-vous quelque chose d'autre à son propos ?

— Elle était bleue. On aurait dit une Toyota. A cause de la forme des hublots à l'arrière. Et il y avait des mots écrits sous le soleil qui souriait. Mais il y avait des branches qui me gênaient, j'ai pas pu tout lire.

— Même pas un mot ?

— Dieu.

— Dieu ?

— J'ai pu lire que le premier — *Dieu.*

6

La voix dans l'amplificateur le rappela doucement à l'ordre.

— Eminence. Vous aviez dit 3 heures et quart.

Le cardinal Barry Ignatius Fitzwilliam s'ébroua sur le canapé. *Déjà ?* se dit-il.

— Il est là ?

— Oui, Eminence.

— Très bien, envoyez-le-moi.

Le cardinal Fitzwilliam se leva et passa dans la salle d'eau où il s'aspergea la figure. Son petit somme ne l'avait pas reposé. Comme d'habitude. Il massa à l'eau froide la peau marbrée et flasque autour de ses yeux. Le visage reflété dans la glace lui évoquait un vieux chien — bien brave, digne d'affection, mais commençant à baisser et ne méritant plus une confiance aveugle.

Il regagna son bureau. Le haut plafond donnait une impression de vide et d'espace. Un petit peu trop d'espace. Malgré le côté miroitant et peu encombré de sa surface de travail, il égarait sans cesse des choses. Il se mit à chercher sa barrette, l'air soucieux.

— Bonjour, Barry. Comment allez-vous ?

Le District Attorney de Manhattan, William Kodahl, lui tendait une main ferme ; le magistrat était de vingt-et-un ans le cadet du cardinal. Il avait les cheveux gris, mais d'un gris

— Vous devez garder cette perspective en tête. Pour l'instant, nous ne nous occupons que d'un seul meurtre — celui de cette fille. Du côté des médias, les deux autres sont déjà oubliés. Ils n'ont pas fait le lien.

— Mais tôt ou tard, c'est inévitable, quelqu'un de la police fera le rapprochement.

Le D.A. secoua la tête fort respectueusement.

— Les cadavres ont fait surface dans des quartiers différents — chaque affaire a été confiée à un inspecteur différent.

Le ton de sa voix était calme et précis.

— Ces inspecteurs ne se connaissent pas et, à plus forte raison, ignorent tout mutuellement des affaires dont ils sont responsables. Bon sang, ils sont tellement surchargés de travail que la plupart d'entre eux ne connaissent même pas le contenu de toutes les affaires qui leur sont confiées. Dans une ville de cette taille, et avec le taux de criminalité que nous avons, il est hautement improbable qu'un simple inspecteur livré à lui-même puisse déceler les similitudes, et encore moins avoir le temps d'aller les déterrer.

— Mais vous n'en avez pas la certitude.

— Je suis prêt à parier tout ce que j'ai. L'assistant de l'adjoint du Préfet de Police chargé des relations avec les médias travaille en étroite relation avec mon bureau sur cette affaire.

Une ombre passagère assombrit les pensées du cardinal.

— Je connais les flics, Bill. Il y en a deux dans ma famille. Peut-être même que je les connais un peu mieux que vous.

— Les flics sont des employés. Aux ordres.

Le cardinal était trop nerveux pour rester en place. Il se dirigea à nouveau vers la fenêtre.

— Je ne peux pas m'empêcher d'être inquiet.

— C'est inutile. Mon bras droit aura un entretien avec l'inspecteur qui s'occupe de l'affaire.

Le cardinal se retourna.

— Quand ?

Le D.A. inclina son poignet pour jeter un œil sur un losange d'or.

— Dans dix minutes environ.

7

Si Harvey Thoms, District Attorney adjoint, n'appréciait guère la chaise d'acier à dossier droit dépourvue de coussin, il ne le montra pas.

— Si vous divulguez trop d'infos à la presse, disait-il, intenter une action dans cette affaire pourrait devenir difficile.

— En règle générale, nous communiquons l'identité de la victime aux médias, dit Cardozo. A défaut, sa description. Plus, l'heure et le lieu du crime.

— Sans dévoiler le M.O. ?

Cardozo considéra son visiteur. Harvey Thoms fouaillait joyeusement d'un cure-dent en plastique ses molaires supérieures gauche. Il avait la carrure, les muscles et le teint fleuri d'un ex-poids lourd qui avait passé vingt ans de sa vie à boire des martinis. Sa dernière question laissait penser qu'il les avait bus lors de sa pause-café de l'après-midi même.

Bien sûr qu'on ne dévoile pas le modus operandi. Même les bleus, chez les flics, savent ça. Et les bleus, chez les D.A., devraient le savoir.

— On ne dévoile pas les détails, dit Cardozo. L'idée, c'est de donner une image générale pour que quiconque en possession d'un renseignement en reconnaisse suffisamment pour se présenter spontanément.

— Il se pourrait cette fois que nous désirions modifier cette façon de procéder.

— Il faudra bien. On peut à peine fournir une description de la victime, et encore moins l'identifier. Nous ne savons pas exactement comment elle a été tuée, nous n'avons pas la moindre idée d'où elle l'a été, et sommes incapables de déterminer l'heure de sa mort à un mois près.

— Le plus facile serait de ne pas mettre les médias dans la confidence.

— Facile pour le D.A., peut-être. Il va nous falloir de sérieux coups de pot. Les témoins ne vont pas se manifester s'ils ne comprennent même pas qu'ils sont témoins. Il faut que le public sache que cette fille est morte.

— Laissez les R.P. du Préfet de Police se charger de ça.

— C'est ce qu'ils font d'habitude — d'une façon débile qui n'appartient qu'à eux.

los qui font le tapin ? Pour se faire vider les couilles — et les poches.

— D'acc, mettons que le père Joe aime à batifoler avec des putes qui pratiquent la confusion des sexes. Mais comment son assistante a-t-elle pu se montrer si négligente et nous confier ces photos ?

— Peut-être que ce n'est absolument pas une négligence de sa part, dit Ellie. Peut-être qu'il n'y a rien à cacher. Après tout, l'Église a un programme d'action sociale avec les putes.

On frappa à la porte.

— Excusez le dérangement, mais on peut s'occuper de moi ?

Nico Forbes se tenait là, cheveux et sourire flottants, tenant à la main son dessin révisé.

— Voyons voir.

Cardozo approcha le dessin de la fenêtre.

Nico avait donné à la fille de hautes pommettes bistrées, un nez asymétrique légèrement retroussé, des yeux d'une tristesse dure comme le diamant. Il avait bien rendu le paradoxe : le mélange de maigreur émaciée et de rondeur enfantine.

La vue de ce visage emplit Cardozo d'une tristesse insondable.

— Tu as fait du bon travail, Nico. On va en tapisser tous les endroits où zonent les fugueurs.

— Et si on le donnait aux journaux et aux médias ? dit Ellie.

— On va le donner aux R.P.

Ellie fronça le sourcil, perplexe.

— Légère modification dans la marche à suivre, fit Cardozo. Ordre du D.A.

8

Cardozo appuya sur le bouton de sonnette du presbytère de Saint-Andrew. La révérende Bonnie Ruskay vint répondre.

— Désolé de vous déranger, fit-il. Mais pourrais-je dire un mot au père Montgomery ?

— Il est absent. Aujourd'hui, c'est son jour de prison.

— Accomplirait-il une peine quelconque ?

— Non, il rend visite aux prisonniers. Puis-je faire quelque chose pour vous ?

— Si vous avez un instant.

— J'ai un instant.

Il la suivit jusqu'à la salle d'attente.

— Nous avons développé ces fameux négatifs, dit-il en lui tendant un paquet de photos. Elles proviennent d'une pellicule vingt-quatre poses : il manque deux clichés.

Elle se laissa tomber dans un fauteuil.

— La journée a été longue, dit-elle avec un soupir. Asseyez-vous, je vous en prie.

Il prit place sur une chaise, face à elle.

— Savez-vous quelque chose concernant ces photos manquantes ?

Elle ouvrit le paquet et examina les tirages.

— Je suppose qu'elles étaient ratées et que le labo ne s'est pas donné la peine de les renvoyer.

Elle sépara une photo des autres.

— Superbe, celle-là.

Elle tenait un cliché de deux enfants blonds souriant jusqu'aux oreilles.

— Ça ferait une merveilleuse illustration de Noël pour le bulletin de la paroisse. J'aimerais la garder, je peux ?

Cardozo haussa les épaules.

— Aucun problème en ce qui me concerne.

— Pourriez-vous me donner le négatif ? dit-elle avec hésitation. Ça faciliterait la tâche de l'imprimeur.

— Il faudra que je vous le poste. Il est resté dans mon bureau.

— Je vous en saurai gré.

Elle survola les photographies restantes.

— Il semble qu'il y ait trois photos d'une prostituée dans le lot.

Il n'aurait su dire si le coup d'œil qu'elle lui lança était timide, perplexe, ou les deux. Un ange passa. A travers la fenêtre, derrière elle, il voyait le crépuscule envahir le jardin.

— Excusez-moi, dit-elle. C'était une question ?

— Une simple observation, en passant.

— Vous voulez parler de ces trois-là ?

Elle fixait les photos de la pute au boa.

— Vous espériez me surprendre ?

— Quel homme actif, lâcha Cardozo. Et aux talents multiples.

Bonnie Ruskay approuva du chef.

— Très.

Des congères de sciure recouvraient le sol. Le regard de Cardozo isola cinq maxi glacières en polystyrène empilées près du coffre à bois.

— Et ça ?

— C'est pour les pique-niques.

— Ne me dites pas que le père Montgomery cuisine par-dessus le marché.

— Dès qu'il en a l'occasion. Il croit qu'il faut nourrir la multitude.

9

— J'ai très peur.

La fille rousse à peau blanche tirait sur sa couette gauche.

— Et si F-F-Frank de-de-devine tout ?

— Qui est Frank ? demanda Bonnie.

La fille réussit à desserrer les lèvres.

— Mon m-m-mac.

Bonnie prit bien garde de ne marquer aucune réaction. Ça la choquait toujours autant que des fillettes de quatorze ans se prostituent.

— Comment il le saurait ? Tu sais bien que je ne vais pas aller le lui dire.

La fille, les yeux brillants et gonflés, prit un long moment de réflexion pour accepter la vérité de cette affirmation.

— Et le Dr Saint-Lawrence n'ira rien lui dire non plus, c'est sûr. Les médecins ne sont pas autorisés à parler. Et toi, de ton côté, tu ne lui diras rien.

— J'sais pas.

La voix de la petite était soudain lointaine. Ses doigts pétrissaient la mince étoffe de coton de sa robe.

— Peut-être qu'il faudra.

Bonnie ne se contrôla plus. Son poing s'abattit sur le bureau avec le bruit sourd du marteau d'un juge.

— Amy, c'est lui qui t'a donné cette maladie. Tu peux guérir, mais pas si tu reviens avec lui.

La fille se mit à pleurer doucement, l'air perdu.

— Je sais pas quoi faire.

— Tu sais exactement ce qu'il faut faire. Tu vas sortir par cette porte et une fois dans Park Avenue prendre un taxi. Tu as l'adresse du médecin.

La fille baissa les yeux vers la carte qu'elle tenait à la main.

Bonnie prit un billet de cinq dollars dans son sac.

— Ça, c'est pour la course. Allez viens maintenant, le Dr Saint-Lawrence t'attend.

La fille restait assise là, désemparée, dans le fauteuil de cuir. Elle agrippait le bristol et le billet de cinq dollars, les fixant comme si elle contemplait la fin de son existence. Un cri s'arracha de sa gorge :

— Si j'ai plus Frank, j'ai qui à la place ?

— Moi, Amy.

Bonnie se leva et ouvrit la porte de son bureau.

— Allons-y.

Elle la raccompagna jusqu'à la porte du presbytère. La fille lui posa un baiser rapide sur la joue.

— Merci.

— Tu seras toujours la bienvenue, lui dit Bonnie en souriant. Téléphone-moi.

Elle revint dans son bureau. Elle se sentait vidée. *Il y a tellement d'enfants comme elle*, songea-t-elle. Dix mille jeunes fugueurs et fugueuses se précipitent à New York chaque année, y recherchant l'excitation, la liberté, la célébrité et le succès, et n'y trouvant qu'immeubles à l'abandon, pauvreté, drogue, prostitution, maladie et mort prématurée. Une fille comme Amy n'était que la centième partie d'un pour cent du problème.

Bonnie lutta contre un sentiment de désespérance, tentant de se concentrer uniquement sur le silence et l'espace.

Sur le bureau, les aiguilles de la pendulette Tiffany en or marquaient 6 heures et quart. Fin d'une journée de travail. Aucun appel téléphonique ne la tarabustait de son bip-bip bien élevé, aucun paroissien ni ado fugueur ne réclamait qu'elle lui prête l'oreille, l'épaule ou lui donne un conseil. L'instant lui paraissait étrangement creux et irréel.

Elle jeta un coup d'œil sur son carnet de rendez-vous. Plus rien de prévu pour aujourd'hui. Plus aucun face à face.

— Bonsoir, Bonnie, dit une voix de femme dans le couloir.

— Bonsoir, Virginia.

Elle entendit les pas de la secrétaire de la paroisse s'éloigner dans le couloir, puis la porte d'entrée se refermer avec un *boum* assourdi. Elle était maintenant seule dans le presbytère.

Son œil inventoria la surface du bureau. Le travail qui lui restait encore à faire avait poussé comme du chiendent — lettres auxquelles il fallait répondre, chèques qu'il fallait signer, piles de mémos de coups de téléphone à retourner et paroissiens malades auxquels il fallait rendre visite.

Elle commença par les chèques et tria les appels téléphoniques. Elle haussait le sourcil devant le devis d'un entrepreneur pour les réparations du toit d'ardoise quand la sonnette de la porte d'entrée carillonna.

Les aiguilles de la pendule dessinaient comme une part de tarte : 7 heures moins 5. *Qui diantre*, se demanda-t-elle.

Par l'étroite fenêtre à petits carreaux de plomb, un homme en chapeau de cow-boy noir rejeté sur la nuque tâchait de voir à l'intérieur en se protégeant les yeux.

Elle ouvrit la porte.

— Je peux vous aider ?

— Où est Talia ?

Sa voix était rauque comme du papier émeri sur un tableau noir.

— Je regrette, vous vous êtes trompé d'adresse.

Ses sourcils blancs s'arquèrent vers la naissance de ses cheveux blonds taillés à la diable.

— Une gamine rousse avec des couettes et la peau sur les os.

La description collait, mais elle ne jugea pas répréhensible de faire celle qui ne savait rien.

— Désolée, il n'y a pas de Talia ici.

— Elle bégaie quand elle parle.

Deux dents noires plantées au beau milieu d'un sourire conciliant.

— Je veux juste la ramener à la maison.

— Pourriez-vous repasser aux heures ouvrables ? Il n'y a plus personne qui puisse vous renseigner, maintenant.

Les yeux bleus s'étrécirent.

— Vous êtes toute seule ?

Ne lui laisse pas croire ça, lui souffla son instinct.

— Revenez demain.

Le visage de l'homme se durcit comme le tranchant d'une hache.

— Vous feriez mieux de pas fourrer votre nez dans des affaires qui vous regardent pas, putain de merde.

Il est fou, se dit Bonnie. *Ou bien drogué. Les deux, peut-être.*

— Réfléchis bien, madame. Je peux t'avoir. Je peux t'avoir quand je veux. Penses-y.

Bonnie n'y pensait que trop et elle n'aimait pas du tout ça. Elle lui referma la porte au nez. Et attendit de voir ce qu'il allait faire.

Le chapeau de cow-boy réapparut à la fenêtre.

Elle tira le rideau, masquant sa présence.

Je ne vais pas m'en faire pour ça. Il est défoncé. Il ne m'a pas menacée. C'était la grandiloquence de la drogue. Tous les toxicos sont grandiloquents.

Cela lui remit les idées en place. Elle regagna son bureau calmement, sans se presser. Elle reprit en main la lettre du couvreur. Au marqueur jaune, elle annota son estimation pour de nouvelles gouttières de cuivre. Il les avait remplacées dix-huit mois auparavant, lui ferait-elle remarquer.

Le calme était tombé sur le presbytère. Il n'y avait plus que le va-et-vient vrombissant de la circulation, régulier comme le bruit des vagues, qu'elle distinguait à peine du silence.

Elle étudia ensuite la facture de la société qui leur louait les chaises pliantes et la vaisselle pour la soupe populaire du jeudi.

On devrait peut-être acheter ces chaises. Elle fit un rapide calcul sur un bloc-notes. *Avec ce gouvernement, on est partis pour nourrir les S.D.F. jusqu'à la fin du siècle.*

Une pointe d'alerte se ficha en elle comme une flèche. Elle leva la tête. Quelque chose était-il tombé sur le plancher ? Ou bien était-ce un bruit de pas quelque part ?

Elle écouta, cherchant un écho dans sa mémoire. Mais rien.

Mon imagination, décida-t-elle.

Mais ça recommença. Même son inidentifiable. Ça venait de l'intérieur, décidément.

Un triste pressentiment la fit frissonner.

Le climatiseur est poussé trop fort, se dit-elle. *La pièce est froide. Ça me fait imaginer des choses.*

Elle se leva et s'approcha de la fenêtre. Au-dessus du mur du jardin, les stalactites des immeubles se découpaient clairs et nets contre le ciel du soir. Elle éteignit l'air conditionné.

Une autre couche de tranquillité tomba. La pièce en parut rétrécie.

Elle entendit un craquement imperceptible, le léger chuchotis de quelque chose glissant sur du bois. Quelque chose de l'autre côté du couloir.

Elle gagna la porte.

Le couloir était peu éclairé, plein d'ombre. Elle plissa les yeux. Par l'entrebâillement de la porte de la salle à manger, elle aperçut une silhouette accroupie sur le plancher, mélangeant quelque chose dans un petit bol.

Elle avança en silence. Le souffle trop court, bien trop rapide.

Elle vit que ce n'était pas l'homme au chapeau de cow-boy noir. Mais quelqu'un d'autre. Sans chapeau. Un garçon aux cheveux châtain clair.

Elle prit la parole avec un courage tout sauf authentique.

— Qui es-tu ?

Il se redressa, posant sur elle ses yeux gris.

— Tod, m'dame.

Elle ne décela aucune menace ni dans sa voix ni dans son regard ni dans son allure frêle à l'ossature légèrement anguleuse.

— Et qu'est-ce que tu fais ici, Tod ?

— Y a une fissure dans la plinthe, m'dame.

De sa main gauche, il repoussa en arrière les mèches de sa frange soyeuse, découvrant son front lisse. Il tenait dans sa main droite un couteau à palette enduit d'un mélange luisant pareil à du plâtre.

— J'suis en train d'égaliser la surface.

— Qui t'a demandé de le faire ?

Son regard refléta une certaine perplexité, comme si elle venait de l'accuser à tort.

— Le père Joe, m'dame. Il me donne cinq dollars de l'heure.

L'explication tenait debout. Ça ressemblait bien au père Joe de louer les services d'un ado pour faire des petits boulots dans le presbytère. Et ça lui ressemblait tout à fait d'avoir oublié de la prévenir.

— Ça fait longtemps que tu es là ?

— Depuis 2 heures de l'après-midi. J'ai déjà fini trois murs.

— Je ne t'ai pas entendu.

— Je suis venu hier aussi. J'ai essayé de pas vous déranger, m'dame.

Il y avait quelque chose d'enfantin dans la manière crâne qu'il avait de la regarder.

— J'peux vous poser une question, m'dame ? Vous êtes un prêtre vous aussi, hein ?

— Oui.

— Vous pourriez pas parler à une de mes amies ?

— Avec plaisir. Je suis ici dans la semaine, chaque jour, de 10 heures du matin à 6 heures du soir, parfois plus tard.

— Elle s'appelle Nell.

L'ombre d'un doux sourire releva les coins de la bouche du garçon au visage pâle.

— Elle a peur de venir ici.

— Pourquoi ?

— Vous la trouverez dans West Street. Au 48, juste un peu au nord de la 10ᵉ Rue. C'est un petit bar sur les quais — le Sea Shell, ça veut dire le coquillage. A n'importe quelle heure après 8 heures, vous la trouverez.

— C'est 8 heures.

— Alors elle vous attend. Installez-vous à une table toute seule. Laissez-lui le temps de voir que vous êtes...

Il s'interrompit.

— Que je suis quoi ?

— Gentille. Dès qu'elle l'aura vu, elle viendra vers vous.

— J'ai prévu autre chose ce soir, je ne peux pas y aller.

Il resta silencieux. Il y avait dans sa déception une étrange innocence. Elle ressentit un je ne sais quoi — elle faillit lui demander pardon, comme si c'était de sa faute.

— Pourquoi tu ne demandes pas à ton amie de me rencontrer une autre fois ?

— Nell, dit-il doucement. Elle s'appelle Nell, mon amie.

La sonnette de la porte d'entrée carillonna à deux reprises. Bonnie dînait deux fois par mois avec son frère et ce soir-là, c'était au tour de son frère de choisir le restaurant.

— J'ai rendez-vous, dit-elle. Je dois y aller.

Le garçon reprit sa position accroupie et se remit à barbouiller la plinthe de plâtre.

Elle ne le quittait pas des yeux.

— J'ai dit que je devais y aller.

Le garçon ne leva pas les yeux de sa tâche.

— Ça a été sympa de vous parler.

— Tu ne comprends pas. Je dois fermer. Il faut que tu t'en ailles toi aussi.

La sonnette carillonna une troisième fois, avec impatience, maintenant.

— Je fermerai, dit le garçon.

— Je ne peux pas te donner les clés.

— Le père Joe me les a laissées.

Elle fut embarrassée sur le moment, se sentant ridicule avec ses présomptions et ses préjugés. Si ce garçon avait les clés, c'est qu'il était quelqu'un de bien. Le père Joe ne lui aurait pas fait confiance dans le cas contraire.

— Le verrou du haut se coince, dit-elle en guise d'excuse.

Il sourit, les yeux mi-clos, où l'on ne voyait plus le gris.

— Je sais, fit-il.

Dehors, son frère Ben l'attendait avec un taxi.

— Ce soir, je t'emmène dans un restau thaï.

Son débit était précipité, sa voix tout excitée, comme s'il avait des centaines de choses à lui raconter depuis le dîner de la dernière fois.

— J'ai lu un super article dessus dans le *New York Times* d'hier. Leur crabe mariné est soi-disant une merveillle.

Bien qu'ayant largement dépassé la trentaine, Ben avait l'œil noir et enthousiaste d'un homme dix ans plus jeune.

— J'ai eu de la veine de pouvoir réserver une table.

Bonnie sourit, mais avec un certain malaise, dont elle ne pouvait situer exactement la source.

A l'extérieur du taxi s'éteignait le long crépuscule d'été et l'obscurité venait. L'éclairage public et les enseignes lumineuses clignotaient le long de Lexington Avenue.

— J'espère que t'aimes le sorbet au thé vert, disait Ben.

— On va être obligés de remettre ça à plus tard, lâcha-t-elle tout à trac. Ça t'ennuie terriblement ?

Dans le silence tendu du taxi, Billie Holiday chantait *Lover, come back to me*.

— Tu ne te sens pas bien ? demanda Ben.

— Si.

Il fixa sur elle de grands yeux inquisiteurs et soucieux.

— Qu'est-ce qu'il y a ?

— Quelqu'un m'attend. Une jeune fille.

— Une amie ?

— Je ne la connais pas. Mais ça m'a semblé urgent.

Elle essaya de lui expliquer. Ben savait très bien écouter, comme d'habitude. Il saisissait le moindre sous-entendu ; rapide à la détente, qu'il approuve du chef, fronce le sourcil ou lui remonte les bretelles.

— Mais tu ne sais rien de ces deux-là, conclut-il.

— Sauf que le père Joe fait confiance au garçon.

Ben admit son point de vue et approuva du chef.

— O.K. Fais ce que tu dois faire. Le crabe mariné attendra.

— Chauffeur, dit-elle en se penchant en avant. Conduisez-nous s'il vous plaît West Street. Au 408.

10

Le taxi vira à l'ouest. Pendant qu'ils gagnaient la rivière par Christopher Street, Ben sifflotait. A l'angle de Weehawken, un immeuble de cinq étages sans ascenseur était de la même couleur fumée striée de noir que celle de *spare ribs* cuites sur la braise. Les escaliers de secours et les gouttières pendouillaient comme des cerfs-volants captifs. Des morceaux de meubles amputés enjambaient le rebord des fenêtres.

— On dirait qu'un ouragan de force cinq a tout balayé, dit Ben, et que personne n'a trouvé le temps de reconstruire.

Le taxi obliqua vers le nord dans West Street et ralentit. Le conducteur jeta un regard plein de doute par-dessus son épaule.

— Vous avez bien dit 408, m'dame ?

Le numéro 408 était un bâtiment de cinq étages éventré à partir du second. Le rez-de-chaussée et le premier étaient intacts, et il y avait même des carreaux aux fenêtres. L'enseigne au-dessus de la porte était peinte en rouge, à la main ; celui qui l'avait tracée avait hésité entre caractères d'imprimerie et lettres manuscrites : Sea Shell. Les deux mots commençaient par un S gothique tarabiscoté.

Ben lança à sa sœur un regard empreint de sollicitude fraternelle.

— Tu veux pas que j'aille avec toi ?

— Merci, je peux m'en tirer toute seule.

Bonnie l'embrassa en guise de congé.

Elle eut presque un haut-le-cœur quand elle franchit la porte du Sea Shell. L'air était chargé d'une odeur suffocante, mêlant celle des cigarettes et des hamburgers aux relents de whisky et de bière. L'intérieur en forme de L était plongé dans la pénombre. La fumée flottait dans les cônes de lumière tombant de fausses lampes Tiffany.

Bonnie prit une table. Un type baraqué sans un cheveu sur le crâne sortit de derrière le bar et lui demanda ce que ce serait. Elle commanda un ginger-ale.

Le juke-box jouait un vieux disque de Frank Sinatra. Elle jeta un regard alentour.

Des types genre camionneur étaient assis par groupes de trois ou quatre. Elle vit deux ou trois femmes courtes sur pattes et débraillées. Les éclats de rire des hommes frisaient la cruauté. Dans un coin un individu en costume à carreaux se battait en duel avec un flipper, dont il tira un chapelet d'éructations lumineuses et sonores.

Il aperçut Bonnie assister à son triomphe et s'approcha d'un pas nonchalant.

— Salut. J'vous paye un verre ?

— Merci. J'attends quelqu'un.

— Comme vous voudrez.

Il haussa les épaules et retourna au flipper.

Bonnie remarqua une fille assise dans l'ombre à une table d'angle. Elle avait des cheveux très blonds et des bras d'anorexique qui dépassaient d'un débardeur vert, informe. Ses mains jouaient nerveusement avec une boîte de Slice light. Elle observait le moindre geste de Bonnie et l'enregistrait.

Bonnie sentit comme une boule dans sa gorge. *C'est Nell. Ça ne peut être qu'elle.* Elle risqua un sourire. *Tu vois, je ne mords pas.*

La fille releva légèrement les paupières. Elle avait la tête rentrée dans les épaules, comme si elle avait peur qu'on la frappe. Il se passa un bon bout de temps avant qu'elle ose regarder Bonnie en face. Ce regard s'éternisa, devint porteur d'une question. Ses lèvres décolorées se détendirent en un sourire, qui gagna lentement tout le visage.

Bonnie fit oui de la tête.

La fille se leva et quitta sa table. Elle se mouvait avec la fragilité d'un petit animal de verre.

— Je pouvais pas te laisser attendre toute seule ici.

C'était à nouveau Ben, qui se laissa tomber sur la chaise d'à côté.

— Le taxi m'a dit que c'était un endroit épouvantable. Il y a eu une fusillade ici le mois dernier.

La fille s'arrêta à deux tables de là. Sur ses gardes, elle fixait tour à tour Ben, puis Bonnie. Un instant, elle hésita, se demandant quel parti prendre. Elle avait l'iris vert, d'une nuance à peine plus foncée que la menthe. Brusquement, elle fit volte-face et courut jusqu'à la porte.

— On lui a fait peur, elle s'est enfuie, dit Bonnie.

— Qui ça ? dit Ben, ahuri.

— La fille que je devais rencontrer. Excuse-moi, Ben, mais je préfère m'occuper de ça toute seule.

Elle sortit en hâte, espérant qu'il ne la suivrait pas.

Dans West Street, le flux de la circulation sur six voies brouillait la vue, mais le trottoir était curieusement dépeuplé. Elle scruta les environs, à l'affût du moindre mouvement.

Elle n'a pas pu aller bien loin en dix secondes.

La plupart des voitures garées là étaient dépourvues d'enjoliveurs, de plaques d'immatriculation, de phares, de tout et n'importe quoi, recyclable et revendable. Plusieurs étaient carbonisées. Une Mazda trois portes brûlait encore.

Là-bas, au milieu du trafic, des freins crissèrent et des voix furieuses s'élevèrent.

— Keski s'passe ? T'veux t'faire écrabouiller ?

Une fille en débardeur slalomait entre les voitures. Bonnie attendit que le feu passe au rouge et se lança à sa poursuite.

Du côté du fleuve, le bord de la route avait des airs de casse à l'abandon. La fille se faufilait entre les épaves, dont une bonne moitié étaient mises à contribution pour baiser, se piquer ou dégueuler.

Une voiture de police ralentit et prit dans le faisceau de son projecteur un type qui pissait dans le réservoir d'une Chevrolet verte.

— Eh toi, là-bas, gueula un flic, dégage !

Bonnie s'aperçut qu'elle avait perdu la fille. Elle explora ce qui se trouvait au-delà des carcasses de voiture. Un dock poussait une saillie d'un noir profond dans l'acier bleu ondoyant de l'Hudson. Des ghetto-blasters crachaient du rap. Des ombres se déplaçaient le long du dock et, en s'approchant, Bonnie devina le contour des silhouettes de toxicos en manque, pressés d'acheter de la dope, de flamboyants travelos débutants, d'hétéros et d'homos des deux sexes qui draguaient.

La fille était assise sur un muret de ciment, les bras croisés sur son débardeur, qui couvrait à peine ses seins d'adolescente.

— Excuse-moi. C'est toi, Nell ?

Elle dévisagea Bonnie de ses yeux jeunes, mais las. Son calme ne laissait rien transparaître.

— Moi, c'est Bonnie. Tod, ton ami, m'a dit que tu voulais me parler.

— Je ne voulais pas vous parler.

La voix avait une irritation enfantine, avec un accent qui aurait pu être de Nouvelle-Angleterre.

— C'était son idée à lui.

— Et qu'est-ce qui lui a donné cette idée à ton avis ?

La fille garda un visage inexpressif. Fermé. Elle tira un paquet de Marlboro froissé de son débardeur. Avec des doigts tremblants, elle en sortit une cigarette, protégea la flamme de son briquet Bic bleu. Un sparadrap sali coiffait le bout de son index. Elle inhala profondément, maintint la fumée dans ses poumons et finit par expulser un fin ruban grisâtre qui monta en serpentant vers la lune.

— Je suis enceinte, dit-elle en se mordant la lèvre. Et je sais pas quoi faire.

Bonnie s'assit près d'elle sur le muret.

— Qu'est-ce que tu aimerais faire ?

— J'sais pas.

Les lèvres de la fille tremblaient, elle releva les paupières.

— Tod a pensé que vous pourriez peut-être m'aider.

— Peut-être. J'ai aidé d'autres filles dans ton état.

La fille, gênée, baissa les yeux vers sa cigarette. Le silence se tendait autour d'elle comme la spirale d'un ressort. Quelque part sur le fleuve, un remorqueur actionna sa sirène.

— Parle-moi de toi, Nell.

— Mon histoire, c'est celle de tous les autres. J'essaie de survivre au jour le jour.

— Tu as quel âge ?

— Seize ans, enfin presque.

Bonnie se demanda si elle mentait. Ça en avait tout l'air.

— Tu as de la famille ?

— Ma famille et moi, on se parle plus.

— Pas d'autres parents du tout ?

Nell fixa le vide, comme des étrangers dans un ascenseur s'évitent du regard.

— Tu vis où ?

— Par là-bas.

Nell désigna d'un mouvement de tête un point en amont de l'Hudson.

— Au dock d'à côté. Il y a un entrepôt.

Bonnie distingua une sorte de bâtiment, une masse sombre immobile face à l'eau miroitante.

— Tu vis seule ?

Nell ne répondit pas.

— Tu es avec Tod ?

— En ce moment, je sais pas trop avec qui je suis.

La main qui tenait la cigarette lissa les cheveux de sa nuque.

— Je suis en contact avec un docteur.

— Un obstétricien ? demanda Bonnie.

Le sourire de Nell valait son poids de mélancolie.

— Elle demande deux mille dollars.

— Pour quand ?

— Tout de suite. D'avance.

— Est-ce que ça couvre les soins pré-natals, l'accouchement et le suivi ?

Elle baissa les yeux.

— Ça couvre l'avortement et une journée de clinique.

La tristesse s'abattit sur Bonnie. Elle voulait tendre la main et calmer la panique et la souffrance de cette enfant.

— Tu n'es pas obligée de faire ça.

La fille agitait la bouche comme si elle venait de déglutir.

— Ah non ?

— Il existe des programmes d'action, tu peux aller dans un endroit tranquille où tu auras ton bébé.

— Et ensuite, quoi ?

— Et ensuite le faire adopter.

La fille regarda ailleurs. Elle respirait plus lentement, avec difficulté.

— Ça dépend d'une église, ces programmes ?

— Certains, oui.

— J'en ai entendu parler, on vous pose des questions, on vous culpabilise. Et puis on touche pas d'argent si le bébé est placé par une église.

Nell secoua la tête avec véhémence.

— Je passerai pas par un truc comme ça.

— Tu ne passeras par rien du tout si tu ne veux pas.

La fille expédia un regard à Bonnie qui disait *Sur quelle planète tu vis ?*

Une pluie fine s'était mise à tomber, délavant les couleurs des lumières de West Street.

— Faut que j'y aille, dit Nell en se levant.

Bonnie se creusa la tête pour trouver des mots rassurants. Mais fit chou blanc.

— Nell, tu veux bien suspendre ta décision ? Ne fais rien tant que je n'aurai pas eu l'occasion de te reparler.

Nell demeura silencieuse, n'exprimant ni accord ni refus.

— Comment je peux te recontacter ?

— Vous pouvez pas, fit Nell.

Bonnie regarda la fille en débardeur s'éloigner le long du bassin.

J'ai couru ma chance, songea-t-elle, *je l'ai manquée, et maintenant, c'est peut-être trop tard.*

11

Je consacre deux de mes soirées au programme en faveur de la prostitution, dit le Dr Hillary Saint-Lawrence. Le premier et le troisième mardi de chaque mois.

— Et que faites-vous exactement dans le cadre de ce programme ? demanda Cardozo.

Le médecin adopta une expression prudente. Il ôta ses lunettes double foyer cerclées de fer et se massa la tempe à travers ses cheveux gris coupés en brosse.

— Essentiellement du travail clinique sur le terrain. Je prélève des échantillons sanguins, des frottis, des cultures, je prends la tension, je sonde les cœurs et les poumons. Quand j'ai autorité pour le faire, j'établis l'histoire médicale d'un patient. Il peut m'arriver de prescrire un antibiotique ou un antidépresseur léger. Et naturellement, je distribue préservatifs, conseils et brochures sur les techniques de sexe sans risque.

Cardozo nota que l'antique table de travail du bureau à l'éclairage tamisé disparaissait sous des piles de prospectus de couleur vive. Une coupe de porcelaine de Chine était pleine à ras bords de préservatifs, et une autre de sucre d'orge et de pastilles contre la toux. Au-dessus, sur le mur, deux planches d'anatomie du xviiie siècle donnaient l'impression de cartes de continents fantastiques coloriées à la main.

— Vous utilisez la fourgonnette de l'église lors de vos expéditions ?

— Non, je me sers de mon propre break.

— Il vous est déjà arrivé de conduire la fourgonnette de l'église ?

— Jamais.

Cardozo se pencha en avant et tendit au Dr Saint-Lawrence trois photos.

— Reconnaissez-vous cette personne ?

Le médecin déplaça un encrier de jade et étala sur le bureau les épreuves sur papier glacé. Ses yeux gris pâle les scrutèrent lentement de droite à gauche. Sous son nez busqué, ses lèvres minces et exsangues adoptèrent un pli désapprobateur.

— A franchement parler, je ne peux pas vous dire oui. Sauf en tant que spécimen. Ce genre de prostitution est passablement courant de nos jours. Dieu seul sait pourquoi.

— Est-il arrivé au père Montgomery de faire allusion à une personne de ce genre devant vous ?

— Pas nommément.

— Dans quel contexte, alors ?

Le regard du Dr Saint-Lawrence devint vague.

— Ecoutez, le père Joe ne me fait pas plus de confidences sur ses activités pastorales que je ne lui en fais sur mes activités médicales — et que je n'en fais à la police. Ces prostituées sont mes patientes. Je ne suis pas disposé à discuter de ce qu'elles ont pu me dire.

— Leur demandez-vous le nom de leurs clients ?

— Jamais.

— Et leur arrive-t-il de vous communiquer volontairement ce genre de renseignement ?

— C'est confidentiel. Mais si vous sous-entendez que l'amitié du père Montgomery pour n'importe laquelle de ces personnes dépasse la pure compassion, vous faites fausse route et le tour que prend cette conversation me déplaît souverainement.

Le médecin remit en place l'un de ses poignets mousquetaire et fit la grimace en jetant un œil sur sa Rolex en or.

— Et j'ai un patient qui m'attend.

Cardozo referma son calepin, le reglissa dans sa poche et se mit debout.

— Merci de m'avoir donné vos impressions et accordé un peu de votre temps.

Avant de quitter la pièce, il se retourna pour poser une dernière question.

— Docteur, avez-vous une spécialité ?

Un léger sourire radoucit le visage du médecin.

— Les dysfonctionnements de l'intestin.

— Et vous n'êtes jamais allé avec la fourgonnette de l'église dans Central Park ?

Le sourire disparut.

— Pourquoi ferais-je ça ?

— Connaissez-vous quelqu'un qui l'ait fait ?

— Absolument pas.

Cardozo arrêta sa Honda au bord du trottoir ouest de la Neuvième Avenue, peu après 1 heure du matin. De l'autre côté de la 14e Rue, où des dizaines de camions frigorifiques étaient garés en triple et même quadruple file, des travestis flamboyants prostituaient leurs charmes en se pavanant.

Des voitures non immatriculées dans l'État et quelques taxis étaient en maraude.

Deux tapineuses bavardaient sous la lumière d'une lampe-projecteur devant la porte d'un entrepôt. Elles arboraient toutes deux des minijupes en imitation léopard et des bottes de vinyle rouge.

Elles se retournèrent en entendant Cardozo approcher. L'une des putes se frappa la croupe, coquinement offerte. Ses sourcils s'arquaient aussi subtilement que le claquement de l'élastique du cache-sexe d'une reine de strip-tease forain. Elle avait des cheveux roux d'un pan de haut et portait un gilet de cow-boy à franges.

— Je vous paie un verre, les filles ? fit Cardozo leur montrant son insigne.

— Oh merde !

Le tapin laissa tomber sa cigarette sur le trottoir et la piétina sauvagement.

— Tu nous serres ?

— Pas ce soir. Ma parole. Tu connais un rade sympa par ici ?

— Oublie les coups. On est de service — pas vrai, ma biche ?

L'autre travelo, un grand coiffé d'un sombrero extravagant, parut déçu.

— Si seulement. Ça se bouscule pas des masses ce soir, putain.

Cardozo tendit deux photos à Gilet de Cow-Boy.

— Déjà vu une fourgonnette comme ça dans le coin ?

Elle/Il poussa un gémissement.

— J'y crois pas. La fourgonnette de l'Epicerie du Bon Dieu.

— Parle-moi un peu de cette fourgonnette.

Les travelos échangèrent un regard. Gilet de Cow-Boy prit finalement la parole.

— C'est une de ces vieilles caisses japonaises tristounes avec de la moquette et des coussins à l'arrière. Au cas où.

Elle eut un haussement de sourcil significatif.

Sa consœur rejeta son sombrero en arrière.

— Oublie pas la devise inspirée qu'est peinte sur la porte — Dieu t'aime, j'aime Dieu, donc tu m'aimes et tout le toutim, le super pied cosmique, quoi.

— Quand tu as vu cette fourgonnette pour la dernière fois ?

Sombrero haussa les épaules.

— Y a deux trois-mois de ça.

— Je suppose que t'as pas relevé le numéro ni remarqué de quel Etat venait la plaque d'immatriculation ?

— On nous paie pas pour foutre des contredanses, chouchou.

— Qui conduit cette fourgonnette ?

Les travelos ouvrirent de grands yeux. Sombrero s'approcha de Cardozo. Sous l'eau de Cologne bon marché, elle/il fleurait comme un athlète ayant besoin d'une bonne douche.

— Et si je te dis un prêtre, tu me crois ?

Cardozo leur montra alors des agrandissements des deux prêtres présents sur la bande vidéo.

Sombrero fronça le sourcil devant les clichés riches en grain. Elle tapota d'un ongle vert vitrail le visage du père Joe Montgomery.

— Ça pourrait être ce type.

Gilet de Cow-Boy lui arracha les photos.

— T'es dingue, ma biche. C'est aucun de ceux-là.

— J'ai déjà vu ce connard rôder en bagnole.

Gilet de Cow-Boy expectora en toussant une bouffée de fumée.

— Moi aussi, mais il a rien à voir avec le connard qui nous dit d'arrêter d'utiliser des présos et d'abandonner le tapin. Putain, on va aller loin, si on l'écoute çui-là.

— Comment tu peux être sûre que c'est un prêtre ? insista Cardozo. Il porte un col écclésiastique ?

— Pas besoin de ça.

Gilet de Cow-Boy souffla un tortillon de fumée.

— Dans ce bizness, t'arrives à renifler un prêtre en manque à cent mètres.

— Vous connaîtriez pas l'une ou l'autre le nom de ce prêtre par hasard ?

Sombrero renifla de mépris.

— Par ici, personne a de nom. Du moins, pas un vrai.

Cardozo sortit les trois photos du tapin en body à rayures Spandex.

— Merde. J'crois bien...

Sombrero gagna le bord du trottoir et exposa l'une des photos à la lumière du lampadaire. Elle poussa un grand soupir.

— C'est elle, c'est bien elle — notre petite Jonquille à nous !

— Mais *non*, ma biche.

Gilet de Cow-Boy secoua la tête avec une énergie qui expédia des ondes de choc dans sa perruque.

— Jonquille, elle a p't-être des poignées d'amour, mais elles sont pas plus larges que ses hanches.

Sombrero hennit.

— Tu m'bourres mon p'tit mou rose, ma chatte. Jonquille, elle a des poignées d'amour plus larges que les épaules d'un footeux.

— Ben, même si elle les a, elle les montrerait jamais comme ça.

— Jonquille, elle montre tout ce qu'elle a, même si elle a rien qu'une toute p'tite chance de le boutiquer.

— Ça vous ferait rien de me dire qui est Jonquille ? dit Cardozo.

— Une raclure des îles. Hawaï.

Gilet de Cow-Boy rendit les photos.

— Je l'ai pas vue dans le coin depuis des semaines.

— Je dirais même des mois.

Sombrero soupira.

— J'ai entendu dire qu'elle a gagné du fric au loto et qu'elle a planqué son cul à Miami.

Gilet de Cow-Boy émit un caquètement alimenté au crack.

— Elle le ramènera par ici son cul. Fais-moi confiance.

Cardozo ouvrit son portefeuille et en sortit deux billets de vingt dollars et deux de ses cartes. Arroser les indicateurs n'était pas déductible en frais professionnels : il y serait de sa poche.

— Si jamais Jonquille réapparaît par ici, vous voulez bien lui dire de se mettre en contact avec moi ?

12

A 7 h 55 du matin, Cardozo engagea sa Honda dans la ruelle qui jouxtait le bâtiment du commissariat. Il vit qu'il avait le choix pour se garer : soit au bout de l'impasse, soit à mi-chemin, sous l'escalier de secours.

Il opta pour la place médiane — car on la voyait de la rue. Même si les ados qui piquaient dans les bagnoles avaient le culot de braquer les voitures banalisées, ils préféraient quand même le faire sans être vus.

Il ramassa ses journaux sur le siège avant — quatre des quotidiens new-yorkais — et s'assura que les vitres étaient remontées et les portes verrouillées. En atteignant les marches du perron, il constata avec irritation que le globe vert brisé n'avait toujours pas été remplacé.

Des flics traversaient le hall en flot continu. Une équipe quittait le service et une autre prenait la relève. Eclats de voix, friture radio, discordance des téléphones. Cardozo beugla quelques saluts, en obtint quelques-uns en retour, balança quelques tapes dans le dos, en récolta quelques-unes et se fondit dans le flux en direction des étages.

Le niveau sonore était légèrement plus bas dans la salle de garde. Les inspecteurs étaient la crème du Police Department de New York : ils ne criaient ni ne chahutaient jamais pendant les heures de service. Un groupe entourait la machine à café, débattant des finesses de jeu du match de base-ball de la veille au soir.

Cardozo gagna le bureau d'Ellie.

— Quoi de neuf ?

— Un casse en cours.

Comme d'habitude, elle était vêtue comme si elle devait se rendre à un thé des plus sélects. En bleu pâle, aujourd'hui.

— Au Gap, sur Lexington. On a vu une Blanche et deux Latinos en pleine effraction.

— Quelle bande d'attardés peut encore se livrer à une effraction en plein jour dans une artère passante ?

Greg Monteleone vint ajouter son grain de sel.

— Les délinquants deviennent cons. La faute à ce système scolaire de merde.

— De plus en plus cons, dit Ellie, et ça n'a rien de drôle. De plus en plus de gens sont tués inutilement.

Cardozo laissa Ellie et Greg à leur discussion. Il fronça le sourcil en apercevant la paperasse fraîchement empilée sur son bureau : outre les formulaires du service, il y avait la dose quotidienne de directives de la Préfecture de Police et tout un tas de remises à jour des enquêtes criminelles en cours. Il dégagea un coin pour ses journaux et vit que l'attroupement autour de la machine à café s'était clairsemé. Il alla s'en chercher une tasse.

Trois tasses plus tard, il se sentit d'attaque pour sa séance de lecture.

Il n'y avait rien dans le *New York Times* concernant miss Glacière. Il fallait s'y attendre. Le *Times* était plus enclin à rendre compte d'un meurtre dans l'une des ex-républiques soviétiques que d'une fusillade sous ses fenêtres.

Rien dans le *News*. Il tiqua. Il savait bien qu'il manquait de journalistes, mais ça paraissait bizarre. Aucune mention d'un meurtre quelconque. Il y avait eu au moins dix assassinats depuis la dernière édition, mais on s'en serait jamais douté à en croire ces gars-là.

Rien dans le *Post* non plus. Là, il fut surpris. Le *Post* faisait sa pâture des assassinats bizarroïdes et bien saignants, d'habitude — à moins qu'il n'ait décidé de mettre ses lecteurs au régime végétarien.

En page sept de *Newsday*, il vit ce gros titre « Une femme trouvée morte ». Tout sauf accrocheur. Qui pissait la copie ? Le cardinal ?

Ce n'est qu'au troisième paragraphe de l'article qu'il comprit, avec la violence soudaine d'un coup sur la tête, qu'il parlait de son affaire, celui de la fille à la glacière. Il étala *Newsday* et relut le papier, mais lentement cette fois.

D'après le rapport d'autopsie, une femme — une prostituée probablement, noire probablement — avait été retrouvée morte dans une ravine à Central Park. Le corps, portant des traces de toxicomanie et de pratiques sado-maso, était dissimulé sous les feuilles.

Point. Fin du rapport.

Il sentit une veine se gonfler à sa tempe. La tasse de café en plastique posée sur son bureau était à moitié vide. Il but une autre gorgée, essayant de tenir sa contrariété en échec. Le mot « noire » martelait son intellect comme la pale froissée d'un ventilateur électrique son boîtier.

Il appuya le rapport d'autopsie contre la lampe qui se trouvait devant lui. Dans la salle de garde, un fax devenu fou émettait des couinements suraigus comme l'avertisseur d'un camion qui s'apprête à vous reculer dessus.

Il tendit le bras et fit claquer la porte.

Une fois relu le rapport de l'Institut médico-légal, il consulta sa montre et décida que même au bureau du D.A., on avait dû commencer à travailler à l'heure qu'il était. Il décrocha et composa le numéro.

— Harvey Thoms, grommela une voix.

— Salut, Harvey. Vince Cardozo à l'appareil. Je viens de lire *Newsday*. Où sont-ils allés chercher que la fille dans la glacière était une pute noire ?

Un instant de flottement fut perceptible au bout du fil. Puis Thoms dit :

— Quelqu'un du service de presse a dû trouver ça dans le rapport d'autopsie.

— Je l'ai sous les yeux et je ne vois rien de tel.

— Eh bien, une erreur ça arrive.

Il y avait comme une fin de non-recevoir dans la voix de Thoms.

— Pourquoi n'est-il pas fait mention de la glacière en polystyrène ? Quelqu'un aurait pu voir quelqu'un en transporter une de cette taille. Et pourquoi ne pas donner de détails sur l'emplacement exact de la sépulture ? Si nous ne fournissons pas au public des éléments qu'il puisse reconnaître, comment s'attendre à ce que quelqu'un se manifeste ?

— Je vais voir si on peut obtenir du Préfet qu'il autorise la diffusion de cette info.

Cardozo eut la sensation inconfortable d'un foutoir bureaucratique en train, le genre de truc à l'origine des enquêtes de l'I.G.S. et des licenciements massifs.

— D'après ce que je lis dans *Newsday*, le meurtre a eu lieu en mars. Si c'est comme ça que les R.P. de la Préfecture s'occupent de cette affaire, je ne suis pas surpris que les médias n'embrayent pas.

— J'ai entendu, Vince. Vous avez marqué un point. Je m'en occupe.

Cardozo glissa la cassette dans le magnétoscope et la fit défiler en avance rapide jusqu'au flash. Il rembobina un peu la bande et gela l'image.

Sonya Barnett fixait l'écran vibrionnant.

— Qu'est-ce qu'il y a là de si extraordinaire ? Je vois rien d'autre qu'une foule de quatre cents abrutis, candidats à la célébrité, agglutinés devant une estrade mocharde pavoisée de peppermint où un Arlequin body-buildé fait un numéro de claquettes avec une Colombine anorexique.

Cardozo ne pouvait pas distinguer le cou si célèbre de la Barnett et tel avait été le dessein de cette dernière, comprit-il. Elle arborait un foulard de soie autour de la tête comme une babouchka et l'avait noué serré sous le menton. Le bleu pâle du foulard s'y joignait parfaitement au col roulé de son sweater blanc.

— Que pouvez-vous me dire des cinq personnes qui font face à la caméra ? lui demanda-t-il.

Le visage de Sonya était lourdement maquillé et bien qu'assise dans l'ombre, il la vit ciller. Ses yeux bleus se plissèrent et elle éclata de rire.

— La divine Sonya Barnett et ses quatre hommes de Dieu — un pasteur, un curé, un rabbin et un machin-truc-chose.

Ils étaient installés dans des fauteuils d'osier dans le salon de l'hôtel particulier Tudor de miss Barnett. Des canards en bois (leurres pour la chasse au colvert), des chopes Oncle Sam et diverses récompenses du show-biz s'alignaient sur les étagères. Ils buvaient du thé. Le thé, c'était une idée de miss Barnett, elle avait insisté, et c'était un breuvage abominable, léger et froid.

— Le père Joe est vraiment resté œcuménique, très sixties.

Elle marqua une pause et sirota.

— Un jour ou l'autre, il va nous sortir un féticheur diplômé de sa mitre.

— Pourquoi fixiez-vous tous les cinq la caméra ?

— Parce que nous sommes tous dans le show-biz, darling, que nos carrières ne tiennent plus sur leurs guiboles et que si la moindre chance de scoop pointe son nez à l'horizon, nous nous extirpons de nos poumons d'acier pour danser le charleston.

— Mais pourquoi vous êtes-vous tous retournés à ce moment précis ?

— Quel moment précis ?

Cardozo pressa la touche *forward* de la télécommande. L'image se remit en mouvement : une fille poussa un cri, il y eut une surexposition d'une seconde et la caméra panota vers les buissons.

— Ah oui, fit Sonya Barnett en hochant la tête. *Ce moment-là* — quand le trouble-fête a fait son entrée.

— C'est le cri qui vous a fait vous retourner ?

— Fichtre non. Il faut plus qu'un cri pour attirer l'attention de vieux singes de notre espèce.

Cardozo fit reculer la bande jusqu'au moment du flash.

— Alors qu'est-ce que le père Joe était en train de photographier ?

— Laissez-moi y repenser.

Sonya Barnett s'accorda un instant de réflexion.

— Il photographiait l'équipe de télé.

— Qu'est-ce qu'elle avait de si remarquable ?

— C'était un tel soulagement de les voir. On s'était tous bichonnés, mais aucun de nous ne savait si la télé couvrirait ou non l'événement. Et puis je me suis retournée, et j'ai vu une équipe de cinq envoyés de la N.B.C. Alors j'ai dit : Regardez pas les copains, mais ce petit pique-nique va nous faire passer en prime time.

Elle portait un pantalon de jogging gris reprisé et ses chaussures de piste éculées étaient posées sur un tabouret en dentelle à l'aiguille. Elle décroisa les jambes, puis les recroisa en les inversant.

— Je ne veux pas dire par là que le père Joe est un *obsédé* de la publicité. C'est un homme authentiquement religieux, et c'est pour l'Eglise, non pour lui même, qu'il fait de la publicité. Franchement, en ce qui me concerne, je ne crois en aucune divinité — il suffit de *regarder* dans quel état est ce monde ! — mais je respecte cette espèce d'engagement transcendantal chez les autres. C'est l'unique raison pour laquelle j'ai accepté d'être témoin de moralité pour le père Joe dans ce mauvais procès qu'on lui a fait. Coups et blessures à enfant, je vous demande un peu !

Cardozo surprit le bref coup d'œil qu'elle lui lança par-dessus sa tasse pour juger de l'effet produit.

— C'était quoi ce procès ?

Elle fit la grimace.

— Je dirais que ce thé a perdu de son peps, pas vous ? Faut-il demander à Ingrid de nous le ravigoter ?

— Pour moi, c'est parfait, merci.

Elle s'empara d'une clochette de cuivre et la secoua violemment.

— Ingrid ! Venez m'arranger ce thé. Qu'est-ce que vous lui avez fait, c'est du vrai pipi !

Elle reposa la clochette et considéra Cardozo d'un air pensif.

— Une fillette dont s'occupait le père Joe s'est brisé la cheville. Vous n'en avez jamais entendu parler ?

— Non.

— Elle s'appelait Louisa Hitchcock. Tout était de sa faute. Comme le disait ma vieille Suédoise de mère, si tu ne peux pas tenir debout, assieds-toi, bon Dieu. Naturellement, le monde étant ce qu'il est de nos jours, les parents ont porté plainte. Le père a été impliqué dans une ténébreuse affaire de bons du Trésor à Wall Street, la mère organise des fêtes de charité et s'empoche un pourcentage au passage. De vrais porcs.

— A quand cela remonte-t-il ?

— Un an, un an et demi. Je savais que si je mettais le pied dans ce tribunal, la presse se déchaînerait contre moi.

Sonya Barnett poussa un soupir.

— Je semblais me faire l'avocate des violences à enfant. Mais je ne pouvais pas laisser le père Joe aller en prison, n'est-ce pas ?

13

Chaque fois que Bonnie levait les yeux, elle voyait Nell assise là, dans le fauteuil de cuir. Sauf que ce n'était pas Nell, mais Phil, un jeune Afro-Américain de treize ans, complètement terrorisé, tentant désespérément de rester à l'écart du crack.

— Tu ne peux pas rentrer chez toi, dit Bonnie. Pas si ta mère continue d'en prendre.

Le silence s'installa. La pendulette Tiffany sur le bureau parut tictaquer comme une bombe à retardement. Les grands yeux égarés et lumineux de Phil aspiraient comme des ventouses les certitudes les mieux ancrées de Bonnie.

— Elle en prend pas beaucoup, dit Phil d'une voix douce.

Bonnie savait que c'était du pipeau. La mère de Phil était capable de se fumer la production d'un champ de coca bolivienne en l'espace de deux heures. Et qu'elle consomme n'était pas le pire, c'était aussi une schizophrène borderline qui, dans ses crises de colère sans motif, battait son fils comme plâtre. De nouvelles ecchymoses étaient visibles sur le cou et les bras de ce dernier et son œil gauche était enflé et à demi-fermé comme une prune éclatée. Mais Bonnie n'avait jamais réussi à faire parler Phil des mauvais traitements que lui infligeait sa mère. Il y avait là une barrière que seul un psychiatre pourrait franchir.

— On ne peut pas rester près de quelqu'un qui prend de la drogue, conclut Bonnie. Même s'il en prend peu et même si on l'aime beaucoup.

— Mais si je...

La bouche de Phil se tordit. Il paraissait vouloir formuler une question à la fois douloureuse et embarrassante.

— Si je rentre pas à la maison, où je vais habiter ?

— Tu aimerais rester ici ?

Il détourna timidement le regard.

— Je veux pas déranger.

— Le père Joe a une chambre d'ami. Peut-être que tu pourrais loger là jusqu'à ce qu'on trouve une solution. O.K. ?

Phil baissa les paupières. Au bout d'un instant, il opina de la tête avec gaucherie.

— Attends-moi ici, dit Bonnie. Je vais en parler au père Joe tout de suite.

Elle alla frapper à la porte du père Joe. Il était à son bureau et, concentré, lisait un exemplaire du dernier bulletin diocésain.

— Phil peut-il avoir la chambre d'ami pour ce soir ?

— Bien sûr.

Le père Joe ne leva pas les yeux.

— Il peut même l'avoir toute cette semaine.

Bonnie pénétra dans le bureau et referma la porte derrière elle.

— Où est passé Tod, ce garçon qui était ici l'autre jour ?

— Il a fait son travail et il est parti.

Le père Joe reposa le bulletin.

— Pourquoi ?

— Il m'a demandé d'aider une de ses amies.

— Tod a tout un tas d'amies dans le besoin, dit le père Joe en souriant.

— Celle-ci est enceinte.

— Cela ne me surprend pas.

— Elle ne sait pas quoi faire du bébé.

— Tod ne le saurait pas davantage. Elle est enceinte de combien ?

— Pas de beaucoup, sans doute. Elle est maigre comme un clou.

— Bien entendu, on ne voit rien avant le cinquième mois environ et à ce moment-là, c'est trop tard.

Le père Joe déplaça un presse-papier sur son bureau, qui résonna légèrement sur le bois de rose.

— Du moins, c'est trop tard aux yeux de la loi dans l'Etat de New York.

— Je ne pensais pas à ça.

— Mais je parie que cette fille, elle, y a pensé.

— On m'a dit à Saint-Hubert dans le Maine qu'on lui réservera un lit.

— Voilà une meilleure solution, dit le père Joe en hochant la tête, songeur. A condition que la fille soit consentante.

— Si je peux lui reparler, je sais que je la persuaderai. Vous ne savez pas comment joindre Tod ?

Le père Joe gagna la fenêtre.

— Tod Lomax est une herbe folle des villes. Il va où le vent le pousse. Dernièrement, il était avec ces fugueurs qui squattent les docks du West Side.

— Je suis allée sur ces docks. Les gosses s'y prostituent, s'y droguent et se nourrissent de ce qu'ils trouvent dans les poubelles.

— Dans chaque ville des Etats-Unis, il y a des Américains qui se nourrissent en fouillant les poubelles, fit le père Joe en soupirant. Il faut vous rendre compte de vos limites, Bonnie. Vous avez beau faire un travail fantastique, vous ne pouvez pas surveiller sans la moindre défaillance tous les fugueurs qui se sont réfugiés dans cette ville. Personne ne le peut.

— Il ne s'agit pas d'eux tous. Je vous parle d'une fille enceinte, qui meurt de peur.

Le père Joe avait les yeux tristes.

— Alors c'est de toutes que vous me parlez.

Le passage piétons était au vert.

Bonnie fit glisser la lanière de son sac, qu'elle portait en bandoulière, autour de son cou. De son coude droit, elle serra fermement le sac contre elle. Courant pour profiter du feu avant qu'il ne change, elle slaloma entre les six voies de West Side Drive congestionnées pare-chocs contre pare-chocs.

Il était 7 heures et demie du soir, et quelque part en Amérique il devait bien y avoir un oiseau qui chantait, mais certainement pas ici sur la jetée de la 12ᵉ Rue. Les vapeurs chimiques et les eaux usées déversées illégalement dans l'Hudson rendaient l'humidité âcre. Camions et automobiles klaxonnant à qui mieux mieux ajoutaient les fumées de leur pot d'échappement à ce mélange.

Dans le rouge du couchant, un gosse latino se tenait derrière une brèche dans le grillage qu'un service municipal quelconque avait érigé, mesure inefficace, pour protéger l'accès au hangar. A première vue, Bonnie ne lui donnait pas plus de quatorze ans. Frêle comme un moineau, dépourvu de chemise, il regardait s'écouler la circulation comme si c'était là le spectacle le plus digne de réflexion depuis la télévision scolaire. L'expression béate du drogué illuminait ses traits.

Bonnie s'approcha de lui avec son sourire le plus engageant.

— Excuse-moi, je me demandais si tu pourrais m'aider ?

Le gamin fixa sur elle son regard éteint. Son oreille gauche percée portait un petit anneau qui avait tout l'air de celui d'un porte-clefs de quincaillerie.

— Tu connais une fille qui s'appelle Nell ? Elle m'a dit qu'elle habitait par ici.

Le silence du garçon frappa Bonnie comme un coup de poing. Ses yeux indifférents l'examinaient froidement. S'il y avait un message dans ces yeux-là, elle ne pouvait pas le déchiffrer.

— Nell, c'est une blonde aux cheveux très clairs. Elle a environ quinze-seize ans — elle est très maigre.

Le gosse haussa les sourcils comme si c'était lui, et non Bonnie, qui avait posé la question. Elle y lut la ruse et comprit qu'il ne lui répondrait pas sans incitation. Elle ouvrit son sac, l'orientant comme si c'était un livre et qu'elle souhaitait que personne ne lise par-dessus son épaule. Avec un léger malaise, elle s'aperçut qu'elle avait donné son dernier billet de cinq dollars au chauffeur de taxi et qu'il ne lui restait rien en-dessous de vingt dollars.

— Ou peut-être que tu connais un jeune homme du nom de Lomax ?

Elle lui tendit le billet de vingt dollars.

— Tod Lomax ?

Le gamin prit l'argent sans le regarder. Il cracha et une bulle de poussière cloqua l'asphalte.

— *No hablo inglés.*

Bonnie changea linguistiquement son fusil d'épaule.

— *Yo hablo español un poquito. Donde estan...*

Il désigna le hangar d'un bref signe de tête par-dessus son épaule.

— Essayez là-dedans.

Le regard de Bonnie se porta sur l'espèce de grange à deux étages. Le bois dont elle était faite avait pourri et les intempéries lui avaient donné la patine décolorée du bois flotté. Derrière, le soleil se couchait sur la découpe des gratte-ciel du New Jersey, tel la bouffissure rouge d'un abcès à l'œil.

Elle traversa l'asphalte, à pas lents.

On avait arraché les planches d'une porte condamnée, hérissées de clous de plusieurs centimètres, et on les avait jetées sur la chaussée. Un écriteau sur lequel on avait peint récemment « défense d'entrer » en lettres rouges sur fond blanc se balançait comme l'enseigne d'une boutique. Bonnie prit une profonde inspiration et passa sous l'écriteau. Elle resta là à ciller jusqu'à ce que ses yeux s'accoutument à l'obscurité. Mais immédiatement, elle sentit à fleur de peau qu'elle avait pénétré dans un univers différent. Une odeur écœurante la frappa mais progressivement, comme si on faisait mijoter un mélange d'ail et d'excréments de chien.

Les dernières lueurs du jour tombant par les fenêtres brisées et les interstices des planches arrachées tachetaient l'air stagnant, gris poussière. Des enfants demi-nus avaient délimité des zones de la taille d'une pierre tombale sur le sol du hangar. Un concert de voix, de cassettes de rap et d'aboiements de chien enflait et désenflait par vagues.

Bonnie sentit qu'il lui fallait un masque, non seulement contre l'odeur, mais pour se protéger des yeux, des dizaines, des centaines d'yeux qui luisaient tels les minuscules insectes électriques d'un marais.

Elle s'adressa à l'enfant le plus proche d'elle.

— Pardon. Tu connais une fille blonde qui s'appelle Nell ?

Elle s'efforça de sourire ; mais en s'apercevant que l'une des jambes du garçon n'était plus qu'un moignon sans genou, son sourire mourut de lui-même.

— Ou un garçon qui s'appelle Tod Lomax ?

Il secoua de la tête. Cela pouvait aussi bien dire *j'sais pas* que *fous-moi la paix.*

Elle se fraya un passage entre les duvets, les meubles récupérés dans la rue et les sacs poubelle crevés qui servaient à marquer les divers territoires. C'était comme perdre son chemin sur un damier dont les cases n'étaient jamais les mêmes.

— Tu connais une fille qui s'appelle Nell ? Un garçon qui s'appelle Tod ?

Des posters de Fidel Castro, Malcolm X, Jésus, Ice-T et Elvis, qu'illogiquement ne séparaient ni l'époque ni l'idéologie, la contemplaient du haut des murs qui s'effritaient.

— Pardon. Tu connais Nell ? Ou bien Tod ?

14

— **D**ésirez-vous boire quelque chose ?

Les mains de Lawrence Hitchcock effleuraient la bouteille de Johnny Walker.

— Si vous avez un soda ou un truc light, dit Cardozo.

Le sourire d'Hitchcock perdit de son éclat.

— Rien de plus corsé ?

Il veut qu'on lui tienne compagnie, comprit Cardozo.

— Rien qu'un soda, merci.

Hitchcock s'activa avec les glaçons et les verres à cocktail. Ses pommettes hautes et son front sévèrement dégarni en pointe élargissaient ses yeux noirs, les faisant ressembler à ceux d'un panda.

— Annabelle, tu prendras bien quelque chose.

Mme Hitchcok répondit d'une voix quasi absente depuis son canapé recouvert de chintz.

— Quelque chose de pas trop fort.

C'était une petite femme boulotte, aux cheveux gris très soignés et aux perles assorties à ce gris.

Hitchcock tendit à chacun d'eux un grand verre, portant gravé l'écusson de l'université de Yale, et s'installa dans le fauteuil qui faisait face à Cardozo.

— A votre santé, lieutenant. Alors où en est la guerre qui fait rage dans nos rues ?

Cardozo leva son verre.

— Pas près de se terminer, en tout cas.

— Qui aurait imaginé que New York deviendrait ainsi ? fit Hitchcock, en hochant la tête. Quand toucherons-nous enfin le fond ?

— Voyons, Larry, dit Annabelle Hitchcock sur un ton de joyeuse réprimande. Je doute fort que le lieutenant ait fait autant de chemin pour disserter sur les plaies de la societé urbaine.

Hitchcock se tourna, comme pour dire *Eh bien, alors, de quoi voulez-vous parler ?*

— De votre fille.

Le silence tomba sur le salon lambrissé aux lumières tamisées. Dans le couloir d'entrée de l'appartement de M. et Mme Lawrence Hitchcock, 79e Rue Est, une horloge sonna le quart de 7 heures.

Cardozo prit conscience qu'il était porteur à coup sûr des pires nouvelles que des parents puissent apprendre. Il choisit les mots les plus neutres possibles, y allant sur la pointe des pieds.

— J'ai cru comprendre qu'elle s'était brisé la cheville, il y a un an et demi de ça ?

Hitchcok se borna à faire tournoyer le contenu de son verre, gardant les yeux fixés sur le maelström.

— Louisa jouait dans un groupe théâtral amateur, dépendant de l'église de Saint-Andrew. Il fallait qu'elle lève la jambe comme les danseuses de can-can. On lui a mis le pied gauche dans un appareil censé améliorer son équilibre. Mais à la place, ça lui a cassé la cheville.

— Vous voulez voir les radios ? dit Mme Hitchcock. On les a conservées.

Il y avait quelque chose dans son ton qui ne collait pas avec la situation, quelque chose de presque givré, comme si elle offrait de lui montrer les photos de la remise des diplômes de sa fille.

— Vous êtes certaine que ça ne vous dérange pas ? fit Cardozo.

— En aucun cas.

Mme Hitchcock traversa la pièce et s'approcha d'un secrétaire en merisier marqueté dont elle ouvrit l'un des tiroirs du bas. Elle apporta à Cardozo une énorme enveloppe portant le tampon « Service Rayons X Lenox Hill Hospital ».

Cardozo fit glisser l'une des radios hors de l'enveloppe. Il la tint à la lumière de la lampe posée sur la table près de lui. Elle montrait une fracture étonnamment simple.

— Pourrais-je vous les emprunter ? J'aimerais les comparer avec...

Il n'alla pas plus loin. Le couple Hitchcock avait les yeux fixés sur lui.

— On a retrouvé le corps d'une jeune femme avec le même type de fracture.

La main de Mme Hitchcock reposa son verre en tremblant. Du scotch se répandit sur le rond de verre du New York Yacht Club.

Dans l'entrée, une porte claqua, et une adolescente entra en coup de vent dans le salon.

— Salut, tout le monde.

Elle avait une chevelure rousse flamboyante qui causait un choc et se dirigea sans attendre vers le bar.

— C'est Louisa, notre fille, expliqua Mme Hitchcock. Elle a quitté Bennington pour venir passer quelques jours avec nous.

— Qui c'est qui parle de moi derrière mon dos ?

Louisa Hitchcock se retourna avec à la main un verre à whisky généreusement rempli, semblait-il, d'une vodka-tonic.

— L'inspecteur Cardozo aimerait emprunter tes radios, dit Annabelle Hitchcock. Quelqu'un d'autre a eu le même genre de fracture.

— Ah oui ? répartit Louisa. Quelqu'un que je connais ?

— Une jeune fille qui est morte, ajouta son père.

Cardozo sortit de sa veste le portrait dessiné de miss Glacière.

Louisa Hitchcock le prit, posa son verre et se frotta la nuque de la main. Un peu comme si elle désirait prolonger cet instant où elle était le centre de l'attention générale.

— Vous savez à qui elle me fait penser *trait pour trait* ? A Betsy Frothingham. Sauf que Betsy est toujours vivante.

— Donne, je vais te dire ça, fit Hitchcock.

Louisa tendit le dessin à son père.

Ce dernier l'examina en plissant le front, comme s'il se creusait fort les méninges.

— Jamais vue. Et toi, Annabelle ?

Mme Hitchcock poussa un profond soupir et secoua la tête. Elle rendit le dessin à Cardozo.

— J'ai l'impression que nous ne pouvons pas vous être d'une grande utilité, dit Hitchcock. Je regrette.

— J'ai pu comparer les deux fractures.

La voix au téléphone était celle de Dan Hippolito de l'Institut médico-légal.

— Il y a des similarités. Louisa Hitchcock a eu le même genre de fracture spiroïde que miss Glacière. Mais il n'y a rien là sur quoi se baser.

— Tu as souvent vu des fractures spiroïdes de ce type ? demanda Cardozo.

— Professionnellement ? Pas très souvent à New York. On les trouve d'habitude dans les stations de ski.

— Et pourquoi là ?

— Le ski coince le pied, et quand le skieur tombe, la cheville se tord de manière caractéristique.

— A ton avis, miss Glacière faisait du ski ?

— Je te laisse l'entière responsabilité de tes hypothèses de travail.

Une idée n'avait pas cessé de tarabuster Cardozo et le moment lui semblait venu de l'exposer.

— Tant que nous en sommes aux hypothèses de travail, je me suis posé des questions sur les résidus de pain azyme dans sa bouche...

— Oui ?

— Ça ne pourrait pas être de l'hostie ?

Dan hésita.

— Logiquement ou chimiquement parlant ?

— L'un ou l'autre. Les deux.

— Logiquement, c'est une extrapolation. La communion, c'est de l'hostie plus du vin, et on absorbe le vin après l'hostie. Mais il y a des chances pour que le vin fasse descendre l'hostie et qu'il n'en demeure pas une aussi grande quantité dans la bouche. En fait, il pourrait même n'en rester aucun fragment.

Cardozo continua à feuilleter le scénario dans sa tête.

— Et chimiquement ?

— Là, on reste sur la terre ferme. En termes d'analyse chimique, aucune raison ne s'oppose à ce que ce résidu ne soit pas de l'hostie. Mais je ne courrais pas le risque de l'affirmer.

Son ton impliquait, *et je ne te conseille pas de courir ce risque non plus*.

— Merci, Dan. C'est tout ce que je voulais savoir.

Cardozo raccrocha et réfléchit.

— Six inspecteurs.

Ellie Siegel s'encadrait dans la porte du box.

— Depuis deux jours, six inspecteurs ont écumé les

endroits où zonent les fugueurs dans cette ville, avec le portait de Nico.

Elle portait un chemisier de coton du rose des boutons de cornouiller.

— Jusqu'ici, personne n'a reconnu cette fille. D'après moi, on a la mémoire courte dans ce milieu-là.

— Comme la vie qu'on y mène, conclut Cardozo.

— O'Reilly veut nous ramener à quatre inspecteurs.

— Quatre, c'est pas assez.

— Parles-en à O'Reilly.

Cardozo fit décrire un cercle complet à sa chaise pivotante.

— Toi, tu lui en parles.

— C'est déjà fait.

— Juste une fois, tu pourrais pas m'annoncer de bonnes nouvelles ?

— Je viens de relire les interrogatoires d'hier avec les portiers.

Elle haussa un sourcil.

— Tu devrais jeter un œil sur celui-là.

Elle lui tendit la chemise, dont il examina le contenu.

Juan Rodriguez, portier de minuit à 8 heures du matin au 1012, Cinquième Avenue, déclarait qu'à deux reprises l'année dernière, vers l'aube, il avait vu un homme pénétrer dans les buissons à l'extrémité du jardin. Les deux fois, l'homme portait un paquet de forme conique enveloppé de papier journal.

Pendant sa lecture, Cardozo sentit comme un courant d'électricité statique lui hérisser les poils de la nuque. Il cilla.

— Où est ce portier, maintenant ?

— Il travaille de jour. Il attend ta visite.

Dans le hall d'entrée du 1012, Cinquième Avenue, sur des tablettes de marbre, des ampoules en forme de bougies brillaient dans des lampes-tempête de designer.

— Vous pouvez me le décrire ? disait Cardozo. Age, taille, corpulence ?

— Moyen.

Juan Rodriguez haussa des épaules carrées drapées dans sa veste de brocart vert et or d'uniforme de portier.

— Tout était moyen.

— Couleur des cheveux ?

— Pourrais pas dire. Le soleil était pas levé. Il faisait encore sombre.

— Signes particuliers ?

— Eh oh ! lâchez-moi.

Juan Rodriguez eut un large sourire.

— Il se trouvait de l'autre côté de l'avenue.

— Mais vous avez bien vu ce qu'il avait à la main.

— Ça je pouvais le voir. Un truc enveloppé dans du papier.

Une femme sortit de l'un des ascenseurs et fit halte devant le mur en miroir pour vérifier son rouge à lèvres. Cardozo eut la vague impression d'une madone blonde boudeuse trop chargée de bijoux pour arpenter les rues de New York sans garde du corps.

— Juan, dit-elle. Tiffany envoie quelqu'un pour prendre un truc que je leur retourne. C'est la bonne qui l'a.

Rodriguez lui tint la porte.

— J'y veillerai, madame Oliphant.

Cardozo attendit que la porte se soit refermée sur Mme Oliphant et sa limousine gris requin.

— Vous avez dit à l'inspecteur que l'homme dans le jardin transportait quelque chose d'enveloppé dans du papier journal.

Rodriguez opina du chef.

— Ça aurait pu être du papier journal.

— Comment vous pouvez dire ça ?

— Ça en avait tout l'air. Des photos. Des gros titres. Mais de si loin, j'en mettrais pas ma main au feu.

— Vous avez pu voir ce qu'il y avait dans le papier ?

— Ça aurait pu être une bouteille.

— Avez-vous vraiment vu une bouteille ?

Un pli d'hésitation marqua la mâchoire bleuie de Rodriguez.

— Rien que la forme. Comme un cône. Comme une... *bouteille*, quoi.

— Les bouteilles ne sont pas souvent coniques.

— Je dis pas que ça aurait pas pu être autre chose.

— Vous avez noté comment cet homme était habillé ? Une veste, un pardessus ?

Il y eut un silence que Rodriguez finit par briser d'un signe de tête négatif et ferme.

— Pas un pardessus. La première fois que je l'ai vu, c'était au printemps ; la deuxième, en automne.

— Il était en manches de chemise ?

— En chemise, oui plutôt.

— Et vous avez remarqué quelque chose concernant sa chemise ?

Parfois, fermer les yeux n'est qu'une autre façon de voir.
Rodriguez ferma les yeux.

— En y repensant, il y avait bien quelque chose.

Il hésita.

— On aurait dit qu'il avait une sorte de...

De son pouce, il fit le geste de se trancher la gorge.

— Un col ecclésiastique.

Un instant, le cœur de Cardozo faillit s'arrêter.

— Un col ecclésiastique ?

— Je suis pas sûr. Y a des mois de ça.

— Est-ce que ça aurait pu être un de ces hommes ?

Cardozo tendit à Rodriguez les agrandissements photo du
père Montgomery et du père Romero.

Les yeux noirs du portier allèrent de l'un à l'autre.

— J'pourrais pas dire. Sauf que j'ai vu le même homme le
jour de l'ouverture du jardin.

— Mais lequel ? Celui au journal ou l'un de ceux qui sont
sur ces photos ? Ou bien ils ne faisaient qu'un ?

— J'suis pas sûr.

La voix de Rodriguez à présent avait presque un ton persé-
cuté.

— Je crois qu'il était avec le premier groupe qui est entré.

— Donc l'homme au journal aurait pu être l'un de ces
prêtres et se trouvait à la cérémonie d'ouverture.

— Il aurait pu.

— Lequel de ces prêtres ?

— J'suis pas sûr.

Rodriguez agita les mains avec impuissance.

— Y avait plein de célébrités. Lui, c'était personne. Tout le
monde portait des impers. Et lui, une casquette.

— Quel genre de casquette ?

— Une drôle de casquette.

— Drôle comment ?

— Qui pendait. Comme la toque d'un chef cuisinier, mais
écrasée.

— Blanche ? En coton ?

— Non. En tweed marron. Avec un bord mou. Et une
visière trop grande.

— Une casquette de golf.

— C'est ça. Comme dans les vieux films en noir et blanc.

15

La journée était ensoleillée et l'air, clair. Cardozo traversa la Cinquième Avenue. On avait démonté la petite estrade dans les Jardins Vanderbilt. L'équipe d'investigation criminelle avait terminé son travail, et la propriété était à nouveau ouverte au public.

Il regarda des mères de famille pousser des landaus, des enfants jouer, des amoureux se tenir la main. Il regarda des âmes solitaires flâner, lire le journal ou simplement rester assises sur un banc. Les jardins étaient comme un splendide rêve éveillé, un lieu de perfection dans une ville de perdition.

Il gagna les massifs de rhodendrons à l'extrémité sud et les franchit pour gagner les bois. Le trou d'un mètre cinquante où l'on avait trouvé le corps avait été rebouché avec de la terre, mais n'était pas difficile à localiser.

Il resta debout près du cornouiller. Il jeta un regard circulaire autour de la sépulture, scrutant d'est en ouest, du nord au sud, prenant progressivement du champ. Il aperçut des détritus de fraîche date : une boîte de Pepsi light vide qui n'y était pas trois jours plus tôt, des épluchures d'orange séchées grouillant de fourmis, une page du *Times* de la veille.

Pendant que ses yeux vaguaient çà et là, ses pensées prirent un tour mélancolique bien particulier.

Il avait su dès le début que cette affaire allait lui poser personnellement un problème. Qu'il serait tenté de penser et de voir en fonction de ses souvenirs car, à ce qu'il en savait, la jeune fugueuse de son passé avait pu achever sa course exactement comme celle de la glacière en polystyrène.

Sally Manfredo, si elle était encore en vie, était la fille de sa sœur, une veuve. Cheveux bruns, yeux noirs et graves. Il ne l'avait pas revue depuis le soir où sa sœur lui avait demandé d'avoir une discussion avec elle. Il l'avait emmenée dîner d'un steak et de silence.

— Sally, comment ça se passe à la maison ?

— Ça va.

Il ne la crut pas. Toute la soirée, il avait senti qu'elle était minée par une inquiétude inexprimée.

— Et à l'école ?

— Ça va.

— Il y a quelque chose dont tu aimerais me parler ?

Il tendit la main à travers la nappe et effleura la sienne.

— Ta mère n'a pas forcément besoin d'être au courant.

— Oncle Vince, t'es un flic.

— En ce moment, j'suis pas un flic. J'suis ton oncle. T'as des ennuis ?

Il voyait bien qu'elle était nerveuse, préoccupée. Elle lui fit une moue de seize ans.

— Qu'est-ce qui te tracasse ? Tes amies ? Les garçons ?

Elle resta muette. Il remarqua qu'elle s'était maquillée. Du rouge à lèvres et une légère couche d'ombre à paupières. Autrement, son visage était tel qu'en lui-même, avec cette troublante perfection de l'extrême jeunesse.

— Tu te drogues ?

— Je fais rien d'illégal, dit-elle en lui décochant son premier sourire de la soirée. J'aimerais bien.

— Tu sais que ta mère se fait beaucoup de souci.

— Bien sûr que je le sais. Elle s'en fait toujours. J'aimerais bien qu'elle me lâche un peu.

Sally taquinait de sa petite cuillère un parfait au yaourt.

Cardozo avait vis-à-vis d'elle le même sentiment qu'il avait parfois quand il questionnait un suspect : elle avait envie de se mettre à table, et s'il montrait un petit peu de patience, elle trouverait le courage de lui dire tout ce qu'elle avait sur le cœur.

Les minutes s'écoulaient. Le serveur remplit à nouveau de café leurs tasses.

— Tu sais ce qu'elle fait, maman ?

Nous y voilà.

— Elle fait quoi ?

— Elle fouille dans ma chambre.

En un sens, Cardozo fut surpris, et dans un autre, il ne le fut pas.

— Tu veux que je te dise ? Elle fouillait dans la mienne quand on était gosses. Nos parents voulaient pas me laisser lire de B.D. tant que mes notes dépassaient pas la moyenne. Alors je cachais mes albums de Batman. Ta mère fouillait la chambre, trouvait les B.D. et les donnait à P'pa et M'man.

Il soupira.

— Qui les déchiraient.

— Oncle Vince, faut qu'on unisse nos forces et qu'on lui trouve un second job. Comme ça, elle aura pas le temps de se faire du souci à mon sujet. Tu sais pas si on recherche un agent de liberté conditionnelle ?

— Non, fit-il avec un grand sourire. Mais à la prison de Binghamton, on recherche avidement une matonne.

Plus tard, il regretta beaucoup cette plaisanterie. Mais sur le moment, il sentit qu'il gagnait un petit peu la confiance de Sally. Il alla jusqu'à lui raconter les démêlés qu'il avait avec sa propre fille. Il eut l'impression qu'ils s'aidaient mutuellement. Il était presque 11 heures quand il la raccompagna chez elle.

Elle lui dit bonsoir d'un baiser sur les lèvres.

— Merci, Oncle Vince. Je t'oublierai jamais.

Le lendemain, Jill, sa sœur, lui téléphona aux abois.

— Qu'est-ce que t'as raconté à Sally ?

— Rien, je l'ai juste écoutée.

— Et qu'est-ce qu'elle t'a dit ?

— Rien.

— Alors comment se fait-il qu'elle soit partie ?

— Partie ? Qu'est-ce que tu me chantes ?

— Sa valise n'est plus là.

Cardozo ne faisait aucune confiance à sa sœur regardant le comportement d'autrui.

— Sally te met à l'épreuve. Elle va revenir.

Mais Sally ne rentra pas ce soir-là. Ni le soir suivant.

Passé soixante-douze heures, elle entra officiellement dans la catégorie des personnes disparues. Cardozo mit deux inspecteurs sur l'affaire — une première à New York, où trois gosses disparaissent et six sont assassinés chaque jour.

Au bout de deux semaines, les inspecteurs n'avaient rien découvert pouvant suggérer un kidnapping ou un autre acte de malveillance. Ils aboutirent tous deux à la même conclusion.

— Avec cette mère-là, grande gueule et soupe au lait...

— Jill est très stressée, objecta Cardozo.

Mais il savait ce qu'ils voulaient dire et, la mort dans l'âme, sentait qu'ils avaient raison.

— Cette femme cherche trop la petite bête. Elle te secoue les puces, même quand il y a pas de quoi fouetter un chat.

Cardozo ne trouvait aucune excuse pour défendre sa sœur.

— Une gosse ne disparaît pas comme ça sauf si elle le veut bien.

— Ou si on l'a assassinée, dit Cardozo.

— Si on l'a assassinée, ça fera surface un jour ou l'autre.

Comme rien ne justifiait un supplément d'enquête, on affecta les inspecteurs à des affaires plus urgentes. Cardozo relut leurs rapports. Ils avaient fait du bon boulot, dans les règles : ils avaient interrogé la famille, les amis, les voisins, les profs. Ils avaient passé au crible les gares routières, les agences de location de voitures, les gares de chemins de fer, les aéroports. Et avaient vérifié cartes de crédit et relevés téléphoniques.

Ils n'avaient mis au jour que deux choses vaguement bizarres. La première était un petit mot glissé dans l'album du lycée de Sally.

« Sally, avait gribouillé le scripteur, sur du papier à en-tête de l'église Saint-Andrew, tu fais ça si divinement — le ciel soit loué pour les petites filles[1] aussi douées ! Joe. »

L'autre bizarrerie était un numéro qui revenait trois fois sur les relevés téléphoniques de Jill au cours du mois qui avait précédé la disparition de Sally. Celui de l'église épiscopalienne de Saint-Andrew, dans l'Upper East Side. Ça ne disait rien du tout à Jill.

Cardozo se rendit sur place et demanda au recteur si Sally lui avait téléphoné.

— Nos ressources sont à la disposition de quiconque en a besoin.

Le père Joseph Montgomery portait une coquette veste de tweed par-dessus son plastron ecclésiastique. Il fumait la pipe et ses yeux semblaient porter un jugement sur Cardozo.

— Contrairement à ce que certains d'entre nous aimeraient croire, il n'y a pas que les filles sans le sou ou noires qui ont des ennuis.

— La réponse est oui ou non ?

— Votre nièce a-t-elle mentionné cette église ou ses activités à vous ou à votre sœur ?

— Non.

— Est-il venu à l'esprit de l'un d'entre vous que cette jeune femme avait des ennuis d'une certaine sorte ?

— Est-ce que vous êtes en train de me dire qu'elle est venue parler grossesse avec vous ? Elle n'a que *seize* ans, bon Dieu !

— Et peut-être vous appelait-elle à l'aide et ne l'avez-vous pas entendue ?

— Et vous, oui ?

Cardozo montra le petit mot au recteur.

---

1. *Thank Heaven for Little Girls*, difficile de ne pas voir là une allusion à la chanson du même nom immortalisée par Maurice Chevalier dans *Gigi*. (N.d.T.)

— C'est bien votre écriture ?

Ce dernier demeura impassible.

— Ça y ressemble.

— Qu'est-ce que ça signifie ? Sally fait *quoi* divinement ?

— Je ne saurais dire. Je ne me rappelle pas avoir écrit ceci.

— L'avez-vous envoyée quelque part ? Savez-vous où elle se trouve ?

— Si vous me demandez si j'ai fourni ou non une assistance socio-psychologique à votre nièce, je dois m'abstenir de tout commentaire sur ce point. Mais il me semble que réfléchir avec un minimum d'honnêteté serait profitable tant à vous qu'à la mère de cette jeune fille.

Cardozo demanda à un ami des services du D.A. si l'on pouvait obliger le recteur à ouvrir ses dossiers.

— Voyons, Vince, il ne sait rien. C'est un curé de gauche, classé anti-flic. Il a été ambigu à dessein — il a joué les Salomon pour te faire sortir de tes gonds.

— Il y a plus. Il a écrit ce mot. Il a ce genre de suffisance qui veut dire « je sais quelque chose que vous ne savez pas ».

— Tu l'aimerais coupable d'autre chose que de t'avoir contrarié. Tu aimerais avoir la preuve d'un délit et la preuve qu'il y est impliqué.

Mais rien ne fit surface, ni cette année-là ni la suivante.

Jill passa de l'hystérie à la déprime. Elle apprit à Cardozo qu'elle payait des détectives privés cinq cents dollars par semaine pour retrouver la trace de sa fille.

Cardozo lui conseilla d'arrêter.

— Je me sens si désemparée, dit-elle en se mettant à pleurer. Des choses arrivent à ma petite fille et je suis même pas au courant. Je la vois même pas grandir — je n'aurai aucun souvenir. Même pas des petits bouts de phrases.

Elle se mit à prendre du poids. Elle buvait trop. Et téléphonait au milieu de la nuit, complètement soûle.

— Vince, où elle est ?

— J'sais pas.

— Elle est vivante ?

— J'sais pas.

— T'es un flic, tu dois savoir.

— J'sais pas.

Silence. Tintinnabulement de glaçons.

— Je crois qu'elle est vivante.

— Je l'espère. Essaie de dormir, Jill.

Au cours des deux années suivantes, elle accrocha de plus

en plus de photos de Sally aux murs du salon. Etablissant un roulement de sa collection.

Un soir, lors de l'un de leurs insupportables dîners mensuels, elle lui apprit qu'elle était en contact avec un médium de L.A., spécialisé dans les jeunes qui faisaient des fugues.

Cardozo sentit son cœur défaillir douloureusement.

— Combien tu lui as donné ?

— Trente mille dollars.

Cardozo fila à L.A. d'un coup d'avion. Le type était un escroc notoire. Cardozo l'ayant menacé de poursuites, le médium restitua vingt-cinq mille dollars.

Quand Cardozo posa l'argent sur la table de la cuisine, sa sœur se ratatina sur elle-même.

— Les rapports que m'envoyait cet homme étaient tout ce qui me permettait de continuer.

— Ils étaient cousus de mensonges. Il envoie le même rapport à une bonne centaine de parents dans le même cas que toi.

Elle leva les yeux. Ils étaient humides.

— Franchement, Vince, j'aurais préféré garder un espoir.

Il n'oublierait jamais ce regard de sa sœur. Douloureux. Accusateur. Comme s'il l'avait transpercé de part en part.

Il fit un effort pour arrêter les cassettes du souvenir. *Ça, c'était hier. On est ici et maintenant. C'était Sally. Elle, c'est... quelqu'un d'autre.*

Il fouillait dans les feuilles mortes depuis presque deux heures quand un papillon attira son regard. Il le vit voleter dans un cône de soleil oblique puis, traversant l'ombre, gagner les branches du cornouiller.

Il se posa sur une feuille et Cardozo s'aperçut que cette dernière et sa voisine étaient affectées d'une étrange pliure. Il repoussa les feuilles.

Un morceau de fil rouge s'était pris dans l'un des rameaux. Un bouquet de tiges séchées pendillait de l'une des boucles.

Il compta les tiges. Il y en avait douze.

Un second bouquet. Un, c'était peut-être une coïncidence. Mais pas deux. Quelqu'un avait attaché les fleurs avec du fil, les avait enveloppées de papier journal et apportées ici. Deux fois. Quelqu'un qui savait qu'à cet endroit se trouvait la tombe de la fille morte.

Et ce quelqu'un portait un col ecclésiastique.

16

— Qui est entré en premier dans le jardin ? demanda Cardozo.

— Le jour de l'inauguration ?

Le père Montgomery réfléchit.

— Les membres du comité ont été les toutes premières personnes à y pénétrer.

Ils étaient assis dans le cabinet de travail du père Montgomery. Les rayons du soleil tombant à l'oblique étaient tamisés par les carreaux enchâssés de plomb de la fenêtre.

— Et qui fait partie de ce comité ?

— Outre moi-même, mon assistante Bonnie Ruskay, que vous connaissez, Tina Vanderbilt, le père Chuck Romero, le rabbin Green et l'imam Zafr Mohadi.

— Certains d'entre vous portaient des imperméables ?

— La pluie menaçait depuis le matin — j'imagine qu'on en portait tous.

— Et des casquettes de golf ?

— Une casquette de golf sous la pluie ?

Le père Montgomery parut sincèrement éberlué.

— Vous en possédez une ?

Le père Montgomery se leva, traversa la pièce jusqu'à la penderie qu'il ouvrit à deux battants. Il s'empara d'une casquette en tweed sur l'une des patères et, s'en coiffant la tête, prit l'attitude d'un golfeur.

— *Voilà* [1], Bonnie m'en a fait cadeau à Noël, il y a trois ans.

On frappa à la porte et un homme à cheveux clairs en costume d'été entra d'un pas vif dans le bureau.

— Quel plaisir de vous revoir, lieutenant. David Lowndes.

Il lui tendit la main.

— Je suis l'avocat-conseil de Saint-Andrew. Nous nous sommes déjà rencontrés.

— Je n'ai pas oublié, dit Cardozo.

— Selon toute évidence, vous êtes devenu très friand de la compagnie du père Joe.

Le ton de Lowndes était celui d'une bonne blague entre copains.

---

1. En français dans le texte original. (N.d.T.)

— Ou alors, si ce n'est pas le cas, vous le soupçonnez de quelque chose d'absolument innommable.

— Toute plaisanterie mise à part, reprit le père Montgomery, David se trouve ici pour une autre affaire, et je lui ai demandé d'être présent pendant que vous me passez à tabac. Vous n'y voyez pas d'inconvénient ?

Le père Montgomery connaissait ses droits, il n'y avait pas à en douter, et Cardozo comprit qu'il ne pouvait rien faire d'autre que jouer le jeu de ce dernier — à savoir, celui de trois personnes civilisées tuant le temps en conversant civilement pendant dix minutes.

— Absolument aucun.

Lowndes s'installa sur le canapé. Il tira un peu sur l'étoffe de son pantalon, et sourit.

— Et quelle est cette petite affaire qui ne saurait attendre ?

— Il y en a plusieurs en fait.

Cardozo ouvrit un bulletin de Saint-Andrew et le posa sur le bureau.

— Vous est-il arrivé de conduire la fourgonnette que l'on voit sur cette photo ?

— C'est notre ancienne fourgonnette, dit le père Montgomery. Je la conduisais de temps en temps.

— Je peux voir ? demanda David Lowndes.

Le père Montgomery lui tendit le bulletin.

— Vous est-il arrivé de la conduire dans Central Park ? fit Cardozo.

— Pas que je me souvienne.

— Savez-vous si quelqu'un l'aurait conduite dans Central Park ?

— Comme ça d'emblée, non.

— Dites-moi, lieutenant, intervint Lowndes. Si je comprends bien, cette fourgonnette est l'un des éléments de votre enquête sur cette fille qu'on a retrouvée morte dans les jardins ?

— Ça se pourrait, dit Cardozo.

— Je ne vois pas le rapport.

— Je cherche simplement à m'en assurer.

Cardozo sortit de la poche de sa veste les trois photos de Jonquille qu'il tendit au père Montgomery.

— Vous connaissez cette personne ?

Le recteur le considéra d'un air dénué d'expression.

— Je devrais ?

— Ces tirages proviennent du lot de négatifs que vous m'avez confiés.

— Un instant.

Lonwdes déplia son corps anguleux et maigre du canapé. Il se leva, se redressant de toute sa taille.

— Le lieutenant Cardozo vous a pris ces négatifs ?

— Je les lui ai donnés.

Le père Montgomery s'empara de l'une des photos qu'il examina d'un œil critique.

— J'ai dû la photographier si elle se trouve sur le rouleau de pellicule. Mais difficile de dire si je la connais.

— Vous permettez ?

Lowndes tendit la main vers les deux autres clichés.

— Apparemment, c'est un travesti qui se prostitue, dit Cardozo. Elle travaille du côté des entrepôts d'emballage de la viande.

— On a certainement appliqué notre programme dans cette partie de la ville, dit le père Montgomery. Mais je rencontre tellement de gens dans mon travail — des mondains, des putains, des politiciens. J'ai parfois la mémoire qui flanche.

— Vous oubliez les ados, ajouta Cardozo.

— Je vous demande pardon ?

— Vous devez aussi rencontrer des ados dans votre travail.

Le père Montgomery opina du chef.

— Oh oui. Beaucoup d'entre eux, aussi.

— Il y a eu un accident il y a de ça un an et demi. Une adolescente sous votre garde s'est cassé la cheville ?

— Sous ma garde ? Grand Dieu, chaque parent qui me confie sa progéniture devrait être inculpé de négligence criminelle.

— Les parents ont fait un procès.

— Ça m'évoque les Hitchcock, dit Lowndes.

— Ah oui, la petite Louisa, fit le père Montgomery hochant la tête. Cette pauvre gosse s'était mis en tête d'être la nouvelle Julie Andrews. Elle a glissé pendant une répétition et s'est foulé la cheville, ou fait une entorse, quelque chose comme ça.

— Elle se l'est fracturée, précisa Cardozo.

— Pardon ?

— Elle s'est cassé la cheville.

Le père Montgomery leva les mains à hauteur de son visage. Ses boutons de manchette en or étincelèrent. Le bout de ses doigts parfaitement manucurés dansèrent.

— Je me rappelle. Sa mère a porté plainte. On aurait cru que j'avais brisé à coups de massue de mes propres mains la cheville de la Pavlova.

— N'oubliez pas une chose, fit observer Lowndes. Elle a été déboutée.

— Qu'est-ce qui avait causé l'accident ?

— Un appareil qu'on appelle un *high-kicker*. Il immobilise la cheville. Il ne représente aucun danger, toutes les écoles de danse moderne l'utilisent.

Le père Montgomery ajouta, avec une pointe de tristesse.

— Bien évidemment, nous ne nous en servons plus.

— J'ai conseillé à l'église de jouer la sécurité et la prudence, dit Lowndes. Les accidents, ça arrive.

— Est-ce que ce *high-kicker* a provoqué d'autres fractures de chevilles ?

Le père Montgomery se recula légèrement dans son fauteuil, comme s'il lui fallait prendre davantage de champ pour bien voir Cardozo.

— Vous voulez dire à Saint-Andrew ?

— Il n'a jamais été établi que c'était le *high-kicker* la cause de l'accident, dit David Lowndes. Voici comment les choses se sont passées d'après moi : la petite Hitchcock avait un talent des plus minces et elle n'a pas pu suivre le tempo. Soit dit en passant, elle répétait seule avec le directeur musical quand elle est tombée. Le père Montgomery n'avait rien à voir là-dedans.

— Ce n'est pas tout à fait ce que je vous demandais, s'entêta Cardozo. Y a-t-il eu d'autres danseurs ou danseuses dans les spectacles de Saint-Andrew qui se seraient blessés ?

Le père Montgomery échangea un regard avec Lowndes.

— Le père Joe peut seulement vous répondre dans la mesure où il se souvient. A moins que vous ne vouliez qu'il fasse une déposition et l'obliger à consulter ses dossiers.

— Les souvenirs du père Montgomery feront parfaitement l'affaire.

Parfaitement l'affaire pour le moment, songea Cardozo.

— Aucun autre danseur ou danseuse ne s'est blessé, dit le père Montgomery marquant une hésitation. Autant que je m'en souvienne.

— Quel était le nom du directeur musical ?

— Voyons voir, celui de ce spectacle, c'était Wheelwright Vanderbrook — le fils de Baxter Vanderbrook.

Le père Montgomery tendit la main vers le téléphone.

— Bonnie, voulez-vous être un amour et me dénicher le numéro des Vanderbrook pour le lieutenant ?

Il reposa le combiné.

— Bonnie est une vraie perle. Je serais perdu sans elle.

Un instant plus tard, l'assistante du père Montgomery, vive et preste dans une robe soulignant sa taille fine, frappait à la porte.

— Nous n'avons pas ce numéro de téléphone. Les Vanderbrook ne fréquentent plus l'église.

Cardozo inscrivit une brève note dans son calepin.

— Encore une question, la dernière. Gardez-vous toujours votre fichier-comédiens dans ce tiroir ?

Il désigna le bureau.

— Avec la photo et le C.V. de ceux qui ont joué pour vous ?

— On le met à jour chaque année, dit le père Joe. Impossible de monter un spectacle sans ça.

— Je peux vous l'emprunter deux ou trois jours ?

Le père Joe lança un bref regard à son avocat. David Lowndes soupira.

— Puis-je vous ennuyer en vous demandant de produire un mandat pour ce fichier ? Je sais que ça signifie un délai pour vous, mais je crois préférable que nous observions dorénavant toutes les minuties légales.

— Ça ne m'ennuie pas du tout, répliqua Cardozo en souriant. Et ça n'entraînera aucun délai.

Il tira de sa poche le mandat dûment signé et le brandit.

Lowndes tressaillit visiblement en s'efforçant tout aussi visiblement de dissimuler sa réaction. Il examina le mandat de ses yeux bleu clair. Au bout d'un instant, il acquiesça.

Le père Montgomery ouvrit le tiroir, en sortit le fichier et le plaça sur le bureau.

— Ce sera tout, lieutenant ?

— Je ne vois rien d'autre.

Cardozo coinça la boîte à chaussures sous son bras gauche.

— Bonnie, voulez-vous être un amour et reconduire le lieutenant ?

La révérende Ruskay précéda Cardozo dans le couloir. La porte se referma doucement derrière eux.

— David Lowndes m'a dit que je devrais être grondée, fit-elle.

— Et pourquoi donc ?

— Pour vous avoir fait visiter le presbytère l'autre jour. Apparemment, j'aurais dû savoir qu'il fallait me méfier.

— C'est votre boulot de faire confiance aux gens, le sien exactement l'inverse.

— Et le vôtre, c'est de les mettre sous les verrous ?

— Ça, c'est celui du tribunal, pas le mien.

— Cette boîte à chaussures m'a l'air bien fragile. Vous voulez un sac en plastique ?

— Merci. Volontiers.

Elle le conduisit dans le garage en passant par la cuisine. L'air sentait légèrement l'ammoniaque. Il y avait une pile de sacs vides sur le siège arrière de la berline verte.

— Hammacher Schlemmer ou Zabar, vous avez une préférence ?

— Peu importe.

Elle lui tendit un sac plastique de chez Nobody Beats The Wiz.

— Vous cherchez une preuve contre nous ? Parce que vous n'en trouverez pas. Nous sommes des êtres humains, mais nous ne faisons pas de mal.

Elle le regarda d'un œil triste.

— Bien des événements perturbants et insondables à l'extrême surviennent dans cette vie.

— Désolé, ça ne me suffit pas.

— Que voulez-vous, lieutenant ?

— Je ne verrais pas d'inconvénient à sortir d'ici.

Il gagna la porte du garage.

— Je peux ?

Elle haussa les épaules.

Il se baissa et donna à la manivelle un coup sec. Le rideau remonta bruyamment. Cardozo pénétra dans le jardin. C'était un espace clos de murs, empierré, avec du lierre et des plates-bandes. Un poisson orangé glissait dans un bassin vert sombre cerné de rocaille et un oiseau chantait dans les branches d'un poirier.

Il s'approcha des rosiers. Des boutons verts et fermes s'accrochaient aux tiges épineuses. Il tendit la main et brisa rapidement une tige de futures roses. Et la fit tomber dans le sac plastique.

Assis dans son box, Cardozo fixa cinq bonnes minutes la boîte à chaussures avant d'en soulever le couvercle.

Les photos étaient rangées par ordre alphabétique — celles de jeunes gens souriants, avec nom, adresse, numéro de téléphone et bref C.V. sur un papier agrafé au dos de chaque photo.

Chacun et chacune d'entre eux était le fils ou la fille de quelqu'un.

Il se prépara au pire et laissa courir ses doigts jusqu'à la lettre M.

Elle était là, la toute première des M : Sally Manfredo.

Il sortit la photo et la regarda. Cela équivalait à retrouver la caresse d'une vieille chanson familière. Des souvenirs remontèrent à la surface — ce dernier dîner, le café qui refroidissait dans les tasses, le visage de l'adolescente de seize ans face à lui, de l'autre côté de la table, l'air qui fleurait la senteur discrète du parfum au jasmin de sa mère.

Elle était maquillée, sur cette photo, exactement comme ce soir-là. Il y avait une sorte de détermination farouche dans son regard, quelque chose de sombre et d'inavoué.

Sally, songea-t-il, *où t'en es-tu allée ? Et pourquoi ? En avais-tu même l'intention ?*

Il retourna la photo et examina le feuillet tapé à la machine. L'adresse et le numéro de téléphone étaient ceux de sa mère. Rien de plus récent.

Le C.V. disait : *The Boy Friend* — chœur. *Zip Your Pinafore* — Emily. Excellent timing comique. *Pajama Game* — remplacée. Pas de contact depuis. Suivait une annotation manuscrite : adresse actuelle inconnue.

On toqua discrètement à la porte. En levant les yeux, il aperçut Ellie, se tenant dans l'encadrement avec une sorte de grâce involontaire.

— On dit petites boîtes, bonnes nouvelles.

— Pas le cas de celle-là, dit-il en secouant la tête. On a soixante gosses à interroger.

17

Le père Chuck Romero tenait le dessin du visage de la fille à bout de bras. Il le fixa, plissant le front.

— Non, je ne peux pas dire qu'elle me rappelle quelqu'un. A première vue, non. A quand cela remonterait-il ?

— A un an et demi, dit Cardozo, deux peut-être.

— Non, fit le père Romero en secouant la tête.

Ses cheveux noirs grisonnants se clairsemaient au sommet du crâne. Son visage, marqué de rides profondes, lui donnait vingt ans de plus.

— Je regrette.

— Peut-être reconnaîtrez-vous cette jeune fille ?

Cardozo tendit au père Romero une photo de sa nièce.

Le regard du prêtre trahit un léger trouble, instantanément réprimé.

— Elle est ravissante. Mais je ne la reconnais pas non plus.

— Elle s'appelle Sally Manfredo. Elle voulait devenir actrice.

— Elles sont tant à vouloir le devenir.

Ils étaient installés dans des fauteuils, au presbytère de Sainte-Véronique, dans le Queens. Des rayons de livres garnissaient les murs. Les œuvres reliées cuir de saint Thomas d'Aquin, Thackeray ou Dickens avaient été repoussées pour faire place à des piluliers de l'époque victorienne et à de petits cadres d'argent où l'on voyait la photo de très jeunes gens.

— Elle a fait un peu de théâtre amateur, dit Cardozo. Elle a joué dans deux spectacles du père Montgomery, il y a six ou sept ans de ça.

— J'y suis.

— Vous y êtes ?

— Voilà pourquoi elle me disait vaguement quelque chose.

— Alors vous l'avez déjà vue ?

Cardozo sentit le père Romero se rétracter de manière infinitésimale.

— Ça doit être dans l'un des spectacles montés par Joe.

— Se peut-il qu'elle ait travaillé dans l'un des vôtres ?

— Non, impossible.

Si le père Romero ne détournait pas le regard, dans le même temps il refusait catégoriquement de le reporter en arrière.

— Je m'en souviendrais.

— Vous devez travailler avec un sacré paquet de jeunes. Elle est peut-être dans votre fichier et vous avez oublié.

— Je ne tiens pas de fichier d'acteurs amateurs.

— Ah bon ?

Cardozo tâchait de sonder la nervosité qui sourdait du père Romero. Ses mains tremblaient. Ses yeux clignaient à la rapidité d'un battement d'aile de colibri. Et cela avec une expression de surprise peinée comme s'il découvrait que le reste de l'univers ne lui était pas nécessairement acquis. Cardozo pressentit que cela impliquait plus qu'un simple état d'esprit. L'action de quelque agent chimique.

— Mais j'ai une très bonne mémoire des noms et des visages. Et le nom de Sally Manfredo ne me dit rien.

Le père Romero lui rendit la photo.

— Désolé de ne pouvoir vous aider.

— Que faites-vous pour vous relaxer ?

— Pour me relaxer ?

Le père Romero parut s'alarmer.

— Très peu de chose, en fait. Je prie, je médite.

— Aucun exercice physique ?

Le père Romero tapota son estomac surdimensionné.

— Pas autant que mon médecin le souhaiterait, j'en ai peur.

— Vous ne jouez pas au golf ?

Le père Romero lui lança un regard d'incompréhension.

— Qu'est-ce qui a pu vous donner cette idée ?

— Le père Joe a mentionné que vous étiez partenaires au golf.

— Il y a longtemps de ça.

— Mais vous continuez à vous fréquenter tous les deux.

— Nous nous voyons lors de certaines fêtes, par exemple à la première de nos spectacles respectifs.

— Et à l'inauguration des Jardins Vanderbilt ?

— Oui, bien sûr.

— Vous faisiez partie du groupe qui a pénétré en premier sur les lieux.

— Oui, c'est vrai. Celui des quatre représentants des principales confessions de New York. D'après Joe, il semblerait que l'islam soit l'une d'elles. Pour ma part, je pense qu'il y a moins de sectateurs du Prophète dans cette ville que de pratiquants de la *santeria*.

— Vous rappelez-vous quand cette photo a été prise ?

Cardozo tendit au père Romero le cliché où figuraient Sonya Barnett et les quatre religieux.

— Non, fit le père Romero, perplexe.

— Il y a un détail étrange, c'est que vous détournez tous le regard de la scène en même temps.

— Il y avait une équipe de télévision juste derrière nous. Ils ont dû nous demander de nous retourner. C'est important ?

— Non, ça a piqué ma curiosité, c'est tout.

Cardozo reprit la photo.

— Vous étiez motorisé ce jour-là ?

— Conduire n'est pas une sinécure à Manhattan. Je préfère utiliser le métro.

— Mais vous savez conduire ?

— J'ai mon permis.

— Et une voiture ?

— Non, mais l'église a une fourgonnette.

— J'aimerais y jeter un coup d'œil.

— Mais certainement.

Le père Romero mena Cardozo à travers la pelouse jusqu'au garage à deux places, indépendant des bâtiments du presbytère. En le voyant ouvrir la porte avec énergie, Cardozo nota que le petit homme était plutôt costaud.

Les yeux de Cardozo durent s'accoutumer à la pénombre intérieure. La moitié de l'espace servait d'entrepôt à un amas poussiéreux de vieux meubles et de cartons.

Le père Romero donna un coup sur le pare-chocs avant de la fourgonnette.

— C'est un vieux tacot tout déglingué, j'en ai bien peur.

La peinture noire écaillée laissait voir çà et là sur la carrosserie des plaques bleues.

— C'est une fourgonnette d'occasion.

— Ah pour ça oui, dit le père Romero en riant. En fait, c'est un cadeau du père Joe.

— Vous l'avez repeinte.

— Bien obligé.

Cardozo examina la portière côté conducteur. Il y avait comme la trace d'une auréole sous la nouvelle couche de peinture.

— On avait peint un dessin ici ?

— Un soleil qui souriait.

— Pourquoi avoir repeint par-dessus ?

— Aucune raison en particulier.

Le père Romero déplaçait son poids d'un pied sur l'autre.

— La fourgonnette avait besoin d'un coup de pinceau et c'était trop compliqué de restaurer le soleil.

— Votre nom et numéro matricule figurait sur le rapport, dit Cardozo en posant un double du procès-verbal vieux de trois mois sur la table en Formica.

Zondralee James jeta un coup d'œil aux infractions :

— Non-respect des feux de circulation, conduite sans verres correcteurs, assurance auto expirée. C'est bien moi qui ai rédigé ça.

Elle mordit à belles dents dans un muffin.

— Mais j'en rédige une bonne vingtaine par jour.

— Est-ce que le conducteur ressemblait à ça ?

Cardozo plaça la photo du père Montgomery près de la tasse de café de l'agent James.

— Je ne jurerais pas qu'il portait un col ecclésiastique.

L'agent James poursuivit sa mastication. Le restau était bondé. Il y avait beaucoup d'animation autour de leur table, mais elle ne se laissa pas distraire. Après avoir réfléchi un moment, elle hocha la tête.

— Désolée. Mais je vois tellement de visages différents chaque jour dans le boulot.

Cardozo ouvrit le bulletin de Saint-Andrew à la page quatre, puis après l'avoir plié, le déposa sur la table.

Le regard de Zondralee James allait de la photo de la fourgonnette à celle du père Montgomery. Elle avait des yeux d'or bien plantés dans un étroit visage africain aux traits fins.

— O.K., ça me revient. Ce soleil tout sourire sur la porte. Il y avait aussi une espèce d'inscription. On la voit pas sur cette photo : « Dieu est amour ».

— Comment l'accident est arrivé ?

— Le feu était même pas orange, mais *rouge*. Cette andouille a foncé tout droit — et il a écrabouillé son capot contre un camion de déménagement.

Cardozo fronça le sourcil.

— Je pensais que c'était l'inverse.

— Vous pouvez me croire, c'est bien lui qui est entré dans le camion. Ça a été violent.

— Il restait quelque chose de la fourgonnette ? Quelque chose qu'on pouvait récupérer ?

Zondralee James adressa un sourire à Cardozo, qui signifiait « probable que vous croyez aussi à la relance-miracle de l'économie par l'allègement de l'impôt sur la fortune ».

— Cette fourgonnette était plus qu'en miettes. Il a eu de la chance d'en réchapper.

Elle fit signe à la serveuse de lui apporter une autre tasse de café.

— Son permis lui interdisait de conduire sans lunettes. Et bien sûr, il conduisait sans. Il avait eu le temps de mettre sa casquette de tweed, mais pas pris celui de chercher ses lunettes. Des gens comme lui, j'en vois tous les jours. Y pensent qu'ils sont différents des autres — qu'ils n'ont pas de limites. Ils préféreraient écraser un piéton que d'admettre qu'ils sont aveugles.

Le mot flotta dans l'air entre eux.

— Aveugle ?

Elle acquiesça.

— Je lui ai demandé : « Lisez-moi la plaque de la rue, là-bas. » En plein jour. Il a pas pu. On aurait dû lui retirer le volant des mains, et définitivement, à mon avis.

— Si j'en crois le fichier, il circule toujours.

— Alors, il doit avoir des amis au service des permis. Et ils se foutent pas mal qu'un tueur en liberté soit lâché sur Madison Avenue.

Cardozo se servit une tasse de marc brûlant à la machine à café de la salle de garde, ferma la porte de son box et se cala les pieds sur le bureau. Il ouvrit son calepin à une page intitulée « Wheelwright Vanderbrook » et sous-titrée « roses ». La page d'en face, elle, était intitulée « père Romero » et portait le sous-titre « fourgonnette ».

Il décrocha et composa le numéro du presbytère de Saint-Andrew. Bonnie Ruskay répondit.

— Allô, Vince Cardozo à l'appareil. Désolé de venir encore vous déranger.

— Vous ne me dérangez pas du tout.

Elle le dit d'un ton si aimable qu'il faillit la croire.

— Savez-vous si le père Montgomery a donné une fourgonnette au père Romero de Sainte-Véronique ?

— Oui, en effet.

— Et pourquoi ça ?

Après un temps de réflexion assez long, elle finit par dire :

— Un paroissien nous a donné une nouvelle fourgonnette, donc nous n'avions plus l'utilité de l'ancienne. Et par ailleurs, le père Chuck en avait besoin d'une.

— Et c'est cette nouvelle fourgonnette que le père Joe a complètement écrabouillée ?

— C'est le conducteur de l'autre véhicule qui l'a complètement écrabouillée. Le père Joe n'était pas dans son tort.

— Très bien. Nous parlons donc de deux fourgonnettes différentes.

— *Vous* parlez de deux fourgonnettes différentes.

— Combien de fourgonnettes ont appartenu à Saint-Andrew ?

— Au moins trois à ma connaissance, depuis que je suis là.

— En comptant celle qui est dans le garage actuellement.

— Oui.

— Combien de ces fourgonnettes portaient le logo du soleil rayonnant ?

— Elles sont toutes censées l'avoir et, quand on aura le temps de s'en occuper, la nouvelle sera alignée sur les autres.

Cardozo cocha dans son calepin le mot « fourgonnette ».

— Merci de votre aide, révérende.

A peine reposait-il le combiné que le téléphone sonna.

— Les roses des deux bouquets sont les mêmes.

C'était Lou Stein, au labo.

— La variété Americana Linda Porter.

Cardozo cocha le mot « roses ».

— Et la rose dans les cheveux de cette femme sur la photo ?

— Une Americana Linda Porter également.

— Et la tige que je t'ai donnée hier ?

— Idem, une Americana Linda Porter.

— Tu peux me dire si elles viennent du même rosier ?

— Oui, si t'es prêt à casquer deux mille quatre cents dollars pour une analyse d'A.D.N.

— Combien pour une hypothèse de travail ?

— Espèce de radin. Tu t'en tireras avec une bière. En fait, toutes les Linda Porter descendent du même rosier — un hybride mis au point dans les années soixante par l'American Rose Association. Cole Porter a acheté le brevet et lui a donné le nom de sa femme.

— Ce rosier a dû faire des petits depuis.

— Beaucoup moins que tu ne crois. Il n'a jamais eu la cote avec les horticulteurs.

— Donc, les roses trouvées près de la sépulture ne viennent probablement pas de chez un fleuriste.

— Impossible. Les fleuristes n'en ont pas. Les Linda Porter ne supportent pas la réfrigération ni le voyage.

— Alors, il faut les cultiver dans un périmètre localisé.

— Très localisé.

Cardozo remercia Lou et resta là à tapoter de son stylo le nom « Vanderbrook ». Il ouvrit le dernier tiroir de son bureau et en extirpa l'annuaire. Une dizaine de pages en avaient été arrachées, au hasard apparemment, mais pas celle allant de « Valjean » à « Vanderkolet ». Il découvrit répertorié le numéro de téléphone d'un Wheelwright Vanderbrook, sans domiciliation.

Il composa le numéro et laissa sonner à dix reprises.

Il reposa le combiné.

Juste au-dessus de Wheelwright Vanderbrook, un Baxter M. Vanderbrook était répertorié à Park Avenue. Il appela le numéro dudit Baxter.

Au bout de trois sonneries, une voix d'homme répondit :

— Allô ?

— Je me demandais si vous pourriez m'aider. J'essaie d'entrer en contact avec Wheelwright Vanderbrook.

— Pour quel motif ?

La voix était celle d'un homme cultivé, nasale au point d'en être irritante.

— Il a été directeur musical d'un show de l'église Saint-Andrew, il y a un an et demi de ça. J'ai besoin de recueillir des renseignements sur un accident arrivé à l'une des danseuses.

— C'est une plaisanterie ou quoi ?

— Absolument pas. Je m'appelle Vince Cardozo et je suis....

— Je trouve tout à fait consternant que vous me téléphoniez pour une raison pareille.

La liaison fut interrompue, et la tonalité bourdonna dans l'oreille de Cardozo.

Dans son bureau, Bonnie Ruskay se mit à faire les cent pas. Le soir posait un glacis rose sur le mur de livres. Quand elle regardait en direction de la fenêtre, des rayons violets l'aveuglaient. Quand elle fermait les yeux, elle revoyait le regard profond du lieutenant de police et son froncement de sourcil sagace et tenace.

Quelque chose dans sa question la turlupinait. Comme si la question elle-même lui chuchotait un message : *Je sais — J'ai vu — Je t'ai à l'œil.*

Elle décrocha le téléphone. Ses doigts tremblaient et la première fois qu'elle composa le numéro, elle appuya sur une mauvaise touche. Elle ne reconnut pas la voix au bout du fil.

— Excusez-moi.

Elle coupa la communication et refit le numéro, en s'appliquant cette fois. Elle s'était préparée à tomber sur le répondeur, mais c'est une voix non enregistrée qui lui répondit.

— Allô ?

— Collie, tu es là.

— Salut Bonnie. T'as une drôle de voix. Y a quelque chose qui va pas ?

— J'espère bien que non. Tu fais quelque chose, ce soir ?

— Rien de spécial.

Elle perçut dans le silence de Collie le léger froncement de sourcil qui dénotait la réflexion chez lui.

— Tu peux me retrouver quelque part ? dit-elle.

— D'accord.

— Encore une chose, Collie. Ne prends pas la fourgonnette. Je t'expliquerai.

18

Loin au-dessus de l'entrepôt, une moitié de lune brillait dans un berceau de cirrus. Sur le dock, des pans d'obscurité dentelaient les zones de luminosité pâle. Des ombres dansaient à la frontière.

Assis à l'arrière du taxi, Bonnie et Collie les regardaient, ces mêmes ombres qu'elle regardait depuis deux nuits. Et les ombres les regardaient.

— Tu t'es servi de la fourgonnette récemment ? demanda-t-elle.

Il fronça les sourcils et braqua nerveusement ses yeux noirs sur elle.

— Tu sais bien que oui.

— A part pour les enfants. Tu t'en es servi pour autre chose, ces trois derniers mois ?

— Je m'en souviens pas, dit-il embarrassé. Je crois pas.

De temps en temps, des phares fouillaient les ténèbres. Jusque-là, Bonnie avait compté trois voitures de police, une ambulance, cinq limousines.

— Essaie de te rappeler, le pressa-t-elle gentiment, pour ne pas le paniquer.

— Pourquoi ? fit-il en se retournant.

Elle sentait la peur qui émanait de lui.

— La police a posé des questions.

Elle gardait les yeux fixés sur le quai. Les limousines l'inquiétaient. A chaque fois, le jeu était le même : les phares balayaient l'attroupement à la recherche d'un garçon ou d'une fille bien particuliers. Quand ils avaient repéré leur proie, ils se mettaient en code. C'était le signal. La limousine s'arrêtait et l'heureux élu s'approchait de la portière ouverte et acceptait la balade.

— Qu'est-ce que la police t'a demandé ? dit-il. Ils me cherchaient ?

— Qui a conduit la fourgonnette — où, quand, pourquoi.

Elle le regarda et sentit qu'il se raidissait de tout son corps frêle.

— Peut-être que tu t'en es servi pour faire des courses ?

Il ne répondit pas immédiatement.

— Non. C'est trop compliqué de la sortir du garage. Si je l'avais prise pour aller quelque part, je m'en souviendrais. Ma mémoire n'est pas foutue à ce point — pas encore. Je ne m'en suis pas servi. Sauf pour les enfants.

— Alors tout va bien.

Sa main se referma sur la sienne.

— Mais peut-être qu'il vaudrait mieux éviter de te resservir de la fourgonnette.... pendant quelque temps.

Ils restèrent silencieux.

Peu après minuit, une sixième limousine se détacha de la circulation. La longue B.M.W. noire se mit en code. Une silhouette hagarde en débardeur se hâta vers la portière, tout sourire dehors.

— C'est cette fille.

Bonnie s'avança sur le siège et tapa à la vitre de séparation.

— Chauffeur.

La radio jouait et elle dut hausser la voix.

— Vous voyez cette B.M.W. ?

— Oui.

— Suivez-la.

— Ça peut se faire.

Le chauffeur de taxi démarra le moteur et alluma ses phares.

Dans l'étroit et obscur vestibule, un homme en caftan se balançait sur un fauteuil en rotin qui grinçait.

— Oui, M'sieur-dame, qu'est-ce qu'il y a pour vot' service ?

Il avait une voix de ténor haut perchée et un léger accent jamaïcain.

— Un homme vient juste d'amener une fille ici, dit Bonnie.

— Y a plein, plein d'hommes qui amènent plein, plein d'filles au Dionysos.

— Cette fille est mineure.

Le vieil homme sourit.

— On demande pas l'âge à nos clients dans cet hôtel.

— Elle est mineure, dit Collie, et elle se prostitue.

Ses yeux n'étaient plus que deux fentes.

— Eh merde, vous êtes qui, vous deux ? Mère Teresa and co ?

Le registre était ouvert sur le comptoir. Bonnie le fit pivoter vers elle. Beaucoup de couples s'étaient inscrits sous le nom de Smith ou de Jones.

Le vieil homme ne fit qu'un bond.

— Foutez le camp d'ici !

Avant qu'il ne lui arrache le registre, elle vit que le dernier couple Jones avait pris la chambre 202. Elle se précipita dans l'escalier et entendit Collie qui la suivait.

— Vous pouvez pas monter, lui cria-t-il. C'est de la violation de domicile, je vais appeler la police.

— Et si vous ne le faites pas, hurla Collie en réponse, c'est moi qui le ferai.

Le couloir chichement éclairé sentait le désinfectant et le moisi. Elle colla son oreille à la porte de la chambre 202. On entendait pulser du reggae, que des éclats de rire recouvraient par intermittence.

Elle gratta à la porte.

Les rires cessèrent.

Elle gratta à nouveau à la porte.

— Qui est là ?

Une voix d'homme, irritée.

— Nell est là ?

Fin du reggae. Il y eut des chuchotis et des pas de loup.

— Y a pas de Nell ici. Allez-vous-en.

— J'ai ses affaires.

Des voix étouffées se consultèrent.

— Quelles affaires ?

— Je vais pas discuter de ça dans le couloir.

La porte s'entrebâilla et un œil s'y colla. Le visage était

sillonné de profondes crevasses. Un duvet blanc bouclé dru couronnait la tête. Les yeux devaient être ceux d'un septuagénaire. Ils clignaient, troublés.

Collie donna une poussée à la porte. Un mobile carillonna.

L'homme recula d'un pas, refermant prestement son peignoir en éponge.

— Bon sang, à quoi ça rime ?

Il puait à plein nez le bain de bouche à la réglisse. Son regard passait de Bonnie à Collie.

— Qui c'est ces connards ? demanda-t-il à Nell, assise les seins nus au bord du lit. Des amis à toi ?

Nell s'appuya au montant du lit, la joue collée à la courbure du bois. Elle fit un léger sourire à Bonnie.

— Elle, je la connais. Le débit de sa voix était lent et pâteux. Le mec, je l'ai jamais vu avant.

Elle décrocha son débardeur du dosseret et l'enfila en se tortillant.

— Eh là, dit l'homme. On avait passé un marché, ma p'tite. Je t'ai filé cent dollars.

— Ah ouais ?

— Fais pas celle qui sait pas. Tu les as mis dans ta basket.

Nell restait assise, lissant son débardeur, ne quittant pas Bonnie des yeux.

L'homme ramassa une Nike de jogging par terre. Il la secoua, mais rien n'en tomba. Il secoua l'autre chaussure.

— T'as fait quoi de mon fric ? Crois pas que tu vas t'en tirer comme ça.

Ses yeux se posèrent à nouveau sur Bonnie et Collie, les jaugeant.

— Arrête de rouspéter, fit Nell. Tu peux te le permettre.

— Que j'aie de l'argent, ça veut pas dire que je vais me laisser rouler tranquillement.

Bonnie ouvrit son sac et lui tendit un billet de cent dollars.

— La chambre, c'est cinquante dollars, précisa-t-il.

Elle lui tendit un billet de cinquante.

— On vous a volé, dit-elle.

Sur le trottoir, Bonnie remercia Collie pour son soutien moral et lui dit bonsoir. Elle grimpa dans un taxi avec Nell.

— C'est vous qu'il a volée, dit Nell à Bonnie. Il m'a pas donné d'argent. Il vous a roulée et vous avez marché dans la combine.

Bonnie regarda Nell. Les lumières de la Huitième Avenue, au passage, creusaient d'ombre ses yeux.

— J'ai l'air complètement stupide, je parie ?

— Bon.

La fille se rapprocha en hésitant de la bibliothèque de Bonnie. Elle examina les reliures de cuir et leur lettrage doré en hébreu.

— Je pense que vous avez décidé quoi faire de moi.

— Je n'ai pas le droit de décider quoi que ce soit, dit Bonnie.

— Ça veut dire non ?

Nell parut troublée, songeuse. Elle passa son doigt lentement le long des reliures en grec.

— Alors pourquoi vous avez demandé après moi ?

— Pour te parler.

— Vous m'avez surveillée, et suivie, uniquement pour me parler ?

Nell lui jeta un regard qu'elle déporta aussitôt ailleurs.

— C'est se donner beaucoup du mal pour une simple conversation.

— Oui, beaucoup, mais j'arrêtais pas de penser à toi.

— Ben voilà l'occasion de plus y penser.

Nell se mordit la lèvre avec mauvaise humeur.

— Maintenant que je suis là, on va parler de quoi ?

— De toi.

— De mon histoire ? fit Nell, ricanant à demi.

Bonnie comprit que cette enfant avait très peur des gens, qu'elle était mal à l'aise avec eux si elle ne leur jouait pas la comédie. Ce soir, elle tenait le rôle de la dure revenue de tout.

— Un Coca, ça te dirait ?

— Un Coca, ça ira.

Bonnie sortit deux boîtes glacées du petit frigo et les posa sur la table basse. Elle se laissa choir sur une chaise et ouvrit l'une des boîtes d'un coup sec.

— Parle-moi de chez toi.

— Quoi dire !

Nell s'assit à l'extrême bord de l'autre fauteuil. Elle eut quelques difficultés à ouvrir sa boîte de Coke.

— J'ai jamais vraiment eu ce qu'on appelle un chez-soi et ce que j'ai eu me plaisait pas.

— Tu es enceinte de combien ?

Dans le silence qui suivit, Bonnie put entendre la déglutition difficile de Nell.

— Le docteur a dit dix-huit, dix-neuf semaines.

— C'est une grossesse bien avancée pour un avortement.

— O.K., je vois.

La fille releva la tête soudainement, l'air dur, inexpressif.

— Je pige le tableau : pourquoi pas me donner tout de suite les brochures, que je me tire ailleurs.

— Je ne t'ai pas amenée ici pour te donner une brochure. Ni te faire la leçon. Il se trouve que je suis contre l'avortement, mais ce n'est pas le propos. Je me demande simplement si tu as une idée des dangers d'un avortement tardif.

— Ecoutez, j'ai déjà entendu tout ça.

Le regard de Nell se durcit et elle serra les poings.

— J'ai perdu un mois à écouter tout ça. Tod disait que vous étiez différente. J'sais pas comment vous l'avez baratiné, mais moi vous me baratinerez pas.

Nell se leva.

— Si tout ce que vous comptez faire, c'est m'balancer dans la gueule des fœtus en bocaux, je m'en vais. Merci pour le Coca.

— Attends un instant, je t'en prie.

Bonnie lui tendit la main.

— Je ne suis pas bigote. On discute simplement du choix que tu veux faire.

— Mon choix, c'est l'enfer.

— Ça te regarde. C'est toi qui décides.

— Non. Ça vous regarde, vous. C'est vous qu'avez le fric. Et vous vous en servez pour contraindre les gens qu'en ont pas.

Nell, congestionnée, respirait bruyamment. Elle balaya d'un revers de main la goutte de transpiration qui lui dégoulinait le long du menton.

— Vous savez pas un pet de lapin sur moi et faut que je croie que vous en avez quelque chose à battre. Votre Jésus, tu parles d'un ami.

— Je ne te connais peut-être pas autant que j'aimerais, mais je veux t'aider.

— Vous voulez pas me connaître.

Nell haussa les sourcils, frémissante d'indignation.

— Faut me croire, vous en avez pas envie.

— Bien sûr que si, Nell. Tu ne peux même pas m'écouter ?

— Je vous entends parfaitement. Et vous voulez pas m'aider. Ce que vous appelez comme ça, c'est rien que du cinéma dans votre tête. La B.A. de révérende Bonnie. Vous m'avez vue et bingo, Nell, c'est celle qu'il me faut. Nell, ça sera ma B.A. de la semaine. Les michetons eux aussi, ils se font tout un cinéma dans leur tête et quand ils me voient, bingo, ils me font jouer dans leur film de la semaine, tout pareil.

— Je n'essaie pas de t'utiliser. Je veux que tu aies le choix, te donner une chance.

— Mettez ça en musique, la prochaine fois vous me le chanterez.

— J'ai pris contact avec certaines personnes. Des gens bien, chaleureux. Je leur ai parlé de toi.

— Et ils m'aiment.

— Ils dirigent un home dans le Maine. Tu seras dans un environnement paisible et propre.

— Où je pourrai laver la vaisselle, faire les lits et avoir mon bébé. Vous m'avez déjà offert ça et je vous ai dit non merci bien, vous vous souvenez ? Et puis merde, j'aimerais que vous me pourrissiez plus la vie avec vos bonnes intentions, vous voulez ?

Bonnie sentit soudain une grande fatigue.

— Je comprends, tu es une écorchée vive et tu as parfaitement le droit d'avoir des soupçons et de te montrer cynique. Mais il se trouve que mes amis sont sincères. Comme moi.

— Sincère mais sourde, parce que vous entendez pas ce que je vous dis. Je peux pas garder ce bébé.

Sa voix s'était élevée jusqu'à un cri étranglé.

— Je peux pas avoir de bébé du tout.

— Peut-être que ton médecin dit ça, mais ça n'engage que lui.

— Je suis séropositive. Vous savez ce que ça veut dire ?

Nell était blanche comme de la craie et de la sueur dégoulinait de son front.

— Le bébé sera mort-né.

— C'est un mensonge.

Bonnie réfléchissait à toute allure à présent.

Je n'avais pas prévu ça. La situation est en train de déraper. Je ne dois pas perdre le contrôle des événements. Elle reprit la parole d'un ton calme, qu'elle voulait apaisant.

— Avec toute l'attention médicale appropriée, l'enfant et toi...

Nell la coupa, elle criait maintenant.

— Le père, c'est un Black ! Les bébés blacks, on leur donne pas toute l'attention médicale appropriée !

— Ce ne sera pas forcément le cas.

— Et on les adopte pas ! Surtout quand ils ont le sida !

— Comment sais-tu la race du père ?

— C'est le seul qu'a pas voulu mettre de préservatif.

— Et bien sûr, les préservatifs sont fiables...

— Tout à fait. A quatre-vingt-dix-neuf pour cent.

Bonnie laissa le silence familier, si rassurant, réinvestir le bureau.

— Tu n'as connu que souffrances et que trahisons ; c'est naturel que tu voies les choses sous le pire jour qui soit.

— Je vois ça sous le seul jour possible.

La respiration de la fille était entrecoupée. Elle fixait Bonnie, lui reprochant quelque chose, lui reprochant tout.

Bonnie soupira.

— Si vous mettez si longtemps à dire oui, dit Nell, ça signifie que vous direz non.

— Tu es si sûre de comment les choses vont tourner.

Bonnie songeait que la certitude était le pire don que Dieu pouvait vous accorder.

— Tu es si sûre de ce que tu veux.

Mais moi aussi, songea-t-elle. Et de le comprendre la secoua.

— Ça veut dire non, hein ?

Bonnie fit non de la tête.

— Non, ça veut pas dire non.

Elle se leva et gagna son bureau où elle ouvrit le livre de comptes de la paroisse.

— Combien dis-tu qu'il demande, ce docteur ?

19

— **B**of, je connais le père Joe comme qui dirait depuis toujours.

Johanna Lowndes agitait sa cigarette.

— C'est un amour, que j'adore plus que tout au monde. Un *simpatico mensch* pur beurre.

— Vous l'avez rencontré comment ? demanda Cardozo.

— Dans le travail.

Johanna était un peu plus jeune que dans le souvenir de Cardozo, même si elle faisait des efforts pour agir comme quelqu'un de plus âgé. Dans ses blue-jeans, elle était mince et, éclairée à contre-jour par la fenêtre, elle était blonde.

Elle se donnait un genre, affectant les manières légèrement excentriques d'une actrice — il avait le sentiment qu'elle avait pris des tuyaux de diction et d'essoufflement en regardant de vieilles cassettes d'Audrey Hepburn.

— Comme vous pouvez le voir, j'ai participé à trois spectacles du père Joe.

Elle montra d'un signe de tête les murs de son studio sans ascenseur de Greenwich Village où étaient accrochées, dans des cadres d'ébène rehaussé d'or, très tape à l'œil, les affiches respectives de *Anything Goes For Broke, Anything Goes Again* et de *Singin'in the Rain*.

— D'après vous, comment le père Joe s'entend-il avec ses artistes ?

— Eh bien, d'après moi, comme sur des roulettes. Vous voyez, j'aimerais avoir avec mon père les mêmes relations que celles que j'ai avec le père Joe.

Elle lui lança le même regard qu'elle lui avait déjà lancé dans les Jardins Vanderbilt. *Pourquoi tu viens pas t'amuser avec moi, Papa ?*

— Il n'a jamais eu de conflits avec personne ?

— Ecoutez, c'est de *théâtre* qu'on parle. Bien sûr qu'il a des conflits. Certains de ses artistes sont de vrais connards. Mais il ne crie jamais.

— Il n'a jamais maltraité un artiste ?

— Oh verbalement, peut-être. Mais seulement quand ils le méritaient.

— Sauriez-vous si un artiste a été blessé durant une répétition ou une représentation ?

— Par le père Joe ? Non. Il n'a jamais levé la main sur personne.

— Est-ce qu'il est arrivé qu'un artiste se soit blessé tout seul ?

Elle réfléchit.

— Il y a eu une fille, une certaine Louisa, il y a quelques années de ça. Elle s'est tordu la cheville et a porté plainte.

— Personne d'autre ? Pas d'autres chevilles ?

Elle leva la tête au plafond. Un nuage de fumée de cigarette flottait au-dessus d'elle comme une bulle de B.D.

— Pas que je me souvienne.

— Est-ce que le père Joe était particulièrement intime avec l'un de ses artistes ?

Elle avala une gorgée de son soda au ginseng.

— Intime ?

— L'avez-vous vu faire des avances à quelqu'un ou entendu dire qu'il en aurait fait ?

Elle le gratifia d'un regard bouche bée.

— Vous plaisantez. Non, vous ne plaisantez pas ? Mais le père Joe ne saurait pas *comment* s'y prendre.

— Donc, votre réponse est non.

— Oui, dit-elle en accentuant ce oui de la tête. Enfin, je veux dire non. Eh merde, pourquoi les mots, c'est si *compliqué* ? Vous savez ce que je veux dire. Le père Joe n'est pas de ce monde. Et certainement pas de cette ville.

— Vous l'avez déjà vu se soûler, se droguer ou se débaucher ?

— Vous autres les mecs, vous voulez pas piger, c'est ça ? Le père Joe est un saint. Un génie et un saint. Point à la ligne.

— Vous avez déjà vu cette fille ?

Cardozo lui montra la reconstruction artistique du visage de miss Glacière. Il y eut un instant de flottement.

— Oh mon Dieu, est-ce que c'est... c'est elle que j'ai trouvée ?

Cardozo opina du chef.

— Je regrette, mais je ne me souviens pas de l'avoir vue. Vivante, je veux dire.

— A Saint-Andrew peut-être ? A une répétition ?

— Franchement, j'en doute. Je sais bien que ce n'est qu'un dessin, mais elle n'a rien d'une artiste.

Il lui tendit une autre photo.

— Et cette fille-là ?

— *Elle*, c'est une artiste. Elle a des yeux superbes.

— Elle s'appelle Sally Manfredo.

Le visage de Johanna Lowndes n'était qu'une page blanche, impeccable et lisse.

— Elle faisait partie du chœur dans *The Boy Friend* et jouait Emily dans *Zip Your Pinafore*. Elle devait faire partie de *Pajama Game*, mais on l'a remplacée.

— Je regrette, dit Johanna Lowndes en rendant la photo. Je n'ai pas joué dans ces spectacles-là. Je ne l'ai jamais rencontrée.

— Elle me dit quelque chose, elle me dit même beaucoup.

Tommy Lanner — un ado, serveur/charpentier/réceptionniste mais-en-réalité-je-suis-acteur/chanteur/danseur — examinait attentivement le visage dessiné de miss Glacière. D'un doigt, il se gratta la boucle d'un blond cuivré qu'il avait derrière l'oreille.

— Ça a fait tilt dans ma tête, peut-être qu'on était dans le même spectacle.

— Lequel ? dit Ellie Siegel.

— C'était peut-être l'une des danseuses d'*Anything Goes Again*. Mais quelque chose s'est passé et elle a dû laisser tomber.

— Pourquoi ?

— J'essaie de me rappeler. Ces odeurs de peinture doivent détruire les cellules de la mémoire dans le cerveau.

Tommy Lanner descendit de l'escabeau. Il repeignait la cuisine de son appart tout en longueur d'East Village, et l'air était suffocant.

— Peut-être qu'elle s'est cassé le pied en répétant, ou bien peut-être que le père Joe et elle se sont disputés.

— Alors c'était quoi ? Le pied ou une dispute ?

Tommy Lanner alla à la fenêtre et joua avec les objets posés sur le rebord — un pot de fleurs, une voiture de pompiers miniature, une boîte de bière vide. Par-delà son profil, on voyait dans l'encadrement de la fenêtre foisonner, sur les toits de carton goudronné d'East Village, les mauvaises herbes en alu des antennes de télé et des liaisons-câbles piratées.

— Les deux, peut-être.

— Le père Joe se disputait avec beaucoup de ses artistes ?

— Ça faisait partie de sa méthode pour nous manipuler. Et cette manipulation, c'était pas pour obtenir de nous qu'on joue mieux. C'était pour avoir du *pouvoir* sur nous.

— Quel genre de pouvoir ?

— Je pourrais écrire un livre là-dessus.

Tommy Lanner marqua un temps comme s'il voulait mettre de la distance entre lui et ce qu'il allait dire.

— Il m'a invité à venir prendre un verre dans son appartement. J'aurais dû savoir qu'il était soûl. Mais je dois être naïf — un vrai garçon de ferme de Texarkana.

Ellie Siegel se demanda combien de naïfs garçons de ferme de Texarkana se décoloraient les cheveux.

— Il a mis une vidéo des Obie Awards — où on le voyait recevoir un prix — et je vous le jure, il se touchait. Il s'excitait tout seul.

— Donc il vous a fait des propositions ?

— Je suis pas resté assez longtemps dans le coin pour savoir ce que ce vieux salopard avait derrière la tête. Quand il a baissé la fermeture Eclair de son froc, j'ai foutu le camp.

Etrangement, dans le noir, ça semblait ne pas compter.

Le père Chuck tâtonnait le long de l'étagère derrière la *Summa Theologica* reliée. Ses doigts découvrirent la bouteille. Il la déboucha d'une main et la porta à ses lèvres.

Au bout d'un instant, comme sa nervosité s'apaisait, il alluma la lampe en cliquant le bouton. Elle éclaboussa d'une lumière vive la large surface du bureau, qui était vide à l'exception d'un porte-stylos en marbre et d'une figurine de *Pietà* en porcelaine.

Le père Chuck ouvrit un tiroir, feuilleta certains documents et sortit une photo et une fiche. Il les déposa sur le buvard et les regarda fixement.

Les yeux sombres et souriants de Sally Manfredo lui rendirent son regard.

Pourquoi cette fille ? Pourquoi maintenant, après toutes ces années ?

Un bruit vint perturber ses pensées. On cognait avec une pièce de monnaie à son carreau. Il alla à la fenêtre et glissa un doigt entre les lames du store vénitien.

Un ado avec un débardeur Ice-T lui faisait signe.

Le père Chuck releva la fenêtre.

Le garçon, avec cette étonnante agilité de la jeunesse, grimpa et entra. Une fois dans le bureau, il jeta un regard autour de lui.

— Comment ça s'fait qu'vous les prêtres vous aimez ça, vivre dans l'noir, tous tant qu'vous êtes ?

Il portait une casquette de base-ball des New York Mets et ses cheveux blonds coupés en brosse se prolongeaient par une queue-de-cheval. Sa tenue équivalait à une profession de foi genre *Je t'emmerde.*

Le père Chuck fit signe au garçon de s'asseoir et rejoignit son bureau.

— Tu as réfléchi à notre dernière conversation ?

Il retourna la photo et la fiche face contre le bureau.

Le garçon était resté debout.

— J'en ai parlé à certains potes.

— Des fugueurs comme toi ?

Le père Chuck se demandait comment diantre — avec la crise économique actuelle, et celle du système de santé — ces enfants arrivaient à s'en sortir.

— Ils n'ont pas de toit ? Ils ont faim ?

— On veut pas l'aumône.

Le crucifix-boucle d'oreille qui se balançait au lobe gauche du garçon lança un éclat de lumière.

— Je sais.

Le père Chuck comprenait l'amour-propre provocant de ceux à qui il ne restait rien d'autre que la provocation.

— Nous, on est prêts à travailler. Nous, tout ce qu'on veut, c'est travailler.

Le garçon tendit au père Chuck un paquet maintenu par deux bandes élastiques roses.

Le père Chuck fit sauter les élastiques. Des photos. Il ajusta une paire de lunettes demi-lune sur son nez.

Les images devinrent nettes aussitôt : une jeune femme prenant un bain de soleil sur un dock, les seins à l'air. Un jeune homme aux biceps tatoués en slip Jockey déchiré. En tout, huit jeunes gens exposant leur quasi-nudité, souriant à l'appareil, avec un regard en dessous et juste un peu trop professionnel.

Le père Chuck se sentit monter le rouge au front comme si on l'avait surpris à jouer au voyeur à travers le vasistas des douches.

— Et ces jeunes gens sont les amis dont tu parlais ?

— Je suis leur agent. Je m'occupe des contrats.

— Je vois. Tu es leur porte-parole.

Le sourire du père Chuck était neutre à présent, circonspect.

— Je peux proposer un emploi à mi-temps à deux trois garçons au presbytère. Est-ce que l'un de tes amis connaît quelque chose à l'entretien des pelouses ?

— Pour deux cents dollars, vous pouvez avoir celui que vous voulez pendant une heure.

Le père Chuck eut un mouvement de recul sans trop savoir pourquoi.

— Une heure ?

Le garçon hocha la tête.

— Vous pouvez leur faire ce que vous voulez.

Son regard semblait dire qu'il connaissait certains secrets du père Chuck que le père Chuck lui-même commençait à peine à entrevoir.

— Bondage light, bondage hard, fessée, fouet, tout ce qui vous branche. Vous gênez pas.

Pour le père Chuck, c'était une nouvelle frontière dans l'audace. Si ce garçon mentait, il était absolument en accord avec sa duplicité. S'il disait la vérité, il n'était absolument pas effleuré par un soupçon de culpabilité.

— C'est une plaisanterie.

— Non.

C'est une sorte de piège, comprit le père Chuck. *Quelqu'un a envoyé cet enfant ici pour voir si je mords à l'hameçon.*

— Tu travailles pour qui ? Le diocèse ?

Dans les yeux du garçon, on lisait *Arrête tes conneries.*

— Vous rigolez ou quoi ?

— La police ?

— Oh ça c'est sûr, j'suis un flic mineur.

— Un homme politique ? Un journal ? Les infos télévisées ?

— J'travaille pour le meilleur des patrons. Moi, autrement dit. Discrétion assurée et satisfaction garantie.

Le père Chuck connaissait ses limites, et une situation de ce genre était l'une d'elles. Il rassembla les photos en petit tas, se leva derrière son bureau et fit quelques pas en direction du garçon.

— Tu peux reprendre les photos.

Le garçon ne broncha pas. Le père Chuck sentit que ce dernier se raidissait intérieurement.

Le garçon avança de deux pas vers le père Chuck, qui recula d'autant.

— Gardez-les, dit le garçon. Maintenant que vous les avez vues, vous allez en avoir besoin.

Le père Chuck tendit la main en signe de dénégation, comme si on l'avait accusé.

— Eh attends juste une...

— Eh mon père, c'est moi Eff Huffington, à qui vous parlez. J'ai vu du paysage, je connais la musique. Pas la peine de faire semblant. A moins que ça vous branche de faire semblant.

Le garçon tourna les talons.

— Réfléchissez. Je vous recontacterai.

20

— Vous prendrez du café, tous les deux ? demanda Terri, la fille de Cardozo.

Ce dernier leva les yeux vers l'adolescente brune de dix-sept ans. Elle avait préparé le repas — paella, salade verte et sorbet au kiwi maison — et maintenant, elle débarrassait avec grâce la table.

— Moi, oui, dit-il. Et toi, Ellie ?

Ils étaient attablés dans la salle à manger de l'appartement de Cardozo.

— Une demi-tasse pour moi, fit Ellie.

Terri disparut à la cuisine et, de fil en aiguille, la conversation retomba sur le boulot.

— Si miss Glacière avait participé à l'un des spectacles du père Joe, dit Ellie, sa photo serait dans le fichier.

— A moins qu'il l'ait retirée, dit Cardozo.

— Tenons-nous-en à ce que nous savons avec certitude, suggéra Ellie. Nous avons interrogé les soixante et un comédiens du fichier du père Montgomery. On les a tous retrouvés bel et bien vivants. A l'exception de Sally Manfredo.

— Ce qui est une exception de poids.

— Sauf qu'il y a un mais. Le père Joe a laissé la photo de ta nièce dans le fichier. Disons qu'il lui est arrivé quelque chose — plaise à Dieu que non, mais supposons que c'est le cas. Et disons que le père Joe est impliqué. Donc, s'il a retiré la photo de miss Glacière parce qu'il est impliqué dans *sa* disparition, pourquoi n'aurait-il pas retiré celle de ta nièce ? Il ne peut y avoir deux poids deux mesures.

— Peut-être que le père Joe n'est pas conséquent.

Elle l'observa avec une curiosité non feinte.

— Ta nièce a joué dans deux-trois spectacles du père Joe, puis a disparu. C'est douloureux, d'accord. Mais ça signifie pas pour autant que Montgomery ait un rapport avec miss Glacière. T'es un flic, non ? Tu voudrais pas penser comme un flic, s'il te plaît ?

Le regard de Cardozo se porta sur les dossiers empilés sur la table basse du salon. Il y en avait trois tas — ceux d'Ellie, les siens et ceux de Greg Monteleone. Cardozo n'avait pas encore lu ceux d'Ellie, cette dernière n'avait pas encore lu les siens et ni l'un ni l'autre n'avaient lu ceux de Greg.

— Les mauvaises nouvelles, dit Cardozo, c'est que l'autre prêtre présent sur la bande vidéo monte lui aussi des spectacles musicaux amateurs. Et emploie aussi des jeunes. Le père Romero, du Queens.

Ellie parut se tasser sur sa chaise.

— Autrement dit, il va falloir qu'on se farcisse un autre fichier-comédiens ? Ras le bol des acteur au chômage, pour ce mois-ci.

— Romero dit qu'il n'a pas de fichier, qu'il a tout dans la tête.

Elle inclina son assiette pour écoper ce qui restait du sorbet.

— Et tu le crois ?

— Non.

— Alors il nous faut un mandat.

Ellie lécha la cuillère.

— Vince, dis-moi, un de ces acteurs a reconnu la fille du dessin, ou ta nièce ?

— Non, dit Cardozo en soupirant.

— Aucun des miens non plus.

— Tous disent que le père Joe est un vieux type charmant et bien sous tous rapports. Qu'il n'a jamais élevé la voix ni levé la main sur personne, qu'il ne les a jamais touchés.

Ellie et Cardozo restèrent un instant plongés dans leurs pensées. Puis elle reprit la parole.

— L'un des miens m'a dit que le père Joe l'a harcelé sexuellement.

Cardozo la regarda. Avec son chemisier et ses boucles d'oreille rondes, les cheveux rejetés en arrière, un calme étrange émanait d'elle.

— Allez Ellie, quoi d'autre ?

Elle but un coup de vin, et cul sec, pas du bout des lèvres.

— C'était un gamin du nom de Tommy Lanner. Il croit avoir aperçu miss Glacière dans l'un des shows du père Joe, et aussi qu'ils se sont disputés et qu'elle s'est blessée à la cheville.

— Il t'a dit ça sans que tu le coaches ?

— Je l'ai pas coaché. Mais il a peut-être confondu avec la petite Hitchcock. Le procès était dans tous les journaux.

— Et le père Joe l'a tripoté ?

— Même pas. Lanner dit qu'il a vu le père Joe se caresser à travers son pantalon.

— Dans quelles circonstances ?

— Selon Lanner, ils se trouvaient dans l'appart du père Joe et regardaient une vidéo des Obies.

— Et tu crois ce gosse ?

— J'ai pas encore décidé si je le crois ou non. C'est évident qu'il a une dent contre le père Joe. C'est drôle que ce dernier ne l'ait pas senti.

— Tu m'as dit de penser comme un flic. Je te suggère, quant à moi, de cesser de lire dans les pensées. Comment tu peux savoir ce que sent Montgomery ou pas ?

— Il a gardé la photo de Lanner dans son fichier. N'importe qui d'autre l'aurait jetée.

— Peut-être qu'il est amoureux de lui et qu'il ne s'attend pas à ce que les flics aillent questionner chaque individu de son fichier.

— Ma vision du père Montgomery diffère un peu de la tienne. Je ne l'imagine pas en train de hacher menu des gosses. Je ne l'imagine pas non plus fumer un pétard ou aller dans un cinéma porno.

— Pourquoi pas ?

— Ce dont tu ne tiens pas compte, c'est que Montgomery est vraiment innocent.

— Je ne marche pas.

— Ce qui explique pourquoi il ne dissimule pas son attirance pour les prostituées et les travestis.

— Des conneries tout ça.

— Ce qui explique pourquoi il ne retire pas de son fichier les individus qui bavent sur son compte. Il n'en sait pas assez long pour ne pas être un type bien.

Terri regagna la table avec la cafetière.

— Je suis d'accord, dit-elle. Au pire, c'est un vilain garnement, pas un vieux cochon.

— Qu'est-ce que t'en sais ?

Cardozo remplit la tasse d'Ellie, puis la sienne.

— Quelque chose.

Terri posa une assiette de sablés de Pepperidge Farm sur la table.

— J'ai auditionné pour l'un de ses spectacles.

Les yeux de Cardozo ne firent qu'un tour.

— Quand ça ?

— Il y a un an et demi à peu près.

— Tu ne m'en as jamais parlé.

— Parce que je n'ai pas obtenu le rôle.

— Tu ne m'as jamais dit que ça t'intéressait de jouer.

— Ça m'a intéressée deux minutes.

— Et à ton avis le père Joe est un méchant garnement ?

— Tout à fait. Un méchant garnement et un pépé gâteau.

Que les façons de voir de sa fille soient si éloignées des siennes plongea Cardozo dans la perplexité.

— Et à ton avis, il n'y a pas un zeste de prétention bidon chez lui ?

— Oui, ça aussi.

— Et tu l'aimes bien ?

— Pourquoi ? Je devrais pas ?

— Mais quel genre de pouvoir a ce type ? Est-ce que tous les gamins de cette ville en raffolent ?

Ellie suivait cet échange, un léger sourire aux lèvres, comme pour dire *cette sitcom me branche.*

— Tommy Lanner, lui, n'en raffole pas, ça c'est certain.

Cardozo mélangea le lait à son café avec une énergie féroce.

— Lanner au moins sait reconnaître quelqu'un de bidon, on dirait.

— Tous les prêtres sont bidon, p'pa. C'est leur boulot. Ils doivent se convaincre qu'ils aiment les gens. Tout comme les flics doivent se persuader qu'ils se soucient que les gens se tirent dessus.

— Ce qui veut dire qu'Ellie et moi on est aussi bidon que le père Joe ?

— Tout ça me fatigue.

Ellie se leva de table.

— Et j'ai encore une sacrée trotte avant d'être rendue dans le Queens. Donc, bonne nuit à tous.

— Il reste du dessert, dit Terri.

— Je peux plus rien avaler, fit Ellie en l'embrassant. C'était un super dîner. La prochaine fois, on fera ça chez moi, O.K. ?

Elle récupéra son sac sur la table de l'entrée.

— J'te laisse les dossiers, Vince. Comme ça, tu pourras te torturer les méninges tout ton soûl.

Et sur un chaste baiser, elle partit.

Terri commença à débarrasser le couvert.

— Tu sais, P'pa, elle est vachement accro.

Cardozo parcourait les dossiers d'Ellie. C'était un déluge interminable de détails sans intérêt. A ce stade de l'enquête, Ellie, ne sachant pas ce qui était pertinent et ce qui ne l'était pas, avait tout noté.

— Qui est accro ?

— Ellie, ça crève les yeux.

Il dénicha le dossier Lanner.

— Accro à quoi ?

— A toi, ça crève les yeux.

— Et pourquoi ça crève les yeux que c'est à moi ?

— T'es tellement sur la défensive que tu vois rien.

Terri mit les assiettes à dessert en pile et les emporta à la cuisine.

— Et t'es surmené, dit-elle en élevant la voix. Tu peux pas t'occuper du monde entier. Tu pètes pas la forme.

Ce point lui fit interrompre sa lecture et lever les yeux.

— Au dernier check-up, j'ai fait aussi bien qu'un type de trente-deux ans.

Terri revint munie d'un torchon et balaya les miettes de la nappe dans le creux de sa main.

— Mais t'as pas trente-deux ans. Tu devrais épouser Ellie. Elle en meurt d'envie.

— Oh, tu parles, aucune femme ne peut résister à mon charme.

— Mais tu as du charme, P'pa. Profites-en tant que t'en as encore.

Cardozo eut l'impression que ses relations avec sa fille prenaient un tour de plus en plus invraisemblable. Elle connaissait toutes les réponses, même quand il ne lui posait pas de questions.

— Ellie a eu un mariage de merde. Elle déteste le mariage. Elle déteste les hommes. Elle me déteste. Elle pense que je souffre de dérive droitière et que je vire au beauf.

— Ça veut pas dire que t'es pas charmant.

— Arrête de te faire du souci pour ma vie, je peux la prendre en charge tout seul. Et fais-toi un peu de souci pour la tienne — je suis loin d'être sûr que tu peux la prendre en charge.

Terri ne répondit pas à cela. Il la regarda rabattre les rallonges de la table de la salle à manger.

— Tu me racontes pas grand-chose de ta vie. Je me plains pas, je mentionne le fait en passant.

— Je veux pas t'embêter avec ça. Tu as bien assez de choses en tête comme ça.

— J'en aurais moins si je savais ce que ma fille fabrique.

— Rien d'illégal, rassure-toi.

Une vague de tristesse le balaya.

— Fais pas ta maligne. Ta cousine Sally m'a dit la même chose la nuit où elle a disparu. Elle disait qu'elle faisait rien d'illégal et ne rêvait que de ça.

— Pardon, dit Terri en lui posant sa main sur la joue. Mais ne te fais pas de souci. Je ne suis pas Sally, je ne vais pas m'évanouir dans la nature.

— Elle te parlait ?

— Elle me racontait pas grand-chose. Sauf qu'elle adorait jouer sur scène et qu'elle détestait être chez elle.

— Elle disait ça ?

— Moi, je me fous d'être actrice et j'adore être à la maison, dit Terri en l'embrassant. Voilà la différence.

21

— Quelqu'un d'autre désire-t-il poser une question ?

Monseigneur Flynn, le seul prêtre présent dans la pièce à porter l'habit ecclésiastique, contemplait l'espace vide de l'ancienne salle de séjour. Les murs étaient encore tendus de soie gris perle et couverts de lambris peints de chinoiseries, mais la plupart des meubles anglais du xviiie avaient disparu. En tant qu'animateur et président du groupe, monseigneur Flynn trônait dans le dernier fauteuil à oreillettes en tapisserie. Les vingt-sept autres participants avaient droit à des chaises pliantes en bois.

— Quelqu'un a-t-il un problème qu'il ressent le besoin de nous faire partager ?

Personne ne répondit.

— Il n'y a rien de si infime qui ne nous touche. Il n'y a rien de trop terrible pour nous choquer. La seule chose terrible serait que l'un d'entre vous rentre ce soir chez lui chargé d'un fardeau qu'il aurait pu déposer ici.

Personne ne broncha.

— Très bien. Nous allons nous lever, joindre les mains, baisser la tête et réciter...

A cet instant précis, deux choses firent tressaillir le père Chuck Romero, assis au deuxième rang : la première fut de voir sa main se lever d'elle-même. La seconde d'entendre le tremblement de sa propre voix.

— J'ai un problème.

— Oui, Chuck. Voulez-vous nous dire de quoi il s'agit ?

Le père Chuck se dressa.

— Un jeune garçon est venu me demander conseil et assistance. Un adolescent qui ne fait pas partie de la paroisse. Je ne suis même pas certain qu'il soit catholique, bien qu'il l'affirme.

— Il doit se trouver dans un besoin extrême.

Le père Chuck tâchait de trouver les mots qui exprimeraient ce qu'il avait éprouvé récemment.

— Ce garçon est aux prises avec des démons qu'aucun enfant ne devrait avoir à affronter.

— Vous pourriez nous dire de quelle nature sont ces démons ?

— Il deale de la drogue à d'autres adolescents. Lui-même en prend et m'en a même proposé. Une fois, pour gagner sa confiance, j'ai accepté.

— Quelle drogue était-ce ?

Le père Chuck resta silencieux, yeux baissés.

— Du crack. J'en ai fumé très peu. C'était pour la bonne cause. Il en est venu à me faire confiance.

Monseigneur haussa un sourcil prudent, mais compréhensif.

— Et comment cette confiance s'est-elle manifestée ?

— Par une plus grande franchise, un surcroît de confidences quant aux circonstances de sa vie, qui sont très pénibles.

Le père Chuck hésita, traversé d'une certaine nervosité. Ces hommes étaient des prêtres comme lui, cependant il ignorait jusqu'à quel point il pouvait se fier à leur charité ou à leur discrétion.

— Il se trouve qu'il a organisé ses amis en réseau de prostitution. Il m'a offert un tarif préférentiel — un discount maison, il appelle ça — si jamais n'importe lequel de ces enfants me plaisait.

Le père Chuck sourit, tâchant par là d'atténuer l'horreur de la chose. Monseigneur ne lui rendit pas son sourire.

— Ce garçon ne sait pas ce qu'il fait.

La voix du père Chuck tremblait fortement et il avait tellement soif qu'il s'arrachait avec peine les mots de la gorge.

— Il ne comprend pas le mal qu'il peut faire à ces enfants comme à lui-même. Je ne sais comment lui en faire prendre conscience sans paraître le critiquer ou le tancer.

— Peut-être que ce garçon a besoin qu'on le critique, suggéra monseigneur Flynn. Peut-être qu'il a besoin qu'on le tance.

— Non. Beaucoup trop d'autres personnes s'en sont tenues là. Il a besoin qu'on l'aide.

— C'est évident. Mais cette aide doit-elle venir de vous ? Souvenez-vous de ce qui nous a réunis dans cette pièce : la prise de conscience que nous avons des limites, que nous sommes des êtres humains faillibles. Ce garçon a-t-il commis des délits ?

Derrière monseigneur, une horloge marqua le quart.

Le père Chuck fit oui de la tête.

— De petits délits.

— Peut-être devriez-vous en toucher un mot au bureau de liaison du diocèse auprès des services du Tribunal pour enfants.

— Je détesterais le jeter dans la gueule de la bureaucratie.

Une main se leva.

— J'ai connu exactement la même situation, et je me suis retrouvé entraîné vers le bas plus rapidement que par des sables mouvants.

Il y eut des murmures d'approbation.

— Chuck, dit une autre voix, fais attention où tu mets les pieds.

Une autre voix ajouta :

— Et le cul, Chuck.

Des rires fusèrent et le père Chuck se sentit sur la sellette. Il dut faire un effort pour empêcher ses jambes de se dérober sous lui. Mais il endura les sarcasmes. Il s'arrangea même pour se joindre aux rieurs et se montrer beau joueur. Puis il endura la prière qui conclut la séance. Il n'avait jamais été aussi soulagé d'entendre prononcer un *amen* de sa vie.

Monseigneur s'approcha de lui et lui toucha le coude. Et cela si légèrement que cela parut à peine voulu, mais le père Chuck s'écarta du groupe. Il se dirigea vers les fenêtres cintrées.

— Dites-moi, Chuck, votre comportement a-t-il été modifié par votre rencontre avec ce garçon ?

— Non.

— A votre avis, vos pensées sont-elles obsédées par lui ou par ses problèmes ?

Le père Chuck se concentra sur la vue que l'on avait depuis la fenêtre, sur les colliers de lumières des tours dans la nuit.

— Je ne dirais pas cela.

— Avez-vous une conduite compulsive ? Négligez-vous vos devoirs envers autrui ?

Le père Chuck se tourna vers lui, avec le sentiment inconfortable qu'on le jugeait.

— Je ne crois pas.

— Avez-vous négligé de prier ?

— Non.

Le père Chuck releva le défi de monseigneur de la seule façon possible : en le regardant droit dans les yeux. Un détail le fit tressaillir : monseigneur Flynn avait les yeux vairons, l'œil gauche marron clair, le droit, bleu clair.

Le père Chuck aurait aimé ne pas le remarquer. Ça brisa sa concentration. Il s'entendit bégayer :

— Je p-p-prie — régulièrement.

— Est-ce que vous buvez ?

Dans l'espace qui le séparait de monseigneur, quelque chose parut faire masse et devenir palpable.

— Modérément, sans plus. Je n'ai pas augmenté ma consommation. J'ai le contrôle de la situation bien en main.

— Contrôler peut présenter un danger. Vous savez, Chuck, nous autres prêtres avons tendance dans l'existence à perdre de vue les besoins d'un pécheur bien particulier — je veux parler de nous-mêmes. Je peux vous donner le nom d'un homme excellent si vous aviez envie de discuter en privé, et en profondeur, d'un point quelconque.

— Un psychiatre ?

— Un psychiatre *et* un croyant. Ça ne court pas les rues à l'heure actuelle.

— C'est ce garçon qui a besoin d'aide, pas moi.

Un sillon de préoccupation rida le front de monseigneur.

— Vous apportez de l'eau à mon moulin, Chuck. Voulez-vous réfléchir au moins à la possibilité d'un entretien avec l'homme dont je vous parle ?

Il me croit fou, comprit le père Chuck surpris. Il jeta un regard dans la pièce remplie de prêtres en civil qui tournaient en rond. *La moitié d'entre eux pensent que je suis fou et l'autre moitié que je suis idiot.* Il sentit le rouge lui monter au front.

Monseigneur lui tapota l'épaule.

— Je vous rends à la compagnie. Bonne nuit, Chuck.

Mais la bonne humeur des prêtres rendus à eux-mêmes porta sur les nerfs du père Chuck. Il descendit en hâte l'escalier de marbre à vis de l'ancienne demeure de Cassandra Guggenheim, devenue une école dirigée par les sœurs de la Miséricorde. Des lustres de cristal éclairaient les licornes des tapisseries et des bureaux à armature métallique. Il franchit le porche gothique sculpté et s'enfonça dans la nuit.

De l'autre côté de la Cinquième Avenue, trois garçons s'attaquaient aux vitres d'une Porsche avec des battes de base-ball. Dans cette ville, sembla-t-il au père Chuck, même le verre se brisait avec un accent new-yorkais.

Pauvres garçons, songea-t-il. *Personne ne se soucie de vous. Personne ne vous aide.* Il se sentit fatigué jusqu'à la moelle.

Il avait prévu de rentrer en métro mais, à l'idée de la correspondance à Queens Plaza, il se sentit déprimé d'avance. Un taxi approchait. Pour la seconde fois de la soirée, il eut la surprise de voir sa main se lever en l'air, indépendamment de sa volonté.

Au sifflement, Olga Quigley quitta des yeux l'article de *TV Guide* qu'elle lisait. De la vapeur jaillissait du bec de la bouilloire.

Elle se leva et remplit la théière en prenant garde de ne pas laisser l'étiquette du sachet de tisane Doux Sommeil tomber à l'intérieur. Elle disposa trois biscuits au chocolat aux noix sur une assiette — c'était l'en-cas préféré du père Romero avant de se coucher. Et voilà, le plateau était fin prêt.

Ça ne lui prit qu'un instant pour vérifier son apparence dans le reflet d'une casserole de cuivre pendue au mur et remettre en place une mèche de ses cheveux noirs. Et voilà, Olga Quigley était fin prête.

Ses pas résonnèrent sur le sol nu du corridor vide. Elle frappa à la porte du cabinet de travail. Pas de réponse. Elle ouvrit du coude, appuya de même sur l'interrupteur et déposa le plateau sur le bureau.

Elle remarqua que le père y avait laissé traîner plusieurs photos et une fiche. Elle jeta un coup d'œil sur les photos. Des jeunes gens qui prenaient un bain de soleil. Sur la fiche, le père avait écrit un nom en gros caractères d'imprimerie, SALLY MANFREDO, suivi d'une adresse et d'un numéro de téléphone.

La porte d'entrée claqua. Elle replaça soigneusement la fiche et les photos exactement comme elle les avait trouvées.

Le père Chuck pénétra dans son cabinet de travail, marmonnant entre ses dents. Il tressaillit légèrement en y trouvant Olga.

— La réunion a sans doute été longue ce soir, dit-elle.

— Longue, oui.

Elle sentit quelque chose se fermer en lui. Il avait une de ses crises de morosité.

— Je vous ai préparé votre collation.

— Merci, madame Quigley, dit-il en nettoyant le verre droit de ses doubles foyers.

— Je vous laisse. Vous n'aurez qu'à sonner quand vous voudrez que je vienne chercher le plateau.

Mme Quigley referma tranquillement la porte derrière elle.

Elle regardait dans sa chambre le film de minuit — avec Debbie Reynolds, ce soir — quand elle prit conscience que le père ne l'avait pas sonnée et ne s'était pas manifesté depuis une bonne heure et demie. Elle revint furtivement au cabinet de travail.

Le père avait fait basculer complètement son fauteuil inclinable. La tête penchée sur le côté, la bouche grande ouverte, il ronflait.

Reniflant la tasse à moitié vide, elle sentit une odeur d'alcool. Il y avait une bouteille de rhum de Jamaïque à 75° débouchée sur le bureau. Elle hocha la tête. Le père Romero devenait un buveur. Le père O'Malley, avant lui, était un pocheton et c'était la boisson qui avait tué Jack, son mari : les signes ne trompaient pas, elle les connaissait par cœur.

En rangeant la vaisselle sur le plateau, elle aperçut une pyramide de cendres dans le cendrier. Elle prit le temps d'y aller voir de plus près. Tisonnant avec une cuillère à thé, elle découvrit la moitié d'une photo et un morceau de fiche portant des caractères d'imprimerie tracés à la main : ALLY MANFR.

22

D'un revers de la main, Collie chassa un flot de cheveux bruns rebelles de son front.

— D'un simple point de vue logique, dit-il, la plus grande

preuve d'amour n'est pas de savoir si l'on est prêt à mourir pour l'autre.

— On est à table.

Anne le fixait de l'autre côté de la table de ses yeux noisette impatients.

— On est obligé de parler logique ? ajouta-t-elle.

— C'est de savoir si l'on est prêt à vivre pour l'autre, affirma Bonnie.

— Non.

Collie étala de son couteau une dernière couche de risotto sur une dernière fourchette d'osso bucco.

— C'est de savoir si l'on tuerait pour l'autre.

Bonnie fit tinter sa fourchette contre son assiette.

— Ça n'a rien de drôle, et c'est même pas logique.

— C'est parfaitement logique et je le prouve. L'âme est la part la plus sacrée de la personne. Quand l'on pèche — tuer est un péché, nous sommes bien d'accord ?

— Oyez, oyez.

Ben, le frère de Bonnie, frappait d'un couteau à beurre son verre à vin rempli d'eau minérale, qui émit une note aiguë et claire.

— Quand l'on pèche, l'on met en péril la partie de son être la plus sacrée. Risquer de perdre ce que nous avons de plus sacré en nous, le perdre réellement au bénéfice d'une autre personne, doit être le plus grand sacrifice de toute existence.

Bonnie ne pouvait s'empêcher d'être furieuse quand les hommes parlaient comme ça : on mettait une pièce dans la machine à sous de la logique et on récoltait aussitôt la sanction éthique du meurtre.

— Mais il existe toujours une autre voie. Si personne ne peut éviter de mourir, tout le monde peut éviter de tuer.

— Là n'est pas la question, dit Collie.

— Et quelle est la question ? demanda Anne.

— De savoir le maximum que l'on peut donner au nom de l'amour.

— Mais donner le maximum quand rien ne le réclame, c'est du gaspillage, dit Bonnie élevant le ton. Et rien ne sanctionne le gaspillage.

— Tout ça ne tient, dit Collie, que si tu considères la morale comme une sous-catégorie de l'écologie. Mais je pourrais citer certains passages de saint Paul qui s'appliquent...

Bonnie ne fit qu'un bond, perdant complètement de vue ses obligations d'hôtesse.

— Paul n'était qu'un groupie épileptique, homophobe et antisémite. Il n'était ni saint ni Paul, je doute même sérieusement qu'il ait été un il, et je sais qu'il n'avait rien de rationnel.

Anne se leva de table et commença à débarrasser.

— Tout le monde prendra du café ?

Les joues de Bonnie s'empourprèrent. Elle ressentait la gêne énorme d'un enfant qui a piqué sa colère.

— S'il te plaît, Anne, ne bouge pas, je m'en occupe.

Dans la cuisine, elle remplit la cafetière et racla le fond des assiettes. Faisant joujou avec ses gadgets et ustensiles de chez Hammacher Schlemmer, elle avait le sentiment d'être en sécurité dans un espace qu'elle tenait sous contrôle. Anne la rejoignit avec une pile de vaisselle.

— Je devrais donner mes dîners plus tôt dans la soirée, dit Bonnie. Ça dégénère toujours en disputes.

— C'était délicieux.

Anne attaquait au tire-bouchon une bouteille de cabernet sauvignon glacé.

— Et ce n'était pas une dispute, mais un simple jeu. J'adore venir à tes soirées. J'aimerais tant qu'on se débrouille pour se réunir plus souvent.

— Tu es sûre que tu ne te sens pas écrasée sous le nombre ? On doit tellement donner une impression de clergé en folie, tous les trois.

— Vous êtes plutôt comme des avocats. J'adore ça quand la conversation vire à l'embrouillamini théologique.

— Tu ne penses pas ce que tu dis.

Bonnie tendit deux verres à vin à Anne qui les remplit.

— Je reconnais qu'un peu de ce breuvage m'aiderait.

Anne leva son verre.

— Mais on ne peut pas tout avoir.

Elles trinquèrent.

Bonnie avala une gorgée de fraîcheur piquante.

— Tu n'as pas oublié comment ces deux-là réglaient leur compte à une bouteille ? Un verre de ça, et la guerre serait déclarée.

A une époque, Collie et Ben avaient eu tous les deux des problèmes de boisson. Ben avait terrassé les siens quatre ans plus tôt en adhérant aux Alcooliques anonymes. Collie était resté un buveur impénitent, mais intermittent, jusqu'à l'avant-dernière année, où il avait enfin réussi à se mettre au régime sec. Bonnie ne l'avait plus vu toucher une goutte d'alcool depuis. Elle admirait la sobriété des deux hommes, se doutant qu'elle leur avait demandé un courage énorme.

— C'est bizarre, dit Anne en faisant tournoyer son vin. C'est toi qui as fini par être prêtre, alors que Collie et Ben, eh bien, c'est juste Collie et Ben.

— S'ils étaient devenus prêtres, tu n'aurais peut-être pas de petit ami.

— S'ils étaient devenus des prêtres catholiques. Mais je ne sais pas. On entend raconter tellement d'histoires. Beaucoup de prêtres courent à droite à gauche. Même chez les catholiques.

Bonnie approcha un pot de lait du bec d'une machine à expresso.

— Tout le monde aime le cappuccino, n'est-ce pas ?

Elle était assise sur le canapé victorien vert mousse, remuant l'écume beige dans sa tasse avec une cuillère à thé, quand elle sentit le poids de Collie prenant place près d'elle.

— J'avais pas l'intention de te mettre en boule, dit-il.

— C'est réussi.

— T'es furieuse ?

— Non.

— Je t'ai fait de la peine ?

— Non, je t'envie.

Elle déposa sa tasse sur la table basse où s'empilaient en bon ordre livres et magazines.

— Je n'aurai jamais ton talent pour la controverse.

— Un prêtre n'a pas besoin de ça. C'est l'équivalent d'une Uzi dans les tables rondes, et ça ne vaut uniquement que pour les emmerdeurs.

— Tu n'es pas un emmerdeur.

— Je l'ai été. Mais c'est fini. Tu m'as remis sur les rails.

— C'est vrai ?

Il fit oui de la tête.

— Maintenant mon job, c'est de veiller sur toi et les gamins. Je ne laisserai rien leur arriver — pas plus qu'à toi.

Ils demeurèrent assis en silence. Elle sentait simultanément un élan vers lui et un léger recul. Il y avait en lui une demande et une souffrance, de la solitude et de l'inquiétude.

Trente secondes s'écoulèrent.

— Tu es un amour, Collie. Je ne sais pas ce que je ferais sans toi.

Il soupira.

Elle lui effleura la joue d'un baiser.

— Je t'aime vraiment. J'espère que tu le sais.

Elle rinçait les plats avant de les ranger dans le panier du lave-vaisselle quand son frère entra nonchalamment dans la cuisine.

— T'as des soucis, p'tite sœur.

— Mais non, c'est rien.

Il retira ses lunettes, et d'un index glissé sous le menton, lui releva le visage de manière qu'elle ne puisse pas éviter son regard.

— Tu as cet air.

— Quel air ?

— Pas de faux-fuyants de cureton avec moi. Accouche.

Elle versa la poudre dans le distributeur de détergent et remonta d'un coup sec la porte du lave-vaisselle.

— La police pose des questions.

— C'est l'une des façons qu'ont les policiers de gagner leur vie.

— Sonya Barnett leur a parlé de l'affaire Hitchcock.

— Comment tu le sais ?

— Parce qu'elle m'a appelée tout de suite après. Il y a tout à parier que la police est allée tout droit chez les Hitchcock. Et les Hitchcock ne nous portent pas dans leur cœur.

— Tu serais pas un brin parano ?

— Ils déforment les choses. Souviens-toi comment ils ont prétendu que Joe maltraitait ses acteurs.

— Et ils n'ont pas réussi à convaincre le juge, qui les a déboutés.

— Mais ils ont peut-être réussi à convaincre la police. Un inspecteur est encore revenu poser des questions. Pour la troisième fois.

Elle mit le programmeur sur *charge maximale* et *chaud et sec* et tourna le bouton jusqu'au *start*. Le lave-vaisselle se mit en branle avec un vacarme d'insurrection.

— Quel genre de questions ? fit Ben.

— Il voulait tout savoir sur notre ancienne fourgonnette, celle qui a été accidentée.

Rien que d'en parler, elle ressentit au creux de l'estomac un léger spasme nerveux.

— Je ne me souviens pas exactement combien de fourgonnettes nous avons eues et, bien sûr, il voulait savoir le nombre exact.

— Pourquoi ça te tracasse autant ?

— J'ai l'impression qu'il cherche un moyen d'impliquer Joe dans le meurtre de cette fille qu'on vient de retrouver.

— En quoi cette fourgonnette concerne Joe ou cette fille, bon Dieu ?

— Je sais pas très bien, fit-elle en se séchant les mains à un torchon. Il voulait savoir si le père Joe possédait une casquette de golf.

— Une casquette de golf ? se récria Ben en éclatant de rire. Tu inventes.

— Non, dit-elle en hochant la tête. J'en ai offert une à Joe il y a trois ans pour Noël. Il la porte toujours.

— Tu fais cadeau de casquettes de golf à tout le monde. Joe est le seul à être assez stupide pour la porter.

— Tu trouves pas que c'est bizarre comme question ?

— Hors de son contexte, oui. Mais ce flic doit savoir ce qu'il fait. Il ne serait pas lieutenant, sans ça.

23

Une ombre s'allongea sur les piles de rapports et de mémos inter-services qui jonchaient le bureau : Ellie Siegel pénétra dans le box.

— Je viens d'avoir le juge Myers au téléphone. D'après elle, tout mandat de perquisition des possessions d'un ecclésiastique doit être rédigé avec la plus grande précision pour qu'elle nous l'accorde.

— C'est-à-dire ? demanda Cardozo.

— Du genre chameau au travers du chas d'une aiguille. Il faut décrire chaque article que nous recherchons.

— Les papiers du père Romero ?

— J'ai essayé ça. Elle m'a opposé un refus catégorique. C'est trop vague.

— Bon, alors les papiers qui se rapportent à ses activités théâtrales ?

— Va le lui dire, Vince, ou bien demande à un autre juge.

— Aucun des juges que je connais n'arrive à son bureau avant 11 heures. Mais on peut aussi bien attendre jusque-là. Montgomery va nous donner du travail aujourd'hui.

Ellie jeta un coup d'œil pénétrant à l'entour.

— Qu'est-ce que tu as trouvé ?

— Petit a, dit Cardozo en lui tendant le compte rendu de son entretien avec Lanner, d'après cet acteur le père Joe lui a fait des avances homosexuelles à peine déguisées. Excuse-moi, Ellie, je sais que le père Joe a fait ta conquête, mais ce n'est pas là un comportement naïf et innocent. Petit b...

Il lui tendit le D.D.5 de son entretien avec les tapins de la Neuvième Avenue.

— ...Le père Joe s'intéresse aux travestis qui se prostituent et cet intérêt va jusqu'à les prendre en photo, et peut-être plus loin.

— Peut-être, fit Ellie d'un ton de doute.

— Petit c, continua Cardozo ignorant ce bémol et, lui tendant le rapport de l'Institut médico-légal, Dan Hippolito pense que la victime aurait pu être mêlée à des pratiques sado-maso. Voilà la charade, quel est mon tout ?

— Je ne suis même pas sûre que ce soit une charade, conclut Ellie en défroissant sa jupe. Cette suggestion S.M. de Dan est plutôt tirée par les cheveux. La gosse aurait très bien pu porter des bottes de cuir sans bas.

— Il aurait fallu que ce soit des bottes très collantes pour laisser des marques d'abrasion semblables et des résidus de cuir.

— Une gosse qui s'habille en fouillant les tas d'ordures doit pas être très regardante sur la pointure.

Ellie reposa négligemment les dossiers sur le bureau. Si l'on croyait au langage du corps, elle semblait prête à l'attaque — mains sur les hanches, tête baissée comme si elle allait charger.

— Et si on déterrait une preuve rien qu'à demi crédible avant de décider que le père Montgomery égale Joe l'Eventreur ?

— On tient déjà un motif probable. Ton acteur. Témoin oculaire d'un comportement délictueux.

— Arrête, Vince. Au pire, la déclaration de Lanner fait du père Joe un vicelard borderline.

— Oublie le borderline.

— N'empêche que c'est une présomption des plus légères.

— Le District Attorney en a expédié plus d'un devant une chambre de mise en accusation sur des présomptions encore plus légères.

Ellie tiqua, absorbée par l'un de ses ongles.

— Et si la chambre d'accusation ne juge pas recevable le témoignage de Lanner ? Par exemple, s'il a un casier ?

— Lâche-moi. Combien de comédiens en herbe ont un casier ?

— Il y a une façon de le savoir.

Ils se rendirent dans la salle de garde. L'inspecteur Monteleone, installé devant l'ordinateur, recherchait la trace d'une plaque minéralogique dans une affaire de délit de fuite.

— Tu vas avoir besoin de cette machine encore longtemps ? demanda Cardozo.

— Ad vitam aeternam, lui rétorqua Monteleone avec un regard noir.

D'un haussement de sourcil, Ellie fit signe à Cardozo de descendre avec elle au premier. Dans le coin de la salle de garde, la cellule se remplissait de sa première fournée de la journée — quatre gosses minables, l'air flippé.

— T'as quoi là-bas dedans ? demanda Cardozo au lieutenant de service.

— Deux pickpockets, un mec qu'a uriné en public, un braquage de voiture.

Cardozo, songeant à la paperasserie de merde qu'impliquait la moindre arrestation, ne comprenait pas pourquoi un flic sain d'esprit se donnait la peine d'arrêter les types qui pissaient dans la rue. On ne pouvait pas leur filer une amende, ils n'avaient pas de fric ; on ne pouvait pas les citer à comparaître, ils n'avaient pas de domicile ; on ne pouvait pas les boucler, il n'y avait plus de place en taule.

— Depuis quand uriner a été promu au rang de délit prioritaire ?

— D'après le capitaine, c'est une question de qualité de la vie.

Ce qui signifiait, dûment traduit, que le Préfet de Police se faisait du souci parce qu'une élection était en vue et que le maire avait besoin des votes fluctuants du district du beau linge de Manhattan.

— On peut utiliser l'ordinateur ? demanda Ellie. Ça ne prendra qu'une seconde.

Le lieutenant haussa les épaules.

Ellie se dirigea vers l'ordinateur.

— Salut, dit-elle en souriant au sergent dont elle envahissait l'espace de travail. Il n'y en a que pour une minute.

Elle obtint le fichier criminel et tapa le nom de Lanner sur le clavier. L'écran commença à se couvrir à toute vitesse de texte imprimé.

Cardozo fronça le sourcil.

Les délits commis par Lanner remontaient à deux ans et apparurent dans l'ordre chronologique. Vol à l'étalage chez Bloomingdales : condamné avec sursis. Possession d'un quart de gramme de cocaïne, discothèque Limelight : condamné avec sursis. Vol d'un magnétoscope, plaignant Joseph Montgomery : condamné avec sursis.

Un silence suinta comme l'encre d'un calmar.

— Oublie-le. C'est un tout p'tit truand, dit Ellie mettant l'écran à zéro. Il a une dent contre le père Joe presque aussi grosse que la tienne.

Cardozo emboîta le pas à Ellie qui remontait.

— O.K., peut-être que j'ai un préjugé défavorable contre Montgomery. Mais ça m'aveugle pas le jugement. Il y a quelque chose qui cloche chez ce type.

— Peut-être.

— Me dis pas peut-être comme si j'étais un crétin.

— Hier, tu trouvais qu'un truc clochait chez le père Romero.

— Il y a quelque chose qui cloche chez les deux.

Comme ils regagnaient leur salle de garde, Greg Monteleone, pliant l'échine, était en train de cadenasser le placard d'acier où les inspecteurs rangeaient leurs armes.

— J'avais cru comprendre que t'avais besoin de l'ordinateur, dit Ellie.

— J'me débarrasse juste de mon flingue. Quand fait chaud comme ça, ça pompe de l'énergie de trimballer toute la journée tous ces kilos en plus.

— Arrête Greg, ta journée, elle a à peine deux heures. Et t'as deux bons kilos et demi de plus à trimballer depuis ton casse-croûte d'hier.

Greg lui envoya un baiser.

— Je t'adore, princesse.

Il retourna à son bureau et tendit à Cardozo une lettre exprès.

— C'est arrivé pendant qu' t'étais en bas.

— Merci.

Cardozo lança un coup d'œil à l'adresse de l'expéditeur, conscient qu'Ellie faisait de même : prison d'État de Dannemora.

Elle l'accompagna dans son box.

— C'est qui le p'tit copain qui t'écrit ?

Cardozo déchira l'enveloppe et en tira une seule feuille avec l'en-tête de la prison.

— S'appelle Martin Barth.

— Un détenu ?

Cardozo survola la page couverte d'une écriture soignée.

— Il dit qu'il est condamné à perpétuité.

— Tu le connais ?

— Jamais entendu parler.

Cardozo s'approcha de la fenêtre. Les ombres de midi escaladaient le mur de brique de l'autre côté de la ruelle.

— Ecoute un peu ça : « J'ai été profondément ému par le visage reconstitué par le dessinateur de vos services que le *New York Post* a publié en première page, la semaine dernière. Je connaissais cette pauvre enfant et je dois vous parler immédiatement. Je sais comment elle est morte. »

— Je suis content de vous voir.

De l'autre côté de la vitre en Plexiglas, Martin Barth ne tenait pas en place sur sa chaise métallique noire.

— Vous n'avez pas idée comme je suis content. Merci de vous être déplacé aussi loin.

— Je tenais à venir, dit Cardozo.

A droite et à gauche, le parloir s'étirait comme un comptoir de restau sur le pouce d'une centaine de mètres. La pièce était sale et mal éclairée, avec une odeur d'ammoniaque recouvrant celles de sueur et de tabac qui faisaient le fond de l'atmosphère. Quelle que fût la destination des trente-quatre mille dollars par prisonnier alloués par le budget de l'État, ils ne passaient pas en frais de nettoyage ni d'éclairage de l'endroit.

— Vous devez trouver étrange que j'aie demandé à vous parler.

Les yeux clairs de Barth étaient cernés de noir et des rides sillonnaient la commissure de ses lèvres. Il vous dévisageait derrière des lunettes à monture de corne, qui lui glissaient sans cesse le long de l'arête du nez. Chaque fois que cela arrivait, il les remettait en place avec une grimace d'irritation. Cardozo eut l'impression que cet homme myope, timide et obsessionnel n'avait probablement pas encore accepté la réalité de sa situation.

— Non, pas spécialement étrange, dit Cardozo. Je reçois quelques appels de prison.

— Ce n'est pas un lieu aussi horrible qu'on le dit.

Malgré le fait qu'ils communiquaient par téléphone, Barth se pencha plus près de la vitre qui les séparait.

— C'est ici, dit-il sur le ton de la confidence, que j'ai découvert mon Grand Supérieur. Vous connaissez ?

— C'est un peu comme Dieu, non ?

— Ça ressemble beaucoup à Dieu. Mon Grand Supérieur veut que je décharge mon cœur de toutes mes fautes.

Barth sortit un paquet de Marlboro light de la poche de sa chemise bleue de prisonnier. La sueur collait l'étoffe de piètre qualité à son étroite poitrine. Il fit tomber du paquet une cigarette d'un pichenette et l'alluma. Il fumait comme quelqu'un qui apprend à le faire, espérant que ça lui donnera davantage l'air d'un dur.

Cardozo comprit que Martin Barth avait attendu la quarantaine pour entamer son adolescence.

— Commençons par certains de mes antécédents. Avant mon emprisonnement, j'étais analyste de marché des contrats agricoles à terme et travaillais pour Salomon Brothers à Wall Street. Je faisais aussi un peu l'agent de change pour mon compte, en violation des règles de la firme.

Le sourire de conspirateur qu'il adressa à Cardozo suggérait assez que tous deux savaient à quoi s'en tenir sur la fragilité humaine. Cardozo lui rendit son sourire complice.

— Je suis marié à une très jolie femme et je suis le père de deux enfants adorables. Et me voici accomplissant une peine de prison à vie pour le meurtre de l'un de mes clients privés.

Barth se tut le temps d'exhaler un nuage de fumée informe qui flotta lentement vers la grille d'aération du plafond.

— La fille morte dont les journaux ont publié le portrait — j'ai jamais su son nom. C'était une fugueuse. Je l'ai draguée en faisant mon jogging sur les docks du West Side, il y a un an et demi de ça. Je l'ai emmenée dans une usine d'emballage de viande des environs. Ma firme était en affaires avec la société propriétaire des lieux et j'avais les clés. C'était toujours vide pendant la journée.

Il écrasa sa cigarette.

— J'ai vu une fois un film porno qui s'appellait *Lola et tous ses accessoires*. J'ai honte de le reconnaître, mais il m'a fait une impression durable. Ça parlait d'un homme qui se levait une fille et en faisait sa prisonnière. Depuis que je l'avais vu, j'avais le fantasme de me lever une fugueuse et de l'emmener dans cette usine déserte pour lui faire tout ce qui me passerait par la tête.

Il s'interrompit pour allumer une nouvelle cigarette.

— Mon fantasme est devenu réalité. Cette fille n'avait pas

froid aux yeux. Elle avait même des anneaux d'or au bout des seins. Elle avait l'expérience de pratiques dont je n'avais fait que rêver, et elle était totalement consentante. La seule chose qui l'écœurait, c'était l'odeur des carcasses de bœuf — même réfrigérées, elles puaient. Alors j'ai allumé de l'encens.

— Et où vous êtes-vous procuré cet encens ?

— J'en avais toujours dans mes affaires de jogging — pour créer l'ambiance au cas où j'aurais la main heureuse. Elle m'a laissé lui attacher les mains et les pieds avec des lanières de cuir. Elle était réduite à l'impuissance. C'était de la folie furieuse. Je l'ai bourrée de coups de pied, je l'ai battue, je lui ai versé dessus de la cire de bougie.

Pendant un instant, Barth, souriant, parut perdu dans ses souvenirs.

— La cire des bougies m'a toujours fait fantasmer.

— Et où aviez-vous trouvé la bougie ?

— Dans mon sac à dos de jogging.

Barth alluma une troisième cigarette. Il y en avait deux maintenant dans le cendrier.

— Le fin mot de l'affaire, c'est que je ne me suis plus contrôlé et que je l'ai tuée accidentellement.

— Comment ça ?

— Je lui caressais le cou et c'est arrivé, c'est tout. Je suppose que je l'ai étouffée. Quand j'ai compris ce que j'avais fait, j'ai découpé son corps en morceaux.

— Avec quoi ?

— Une scie à viande. Et j'ai empilé les morceaux dans une glacière.

— Et la glacière, vous l'aviez trouvée où ?

— La société en question utilisait des glacières en polystyrène pour livrer la viande aux restaurants. Après l'avoir empaquetée, j'ai retrouvé l'un des anneaux qui lui perçaient le bout des seins — j'avais dû le lui arracher en faisant l'amour. Je l'ai gardé en souvenir. Cette nuit-là, j'ai abandonné la glacière dans les Jardins Vanderbilt.

Cardozo eut l'impression que Barth arborait sa culpabilité comme une auréole. Il avait débité son récit avec franchise et sans flancher, et ce n'était pas toujours des qualités admirables. Il y avait des moments où les gens devaient flancher : quand ça n'arrivait pas, on pouvait dire que le monde était mal barré.

— Comment se fait-il que vous saviez vous y prendre pour découper le corps ?

— Des années d'expérience avec la dinde de Noël.

— Comment avez-vous amené le corps jusque dans le parc ?

— J'ai loué une fourgonnette.

— A qui ?

— Une agence spécialisée dans les fourgonnettes et les camions avec de fausses plaques — ce qui permet de se garer n'importe où en se moquant des contraventions. J'ai prétendu que j'avais besoin d'une fourgonnette pour un déménagement.

— Pouvez-vous me décrire cette fourgonnette ?

— Une Toyota bleue. Avec un soleil souriant peint sur la portière.

— Quel était le nom de cette société de location ?

— Je ne m'en souviens pas.

— Qu'est devenu l'anneau que vous avez retrouvé sur le sol ? Où est-il maintenant ?

— Dans mon sac à dos de jogging, chez moi, dans un placard. Ma femme vous le donnera.

24

Harvey Thoms regarda sa montre.

— Vous êtes sûr que cette femme est chez elle ?

— L'épouse de mon client est en train de se préparer.

Pierre Strauss appuya à nouveau sur la sonnette.

— Elle se met du rouge, c'est ça ? dit Thoms.

— Peut-être.

Cardozo ne goûtait pas trop de devoir poireauter dans un petit hall d'entrée avec les deux hommes. Strauss avait un bon quart de siècle de plus et vingt-cinq kilos de moins que Thoms, mais tout son corps exsudait des pulsions assassines ; et Cardozo avait le sentiment que dans deux minutes au plus, ils allaient se taper dessus.

— Vous avez remarqué, dit Thoms, quand une femme

monte dans sa voiture, comme elle met toujours plus de temps qu'un homme pour démarrer ? Une femme doit se passer du rouge à lèvres. Impossible de conduire en sécurité sans rouge à lèvres.

Thoms éclata de rire.

— J'ai peut-être des préjugés, mais il se trouve que c'est un fait.

— Bon Dieu, dit Strauss, c'est un être humain.

— Dieu bénisse la famille de l'homme.

— Je n'ai pas pour habitude de demander de faveurs au bureau du District Attorney, mais pourriez-vous faire preuve d'un minimum de décence pendant la prochaine demi-heure ?

La porte s'ouvrit sur une femme maigre au teint pâle, qui les regarda de ses yeux las. Sa robe grise datait du temps où elle pesait cinq kilos de plus.

— Bonjour, Pierre.

Sa voix était calme et cultivée. Cardozo nota qu'elle ne portait pas de rouge à lèvres.

Strauss l'embrassa légèrement sur la joue. Ses manières compatissantes étaient presque crédibles. Ça fonctionnait très bien dans le vestibule à rayures peppermint d'Eloïse Barth, mais Cardozo avait vu mieux lors de talk-shows, où Strauss jouait au dernier chantre des libertés civiles. Il n'y avait pas jusqu'à sa crinière blanche de vieux sage en bataille qui ne tînt bien sa place dans les talk-shows, si on le confiait à un coiffeur.

— Eloïse, je vous présente Harvey Thoms du bureau du D.A. et le lieutenant Vince Cardozo du 22ᵉ commissariat.

Elle les salua d'un air gêné.

— Voulez-vous entrer ?

— Bon, comme je vous l'ai expliqué au téléphone, le lieutenant Cardozo va vous montrer un mandat qui l'autorise à emporter le sac à dos de Martin et son contenu, quel qu'il soit.

Eloïse Barth donnait l'impression d'écouter, mais tout juste. Comme si elle risquait de devenir folle à devoir prendre encore en compte flics, avocats et autres mandats.

— M. Thoms est venu veiller à ce que vous satisfassiez à ce mandat, quant à moi je suis ici pour veiller à ce que le lieutenant Cardozo n'excède pas ses prérogatives. Lieutenant, voulez-vous montrer votre mandat à Mme Barth ?

— Inutile. Le sac à dos doit être ici, dans la penderie.

Elle ouvrit le placard du hall, tira une chaise sur laquelle elle monta, et fouilla l'étagère. Ses mouvements rapides trahissaient un certain épuisement, comme si elle voulait en finir au plus vite avec cette corvée pour mieux s'allonger et mourir.

Pierre Strauss maintenait la chaise.

— Comment vont les enfants ?

— Ils font aller.

D'où il se trouvait, Cardozo apercevait le salon. C'était une pièce claire avec une cheminée de marbre sculptée, un piano crapaud et un ameublement confortable à l'épreuve des enfants. Le tout presque trop parfait. Comme une gigantesque maison de poupée.

— Le sac à dos n'est pas là, dit-elle d'un ton légèrement décontenancé. Il doit être dans le placard de la chambre.

Pierre Strauss l'aida à remettre pied à terre. Elle les conduisit le long d'un autre couloir.

Ils entrèrent dans une chambre plongée dans la pénombre où deux petits garçons assis par terre devant la télévision zappaient à qui mieux mieux. Un opéra du Lincoln Center. Un couple de yuppies amoureux dans le film de la semaine. Barbara Walters interviewant un nouveau dictateur d'Amérique latine.

Cardozo s'aperçut que les deux garçons, les yeux tournés vers la porte, ne regardaient plus la télé mais observaient les visiteurs de M'man à la dérobée.

— Ils ont quel âge ? demanda Cardozo.

— Timmy a quatre ans, répondit Eloïse Barth comme si parler à un flic de quelqu'un qu'elle aimait était une malchance insigne. Et Allen, six.

Elle ouvrit la porte de la chambre et alluma la lumière. Cardozo eut l'impression que la pièce avait été dépouillée de tout élément de luxe — que le dessus-de-lit en coton était autrefois en soie, comme le nécessaire en écaille de la coiffeuse était autrefois en argent.

Elle ouvrit la porte du placard. A l'intérieur, c'était le fouillis, comme si elle y avait entassé pêle-mêle tous les vestiges de son mariage.

Pierre Strauss apporta une chaise et l'aida à grimper dessus.

Après plusieurs minutes de recherche silencieuse, elle lui tendit un sac à dos High Sierra en nylon bleu.

La fermeture Eclair n'était pas remontée. Au moment où Pierre Strauss passait le sac à Cardozo, une bougie en tomba, suivie d'un étui d'encens Bombay Girl et d'un anneau d'or trop étroit, même pour le petit doigt d'un enfant.

— J'ai une seule question à vous poser.

Cardozo se tenait à la fenêtre à regarder le rideau de pluie d'été qui fouettait la Première Avenue.

— A votre avis, Martin Barth est-il le genre d'homme à commettre ce genre de meurtre ?

Le Dr Vergil Muller, le psychiatre qui avait examiné Martin Barth pour l'Etat de New York, prit une profonde inspiration et s'extirpa du divan. Pesant bien cent cinquante kilos pour son mètre quatre-vingt-dix, il laissa sur le coussin de cuir une empreinte qui avait tout l'air d'être permanente.

— Un homme enlève une fugueuse, peut-être mineure...

Le Dr Muller avait une pointe d'accent du Midwest méridional, un débit traînant et une articulation très nette.

— ...il a un rapport sexuel avec elle, il l'assassine, il la démembre et abandonne son corps dans une glacière au beau milieu d'un parc.

Muller contourna un vélo d'appartement, atteignit son bureau, fourragea dans un amoncellement de papiers et enfila une paire de lunettes-loupe bon marché. Il scruta une pile de livres près du téléphone, puis traversa la pièce jusqu'à la bibliothèque dont il fouilla deux rayons. Il y prit un livre de poche bleu cobalt de la taille d'un annuaire.

— Vous me demandez si Martin Barth est capable de commettre à la fois un viol sur une mineure, un homicide et un dépôt d'ordures sauvage ?

Le regard gris de Muller se posa sur Cardozo par-dessus ses lunettes.

— Bien sûr qu'il en est capable. C'est un dément de merde. Mais ça vous le savez déjà. C'est surprenant comme il y a peu à dire des psychopathes compulsifs, cette sous-catégorie criminelle, bien que ça puisse me prendre cinq heures pour dire ce rien. Voyons voir si mon manuel de diseur de bonne aventure peut nous dispenser une quelconque et succincte lumière.

Muller réintégra son empreinte sur le divan. Il ouvrit le livre et parcourut du doigt un index.

— Dites-moi, lieutenant, avez-vous des compétences en matière de bla-bla psy ou dois-je traduire ?

— Je peux suivre l'essentiel.

— O.K., je vais condenser. Le psychopathe-type, qui a abandonné les restes de cette fille dans cette glacière, est de sexe masculin, âgé de vingt à quarante ans, provenant d'un foyer détruit ou d'une famille affligée de dysfonctionnements, où l'un des parents ou les deux s'adonnaient à la boisson ou se droguaient, et/ou l'ont maltraité. L'histoire de ses relations avec le sexe opposé et les figures d'autorité paternelle est d'une pauvreté catastrophique. Il est incapable de lutter contre la satisfaction immédiate de ses désirs. Il ne considère pas les autres comme des personnes ; la seule importance qu'il leur accorde est proportionnellement liée à la satisfaction des besoins de son ego. Il y a un profond conflit intérieur chez lui à propos de son comportement sexuel, et peut-être même de son identité sexuelle.

Muller tourna une page. Il croisa sa jambe droite sur la gauche, pour caler plus confortablement le livre sur son genou et faciliter sa lecture.

— La société à ses yeux est un ramassis de pigeons à plumer. Il n'a que mépris pour la morale, les conventions et les rites sociaux, qu'il considère comme une comédie vide de sens. A l'âge de quinze ans, il a déjà commis quatre des dix choses suivantes : Un, fugue du foyer familial. Deux, vols répétés. Trois, mensonges répétés. Quatre, incendie volontaire. Cinq...

Muller s'interrompit et lança un coup d'œil à Cardozo.

— Je gagne ma vie comme ça, difficile à croire hein ?

— C'est quoi ce livre ?

— *Manuel de diagnostic et de statistiques de la Société psychiatrique d'Amérique du Nord.* Grosso modo, cet ouvrage tente de ranger en catégories un certain nombre de données brutes et aléatoires.

— Et il est exact ?

— Eh bien, comme Lewis Carroll le fait remarquer, une horloge arrêtée donne l'heure exacte deux fois par jour. Je dirais que ce manuel fait mieux qu'une horloge arrêtée — j'ai connu certains jours où il s'est révélé exact quatre fois. Bien entendu, avec de telles généralités, on met quelquefois dans le mille, c'est forcé.

— La description que vous m'avez lue va-t-elle bien à Martin Barth ?

Le Dr Muller referma le livre d'un coup sec.

— Comme un costume de prêt-à-porter. Il faut lui apporter une ou deux petites retouches. Mais d'une manière générale, c'est une bonne hypothèse de travail, parfaitement exploitable.

— Et le meurtre pour lequel Barth purge sa peine ? Il ressemble à celui de la fille à la glacière ?

— Je déteste parler l'estomac vide. Allons prendre un verre.

Le Dr Muller entraîna Cardozo dans un pub des environs, appelé le Delilah's.

— Je prends mon martini quotidien ici, tous les jours à 6 heures de l'après-midi. Ils me réservent le même box.

L'endroit était bondé et bruyant, tapissé de fumée de cigarette et empestant la graisse cuite de hamburger. L'hôtesse les escorta jusqu'au box de Muller. Elle leur expédia une serveuse avec le martini de ce dernier et un Pepsi light pour Cardozo.

Muller contempla son verre.

— Que savez-vous au juste de l'histoire de Barth ?

— J'ai lu son dossier. Il jouait à l'agent de change pour son propre compte en dépit du règlement de sa firme. Une secrétaire du service comptabilité a menacé de le dénoncer. Il s'est rendu à son appartement et l'a frappée avec une poêle à frire en fonte jusqu'à ce que mort s'ensuive.

— Barth a couché avec elle avant de la tuer.

Muller avala une première gorgée. Il semblait y aller doucement avec son verre.

— Après, il l'a rasée et a recouché avec.

— Ça ne figurait pas dans le dossier.

— La paraphilie n'atténue en rien la culpabilité. Et ne change pas le mobile du crime. Il cherchait à brouiller les pistes.

— C'est quoi la paraphilie ?

— Du bla-bla psy pour perversion sexuelle. Dans le cas de Barth, son goût pour les mineures. Il est probable qu'il avait pu le masquer jusqu'au meurtre de la secrétaire. Une fois ce corps de femme en son pouvoir, il n'a pas pu résister à la pulsion d'infantiliser le cadavre et d'en abuser ensuite. Cette expérience a fait sauter le couvercle de son refoulement et il a tué une autre jeune femme pendant qu'il était en liberté provisoire dans l'attente de son procès. Ses réponses au test de Sandford Binet indiquent des tendances pédophiles sadiques marquées.

— J'en déduis que le test de Sandford Binet est de la même famille que celui de Rorschach ?

— C'est le même principe, mais des photos remplacent les taches d'encre. Le patient invente une histoire pour nourrir le contexte. C'est un simple test projectif et une bonne façon de découvrir rapidement quelle sorte de fantasmes bouillonnent dans l'inconscient.

Muller avala une poignée de cacahuètes au miel.

— Les fantasmes de Barth sont tout à fait bizarres. Etrangement bizarres.

Il sirotait, tapotant le bois de la table en rythme avec un vieux tube de Sarah Vaughan que diffusait le juke-box. Cardozo eut le sentiment qu'on lui cachait quelque chose.

— Ces fantasmes vous dérangent ?

— A franchement parler, ce qui me dérange c'est la flopée de détails.

— Pourquoi ça ?

— Je ne crois pas que ce soient de simples fantasmes. J'ai l'impression que ce sont des souvenirs. Il aurait pu avoir tué d'autres enfants.

— A-t-il confessé d'autres meurtres ?

Muller secoua la tête.

— Non, pas encore.

25

— Il est de la même taille, disait Lou Stein au téléphone, et de la même fabrication que l'anneau que portait la fille morte au téton. Bien sûr, comme il est resté tout ce temps à l'abri, il est en meilleur état.

— C'est le même bijoutier qui l'a fait ? demanda Cardozo.

— J'ai pas dit ça et j'ai pas employé le mot bijoutier. Ces anneaux ne sont pas des articles fabriqués à un ou deux exemplaires, il en arrive par centaines de Taïwan. Mais l'anneau de Barth porte des traces de sang, et le groupe sanguin est celui de la fille, pas celui de Barth. Je dirais que ça pourrait être facilement l'anneau de l'autre téton.

— T'as vérifié les autres trucs dans le sac ?

— L'encens et la bougie sont compatibles avec les traces sur les vêtements et le torse.

— Compatibles, et merde ! Est-ce qu'elles correspondent ?

— Les traces sont microcospiques, il n'y a aucun moyen de le dire avec exactitude. Ce sont des articles produits en masse — des tonnes d'encens arrivent des Indes.

— Oui, mais nous avons la bougie que Barth déclare avoir utilisée.

— La bougie, c'est un produit dérivé du marché de la

viande, fabriqué en Argentine, comme une bougie sur trois vendues dans les supermarchés aux U.S.A. La teinture n'a rien d'unique, elle n'a pas d'odeur, il n'y a aucun moyen de savoir si c'est exactement la même bougie. Mais on ne peut pas dire non plus que ce n'est pas le cas.

— Cette bougie est vieille de quinze mois ? Elle est dans un sacré bon état.

— Les bougies sont un produit d'origine animale relativement stable. Elles ne se fanent pas comme les fleurs, elles ne se gâtent pas comme la viande de bœuf. Leur utilisation et leur exposition à l'air les font vieillir. Il s'en est servi une seule fois et l'a stockée à l'abri.

— Ce noir sur la mèche est vieux de quinze mois ? On dirait qu'il l'a allumée hier au soir.

— Dans ces circonstances, il n'y a aucune raison pour qu'il ne date pas de quinze mois. Ou même plus. J'ai l'impression de te dire quelque chose que tu préférerais ne pas entendre.

— Non, Lou, j'apprécie. Merci de m'avoir recontacté si vite.

Cardozo raccrocha. Il regarda par la fenêtre. Une idée avait germé dans son esprit. Sa vie serait beaucoup plus facile si l'idée voulait simplement rouler plus loin et mourir de sa belle mort, mais même les résultats de labo de Lou n'y avaient pas mis fin.

— Alors quel est le verdict ?

Dans l'embrasure de la porte, Ellie Siegel fixait sur lui ses yeux clairs et sombres à la fois, au-dessus de ses hautes pommettes. Dans son dos, quelque part dans la salle de garde, un téléphone sonnait auquel personne ne semblait pressé de répondre.

— Lou a dit que ça correspond ?

Cardozo acquiesça.

— Nom de Dieu, Ellie. Y a un truc qui coince quelque part. Le barda dans le sac à dos de Barth m'a l'air trop neuf.

— Les apparences ne sont pas tout. C'est à ça que servent les labos.

— Barth dit qu'il a loué la fourgonnette dans une agence qui utilise de fausses plaques, immatriculées dans un autre État, pour éviter les contredanses et la fourrière.

Cardozo repoussa sa chaise d'un coup et se leva.

— Mais Saint-Andrew possédait une fourgonnette dont la description était identique. Et un type en col ecclésiastique déposait des bouquets de fleurs sur la tombe alors que Barth était *déjà* en prison.

Un instant, Ellie l'apprécia du regard, souriant presque.

— Tu veux toujours que ce soit le père Montgomery, hein ?

Cardozo l'observa, surpris.

— C'est dingue, dit-il.

— Je te le fais pas dire.

En regagnant le commissariat après déjeuner, Cardozo trouva une visiteuse qui l'attendait dans son bureau. Mince, la peau mate et blonde. A en croire du moins le machin bouclé en acrylique d'un mètre de haut qu'elle avait sur la tête.

— Vous cherchez après moi ? dit-il en refermant la porte derrière lui.

Elle tourna lentement son regard vers lui. Les yeux inquisiteurs étaient ceux d'une petite créature de la forêt.

— Y a un bruit qui court sur le baisodrome que c'est *vous* qui cherchez après moi.

Elle se leva, tout en courbes ondoyantes et musclées. Il s'aperçut alors que ce n'était pas une vraie femme. Habillée unisexe, elle portait un jeans qui bâillait sur ses chaussures de jogging et un blouson de nylon trop grand. Elle lui tendit la main. Son geste, celui d'une dame distinguée, sortait tout droit d'un film des années quarante. Il vit qu'elle tenait sa carte.

— Vous êtes Vincent Cardozo ?

— Oui. A qui ai-je l'honneur ?

— Le nom porté sur mon acte de naissance est Lii Kaiiawaniwauii — inutile que j'épelle, c'est hawaïen comme moi.

Elle vit que son attention était attirée par sa bague, un camée en ivoire.

— Elle te plaît ?

Elle lui montra le paon qui y était gravé.

— Je l'ai trouvée au marché aux puces. C'est mon porte-bonheur.

Elle se laissa retomber sur la chaise avec fluidité.

— Pour simplifier, mon nom de guerre c'est Jonquille. T'aimerais pas les fleurs par hasard ?

— Si. Tu sais, tu ne ressembles pas du tout à tes photos.

— Quelles photos ?

— Celles que le père Montgomery a prises.

Cardozo ouvrit le tiroir de son bureau et tendit trois photos à Jonquille.

— Eh ben, si c'est pas t'y moi que v'là. Mais, mon chou, ça

remonte à avant. Je change de look trois quatre fois par an. Histoire que le soufflé retombe pas. Ce que tu vois devant toi, c'est mon nouveau moi, encore plus bandant.

— Qui t'a donné la rose que tu portes sur ces photos ?

— Qu'est-ce qui te fait croire que c'est un cadeau ?

— Je pose la question, c'est tout.

— En fait, c'est un admirateur qui me l'a donnée. J'ai beaucoup d'admirateurs et beaucoup me font des cadeaux. Je te donnerai pas de noms — à moins que...

Jonquille ouvrit son sac et fixa une cigarette au bout de son fume-cigarette, qu'elle pointa sur Cardozo.

— ...à moins que tu dises à mon agent de conditionnelle comme j'ai été une gentille petite fille. Marché conclu ?

Il lui alluma sa cigarette.

— Quel genre de rendez-vous tu avais avec le père Joe ?

Elle rejeta un mince filet de fumée.

— J'ai des rendez-vous avec plusieurs de ces messieurs du clergé — des épiscopaliens, des catholiques, des juifs, des musulmans. Ils ont tendance à être en manque, les petits chéris.

— En manque de quoi ?

Après un silence crispé, elle parut décider de risquer le coup et d'en dire davantage.

— Beaucoup assument leurs fantasmes sado-maso. Ils aiment bien m'attacher.

— Et ils t'attachent avec quoi ?

— Les détails gerbants te font saliver, c'est ça ? Ils utilisent tout ce qui leur tombe sous la main. Des vieilles ceintures de cuir pourries, ça fait l'affaire.

— Ils t'attachent les chevilles avec ?

— Les mains aussi.

Elle lui jeta un coup d'œil en battant des paupières.

— Oublie jamais les mains.

— Le père Joe t'a attachée ?

— Il serait pas le premier qui le ferait, mais est-ce qu'on peut laisser les détails caractéristiques de côté jusqu'à ce que mon agent de conditionnelle ait reçu un rapport positivement sympa de ta part ?

— Tout ce que tu voudras.

— Non, mon chou... lui dit-elle, en lui effleurant la main.

Son contact était doux, presque passif, sans être faible pour autant. Cardozo y décela une certaine poigne.

— ...tout ce que tu voudras, *toi*.

— Te sentirais-tu insultée si je te demandais...

— Oh oui, s'il te plaît, insulte-moi. J'adore ça. Et quelque chose me dit que tu dois faire ça très bien.

— Est-ce que tu as rencontré le père Joe dans le cadre de son programme contre la prostitution ?

— Et voilà le mot tant redouté qui commence par P, fit-elle en souriant. Non, mon chéri, je me sens pas insultée. Non, j'ai pas rencontré le père Joe dans le cadre de son programme contre la prostitution parce qu'il y avait pas de programme pareil à Saint-Andrew quand on s'est rencontrés. En fait, c'est moi qui en ai soufflé l'idée au père Joe.

— Alors comment vous vous êtes rencontrés ?

— Dans le cadre de son programme de visites aux prisonniers.

Il la regarda fixement.

— Le père Joe a un programme de visites aux prisonniers ?

— Je t'en fiche.

— Quelle prison ?

— Dannemora. L'université où j'ai fait mes classes. Au temps de ma virilité.

— Je vous remercie de m'accorder un peu de votre temps, dit Cardozo. J'espère que je ne vous dérange pas trop.

Eloïse Barth le conduisit au salon. Il eut l'impression d'un changement. On avait rangé les jouets des enfants et la pièce était moins meublée que la fois où il était venu — le piano avait disparu.

— Cela ne me dérange pas du tout, j'ai envie de voir du monde.

Elle marchait un peu lentement, juste un peu courbée, comme une très vieille femme.

— Je veux vous parler de Martin, je veux comprendre.

Elle prit place dans un fauteuil, lui abandonnant le canapé. Un grand silence enveloppait l'appartement.

— Vos enfants ne sont pas là ? demanda Cardozo.

— Ils sont en Virginie chez leur grand-mère.

Elle respirait une mélancolie stoïque.

— Ils resteront là-bas jusqu'à ce que les choses se tassent.

— Comment vont-ils ?

— Bien, merci.

Il songea à toutes les années qu'elle et son mari avaient

passées ensemble, à toute l'énergie et tous les espoirs qu'ils avaient mis dans leur famille et leur foyer. Il ressentait une énorme tristesse pour elle.

— De quoi voulez-vous parler avec moi ? fit-elle.

— Le nom du père Joe Montgomery a fait surface en rapport avec votre mari.

— Le père Joe l'a sauvé.

C'était une déclaration de fait.

— Il l'a sauvé comment ?

Elle se passa une main sur le visage, rejetant une mèche en arrière. Elle avait les cheveux bruns, mais il vit qu'ils commençaient à s'argenter un peu aux tempes.

— Martin n'a jamais été particulièrement porté sur la religion. Il lui a fallu le choc de la prison pour prendre conscience qu'il avait besoin de se mettre en accord avec Dieu. Heureusement, le père Joe et la société Barabbas étaient là.

— C'est quoi la société Barabbas ?

— Elle est composée de prêtres, de pasteurs et de personnes laïques qui se sentent concernées. Elle a pour politique de faire respecter la justice raciale dans l'octroi des peines de prison. Sa mission pastorale est de venir en aide aux âmes blessées des hommes et des femmes détenus en prison. De les guérir de la haine et de la peur qui les ont poussés au crime en premier lieu.

— Et comment le père Joe s'y est-il pris avec votre mari ?

Les grands yeux bruns d'Eloïse Barth se posèrent sur Cardozo. Son regard était vague, comme si elle n'avait pas dormi depuis longtemps.

— Le père Joe a écouté Martin, l'a encouragé à lui confier ce qu'il avait sur le cœur, lui a dit que Dieu l'aimait quoi qu'il ait fait. Ça signifiait beaucoup pour Martin. Vous savez, toute sa vie, il n'a jamais senti vraiment que quelqu'un l'...

Elle s'interrompit.

Cardozo lui laissa prendre le temps qu'il fallait.

— Si ce sujet vous est trop pénible, je vous prie de m'excuser de l'aborder. Peut-être même que vous ignorez la réponse. Le père Joe a-t-il suggéré à votre mari d'avouer le meurtre de cette jeune fugueuse ?

Eloïse Barth laissa échapper une expiration, qui relâchait sa tension.

— Je sais qu'il a encouragé Martin à prendre cette décision. Je sais qu'il y était favorable.

— Mais iriez-vous jusqu'à dire que le père Montgomery a persuadé votre mari d'avouer ?

Elle eut l'air surpris.

— Il n'a pas fait pression sur lui, si c'est ce que vous me demandez.

— Existe-t-il une chance que le père Montgomery ait pu mettre cette idée dans la tête de votre mari ?

— Quelle idée ?

— Avouer avoir commis ce meurtre.

Elle reprit une profonde inspiration.

— Le père Joe a créé un environnement où Martin s'est senti suffisamment en sécurité pour reconnaître sa culpabilité et en discuter.

— Mais sa culpabilité est-elle un fait avéré à vos yeux ?

— Mais qu'est-ce que vous dites ? Le jury l'a reconnu coupable.

— Du premier meurtre. Pas du second. A-t-il vraiment tué cette fille ?

Eloïse Barth ne répondit pas. Cardozo sentit un froid se couler dans le silence. Elle se leva.

— Le père Joe n'a pas été le seul à conseiller à Martin d'avouer.

Cardozo ne la quittait pas des yeux.

— Mais il a été le premier ?

— Non.

Une étrange rougeur empourpra légèrement son visage, comme si elle lui avait tendu un piège dans une partie d'échecs et qu'il y était tombé.

— Le père Chuck Romero de Sainte-Véronique du Queens travaille également pour Barabbas. C'est lui qui a été le premier à l'encourager.

Son regard le fixait avec une telle franchise affichée qu'il fut contraint de se demander ce qu'elle ne lui disait pas.

— Je regrette, madame Barth, mais cela ne répond pas tout à fait à ma question.

— Alors je ne comprends pas votre question.

— Etes-vous sûre que votre mari a tué cette fille ?

— Parce que *vous*, vous ne l'êtes pas ? Vous en avez la preuve. Vous l'avez récupérée dans son placard.

— Mais vous êtes sa femme. Quel est votre sentiment ?

— Les sentiments comme vous dites ne sont pas les faits, lieutenant, dit-elle en hésitant. Mais si vous voulez mon sentiment, c'est que depuis un an et demi, j'ai appris à le connaître. Et à l'accepter comme il est. Oui, je suis sûre qu'il a tué cette fille. Et je suis sûre également que sans le père Joe et le père Chuck, Martin aurait encore ce crime sur la conscience.

26

— Il y a d'étranges différences entre les deux meurtres, ça ne vous frappe pas ? demanda Cardozo.

Harvey Thoms, le District Attorney adjoint, attrapa la cafetière et emplit à nouveau la tasse de Cardozo.

— Des différences, il y en a toujours.

— Mais celles-ci ne cadrent pas. Et sont bien trop nombreuses pour que ces deux assassinats soient l'œuvre du même homme.

Cardozo prit une gorgée de café. C'était un mélange moka noisette vanille dont le goût était à la limite de l'écœurant.

— Le meurtre de la fille est l'œuvre d'un sadique, Martin Barth ne la connaissait pas, il n'avait aucune raison de la tuer, sauf s'il voulait prendre son pied. Ce crime était soigneusement prémédité. On l'a attachée, on l'a torturée, puis après l'avoir démembrée, on s'est débarrassé de ses restes dans un jardin public.

Thoms se redressa derrière son bureau, son fauteuil pivotant craqua. Il regarda Cardozo de ses yeux bleu clair, légèrement ennuyé.

— Tandis que Barth connaissait la comptable, poursuivit Cardozo. Elle était sur le point de le dénoncer pour avoir enfreint le règlement de la firme. Son meurtre était franchement utilitaire : clore le bec à cette garce. Il l'a frappée sur la tête et l'a laissée pour morte dans son appartement. S'il y a de la préméditation là-dedans, elle m'échappe. Ça m'a tout l'air d'un acte purement impulsif.

La main de Thoms était posée négligemment sur le dossier miss Glacière ; il tambourinait des doigts.

— D'après le docteur Vergil Muller, Barth n'a découvert ses tendances sadiques qu'après le meurtre de la comptable.

— Vous faites confiance à son jugement ?

— Il a fait du bon travail pour notre service. Il a démonté bien des plaidoyers en faveur de la folie et décroché des condamnations dans des affaires où n'aurions pas eu une chance sans lui.

— Mais il y a d'autres pistes.

— Comme ?

— La fourgonnette que Barth prétend avoir louée ressemble à des véhicules appartenant au père Joe Montgomery et au père Chuck Romero.

— Une fourgonnette n'est pas fabriquée à un seul exemplaire, objecta Thoms en soupirant.

— Le père Joe et le père Chuck sont tous deux en rapport avec des gosses du genre de la fille de la glacière, et pendant que Barth était en prison, ils lui ont conseillé d'avouer qu'il l'avait tuée.

Thoms se renfrogna.

— Est-ce que je vous reçois cinq sur cinq ? Etes-vous en train de me dire que Barth sert de bouc émissaire pour un prêtre ?

— Pour une personne x. Jetez un œil sur la chronologie et dites-moi que c'est une coïncidence. Le lundi, on découvre le corps ; le mardi, on commence à interroger certains prêtres ; le mercredi, ces mêmes prêtres ont un entretien avec Barth ; une semaine plus tard, Barth passe aux aveux.

— Comment Barth, s'il n'était pas l'assassin, connaîtrait-il autant de détails sur le meurtre dont la presse n'a pas eu connaissance ? La glacière, le corps démembré, l'anneau au bout du sein. Barth n'était pas seulement au courant de ce dernier détail, il l'avait en sa possession. L'anneau le relie au meurtre et rend valide son aveu.

— L'un des deux prêtres pourrait avoir donné l'anneau à Barth. Et ce dernier pourrait l'avoir glissé à sa femme lors de l'une de ses visites.

— Pour quelle raison Barth avouerait-il un meurtre commis par une tierce personne ?

— Il purge déjà une peine de prison à vie. Qu'est-ce qu'il a à perdre ? Un second meurtre prouve qu'il est fou. S'il plaide la folie, il pourrait sortir plus tôt.

— Nous n'autoriserons jamais un changement de son système de défense. Donc il n'a rien à gagner à prendre ce chemin.

— Mon instinct continue à me dire que nous faisons une erreur si nous déclarons l'affaire close.

La physionomie d'Harvey Thoms se figea en un masque. Amabilité. Intérêt. Parlons-en.

— Avez-vous une preuve contre une autre personne ?

— Une ou deux pistes possibles.

Ce qui tenait davantage de l'exagération que du mensonge.

— J'ai plein de dossiers avec des pistes possibles qui n'ont jamais abouti.

De sa main gauche, Thoms désigna avec désinvolture une pile de chemises cartonnées, si haute qu'elle menaçait de s'écrouler.

— Après la dope, l'assassinat est l'industrie qui connaît la plus forte expansion dans cette ville. Nous n'avons pas le temps de tracer une barre à tous les T ni de mettre un point sur tous les I. Et surtout pas pour une Jane X que nul n'a connue et dont nul ne s'est soucié.

— Quelqu'un l'a connue. Quelqu'un s'est fait du souci pour elle.

La porte du saint des saints s'ouvrit, et un homme grand et trapu la franchit. Ses cheveux gris paraissaient avoir subi un brushing.

— Harvey, avons-nous les documents se rapportant à l'affaire Jennings ?

Harvey Thoms se retourna.

— Sont arrivés ce matin. Bill, j'aimerais vous présenter le lieutenant Vince Cardozo. Vince, Bill Kodahl.

Le District Attorney Kodahl tendit la main. Vêtu d'un costume d'été gris griffé Armani, trop ample et tout sauf donné, il portait une chemise d'un blanc immaculé avec des boutons de manchette à monogramme. Ses ongles étincelaient.

— C'est un très grand plaisir de rencontrer celui qui a fait toute la lumière sur l'affaire miss Glacière.

— Je ne suis pas certain que toute la lumière ait été faite, monsieur.

— Lieutenant, vous avez fait un travail de première.

Cardozo sentait l'effort percer sous l'opération charme du D.A.

— J'ai examiné très attentivement la déposition de Martin Barth, dit Kodahl. Et croyez-moi, ça joue. Je clos l'affaire.

Cardozo retourna dans les Jardins Vanderbilt cette nuit-là. Il s'assit sur un banc de pierre juste de l'autre côté des grilles non verrouillées. C'était un endroit désolé, une fois le soleil couché. Une seule lumière brillait au-dessus des buissons de lilas. Les arbres n'étaient que des lignes cannelées dans l'obscurité.

Au-dessus de sa tête, une étoile solitaire se montra entre deux nuages. Il y eut un bruit de pas dans son dos. Il se retourna. C'était Ellie.

— Demande-moi comment j'ai pu deviner quand je t'ai pas vu rappliquer au restau que je te trouverais ici ?

La mémoire lui revint.

— J'ai oublié notre rendez-vous. Je m'excuse.

— Nous n'avions pas rendez-vous. J'ai juste pensé que ça intimiderait un peu mon ex s'il y avait un autre flic à table en plus de moi.

— Comment ça s'est passé ?

— Il prétend qu'il n'arrive pas à trouver d'acquéreur au prix que je demande, alors pourquoi j'accepterais pas le prix que, dit-il, il peut obtenir, ou acheter la maison moi-même. Il est en train de m'arnaquer. Je le sais. Et il sait que je le sais. Comme il sait parfaitement que je n'ai pas le temps d'aller brader une baraque à Westchester.

Elle vint s'asseoir près de Cardozo sur le banc.

— Ne divorce jamais, Vince. Le divorce, c'est pire que le mariage. Ça n'en finit jamais.

L'un et l'autre restèrent silencieux. Pendant un instant, les ténèbres furent pleines des minuscules bruits nocturnes. Grillons. Bruissements de feuilles au passage de certaines bêtes. Oiseaux. Puis une bouffée du grondement de la circulation au loin.

— Qu'est-ce que tu fabriques ici, Vince ?

— Je pense à cette fille.

— Fais pas ça.

— Ces anneaux d'or au bout de ses seins. C'était une exhibitionniste. Elle voulait que les gens sachent qu'elle était en vie. Elle voulait qu'on la remarque, qu'on la voie, qu'on l'entende, qu'on la touche. Et au lieu de ça, elle a fini dans cette boîte, si loin du reste du monde.

Ellie le regarda.

— Ce n'était pas ta fille, Vince. Ni celle de ta sœur.

Il connaissait la propension d'Ellie à réconforter.

— C'était la fille de quelqu'un.

— L'affaire est close.

— Il y a quelque chose qui colle vraiment pas, dit-il en se tapotant l'estomac. Je le sens, là.

— Ce que tu sens, c'est que tu n'as rien avalé depuis ce hot-dog arrosé d'un jus de papaye à 1 heure de l'après-midi.

Elle se leva.

— Viens. Je te regarderai dîner. C'est moi qui régale.

— Les mecs qui font ce genre de truc ne font pas ça qu'une fois et puis basta, dit Cardozo. Tu peux me croire, ce tueur nous redonnera de ses nouvelles.

27

Le bourdonnement dans la tête de Pablo devenait de plus en plus fort. Le rayon de lumière qui balafrait le mur vacillait sans relâche. Pablo plissa les yeux et réussit à distinguer les sentences en lettres gothiques dans leur cadre.

> *Laissez venir à moi les petits enfants.*
> *Mon Royaume n'est pas de ce monde.*
> *Le Royaume des Cieux vous appartient.*

L'endroit empestait l'encens jusqu'au vertige.

La tête de Pablo heurta violemment une porte entrouverte. La douleur inattendue le tira momentanément de son état comateux.

— Bordel de merde, y avait quoi dans cette pilule rose ?

L'ombre qui le précédait se retourna.

— La même chose que d'habitude.

— Celle-là, elle m'fait un effet différent. J'ai une de ces envies de dormir.

— Tu dormiras plus tard. Viens.

Se forçant à garder les yeux ouverts, Pablo suivit l'ombre en traînant la patte. Le couloir était sombre et froid. Quelque part, un climatiseur rugissait.

Il frissonna et commença à descendre un escalier. Le pied lui manqua. Il dévala trois marches.

Maintenant, on venait à son aide. Il n'aurait su dire combien de mains le soutenaient. Il fut pris de nausée.

— Faut que j'aille à la salle de bains.

— Pourquoi ne pas y avoir pensé là-haut ?

— Pas la peine que je remonte. Y a pas de salle de bains par ici ?

Pablo se remit d'aplomb et tendit la main vers une poignée de porte.

— Retiens-toi juste un instant, tu veux bien ?

Quelque chose clochait dans cette voix, l'instant avait quelque chose de décalé. A peine le temps d'enregistrer ce fait, pas le temps de le comprendre.

— J'peux pas me retenir.

Pablo poussa la porte.

Une main le saisit par l'épaule. Un éclair de métal taillada l'air en s'abattant, puis ce fut les ténèbres.

— Par hasard, dit Douglas Moseley, auriez-vous rencontré le père Joe Montgomery de l'église Saint-Andrew ?

— J'ai eu un peu affaire à lui, répondit Cardozo. Il y a quatorze mois de ça environ. Comment se fait-il que vous le connaissiez ?

Moseley dirigeait l'agence de relations publiques Moseley & Abrams. On racontait qu'ils empochaient douze et demi pour cent de chaque contrat passé par la ville de New York et, l'année précédente, un tabloïd avait révélé que leur revenu imposable déclaré dépassait les cinq cents millions de dollars. Cardozo avait de quoi s'étonner du fait que l'un des plus influents rouages de la politique municipale ait un quelconque lien avec un membre du clergé d'un âge certain et mieux connu pour monter des comédies musicales.

— Le père Joe et moi siégeons tous deux au conseil d'administration du projet Seconde Chance.

— Je ne connais pas bien les tenants et aboutissants de ce projet.

Moseley le gratifia d'un regard bleu de patricien par-dessus son nez crochu.

— C'est un programme de rééducation psychiatrique pour les jeunes en difficulté.

— Un programme municipal ?

Le regard devint glacial.

— Cofinancé à cinquante pour cent par des fonds municipaux. Pourquoi cette question ?

Derrière son bureau, le capitaine Tom O'Reilly s'éclaircit la gorge et repoussa de son front une boucle de cheveux gris.

— Ce que Vince essaie de déterminer, c'est quelle place occupe exactement le père Montgomery dans la hiérarchie officieuse de la municipalité. Vince donne naturellement la priorité aux affaires regardant la municipalité.

Moseley opina du chef.

— Le père Joe accomplit un véritable sacerdoce en faveur des jeunes et des enfants de New York. Il mérite toute notre considération et qu'on lui accorde toute la priorité possible.

— Vince veillera à ce qu'il en soit ainsi.

Ils étaient installés dans le bureau d'O'Reilly. Le capitaine occupait l'un des trois bureaux d'angle du commissariat et le seul directement exposé au soleil. La lumière de midi venait se refléchir sur les citations et autres prix alignés sur une étagère, clignotait sur les cadres en argent des photos de famille. Sur l'étagère d'en dessous, dans l'ombre, d'autres photos montraient O'Reilly serrant la main de divers politiciens et autres célébrités.

— J'en conclus que le père Montgomery se trouve dans le pétrin, dit Moseley.

Ce fut Cardozo qui lui répondit.

— Hier au soir, à 11 h 43, on a appelé les urgences sur le 911. Une voisine du presbytère de Saint-Andrew a entendu des bris de verre. Une voiture radio s'est rendue sur les lieux. Les flics ont dû cogner à la porte jusqu'à ce que l'assistante du recteur traverse la rue. A l'intérieur du presbytère, ils ont trouvé un jeune homme inconscient allongé par terre. Le père Joe était assis sur une chaise.

— En état de choc, dit Moseley. Il y avait des traces d'effraction. L'explication la plus vraisemblable est que le père Joe a frappé ce cambrioleur pour se défendre.

— On est sûr que ce garçon est un cambrioleur ? demanda Cardozo.

— Ça tombe sous le sens, dit Moseley.

— On l'a frappé avec quoi ?

— Un objet assez lourd, reprit O'Reilly. La raison pour laquelle on vous a fait venir, c'est qu'il est mort il y a une heure.

Il y eut un silence.

— On a emmené le père Montgomery à l'hôpital, fit Moseley. Il est toujours sous le choc.

— Si tout se borne à ce que vous venez de me dire, remarqua Cardozo, le pire qu'il risque c'est d'être inculpé de meurtre en légitime défense.

— Je détesterais le voir stigmatisé par une accusation de ce type, dit Moseley. Il a donné tellement de lui-même à la communauté. Et puis il a des ennuis de santé. J'aimerais qu'on trouve un moyen de lui épargner des difficultés supplémentaires.

O'Reilly fixait Cardozo.

Reste pas là, les bras ballants, espèce de salaud, lui hurlait-il des yeux. *Tire-moi de là.*

— Nous ferons de notre mieux — n'est-ce pas, Vince ?

— Bien sûr. De tout notre mieux.

28

Cardozo appuya sur la sonnette.

Une jeune femme de petite taille, latino à ce qu'il semblait, ouvrit la porte, les cheveux enturbannés d'un torchon de cuisine.

Cardozo et Ellie se présentèrent et montrèrent leurs cartes.

La jeune femme s'écarta, les invitant à entrer sans un mot.

— Pourriez-vous nous dire votre nom ? fit Cardozo.

— Anna.

— Et votre nom de famille ?

— Orgonza.

— Quels sont vos rapports avec le presbytère ?

— J'y fais le ménage.

— Depuis combien de temps travaillez-vous pour Saint-Andrew ?

— Deux heures.

Des pas précipités se firent entendre dans le couloir. Cardozo reconnut l'assistante du recteur.

— Bonjour, Bonnie Ruskay, vice-recteur de Saint-Andrew. Vous êtes de la police ?

— Ellie Siegel.

— Vince Cardozo.

— Nous nous sommes déjà rencontrés, dit Bonnie Ruskay. L'année dernière.

Cardozo acquiesça.

— Tout à fait.

Cardozo fut heureux qu'elle s'en souvienne.

Un homme en costume sur mesure dispendieux l'avait suivie dans le couloir. Elle se retourna vers lui pour l'inclure.

— Puis-je vous présenter David Lowndes, notre avocat ?

— Nous nous connaissons, dit Cardozo.

— Ah oui.

On lisait sur le beau visage mielleux du blond Lowndes que ça ne lui évoquait aucun souvenir.

— Très heureux de vous revoir.

— Puis-je vous aider en quoi que ce soit ? demanda Bonnie Ruskay. Ou faciliter votre travail ?

— Vous nous aideriez en nous guidant.

— Avec grand plaisir.

Bonnie Ruskay regarda, avec un certain effarement, Lou Stein et son équipe d'investigation criminelle de six techniciens transporter leur attirail à l'intérieur du presbytère.

— Envisagez-vous de porter plainte contre l'église ? demanda Lowndes. Ou contre l'un de ses membres ?

Cardozo fit non de la tête.

— Pas à ce stade de l'enquête.

— C'est du pareil au même. Il va falloir jouer serré, Bonnie.

Lowndes tentait d'adopter le ton de la plaisanterie.

— David et moi pensons que l'intrus est entré par ici.

Bonnie Ruskay conduisit Cardozo et Ellie dans le bureau du père Montgomery.

Cardozo examina la fenêtre. Un petit carreau à hauteur de l'espagnolette avait été brisé. Le verre manquait en grande partie. Seuls trois fragments aux arêtes vives demeuraient accrochés au mastic des montants de la fenêtre.

Cardozo se retourna. Il scruta le tapis d'Orient où les éclats de verre auraient dû tomber. Mais ils ne s'y trouvaient pas. Rien n'y brillait ni n'y scintillait.

— C'est drôle, il n'y a pas de verre sur le tapis.

— La femme de ménage vient de passer l'aspirateur, dit Bonnie Ruskay.

— C'était bien avant la mort de ce jeune homme, précisa David Lowndes. Avant de savoir qu'il y avait homicide.

Cardozo dit à Lou Stein de faire figurer le sac de l'aspirateur sur la liste des pièces à conviction et de l'emporter au labo.

Sur le mur, les affiches des spectacles musicaux du père Joe rougeoyaient dans leurs cadres à la feuille d'or. L'œil de Cardozo fut attiré par celle de *Zip Your Pinafore*. Où Sally Manfredo avait tenu son premier rôle.

— Le père Montgomery ne gardait-il pas dans une boîte les photos de ses interprètes ?

— Si, dit Bonnie Ruskay. Ce qu'il appelle sa pépinière de talents.

— Elle se trouve toujours dans son bureau ?

— Je ne sais pas.

Elle interrogea l'avocat du regard.

— L'effraction semble avoir eu lieu par cette fenêtre, dit Lowndes. Ce qui donne à la police le droit d'examiner tout ce qui se trouve dans cette pièce.

Bonnie Ruskay ouvrit trois tiroirs avant de retrouver la boîte à chaussures bourrée de photos. Elle la posa sur le bureau.

— Merci, dit Cardozo. J'en prendrai grand soin.

— Voilà sans doute ce qui a tué le cambrioleur.

Lou Stein s'encadrait dans l'embrasure de la porte, tenant dans sa main gantée de plastique un antique fer à repasser, lourd et noirci par la corrosion.

— Il servait apparemment de cale-porte, dit-il leur montrant plusieurs traînées arrondies et noirâtres sur le parquet d'érable.

Puis il leur désigna sur la poignée du fer poudrée de noir un imperceptible réseau de lignes concentriques.

— Et voilà une jolie collection d'empreintes.

Cardozo fit effectuer à la porte un arc de cercle de quarante-cinq degrés. Elle ouvrait sur le couloir. Quelque chose le chiffonnait. Il balaya le sol du regard et l'arrêta sur les deux traînées noirâtres. On avait pu utiliser le fer comme butoir ; il avait pu laisser des traces sur le parquet. Jusque-là, il pouvait l'accepter. Mais il y avait une troisième marque.

— Et ça, c'est quoi ?

Il soulignait du pied un sillon noirâtre mais droit, juste derrière la porte.

— Tu crois que c'est le fer qui a fait aussi celle-là ?

— Possible. Mais on y a mis beaucoup plus de force.

Cardozo ouvrit tout grand la porte. Il prit une chaise dans le couloir et l'installa dans l'embrasure.

— Tiens-moi, Lou, que je perde pas l'équilibre.

Il monta sur le siège et examina le haut de la porte. Il découvrit une petite zone dépourvue de poussière. En observant la saillie d'un centimètre à peine du linteau en haut du chambranle, il découvrit un autre endroit où la poussière faisait défaut. Les deux étaient dans l'alignement.

— Autre variante du scénario, dit Cardozo en descendant de sur la chaise. La porte était entrebâillée d'une bonne dizaine de centimètres. Le fer à repasser était placé là-haut en équilibre entre le chambranle et le sommet de la porte.

— Un piège à cons, fit Lou Stein.

Cardozo acquiesça.

— L'intrus a poussé la porte et les lois de la gravité ont fait le reste.

— C'est préférable, n'est-ce pas ?

Bonnie Ruskay ne détachait pas les yeux du chambranle.

— Préférable pour le père Joe, je veux dire, qu'il n'ait pas frappé l'intrus lui-même ?

— Pourquoi ne pas poser la question à votre avocat ? dit Cardozo.

Lowndes faisait grise mine.

— Frapper un intrus serait considéré comme un acte de légitime défense. Tendre un piège mortel, en aucun cas.

— Pas même à son propre domicile ? s'enquit Bonnie Ruskay.

— Cette partie du presbytère est le bureau du père Joe, dit Lowndes, pas son domicile. Le public y est admis.

— Voyez-vous une raison pour laquelle le père Montgomery aurait tendu un piège de cette sorte ? demanda Cardozo.

— Oui, répondit Bonnie Ruskay en remontant ses cheveux en arrière. On l'a agressé dans le parc il n'y a pas trois semaines. Cette aventure l'a fragilisé à l'extrême. Il a déclaré plusieurs fois depuis cet incident qu'il pensait avoir entendu quelqu'un chercher à s'introduire par effraction dans le presbytère.

— A-t-il fait allusion à quelque chose qui aurait disparu ?

— Non, rien en particulier.

— Savez-vous si quelque chose a disparu ?

Elle regarda son avocat, puis fit non de la tête.

— A première vue, non. Mais ce qui se trouvait sur le rebord de la fenêtre a été changé de place.

Cardozo la suivit jusqu'à la fenêtre.

— Le trophée de golf a été posé sur la table, dit-elle.

Cardozo fixa la coupe d'argent massif où deux clubs de golf croisés étaient gravés. Puis son regard se tourna vers la fenêtre. A l'extérieur, dans le jardin, quelque chose scintillait dans le gravier.

Lowndes le surveillait du coin de l'œil.

— Vous avez trouvé quelque chose, lieutenant ?

— L'intrus n'est pas entré par ici, dit Cardozo. On a cassé le carreau de l'intérieur. Ce qui explique pourquoi du verre a atterri dehors.

— Pourquoi quelqu'un aurait-il fait une chose pareille ? s'étonna Bonnie Ruskay.

— Il faudrait le demander à la personne qui l'a fait.

Cardozo claqua des doigts pour attirer l'attention de Lou Stein.

— Lou, tu veux bien aller ramasser les éclats de verre dehors et t'assurer qu'ils correspondent au carreau cassé ? Et on a intérêt à jeter un œil sur les autres fenêtres du presbytère.

L'appartement du père Montgomery, à l'étage, était fort éloigné de l'antre ecclésiastique coquet, digne d'un reportage photo, dont Cardozo avait le souvenir. Les meubles les plus lourds avaient été poussés devant la fenêtre comme une barricade improvisée. Des vêtements étaient jetés sur les chaises, les cendriers n'étaient pas vidés, des papiers gras de charcuterie jonchaient le plancher.

— Je n'y comprends rien du tout.

Il était clair que l'état de la pièce alarmait Bonnie Ruskay.

— Le père Joe a toujours été très ordonné.

Cardozo huma le contenu d'un gobelet à demi plein posé sur la table de nuit. A l'odeur, c'était du rhum. Le verre avait laissé un rond d'humidité sur la table. Cardozo l'essuya du revers de sa manche et reposa le gobelet près d'une pile de livres de poche. Il jeta un œil sur les titres : des romans policiers, des thrillers et des ouvrages d'horreur.

— Le père Joe est insomniaque, dit Bonnie Ruskay. Il lit pour s'endormir.

Une bouteille se trouvait au chevet du lit, par terre. Cardozo la ramassa. D'après l'étiquette, c'était du rhum jamaïcain à 75°.

— Le père Montgomery a l'alcool solitaire ?

— Pas à ma connaissance, dit Bonnie Ruskay.

— Recevait-il quelqu'un dans sa chambre ?

— Je ne sais pas. Je n'habite pas au presbytère.

Cardozo déboucha la bouteille et la passa sous son nez. Les vapeurs d'alcool faillirent le faire vomir.

— Pas courant. Et très fort.

— Je lui en offre une bouteille chaque année pour son anniversaire.

— C'est qu'il aime ça alors.

— J'offre la même marque de rhum à plusieurs prêtres pour leur anniversaire. Aucun d'eux ne s'en est jamais plaint.

Cardozo reboucha la bouteille.

— Cette agression mise à part, s'est-il produit autre chose

d'inhabituel dans la vie du père Montgomery ces derniers temps ?

— D'inhabituel ? renchérit Bonnie Ruskay en souriant. Le père Joe envisageait d'étendre le programme de distribution de préservatifs. Vous classez ça dans les choses habituelles ?

— C'est à vous de me le dire.

— Quelques paroissiens ont fait des histoires. Mais il fallait s'y attendre. Vous avez déjà lu notre bulletin ?

Elle tendit à Cardozo une brochure qu'elle prit sur une pile posée sur le manteau de la cheminée.

— Vous m'en avez donné plusieurs, dit-il.

— Ah oui, ça me revient. Eh bien, c'est le dernier paru. Vous verrez qu'il n'y a pas grand changement.

— Je peux le garder ?

— Bien sûr.

Cardozo plia le bulletin et le glissa dans sa poche. Il posa les yeux sur le lit immense. On aurait dit qu'une portée de chiots turbulents y avaient élu domicile depuis un bon mois. Les draps étaient roulés en boule comme les nœuds d'une corde. Les parties découvertes du matelas étaient piquetées de brûlures de cigarettes et tachées de contenus de verres répandus.

— Le père Joe a essayé de réduire sa consommation de cigarettes.

Bonnie Ruskay avait un ton embarrassé.

— Il est conscient qu'il a un problème avec ça.

— J'en déduis que la femme de ménage boycotte cette partie de la maison ?

— Anna est nouvelle.

D'embarrassé, le ton vira à la justification.

— Elle n'a pas eu le temps de faire cette partie du presbytère.

— Et celle qui l'a précédée ? C'est comme ça qu'elle s'occupait d'une maison ?

— Olga travaillait très bien.

— Alors comment expliquez-vous tout ça ?

— Je ne vois pas le rapport, intervint David Lowndes, énervé.

Il se baissa pour ramasser une papillote de Milky Way sur le tapis. Il la déposa soigneusement dans la cheminée sur des bûches de bouleau qui n'attendaient que d'être allumées.

— Olga a cessé de venir il y a quinze jours, dit Bonnie Ruskay.

— Elle vous a donné une raison ?

— Excusez-moi, interrompit Lowndes. En quoi ceci concerne-t-il l'effraction ?

— Quelle différence cela fait-il ? fit Bonnie Ruskay en se tournant presque avec colère vers l'avocat. Le monde extérieur va apprendre que les dons du père Joe ne vont pas jusqu'à la bonne tenue de son foyer, quelle affaire !

Les dons du père Joe ne vont pas non plus jusqu'à la décoration d'intérieur, Cardozo se fit la remarque. Sur les murs, jurant entre eux, se juxtaposaient un crucifix d'ébène, une selle et des éperons fourbis, ainsi qu'un fouet à chevaux.

— L'évêque du Kenya en a fait cadeau au père Joe, dit Bonnie Ruskay en montrant le crucifix d'un signe de tête. Les trucs de cow-boy sont des accessoires.

— Des accessoires ?

— De théâtre. Pour une comédie musicale située dans le vieil Ouest. Chaque année, nous montons un spectacle amateur.

Tout à côté du fouet, on voyait dans un cadre doré à la feuille d'or la photo d'un bourreau samouraï musclé, tenant un sabre courbe au-dessus du cou d'un homme attaché.

— Elle vient d'un autre spectacle musical du père Joe. Une version rap du *Mikado*.

Les bras du bourreau étaient lourdement tatoués. Ils rappelèrent à Cardozo ceux d'un repris de justice.

— Le père Montgomery travaille toujours avec des criminels ?

— Si vous voulez parler de la société Barabbas, oui. Il y travaillait plus dur que jamais jusqu'à ce qu'on l'agresse.

— Vous aussi faites partie de la société Barabbas ?

Elle le regarda droit dans les yeux, comme s'il l'avait défiée.

— Oui.

— Personne n'est entré par ici.

Ellie venait d'examiner la fenêtre de la chambre et se faufila pour revenir entre les chaises et la table à abattants qui en obstruaient l'accès.

— Et par la salle de bains ?

Cardozo abaissa l'interrupteur de la salle de bains, atteignit la fenêtre. Elle était intacte, fermée de l'intérieur.

Une forte odeur de moisi régnait, plus accentuée au voisinage de la baignoire. La moitié inférieure du rideau de douche en plastique était recouverte d'une fine pellicule et il pendouillait, retenu par trois crochets, comme si quelqu'un en tombant s'y était agrippé.

La baignoire portait deux auréoles grises datant distinctement de deux époques différentes.

Le panier à linge débordait de vêtements sales. La cuvette des W.C. avait servi de cendrier. Le lavabo aussi.

Cardozo ouvrit à deux battants l'armoire à pharmacie. Sur les rayons s'entassait un fatras d'articles de toilette et de médicaments, obtenus sur ou sans ordonnance. En la refermant, il aperçut dans la glace des battants se refléter Lowndes campé sur le pas de la porte.

— Je croyais que vous cherchiez des traces d'effraction. Personne n'est entré en passant par l'armoire à pharmacie, je me trompe ?

— Non, ni par cette fenêtre non plus.

Bonnie Ruskay fit son apparition.

— Voulez-vous visiter la chambre d'amis ?

Elle guida Cardozo et Ellie le long du couloir.

La chambre d'amis était meublée chichement. Elle était composée d'un lit, d'une table, d'une lampe, d'une commode et d'une chaise. Sa décoration se réduisait à une moquette grise standard et à plusieurs sentences en lettres gothiques encadrées simplement sur les murs :

Laissez venir à moi les petits enfants.
Le Royaume des Cieux vous appartient.
Il vous faudra redevenir comme l'enfant qui vient de naître.

Cardozo essaya la fenêtre. Fermée de l'intérieur. Il en examina les carreaux. Intacts.

Un vieux parfum d'encens se mêlait à d'autres odeurs anciennes flottant dans la chambre. On voyait sur le bureau un monticule de cendres conique dans une coupelle en cuivre. Juste à côté, un cendrier disparaissait sous les mégots de cigarette. La cendre s'était répandue sur un paquet qui avait contenu autrefois deux préservatifs et deux doses de lubrifiant spermicide, et n'en contenait plus qu'un de chaque à présent. « Pour l'amour de Dieu, protégez-vous ! », incitait une inscription en lettres rouge vif.

— Ce sont les nôtres, dit Bonnie Ruskay.

Cardozo la regarda.

— L'église a un programme de *safe sex*. On distribue des

préservatifs, du spermicide, des brochures aux jeunes — et aux prostituées.

— Je n'ai pas oublié, fit Cardozo.

Les chiots qui avaient foulé la couche du père Joe semblaient avoir fait subir le même traitement au lit de la chambre d'amis, sinon plus. La literie était emmêlée avec des serviettes de bain et des caleçons ; les draps étaient tachés de Coca ou de café, apparemment. Deux barrettes et un préservatif déroulé, mais inutilisé, reposaient dans un creux de l'oreiller.

— Quelqu'un a passé la nuit ici, dit Cardozo. Qui ? Vous avez une idée ?

— Franchement, non, répondit Bonnie Ruskay, mal à l'aise. Comme je vous l'ai déjà dit, je ne dors pas au presbytère. Mon appartement est de l'autre côté de la rue. Je ne suis pas toujours au fait des moindres détails de la vie du père Joe, qu'il travaille ou qu'il reçoive.

Tout un tas de papillotes de Milky Way et d'emballages de Big Mac trônaient sur la table.

— C'est le père Joe qui mange des sucreries et des Mcdos ?

— J'ignore tout de ses habitudes alimentaires privées.

Des numéros de *Popular Mechanics*, *Soldier of Fortune*, *Guns* et *Trains* étaient empilés sur la chaise. Cardozo les feuilleta. On les avait feuilletés avant lui. Des pubs et certains articles avaient été arrachés.

— Et ces magazines font partie de ses lectures habituelles ?

— Je ne sais rien de ce qu'il lit quand il est seul. Peut-être qu'ils ne sont pas à lui. Il arrive que le père Joe héberge un fugueur une nuit ou deux.

Cardozo lança un coup d'œil à Bonnie Ruskay en l'entendant dire ça et il surprit Lowndes faisant de même au même moment. Il y avait un avertissement dans le regard de l'avocat, qu'elle ne pouvait pas ne pas avoir vu.

— Avez-vous déjà rencontré l'un de ces fugueurs ? demanda Cardozo.

— Pas que je me souvienne.

Lowndes s'éclaircit la gorge.

— Et cette fenêtre ?

— Personne n'est entré par là.

Cardozo jeta un œil par une porte.

— C'est la salle de bains ?

— Oui.

Ellie se tenait près de la fenêtre de la salle de bains et regardait le toit du garage, en dessous.

— Quelqu'un aurait pu grimper sur le toit et entrer par là. La fenêtre n'était pas fermée et légèrement entrebâillée.

— Tu l'as trouvée comme ça ?

Elle opina du chef.

— J'ai touché à rien.

On avait fourré une serviette de bain dans l'espace entre le porte-serviettes et le mur carrelé. Cardozo la tâta.

La serviette était sèche. Le savon aussi. Le tapis de bain idem.

Il se dirigea vers le lavabo. Il n'y avait rien dans l'armoire à pharmacie sauf un flacon presque vide d'Advil et deux autres paquets « Pour l'amour de Dieu, protégez-vous » intacts.

Une brosse à dents très usée, perdant ses poils, était piquée dans un verre sur la tablette du lavabo, près d'une brosse à cheveux en plastique. On avait assujetti une fêlure du manche de la brosse avec du chatterton.

Cardozo arracha un morceau de papier hygiénique au rouleau pour éviter de laisser des empreintes. Il éleva la brosse à cheveux à la lumière. Il y avait des cheveux châtain foncé accrochés aux crins.

— Alors d'après vous, il est entré par cette fenêtre et s'est donné un coup de brosse avant de descendre ? demanda Lowndes.

— Votre hypothèse est plus haute en couleur que la mienne, monsieur l'avocat, dit Cardozo en reposant la brosse là où il l'avait prise.

En revenant dans la chambre, il sortit de sa poche les clés de chez lui et se mit à jouer avec, distraitement, les balançant de droite à gauche. Relâchant sa prise sur elles, elles lui échappèrent des mains et atterrirent sous le lit.

Il se mit à quatre pattes. Des moutons avaient réquisitionné le dessous du lit en tant qu'étable écologique tout à eux. Il réprima un éternuement, préleva trois poils généreux de la carpette grise et les glissa dans son poing avec les clés.

29

Un majordome ouvrit la porte.

— Pourrais-je parler à Mme Schuyler, je vous prie ?

Ellie montra sa carte à l'homme, qui parut peu impressionné.

— Elle vous attend ?

— J'en doute.

— Si vous voulez bien patienter ici, je vais essayer de la trouver.

Il abandonna Ellie dans un petit hall de marbre. A l'autre extrémité d'un longue salle de séjour, elle pouvait apercevoir des portes-fenêtres donnant sur un jardin. L'espace bruissait de haute coiffure, bijoux et haute couture. Ça bavardait ferme et un petit orchestre jouait des standards des années cinquante. Des domestiques en tenue circulaient avec boissons et canapés sur des plateaux. Des rires éclataient en rafale comme la crête d'écume de vagues étoilant la mer.

Un petit bout de femme très mince s'approcha. Elle avait des cheveux blond cendré, gonflés et frisottés. Bien trop bronzée, elle plissait les yeux.

— Oui ? Je suis Samantha Schuyler.

Ellie se présenta.

— Je dois vous poser une ou deux questions à propos de votre appel au 911 d'hier.

— J'ai très peu de temps.

— Ça ne prendra qu'un instant.

— Ça ne vous dérange pas de me suivre jusqu'à la salle d'entraînement de polo ? C'est plus calme là-bas.

Mme Schuyler lui fit gravir une volée de marches et l'introduisit dans une pièce qui abritait un haut cheval d'arçons muni d'une selle. Il n'y avait pas d'autre siège.

— Lors de votre appel au 911, vous avez déclaré que vous avez entendu un cri et des bris de verre. Avez-vous quelque chose à ajouter à cela ?

— Ai-je quelque chose à ajouter ?

Samantha Schuyler s'accorda un instant de réflexion.

— Non.

— Ou quelque chose à modifier dans votre déclaration ?

— A modifier ? se récria Mme Schuyler avec une surprise non feinte. Mais non. On aurait dit un cri d'immense étonnement — ou de douleur. A vrai dire, on aurait dit le cri d'une personne menacée de mort. Mais je n'en jurerais pas, car je n'ai jamais entendu crier une personne menacée de mort.

Ellie prenait des notes.

— La personne qui a crié, c'était un homme ou une femme ?

— Ou bien un homme très hystérique — ou bien une femme très hystérique.

Mme Schuyler s'appuya contre le mur. Au-dessus de sa tête, l'austère ancêtre d'un anonyme, croqué à cheval et à la peinture à l'huile, les fixait sans aménité et sans ciller du haut de son cadre.

— Un cri, c'est un cri. Ça n'a pas de sexe. Du moins, celui-là n'en avait pas.

— Vous dites que quelqu'un a crié, puis qu'il y a eu des bris de verre. Vous êtes sûre que c'est dans cet ordre ? D'abord le cri, puis le verre qui se casse. Pas l'inverse.

Samantha Schuyler resta silencieuse un instant, repassant avec soin la chose dans sa tête.

— Je l'entends encore. Cette personne crie. Puis le verre se fracasse. Dans cet ordre.

— Quel intervalle entre le cri et le bris de verre ?

Samantha Schuyler s'approcha de la fenêtre. Elle scintillait en marchant. Elle portait des diamants partout où un diamant pouvait se loger sur le corps ou les vêtements. Elle ne quittait pas des yeux la garden-party qui continuait à se dérouler en bas.

— Je n'avais pas de chronomètre sous la main, ici.

— Vous vous trouviez ici ?

— Exactement ici.

Ellie regarda à l'extérieur. De l'autre côté du jardin, on apercevait les fenêtres gothiques de verre plombé du presbytère. L'un des carreaux du rez-de-chaussée était cassé.

— Pourriez-vous évaluer l'intervalle de temps entre le cri et le bris de verre ?

— Deux-trois minutes peut-être. S'il n'y avait eu que le cri, je n'y aurais pas attaché d'importance. Après tout, les cris sont monnaie courante par là-bas. Ça n'aurait pu être qu'une manifestation du pandémonium habituel. Mais quand le verre s'est brisé, j'ai su qu'il se passait quelque chose. On n'en était jamais venu à la destruction du matériel auparavant.

— « Le pandémonium habituel », qu'est-ce que vous entendez par là ?

— Vous connaissez les églises d'aujourd'hui.

— Je regrette d'avouer que non.

— Ce ne sont que des potins. Si vous n'en avez pas eu vent, je ne sais vraiment pas si je dois les répéter...

— Madame Schuyler, un jeune homme est mort.

Le regard de Samantha Schuyler ne fit qu'un tour.

— Encore un ?

Elle se reprit.

— Je veux dire, qui ?

— Nous ne savons pas encore. Mais j'espère que vous me direz tout ce que vous savez pour nous aider à faire toute la lumière.

— Je peux juger difficilement ce qui fait la lumière sur quoi.

— Vous déclarez que vous avez souvent entendu des cris en provenance de l'église.

— Du presbytère. On ne crie pas dans l'église — pas encore, du moins.

— Avez-vous une idée de qui crie et pourquoi ?

— Mais certainement. On y organise des fêtes endiablées et des soirées dansantes avec des jeunes. Les voisins ont du mal à dormir en permanence. J'ai même entendu raconter...

Elle s'interrompit.

— Mais ce ne sont que des rumeurs.

— Elles disent quoi ces rumeurs ?

— Orgies et drogue. Ça m'a tout l'air d'une exagération, je m'en rends compte. Mais il faut connaître le contexte. La municipalité voulait ouvrir un centre de distribution de méthadone dans le voisinage. Naturellement, nous autres, autrement dit le voisinage, nous nous y sommes opposés.

— Naturellement.

Samantha Schuyler jeta un regard à Ellie qui disait assez qu'elle avait perçu l'ironie de son ton et n'avait pas apprécié.

— Résultat, Saint-Andrew a offert spontanément d'accueillir une fois par semaine ce centre de méthadone. Donc à l'heure actuelle, des jeunes gens bizarres, dont certains ne sont pas si jeunes que ça, entrent et sortent de cette église à toute heure du jour ou de la nuit. Des individus à mine patibulaire — des cinglés, des défoncés, fort bruyants. Un cran à peine au-dessus des criminels et des zonards. Vous pouvez imaginer les conséquences sur la qualité de l'environnement.

— Oui, j'imagine.

Ellie tâcha de donner l'impression de compatir.

— *Puis* la municipalité a voulu organiser une soupe populaire. Même histoire. On a fait opposition. Saint-Andrew a contourné la difficulté en organisant sa propre soupe populaire. Elle a attiré les mêmes individus : le mardi, méthadone gratuite, le vendredi, repas gratuit. Et *maintenant*, la municipalité parle d'ouvrir un centre d'hébergement pour les S.D.F. Nous combattons ce projet, mais même si nous réussissons à le bloquer, personne ne doute une minute que Saint-Andrew n'ouvre son garage aux S.D.F. Ce qui vient d'arriver est peut-être une bonne chose. Peut-être que la mort de ce jeune homme attirera l'attention sur ce qu'on fait à Saint-Andrew.

— Et que fait-on au juste à Saint-Andrew ?

— On déstabilise la communauté. Ce qui se passe là-bas dépasse le simple fait de sauver des âmes, faire de l'assistance socio-psychologique ou éveiller les consciences. C'était inévitable que quelque chose d'horrible s'y produise. Et il est grand temps que la police vienne y regarder de plus près.

Cardozo plaça les deux dossiers côte à côte sur son bureau. Celui de la fille retrouvée quinze mois auparavant dans les Jardins Vanderbilt ; celui du cambrioleur découvert il y avait moins d'une journée de ça dans le presbytère de l'église Saint-Andrew.

Il semblait peu probable qu'il puisse y avoir un rapport entre les deux. Mais comme la même église se trouvait mêlée aux deux affaires, il n'était pas plus mal de vérifier s'il y avait d'autres points de similitude avant d'écarter cette possibilité.

Il ouvrit le premier dossier. AFFAIRE UP 61 N° 11214 DU 22ᵉ COMMISSARIAT... JANE X, RACE BLANCHE, HOMICIDE DÛ À UNE CAUSE INCONNUE...

Le crâne-visage de miss Glacière le fixait de ses orbites vides sur la première page. Deux formulaires bleus avaient été agrafés au dossier. Il s'agissait de rapports additionnels du type D.D.5, la remise à jour requise au minimum deux fois par an sur tous les affaires en cours. Techniquement parlant, toute affaire non élucidée restait en cours, que l'inspecteur en ayant la charge continue ou non l'enquête.

Bien que le D.A. ait déclaré close l'affaire miss Glacière, comme aucun tribunal n'avait statué sur les aveux de Martin Barth, l'affaire restait non élucidée sur le plan légal, toujours

« ouverte » par conséquent. Ce qui n'était pas du tout la même chose qu' « active ».

Les mises à jour de Cardozo, rédigées toutes deux à l'identique, résumaient la situation de façon concise : « Il n'y a eu aucune avancée dans cette affaire depuis le dernier rapport. » Il s'agissait de copies carbone effectuées en triple exemplaire, et son écriture était difficilement lisible, s'agissant de la troisième copie de la pile.

Au bout d'un moment, il ouvrit le second dossier.

Affaire up 61 n° 12703 du 22ᵉ commissariat... joe x, race blanche, homicide par des moyens encore a déterminer. Figurait un Polaroïd pris au flash du visage du cambrioleur — teint olivâtre, yeux fermés, mort.

Cardozo compara d'un coup d'œil les numéros des deux affaires.

Il fronça le sourcil, croyant un instant à une bourde informatique. Le total cumulé de toutes les affaires signalées au commissariat ne pouvait pas avoir effectué un saut de mille cinq cents en un an et trois mois. Même en comptant dans le lot les cartes de crédit égarées, les chiens perdus, les motos volées, les cas de harcèlement sexuel, il était impossible que le chiffre ait grimpé aussi vite.

Au dos de l'une des directives du Préfet de Police, il se livra à un calcul grossier. Soit douze pour cent l'augmentation des vrais délits — estimation prudente. Soit cinquante pour cent l'augmentation des délits bidon, le pourcentage limite de ceux que le maire avait mandaté de débusquer et si nécessaire de gonfler, afin que cette croissance-là minimise par contraste celle des vrais délits.

Cardozo s'aperçut que le total tombait à peu près juste. Et qu'à moins d'être le maire en personne ou l'un de ses séides, il n'avait pas de signification.

— Comment j'étais supposé savoir, moi, qu'il avait un pace-maker ? s'écria une voix geignarde dans la salle de garde. C'était rien qu'un clochard qui volait mes ordures !

La résidente d'un hôtel particulier de la 82ᵉ Rue Est avait surpris un vagabond en train de fouiller dans sa poubelle. Comme elle avait payé six cents dollars d'amende pour dépôt d'ordures sur la voie publique, elle avait vu rouge et roué l'homme de coups de pied. Il était tombé raide mort sur le trottoir. L'inspecteur Henahan prenait la déposition de la femme.

— Comment il a pu se payer un pace-maker ? Moi qui travaille, je serais bien incapable de m'en offrir un !

Cardozo alla fermer la porte de son box. Il s'approcha de la fenêtre en tenant le récepteur du téléphone. Il appela Dan Hippolito à l'Institut médico-légal.

— Dan, est-ce que tu te rappelles l'autopsie que tu as faite l'année dernière, celle d'une Jane X qu'on avait retrouvée dans une glacière en polystyrène ?

— Oui, je m'en souviens. Celle des Jardins Vanderbilt. Elle m'a pas donné beaucoup de boulot.

— Tu pourrais me rendre un service ? Tu vas recevoir le corps d'un cambrioleur non identifié, entré par effraction dans le presbytère de Saint-Andrew.

— Il est déjà là. Il est arrivé il y a une demi-heure.

— Vérifie s'il existe des similitudes entre lui et Jane X. N'importe quoi, même si ça te paraît mince ou tiré par les cheveux.

— Je regarderai.

Le ton de Dan exprimait le doute.

— J'apprécierai beaucoup.

Cardozo raccrocha et se laissa choir sur sa chaise. Il sortit du dossier du cambrioleur le bulletin de Saint-Andrew. Un gros titre ronflant proclamait : « Préservatifs — pas seulement le samedi soir ».

Cardozo poussa un soupir et parcourut l'article.

« A partir du premier du mois prochain, dans le cadre de son programme Proximité Jeunesse, Saint-Andrew distribuera gratuitement des préservatifs à tout adolescent qui en fera la demande. Les bénéficiaires seront invités, sans obligation de leur part, à visionner le documentaire primé d'une durée de douze minutes, *Sexualité et responsabilité dans le monde changeant d'aujourd'hui : perspectives de la jeunesse.* »

Le téléphone grelotta avec une méchanceté absolument injustifiée. Sa première impulsion fut de l'écrabouiller.

— Cardozo.

— Ah bonjour, lieutenant.

Une voix de femme. Cultivée, mais bidon au maximum. Une femme qu'il ne connaissait pas, il le savait.

— Ici la secrétaire de Douglas Moseley. Pourriez-vous venir prendre un verre ce soir à 18 h 30 ? Nous sommes à l'angle de la 69e et de Park Avenue.

Cardozo jeta un coup d'œil au travail empilé sur son bureau. Outre le cambrioleur du père Joe, il avait tout un tas d'affaires criminelles en cours. Si on ne pouvait pas dire non à un Douglas Moseley, on pouvait toujours rechigner en disant oui, quoi, la vache, merde.

— Sept heures, ça vous va ?

— Nous ferons aller.

Il ne manqua pas de noter qu'elle était vexée.

— M. Moseley se réjouit de vous revoir.

Un majordome introduisit Cardozo dans le duplex penthouse en copropriété des Moseley sur Park Avenue. Si, en provenance du salon, des voix, des rires et un piano annonçaient une réception, le majordome à face de carême faisait une tête d'enterrement. Il accompagna Cardozo jusqu'à la bibliothèque.

Une femme, qui signait des chèques installée devant un antique secrétaire d'acajou, se retourna.

— Lieutenant Cardozo, je me présente, Paula Moseley, la femme de Douglas.

Elle releva l'abattant du secrétaire et le ferma à clé. Ses petits yeux verts souffraient d'un léger strabisme et sa chevelure auburn avait été démêlée à grands frais en sauvage crinière. Elle se leva et lui tendit la main.

— Dougie est au téléphone. Je vous sers quelque chose à boire ?

— Du Pepsi light, si vous en avez.

Elle lui lança un regard curieux.

— Vous ne buvez pas du tout d'alcool, ou vous n'en buvez justement pas ce soir ?

— Pour l'instant, je ne bois pas.

— Pardonnez-moi ma question. Dans mon travail, je ne vois qu'abus de toutes sortes de substances — chez les jeunes surtout.

— C'est quel genre de travail ?

Elle s'approcha d'un petit buffet où l'on avait installé un bar contre la soie moirée du mur. Avec une économie de mouvements, ses mains expertes jouèrent avec verres, bouteilles et seau à glace en argent gravé.

— Je m'occupe de psychologie clinique.

— Vous m'en direz tant.

Elle sourit comme s'il lui avait fait un compliment.

— Je sais, on n'arrête pas de me dire que je n'ai pas du tout l'air d'une psychologue, comme s'il fallait pour ça porter des lunettes et la barbe, et fumer le cigare. Bien entendu, vous êtes pas mal confronté à la toxicomanie dans votre travail aussi.

Elle lui tendit son Pepsi light dans un grand verre.

— La toxicomanie peut y jouer un rôle.

— Douglas m'a parlé de vous. Excusez-moi, mais je suis fascinée.

Elle battit des paupières.

— Oh Dougie, te voilà.

Douglas Moseley se glissa dans la pièce. Il était en habit de soirée et repliait l'antenne d'un téléphone cellulaire.

— Quelqu'un veut quelque chose ?

Il posa le téléphone sur le bar avec un choc sourd et se versa une généreuse rasade de Stoli sur de la glace. Il entrechoqua son verre avec celui de Cardozo. Les émeraudes de ses boutons de manchette lançaient des éclairs.

— Merci d'être passé, Vince. Je sais que vous êtes très occupé. J'ai cru comprendre que vous êtes en relation avec l'un de mes très bons amis, David Lowndes.

— Je l'ai rencontré.

— David m'a dit que vous dirigiez l'équipe qui a enquêté sur cette fille qu'on a retrouvée morte dans les Jardins Vanderbilt.

— C'est exact.

— D'après David, vous ne devriez pas vous occuper de cette affaire de vol avec effraction au presbytère.

— Et pourquoi, d'après lui ?

Moseley caressait de l'index droit le bord de son verre.

— David a l'impression qu'entre vous et le père Joe Montgomery, il y a bisbille.

— Il est dingue.

Moseley se contenta de hocher la tête, comme s'il n'y attachait pas d'importance, montrant par là qu'il était un homme de bonne volonté, capable d'entendre tous les sons de cloche.

— Néanmoins, cela nous épargnerait bien des désagréments si vous renonciez de vous-même à cette enquête.

— Ça ne dépend pas de moi. Je fais partie de la piétaille. J'obéis aux ordres.

Moseley fit tourner son verre entre ses mains et se perdit dans la contemplation du tourbillon miniature qu'il venait d'y créer.

— Votre capitaine prétend qu'il serait enchanté de vous retirer cette affaire si vous le lui demandiez.

— Il ne m'en a pas soufflé mot, à moi.

Cardozo traversa la pièce et posa son verre, qu'il n'avait pas achevé, sur le bar.

— Y a-t-il autre chose dont vous aimeriez me parler ?

Les Moseley, mari et femme, avaient l'air offusqués comme s'ils s'étaient gravement trompés sur le compte de l'homme qui foulait leur tapis d'Orient beige et jade.

— En ce cas, je vous remercie de votre hospitalité.

30

Une demi-heure plus tard, Cardozo était installé sur une chaise longue dans le jardin d'une maison en stuc du Queens. L'esprit bouillonnant encore de colère.

— Les mecs comme Moseley, ils croient que la ville leur appartient.

— Et ils ne se trompent pas de beaucoup.

Tom O'Reilly tendit la main vers le pichet de sangria. Il remplit une nouvelle fois le verre de Cardozo, puis le sien.

— Moseley regrette vachement que vous soyez sur le coup.

— Il m'a dit que vous me retireriez l'affaire si je vous le demandais. Vous lui avez dit ça ?

— Bien sûr que non. Mais si vous me demandez de transférer le dossier, je vous dirai oui.

Cardozo lança un coup d'œil à son capitaine. Le visage rougeaud, à bajoues, affichait une parfaite neutralité. A certains moments, Cardozo se méfiait de la neutralité.

— Alors Moseley bluffe.

— Faites gaffe, Vince. Il a du pouvoir.

— Pas assez pour infléchir une enquête policière.

— N'en soyez pas si sûr. Le père Montgomery a des relations. Ses amis veilleront à ce que lui soit évité tout désagrément.

Cardozo leva les yeux vers le ciel. Les dernières lueurs du

jour frangeaient la cime des arbres. Il entendait les grillons dans les buissons, le chien d'un voisin qui aboyait et quelque part, plus loin, le solo d'une grenouille.

— Vous devez suivre les directives, disait O'Reilly.

— Citez-moi un seul cas où je ne les ai pas suivies.

— Vous ne devez pas livrer vos commentaires à la presse ni faire de remarques concernant l'enquête. Tout doit passer par le service de relations publiques de l'adjoint du Préfet de Police.

— Autant dire la maternelle. Le service « j'me couvre pour me sauver la peau du cul ».

O'Reilly n'en disconvenait pas.

— Ce sont les règles du jeu. Si vous ne pouvez pas vous y plier, épargnez-nous une migraine et retirez-vous de cette affaire tout de suite.

— Qu'est-ce qui fait si peur aux amis de Montgomery ?

O'Reilly haussa les épaules.

Cardozo fronça le sourcil, sentant un décalage.

— Ne me dites pas qu'ils vous ont foutu la frousse à vous aussi ?

— N'allez pas vous imaginer que c'est une conspiration. C'est un minimum normal de considération, alors que ce pauvre type est aveugle.

— Aveugle ?

Cardozo reposa son verre avec un léger cliquetis sur le plateau en verre de la table.

— Qu'est-ce que vous me chantez là ?

— Le père Montgomery n'y voit goutte.

— Qui dit ça ?

— Son médecin.

— Depuis quand ?

— Depuis qu'on l'a examiné cet après-midi au Doctors Hospital.

Une porte moustiquaire claqua et la femme de Tom O'Reilly sortit de la maison, portant un plateau de hamburgers en croûte et de tranches de pain à la graine de sésame.

— Vous restez avec nous, Vince ? Nous dînerons dehors.

C'était une femme frêle, aux cheveux gris soignés et aux yeux bleus rieurs.

— Il y en a plus qu'assez.

Les hamburgers passés au barbecue de Betty O'Reilly étaient tentants, mais Cardozo se leva.

— Merci, Betty, je peux retenir ma place pour une prochaine fois ?

La porte de la chambre d'hôpital était entrebâillée. Cardozo aperçut le père Montgomery assis dans son lit. Il avait l'air mélancolique et abattu.

Son amie l'actrice Sonya Barnett avait tiré une chaise à son chevet et lui lisait à haute voix le *New Yorker*.

— Dire que ce magazine était si bien, disait-elle, et qu'ils l'ont foutu en l'air maintenant.

Cardozo frappa.

— Je vous dérange ?

Le père Montgomery tourna la tête et sourit. Du moins, il tenta bravement de le faire.

— Pas du tout.

— On était juste bien.

Sonya Barnett se débarrassa d'un geste vif de ses lunettes. Leur chute fut amortie par un cordon de bolduc rose noué autour de son cou.

Cardozo s'approcha du lit.

— Vous vous rappelez de moi, père Montgomery ? Vince Cardozo, votre ami flic d'il y a un an et demi.

— Ah oui.

Le regard du père Montgomery parut flotter sans trouver de point d'ancrage.

— Vous m'aviez emprunté mon fichier de jeunes comédiens.

— Et j'ai dû vous l'emprunter une fois encore.

— Il n'a pas dû y avoir de grands changements, j'en ai peur. Ces derniers temps, je n'ai pas été aussi actif, théâtralement parlant, que j'aurais aimé l'être. Connaissez-vous ma grande amie et voisine, Sonya Barnett ?

— Oui, bien sûr.

Sonya Barnett lui tendit la main. Elle portait un chemisier en lin ras du cou et à manches courtes. Ses bras étaient quasiment recouverts de taches de rousseur. Elle lui présenta une énorme boîte de chocolats.

— Les ronds sont des truffes au champagne. Divines.

— Merci, mais j'ai déjà mangé.

Ce qui était faux, mais Cardozo comptait bien dîner et détestait commencer par le dessert.

— En ce cas, je crains que ce pauvre vieux Joe et moi-même ne soyons condamnés à les terminer.

Ce qui, semblait-il, était une façon pour Sonya Barnett de sous-entendre qu'elle n'avait nullement l'intention d'abandonner son ami entre les pattes d'un représentant de la police de New York.

Cardozo tira une seconde chaise auprès du lit.

— Dites-moi, mon père, avez-vous une idée de l'identité du jeune homme qu'on a retrouvé dans le presbytère ?

— Pas la moindre, mais je ne l'ai pas très bien vu. Il faut dire que je n'ai plus d'aussi bons yeux... qu'avant.

— Et avez-vous une idée de la façon dont il s'est introduit ?

— Par effraction, je suppose.

— Il y en a eu d'autres au presbytère ces derniers temps, intervint Sonya Barnett.

— Vous les avez signalées ? demanda Cardozo au père Montgomery.

Ce dernier marqua une hésitation.

— Non...

— Mais vous m'en avez parlé, en tout cas, dit Sonya Barnett. Je m'en porte garante.

— Pourquoi n'avoir pas prévenu la police ?

— Mais je l'ai fait. J'ai signalé qu'un certain Tom Lanner était entré par effraction.

— Pfff, fit Sonya Barnett en grimaçant. Un jeune vaurien, une canaille.

— Mais il ne s'agissait pas d'une effraction, insista Cardozo. Du moins, si l'on en croit votre plainte.

Le père Joe Montgomery remua les mâchoires, mais n'émit qu'un bégaiement. Comme si son cerveau avait eu un court-circuit et cherchait de nouvelles connexions avec de vieux fils.

— Je n'ai pas signalé les autres parce que... j'avais subi une opération et j'étais... je récupérais... on m'avait fait une anesthésie générale.

— Les effets de ce type d'anesthésie n'en finissent pas, expliqua Sonya Barnett. En particulier à nos âges, à Joe et à moi. Tu te rappelles les choses que tu imaginais, Joe ?

— Oui. Je ne pouvais plus faire la différence entre ce qui était imaginaire et ce qui ne l'était pas.

— Est-ce qu'on a déjà volé des choses dans l'église ?

Nouvelle hésitation du père Montgomery.

— Je n'en suis pas sûr.

— Franchement, Joe, fit Sonya Barnett agitant la tête avec sévérité. Ces nécrophages t'ont dévalisé — vêtements sacerdotaux, pièces d'orfèvrerie, livres, chandeliers, calices — la totale !

— Je n'en suis pas sûr, dit le père Joe. Tom Lanner mis à part, j'ai l'impression que les choses ont été rangées ailleurs ou peut-être égarées.

— Ou bien volées. Il faut que tu dises la vérité, Joe. Arrête de protéger des criminels.

— Ce ne sont pas des criminels, dit le père Montgomery d'une voix lasse.

— Et celui qui t'a attaqué dans le parc, tu l'appelles comment, nom de bleu ?

Sonya Barnett haussa le sourcil en fixant Cardozo.

Le père Montgomery tendit une main maladroite vers la pipe posée sur la table de nuit. Il la bourra d'un tabac parfumé et craqua trois allumettes avant de l'allumer. Il avait l'art de faire traîner les choses.

— Pouvez-vous m'en dire un petit peu plus concernant cette agression ? demanda Cardozo.

Le silence se fit pesant. Le père Montgomery exhala péniblement. La fumée décrivit une spirale dans l'air, évoquant une galaxie aplatie.

— J'ai du mal à appeler ça une agression. Une nuisance, tout au plus. Un jeune homme m'a abordé et m'a réclamé mon portefeuille. Etant un individu non violent, je le lui ai remis.

— Ce sont les bonnes pâtes dans ton genre qui tuent cette ville, fit Sonya Barnett. Moi, je lui aurais foutu un bon pain dans la gueule à cette racaille.

— Ce jeune homme était armé ?

Le père Montgomery secoua la tête.

— De son poing droit, rien d'autre.

— Vous avez été blessé ?

— Vous avez dû avoir un entretien avec Bonnie, dit le père Montgomery avec un pauvre sourire. C'est un amour, mais elle a tendance à surprotéger les vieux messieurs comme moi.

— Vous avez été blessé ?

— Il m'a... blessé à l'œil.

— Pouvez-vous le décrire ?

— Il avait un air angélique...

— Ils ont tous cet air-là, à tes yeux, fit Sonya Barnett d'un ton railleur.

— Il était jeune.

— Jeune comment ?

— Oh, quatorze ans, par là. Je me souviens qu'il avait très peur — c'était probablement sa première agression. Il portait un bonnet de marin en laine kaki enfoncé sur les oreilles.

— Taille ?

— Un mètre soixante-cinq, soixante-dix.

— Poids ?

— Je ne vaux rien pour donner une estimation de poids. Ça doit faire partie probablement de mes dénégations — je mange beaucoup trop de chocolats de Sonya.

— Ils sont là pour ça, gros bêta.

— Race ?

Le père Montgomery tiqua.

— Qu'est-ce que la race a à voir là-dedans ?

— Elle est très utile pour le signalement.

— Je ne vois pas le rapport. En tous les cas, je ne suis pas sûr de me rappeler.

Arrête ça, songea Cardozo. *T'avais encore de bons yeux et t'as pas remarqué de quelle race il était ? La Cour Suprême dit que les lois doivent être aveugles à la couleur de la peau, elle parle pas des individus.*

— Avez-vous signalé cette agression ?

— Non.

— Pourquoi ?

— A quoi bon ?

— Joe, tu es dénué de tout sens civique. On ne peut pas laisser ces voyous faire la loi.

— Je sais, je sais, fit le père Joe, levant la main pour lui imposer silence. J'étais fatigué. Je suppose que j'étais sous le choc. Et j'avais très peur. Comme jamais auparavant. Une peur qui semblait me paralyser, m'enlever toute ma volonté.

— Mais Joe, tu n'en as jamais soufflé mot.

— J'avais l'impression d'être traqué.

— Traqué par qui ? demanda Cardozo.

— Je ne saurais dire. Mon agresseur, peut-être. Ou quelqu'un d'autre, peut-être. Ou peut-être que j'imaginais tout ça. J'ai cru remarquer des vols au presbytère et à l'église, mais comme je n'étais sûr de rien.

— C'est pour cette raison que vous avez tendu une souricière au presbytère ?

Le père Montgomery approuva de la tête.

— Oui, j'ai placé un fer à repasser en haut d'une porte.

— Dignes d'un vrai petit Thomas Edison, tes inventions, dit Sonya Barnett.

— J'ai bien peur que ça n'ait assommé mon pauvre cambrioleur.

— Votre pauvre cambrioleur n'a pas repris conscience, dit Cardozo.

Le père Montgomery se redressa légèrement dans le lit.

— Il est toujours dans le coma ?

— Il est mort cet après-midi.

— Merde ! Que dites-vous là ! s'écria Sonya Barnett.

Le père Montgomery avait retrouvé son bégaiement.

— Vraiment je ne... oh mon Dieu... je n'avais pas l'intention de...

Sonya Barnett lui tapotait la main.

— Bien sûr que non, *darling*.

Les doigts du père Montgomery trituraient l'ourlet du drap de lit.

— Je voulais simplement l'effrayer pour le mettre en fuite.

— Apparemment, tu as réussi au-delà de tes espérances, conclut Sonya Barnett.

Cardozo prit conscience que la défense du père Montgomery reposait sur sa capacité à prouver qu'il souffrait d'une peur intense, et donc à prouver que l'agression dans le parc avait bien eu lieu. Il eut l'impression que le père Montgomery en prenait conscience lui aussi.

Cardozo s'approcha de la fenêtre. Au-delà du double vitrage, le jour achevait de perdre ses couleurs. Dans le ciel assombri, des avions à réaction allaient et venaient, clignotant comme un circuit électrique.

— Dites-moi une chose, mon père. Quelqu'un a assisté à cette agression ?

— Il y avait une femme avec un chien, très bavarde — elle donnait à manger aux oiseaux. Elle a bien essayé de se montrer utile, mais il n'y avait vraiment pas grand-chose à faire.

— Vous vous souvenez de son nom ?

— Je ne suis pas même certain qu'elle me l'ait dit. Elle avait une chevelure d'un rouge extraordinaire.

— Certaines femmes devraient vraiment s'abstenir de se teindre, dit Sonya Barnett.

Il était évident qu'elle se faisait un point d'honneur d'arborer ses cheveux gris, rassemblés en chignon sur la nuque, mais sans apprêt.

— Père Montgomery, dit Cardozo en se retournant vers lui. Où vous trouviez-vous quand l'intrus est tombé dans votre souricière ?

— Eh bien, quand j'ai entendu crier, j'étais dans ma chambre à l'étage. Je suis descendu et j'ai trouvé ce jeune homme par terre.

— Mais vous n'avez pas appelé la police ?

Le père Montgomery secoua la tête.

— Je suppose que je n'avais pas les idées en place.

— A part vous, quelqu'un d'autre vit-il au presbytère ?

Le père Montgomery parut interloqué.

— Bonnie Ruskay, mon assistante, y travaille et y prend ses repas. Mais elle a un appartement de l'autre côté de la rue.

— Alors qui occupe la chambre d'amis ?

Les yeux du père Montgomery clignèrent rapidement.

— Je la prête parfois à un jeune qui a besoin d'un lit pour la nuit.

— Vous l'avez fait, récemment ?

Le père Montgomery ne répondit pas.

— Avez-vous les noms et les adresses d'un ou plusieurs de ces jeunes ?

Sonya Barnett éclata d'un rire moqueur, et étouffé — le rire Barnett marque déposée.

— Vous croyez vraiment, lieutenant, qu'ils auraient besoin de passer la nuit là, s'ils avaient une adresse ?

— Ça ne rime à rien de relever leurs noms, dit le père Montgomery. Ceux qu'ils vous donnent sont toujours faux.

— Et pourquoi ça ?

— D'habitude, ils sont en train de fuir — leur famille, la police.

— Vous vous montrez bien confiant en les hébergeant, mon père.

— Pas plus qu'eux, en acceptant d'être hébergés par Joe, dit Sonya Barnett. Après tout, que signifie un col ecclésiastique ? Joe pourrait être une espèce de monstre dont les proies sont de jeunes fugueurs, non ?

— C'est le cas ? demanda tranquillement Cardozo. Les fugueurs sont vos proies ?

Le père Montgomery se mit à rire doucement.

— Bravo, lieutenant. Bravo. Mais il faudrait leur poser la question, vous ne croyez pas ?

— Sans leurs noms et leurs adresses, ça risque d'être difficile.

Sonya Barnett gloussa.

— Joe est trop malin pour vous, lieutenant.

Cardozo opina du chef.

— Ça crève les yeux.

31

Sur le mur du cabinet, au-dessus de la tête du Dr Barney Clayton, l'immense E majuscule d'une échelle de lecture brillait faiblement, comme une pleine lune voguant dans le ciel d'une après-midi ensoleillée.

— Le père Montgomery souffre d'une cataracte évoluée aux deux yeux, expliquait le Dr Clayton.

C'était un homme maigre au teint coloré et au sourire « *je peux le faire* », qui semblait prendre possession de l'espace qui l'entourait. Un nœud papillon à pois dépassait du col de sa blouse blanche.

— A l'époque où Joe est venu me voir, il avait de sérieuses difficultés de vision. Au début de cette année, j'ai opéré son œil gauche de la cataracte et implanté un I.O.D.

— Un cristallin artificiel ? s'enquit Cardozo.

Le Dr Clayton acquiesça.

— Un implant intra-oculaire. Il restitue à l'œil une vision normale. Malheureusement, un voyou a agressé Joe dans la rue il y a trois semaines de ça et il a reçu un coup de poing justement dans cet œil au cours de cette agression. La suture du globe oculaire a lâché. Le cristallin, la plus grande partie du corps vitré et des tissus oculaires ont été détruits. Résultat, le père Montgomery n'y voit plus rien.

Une sonnerie d'alarme ou tout comme retentit à l'oreille de Cardozo.

— Pas même de l'autre œil ?

— Une fois que j'aurai opéré de la cataracte cet œil-là, il verra à nouveau. Mais pour le moment, son œil droit ne garde qu'une perception lumineuse et ne distingue que de vagues formes.

— Peut-il lire de l'œil droit ?

— Non.

— Reconnaître les visages ?

— Non. Pour le moment, il peut reconnaître les voix, pas les visages.

— Peut-il marcher dans la rue ?

— S'il fait très beau, à la rigueur — et à condition que la rue lui soit familière, et peu fréquentée. Mais je ne lui conseillerais pas d'essayer sans un ami pour le guider.

— Peut-il aller et venir chez lui ?

— Certainement. Comme le font les aveugles.

Quelque chose perturbait Cardozo.

— Si le père Montgomery a perdu la vue depuis trois semaines, comment se fait-il que personne ne l'ait su jusqu'à aujourd'hui ?

— Parce que c'est un homme terriblement déterminé. Il a gardé le secret. Il a fait semblant de voir. J'en ai discuté avec lui. Il s'inquiète de ne pas récupérer sa vision et d'être forcé de prendre sa retraite. Ce n'est pas tant la cécité qu'il redoute que la retraite.

— Donc, ces trois dernières semaines, il a fonctionné à l'ouïe et au toucher.

— Et en distinguant grossièrement l'obscurité de la lumière.

— Lui aurait-il été possible de se tenir debout sur une chaise ?

Une légère incertitude se fit jour sur le visage du Dr Clayton.

— Oui, s'il l'avait voulu.

— Et aurait-il pu placer — disons, un livre — en haut d'une porte ?

Dans la tranquillité apaisante de ses murs gris, le Dr Clayton fixa Cardozo.

— Oui, il l'aurait pu, mais pourquoi grand Dieu l'aurait-il voulu ?

Il n'était pas loin de 8 heures du soir quand Cardozo regagna son appartement. Son nez détecta une odeur de poisson aigre qui allait en empirant plus il se rapprochait de la cuisine.

— Si c'est ça mon dîner, je vais manger au bureau.

Esther Epstein, la veuve de soixante-dix ans et quelque de la porte à côté, montrait une recette à Terri dans laquelle entraient un bol à mélanger, un œuf et une boîte de thon préparé Nine Lives.

— Salut, P'pa, dit Terri. Esther me montre comment nourrir Beverly.

— Qu'est-ce qui se passe, Esther ? Est-ce qu'on va hériter de votre chat ?

En nombre d'années-chat, Beverly était probablement assez âgée pour être la mère d'Esther. C'était une chatte angora sur son quant-à-soi, affligée d'un miaulement désagréablement geignard. Cardozo n'envisageait pas avec le sourire de partager la salle de bains avec sa litière.

— On se calme, dit Mme Epstein. Bev n'emménage pas, mais il se trouve que l'administration de l'Hôpital des vétérans a changé mes horaires, donc Terri lui donnera à manger le soir. Vous savez comme les animaux quand ils sont vieux tiennent à leurs habitudes.

— Et comment ! Pourquoi ne pas rester dîner avec nous ? On n'a pas pris un repas ensemble depuis des mois.

— Merci, mais j'peux pas.

Comme Mme Epstein secouait la tête, Cardozo s'aperçut qu'elle avait fait couper et argenter ses cheveux blancs.

— Je suis de l'équipe de nuit, 8 heures et demie du soir à 4 heures et demie du matin.

— Etrange comme horaire.

— C'est la Twilight Zone. Ils l'ont inventée spécialement pour moi parce qu'ils veulent que je prenne ma retraite. Ils croient que je mens sur mon âge, ce qui est vrai, mais ils ne peuvent pas le prouver parce que je m'occupe de l'ordinateur et que j'ai protégé mon dossier avec un mot de passe. Ils ne peuvent pas y avoir accès.

Cardozo, en ouvrant le réfrigérateur, vit que Terri lui avait préparé de l'avocat au poulet. Il apporta le plat sur la table avec une boîte de bière blonde.

— Vous êtes une petite maligne, Esther. Et j'espère que vous l'êtes assez aussi pour vous rendre et revenir du travail en taxi.

— Mais non, je fais du stop.

Mme Epstein dit bonne nuit à Terri et l'embrassa puis, dressée sur la pointe des pieds, planta un baiser sur la joue de Cardozo.

— Vous perdez du poids, Vince ?

— J'espère bien.

— Vous feriez bien de surveiller votre alimentation. Ma Bev mange mieux que vous.

Elle prit le bol à mélanger et fit un petit signe d'adieu. Un instant plus tard, la porte d'entrée se referma.

Cardozo mâchait pensivement une bouchée de salade au poulet. Terri l'avait mystérieusement assaisonnée et il ne put reconnaître le goût.

— Tu as mis quoi dans ce curry ?

— Une pincée de gingembre.

Parfois chez elle certaines petites choses le stupéfiaient.

— T'as lu ça dans un livre de cuisine ?

— J'ai inventé.

Elle décapsula sa boîte de bière et la versa dans le verre soigneusement incliné.

— Tu aimes ?

— Super.

Elle se pencha à travers la table pour l'embrasser.

Une certaine vibration lui fit lever les yeux.

— Tu sors ?

— Je vais au ciné avec mon amie Alice.

— Eh, lui cria-t-il alors qu'elle s'éloignait, ne rentre pas trop tard. Je me fais du souci pour toi.

Cardozo n'arrivait pas à voir son visage.

Aucune importance.

Du bout des doigts, il effleura ses aisselles pour commencer. Puis remonta en glissant prestement jusqu'à ses épaules. Redescendit le long de ses seins jusqu'à son ventre. Et finit par s'attarder au creux de ses cuisses. Une fois là, son mouvement se ralentit et devint une longue caresse dispensatrice de plaisir.

De loin, de très loin, il l'entendit gémir.

Il refit le même chemin, de ses lèvres, cette fois. Sa main s'insinua sous elle, la souleva. Il se pressa doucement contre elle. Puis la pénétra facilement, lentement.

Un bourdonnement se mit à attaquer la fine coquille de son sommeil. Il le repoussa.

Elle poussa un cri en fouettant sa tête de côté, rejetant d'une main les cheveux de son visage. Il se retrouva les yeux plongés dans ceux de la révérende Bonnie Ruskay.

Le bourdonnement ne voulait pas cesser. Il reconnut la sourdine métallique de la sonnerie du téléphone. Au tréfonds de son âme, il fit la grimace et le rêve se liquéfia et disparut. Les yeux fermés, il tendit la main en tâtonnant vers la table de nuit pour y prendre le récepteur.

— Cardozo.

— Vince, c'est Dan.

Sa voix était saccadée, il y avait une urgence dans le ton.

— Désolé de te réveiller.

— Ça va.

Ce n'était pas encore l'aube. Le lampadaire au coin de la rue diffusait sa lueur jaune aux vapeurs de mercure à travers les rideaux de la fenêtre, qui tachetait le mur.

— Je viens de terminer l'autopsie du gosse du presbytère.

Cardozo sentit quelque chose en suspens dans l'air.

— Et ?

— Tu ferais mieux de rappliquer.

32

Il y eut un couinement de latex quand Dan Hippolito enfila le gant. Il passa une main sous la tête du garçon et la souleva de sur l'oreiller.

— Tu vois ça ?

Cardozo regarda la zone rasée au sommet du crâne. Il fit oui de la tête.

— La signature de ce coup correspond à la pointe du fer à repasser.

Dan toucha du doigt un rond noir semblable au trou d'une balle. L'impact avait fait saillir l'os et écorché la peau autour de l'orifice.

— Si tu portais un coup avec ce fer, normalement tu le saisirais de manière à frapper la tête avec la partie postérieure. Mais pour porter un coup comme celui-ci, il te faudrait lever le bras, avec ton poignet à angle droit. Pas très vraisemblable.

— Alors quel est le scénario le plus probable ?

— En ce qui concerne ce coup, je suis partant pour le piège à cons. Le fer a été placé en équilibre au sommet d'une porte. La victime l'a ouverte, le fer est tombé et l'a blessé. Le coup l'a probablement sonné, il a eu certainement très mal, mais ça ne l'a pas tué.

— Qu'est-ce qui l'a tué alors ?

Dan reposa la tête sur l'oreiller en la faisant rouler doucement sur le côté. Une partie des cheveux avait été rasée, laissant la peau du crâne à nu derrière l'oreille gauche. Trois lacérations s'y entrecroisaient.

— L'assaillant a saisi le fer de façon normale, comme s'il

repassait. Il l'a abattu d'un bon mètre de haut. A trois reprises. Et chaque fois, le coup a porté. La victime était couchée par terre, la tête à peu près dans la position que tu lui vois en ce moment. Ce qui explique les contusions de l'autre côté du crâne.

A première vue pour Cardozo, les coups portés semblaient méchamment violents.

— Un aveugle pourrait faire ça ?

— Bien sûr. Pourquoi pas ? A bout portant, on n'a pas besoin de viser juste.

— De quelle force était l'agresseur ?

— Il pourrait t'en balancer une qui t'éborgnerait vite fait.

Dan fit rouler la tête dans sa position originale. Il remonta le drap de nylon noir par-dessus le visage du garçon et refit coulisser la civière dans le casier.

— Je peux te montrer le reste dans mon bureau.

Dan le précéda. A cette heure de la matinée, le silence régnait dans le couloir désert, éclairé au néon.

— La victime a eu un rapport sexuel environ une heure avant sa mort.

— C'est-à-dire ?

Dan déverrouilla la porte de son bureau.

— Il a eu une éjaculation. Et à mon avis, il n'était pas seul.

Dan s'approcha de son bureau. Il tendit à Cardozo deux tirages sur papier glacé, évoquant un de ces étranges paysages de *National Geographic* que seul un explorateur peut apprécier. Aucune indication haut-bas n'y était portée.

— Et ça, c'est quoi ?

— Une inflammation des tissus du sphincter. Le mort a peut-être eu un rapport sexuel anal passif.

— Regarder dans le trou de balle de ce type avant mon petit dej, je le sens pas vraiment.

Dan étala d'autres clichés sur la surface, comme les cartes d'une partie de poker ouvert.

— Item : trace d'une piqûre à l'intérieur de l'avant-bras gauche ; les mains ont été attachées par des lanières de cuir ; les côtes sur le flanc gauche portent des marques de coups de pied ou de coups de poing ; la peau autour du téton a été brûlée comme si elle avait été en contact avec de la cire de bougie.

Le regard de Cardozo se porta successivement sur l'avant-bras, le poignet, les côtes et finalement le téton.

La pièce était d'un calme qui en disait long.

Dan saisit un arrosoir en plastique et aspergea les plants

de maïs en pot posés sur une table basse le long de l'un des murs sans fenêtre. Ça faisait à peine deux mois qu'il avait la jouissance de ce bureau ; c'était le résultat de sa promotion au grade d'adjoint-chef en second. Les plants de maïs claironnaient : permanence de l'instant. Nous sommes ici pour durer — dans le moment présent.

— J'ai comparé son cas à celui de miss Glacière.

Dan revint à son bureau et lut dans le rapport d'autopsie la concernant :

— « Les pieds ont pu être attachés avec une lanière de cuir ; les brûlures de la peau ont pu être causées par de la cire de bougie. »

Cardozo assis réfléchissait.

— Donc les deux donnaient dans le sado-maso.

— Surprenant chez des individus aussi jeunes. Sauf s'ils se prostituaient pour satisfaire des clients plus âgés.

— D'autres similitudes ?

— Miss Glacière ne nous a pas laissé beaucoup de matière à comparaison. Mais le garçon qui est mort avait dans le sang un taux d'usage récréatif d'alcool et de cocaïne ; on a trouvé des résidus de cocaïne sur la piqûre ; et quelques traces d'azidofluoramine dans son foie.

Cardozo regarda Dan nettoyer ses lunettes de lecture.

— Azidofluoramine, kézako ?

— Un médoc qui décoiffe. On peut pas encore le prescrire. On n'en trouve même pas l'équivalent dans la rue. Il y a trois protocoles en cours, mais les résultats ne seront rendus publics que le mois prochain.

— On s'en sert dans quel cas ?

— Etat d'angoisse aigu.

— On peut s'en servir dans un but récréatif ?

— Tu parles ! Ça t'éclate aussi sec.

Une petite ampoule s'alluma dans la tête de Cardozo.

— Quelles drogues tu as trouvées dans le cas de miss Glacière ?

Dan feuilleta le rapport.

— Les tissus du foie étaient trop décomposés pour qu'on y découvre des résidus de drogue.

Cardozo écouta un moment le murmure de l'aérateur au-dessus de sa tête.

— Est-ce qu'un aveugle aurait envie d'un rapport sexuel ?

Dan le fixa avec incompréhension, le sourcil froncé.

— Mais qu'est-ce que tu racontes ? Les aveugles font l'amour constamment.

— Laisse-moi t'expliquer, si tu venais juste de perdre la vue, est-ce que t'aurais envie d'avoir des rapports sexuels ?

— Si tu viens juste de perdre la vue, tu sens peut-être qu'il ne te reste pas grand-chose, *à part* le sexe.

— J'ai vérifié les enregistrements des appels au 911.

Ellie n'avait pas frappé. Elle était entrée directement dans le box de Cardozo.

— Samantha Schuyler a passé son appel à 23 h 43, avant-hier soir. Elle a signalé un cri et des bris de verre. Dans cet ordre, elle n'en démord pas — d'abord le cri, puis les bris de verre. Elle est catégorique sur ce point.

Cardozo plissa le front.

— Il faudrait qu'on l'ait frappé avant qu'il entre par effraction. Ou du moins avant que cette fenêtre n'ait été cassée.

— La précision n'est peut-être pas le fort de la dame. D'après elle, l'église abrite nombre d'activités contraires aux bonnes mœurs — parties fines bien après minuit, musique tonitruante, usage de drogue. Elle a également sous-entendu qu'un autre jeune homme aurait pu être assassiné au presbytère.

— Comment ça, sous-entendu ?

— Ça lui a échappé comme qui dirait, puis elle a fait celle à qui la langue a fourché. J'ai vérifié aux archives. Aucune autre mort n'a été signalée là-bas. Aucun voisin de Saint-Andrew ne s'est jamais plaint par téléphone — pas même Mme Schuyler. Ce qui fait que je me demande si elle ne broderait pas un tout petit peu.

Cardozo acquiesça. Saint-Andrew se trouvait dans un quartier dont les résidents décrochaient leur téléphone au moindre accroc portant atteinte à leur qualité de vie — une radio trop bruyante, un sac poubelle éventré, l'alarme d'une voiture, un cri. Etant donné les impôts qu'ils acquittaient, ils n'étaient pas disposés à laisser des toxicos vomir dans leurs poubelles, et encore moins des orgies se dérouler dans l'église. A l'entendre, Mme Schuyler ne représentait pas une source fiable.

— Les rapports du labo commencent à arriver. Les empreintes sur le fer à repasser correspondent à celles du père Joe relevées à l'hôpital.

— C'était couru. D'autres empreintes, les siennes mises à part ?

— Aucune.

— Ça aussi, c'était couru.

— Sept empreintes complètes et trois partielles sur la fenêtre de la chambre d'amis du presbytère, mais à l'intérieur. Pas une seule à l'extérieur.

— Ça prouve pas grand-chose. On a pu laisser la fenêtre entrouverte. Quelqu'un a pu monter sur le toit et, de là, achever de la relever — et donc laisser ses empreintes à l'intérieur.

— A supposer qu'il n'ait pas porté de gants.

— Personne n'a signalé que le mort avait des gants.

— Pas jusqu'à présent.

Ellie était campée là, les mains dans les poches de sa jupe, ses bras nus et bronzés dépassant des épaules de son chemisier.

— Il n'y avait pas d'éclats de verre dans le sac de l'aspirateur, ce qui nous indique que personne n'a atterri à l'intérieur du bureau.

Cardozo approuva du chef.

— Et ce qui confirme que le carreau de la fenêtre n'a pas été cassé de l'extérieur.

Ellie tendit le rapport à Cardozo.

— Le verre que tu as trouvé dans le jardin provient de la fenêtre.

— Ce qui confirme que le carreau a bien été cassé de l'intérieur.

Il feuilletait les pages à l'aspect déchiqueté, là où des morceaux de guide d'imprimante perforé restaient attachés.

— Tout ça rend cette effraction bidon et cette mort suspecte.

Ellie regardait dans le vide. Sa matière grise fonctionnait à plein rendement, pressentait-il.

— Lou a appelé, fit-elle. Il m'a dit qu'il a découvert des résidus d'encens et des fibres de moquette acrylique sur les vêtements du mort. L'encens correspond à celui trouvé dans les vêtements de l'affaire miss Glacière. Comment se fait-il que tu lui aies demandé de remonter aussi loin pour vérifier ?

— Histoire de mettre tous les atouts dans notre jeu.

— Et quelques autres en plus.

Elle sourit d'un sourire indulgent qui semblait dire, *je te connais, je sais ce que tu penses, je t'accepte tel que tu es.*

— Les fibres correspondent à celles trouvées sur les vêtements de miss Glacière. Elles correspondent aussi aux fils que tu as arrachés à la moquette du presbytère. Comment se fait-il que tu ne m'aies pas parlé de ça, Vince ?

— Parce que tu m'aurais dit que ce n'était pas légal.

— Et ça ne l'était pas. Mais passons, parce que d'après Lou, ça ne peut pas nous servir. Idem pour l'encens. Les deux sont aussi courants que des atomes d'hydrogène.

Greg Monteleone frappa au battant de la porte ouverte. Aujourd'hui, il portait une chemise beurre de cacahuète au col boutonné fraise ; il donnait l'impression qu'un petit plaisantin avait déréglé une télé couleur.

— Une lettre pour toi, Vince. On dirait que t'es invité à un machin chicos.

Il tendit à Cardozo une lourde enveloppe de vélin crème. Le nom de Cardozo et son adresse professionnelle y avaient été soigneusement rédigés en caractères d'imprimerie au stylo-bille. Une adresse de réexpédition était gravée au dos : 34 1/2 69ᵉ Rue Est. Aucun nom d'expéditeur n'y figurait.

Cardozo l'ouvrit. Il en sortit une lettre à en-tête de l'église épiscopalienne de Saint-Andrew.

Il la parcourut rapidement. Une onde électrique hérissa les poils de sa nuque. Les deux lignes en caractères d'imprimerie, également au stylo-bille, étaient de la même main que l'adresse : *Les fugueurs assassinés sont dans la boîte à chaussures du bureau du père Joe.*

Pas de signature.

Son regard rencontra celui d'Ellie. Il lui tendit le petit mot.

Elle le lut avec un froncement de sourcils à peine accentué, n'accordant à la chose que le minimum de puissance infuse. Elle garda le silence un instant. Elle s'approcha de la fenêtre. La lumière matinale s'insinuait en biais.

Elle se retourna vers lui. Il sentit le poids de son scepticisme.

— Quand elle a été postée ? dit-elle.

Il retourna l'enveloppe.

— Hier.

— Le jour suivant l'appel au 911. Est-ce que tu reconnais l'écriture ?

— Non. Et je doute que celui qui l'a écrite voulait que je la reconnaisse.

Cardozo ouvrit le tiroir inférieur gauche de son bureau.

— Ça pourrait être une mauvaise blague, mais juste pour nous compliquer la vie, disons que ce n'est pas le cas.

Il sortit la boîte à chaussures à talents du père Joe et la laissa tomber sur le bureau, où elle atterrit avec une résonance sourde et pesante.

— Vince, ton bureau est un vrai foutoir.

Ellie tira la chaise au dossier droit. Elle s'y installa, les jambes sagement croisées, et se mit au travail, déplaçant des piles de paperasse, les empilant encore plus haut, ménageant de l'espace.

— Tu veux du café ? dit-il.

Elle fit oui de la tête.

— J'en aurai besoin.

Deux minutes plus tard, Cardozo ramena deux gobelets plastique de la salle de garde et en tendit un à Ellie. Il ferma la porte en la poussant du talon.

— Ça, c'est les tiennes.

Elle avait rangé les photos des jeunes comédiens en deux tas.

— De M à Z.

Cardozo se laissa choir sur sa chaise pivotante. M, c'était Marie McDonald, une gamine tachetée de rousseurs aux couettes anachroniques, rappelant une vedette-enfant de la M.G.M. Son C.V., numéro de téléphone, adresse étaient agrafés à sa photo sur une page soigneusement tapée avec un traitement de texte. N, c'était Tommy Nutter.

Il avait atteint Q, Lily Anne Quinn, quand il entendit Ellie pousser une exclamation de surprise. Il n'aurait su dire si ça venait de la photo qu'elle tenait dans sa main droite ou du gobelet de café qu'elle tenait dans sa gauche.

Sa première gorgée lui apprit que c'était le café.

— Désolé. Glen m'a dit qu'il était frais.

— Sûr qu'il l'était, la semaine dernière.

Elle posa la tasse.

— Celle-ci n'est pas dans l'ordre alphabétique. Et elle n'a pas de C.V.

Ellie lui montra la photo : une adolescente, avec des couettes elle aussi, mais rien de M.G.M. en elle ; sa pose, en maillot de bain deux pièces, avait un air de provoc crade, et le bout de langue dont elle se pourléchait les babines semblait dire suis-moi-on-va-bien-s'amuser-tous-les-deux. Son nom, Wanda Gilmartin, et le chiffre deux avaient été tracés au stylo-bille en capitales d'imprimerie dans la marge du bas.

— Gilmartin, dit Cardozo d'un ton songeur. Ça me dit rien.

Un instant plus tard, il prit en main la photo suivante de sa pile.

— Tiens, tiens. Richie Vegas, lui aussi n'est pas dans l'ordre.

Il posa sa photo près de celle de Wanda. Richie, torse nu, tatoué, l'air renfrogné d'un dur, mais la peau sur les os. Une fois encore, pas de C.V. ; son nom était écrit en majuscules au bas de la photo ; cette fois, il portait le numéro un.

— Wally Wills — pas de C.V., dit Ellie, en posant la photo sur le bureau.

Le numéro trois avait été ajouté près de son nom. Un autre ado torse nu, dans une encoignure de porte, le soleil dans les yeux.

Le cliquetis de la climatisation parut soudain augmenter de volume.

— Tod Lomax, numéro quatre.

Cardozo posa sa photo près de celle de Wills. Lomax avait l'air drogué. L'embrasure dans laquelle il se tenait paraissait la même que celle sur la photo de Wills.

— Tu appellerais ça des photos de book, toi ? Me font plutôt penser aux rebuts d'un catalogue « faites votre choix » de minets et de minettes.

Cardozo tapotait le bord de son bureau de la pointe d'un stylo-bille.

— On ferait mieux de communiquer ces noms et ces photos au Fichier national des jeunes fugueurs.

Ellie ne répondit pas. Elle pinçait la bouche en une moue inquiète.

Elle tendit à Cardozo la photo d'un jeune homme aux cheveux d'un noir de jais, aux yeux sombres et à la peau olivâtre. Il était assis dans un fauteuil à l'intérieur d'un appartement. La photo avait été prise au flash, ce qui lui enfonçait des têtes d'épingle rouges au centre de la pupille. Il portait une chemise bleu foncé sous une veste bleue, sans cravate.

Le nom de Pablo Cespedes avait été soigneusement noté à la main en-dessous de la photo ; près du nom, le numéro cinq.

Cardozo examina ce visage au large sourire. Il eut la bouche sèche tout à coup.

Ce visage était celui du mort du presbytère.

— Voyons voir si c'est son vrai nom et s'il a un dossier.

Une minute et demie plus tard, Cardozo et Ellie étaient face à l'écran de l'ordinateur de la salle de garde. En théorie, tous les actes de police — des appels au 911 aux casiers judiciaires en passant par les empreintes digitales — étaient saisis sur informatique pour une accessibilité immédiate. En fait, les ordinateurs engloutissaient tellement de données et tombaient si souvent en rade — plus d'une centaine de jours par an dans certains commissariats — qu'on ne savait jamais ce qu'on allait récolter quand on demandait des renseignements.

Aujourd'hui, l'ordinateur se montrait coopératif, et quinze secondes après qu'Ellie lui eut fait part de ses desiderata, un visage apparut sur l'écran.

— C'est lui, dit Cardozo.

C'était le même Pedro Cespedes que sur la photo : le sourire seul était plus dingo, et le regard plus gravement barjo, comme s'il s'était préparé pour la photo anthropométrique en fumant un joint de *Maui wowwee*. Pas la moindre effraction portée sur son casier, une simple condamnation pour vol. Pablo Cespedes avait été jugé en tant que délinquant juvénile. Le rapport disait qu'il était actuellement en liberté surveillée et qu'il résidait dans une famille d'accueil.

Cardozo recopia le téléphone de la famille sur une feuille de bloc-notes. Il regagna son bureau et composa le numéro.

Au bout de la quatrième sonnerie, une voix de femme répondit aimablement.

— Allô ?

33

Dan Hippolito releva le drap de nylon noir. Les parents nourriciers du mort baissèrent les yeux vers la civière.

Frieda Adler était un petit bout de femme extrêmement fardée. Elle agrippa son mari par le bras. Jupiter Adler était un homme de haute taille à carrure de boucher.

— C'est Pablo.

Le chuchotement de Frieda émit un léger brouillard dans l'air glacé du sous-sol, comme un texte écrit dans le ciel.

— Oh mon Dieu.

Jupiter lui serra la main.

Cardozo sentit comme un froid au creux de l'estomac.

— Je suis navré.

— De l'eau, s'il vous plaît, dit Frieda en s'effondrant sur le banc en lattes de bois.

— On peut lui donner un peu d'eau ? demanda Jupiter.

Dan Hippolito lui en apporta un gobelet du distributeur du couloir. Jupiter le porta aux lèvres de Frieda, qui sirota.

— Vous vous sentez mieux ? fit Cardozo.

Frieda trouva le courage d'esquisser un pauvre sourire. Sa canine droite dévitalisée était grisâtre.

— Oui, un peu.

— Je vais vous raccompagner chez vous.

— Depuis quand Pablo vivait avec vous ? demanda Cardozo, dans la voiture.

— Ça aurait fait six mois demain, dit Jupiter.

— Pablo était quelqu'un de facile à vivre, dit la voix de Frieda, assise à l'arrière. Certains ne le sont pas autant.

— Vous hébergez d'autres gosses à la rue ?

— On a de la place pour quatre, expliqua Jupiter. Mais récemment avec les réductions de crédits de la municipalité, on en a eu plus que trois.

— Vous faites ça à plein temps ?

— Maintenant, oui. Comme revenu, j'ai que ma pension d'assurance professionnelle. Ça va pas chercher loin.

Autrement dit, il en vivait.

— Quel genre de travail vous faisiez ?

— Le même que Frieda. Directeur au service des Ressources humaines.

— On côtoie une telle misère dans cette ville, dit Frieda, qu'on se doit de faire quelque chose.

Les Adler habitaient une tour miteuse de dix-sept étages sur Riverside Drive. Au-dessus de l'entrée, une banderole annonçait la mise en vente de luxueux appartements en copropriété. On aurait dit qu'elle avait amassé toute la suie de ces dix dernières années.

Un vigile regarda les Adler entrer dans le hall en compagnie de Cardozo. Un petit ascenseur, maculé de graffiti, les hissa au dix-septième étage.

L'appartement des Adler, sombre, tout en coins et recoins, sentait les odeurs de cuisine et le désinfectant.

Une équipe de techniciens d'investigation criminelle survint. Le type chargé de relever les empreintes et un photographe commencèrent à passer au peigne fin la chambre de

Pablo. C'était un réduit derrière la cuisine, et Cardozo eut le sentiment que ça avait dû être autrefois une chambre de bonne quand le voisinage était plus huppé.

Des posters de Julio Iglesias, Humphrey Bogart et Andres Segovia étaient scotchés au mur. Cardozo chercha le lien entre les trois. C'étaient tous des artistes, mais Iglesias et Bogart étaient des sex-symbols. Segovia, avec ses cheveux blancs, ses verres en cul de bouteille correcteurs de cataracte et sa guitare classique acoustique, paraissait déplacé dans le lot.

— Segovia, pourquoi ? demanda Cardozo.

— Pablo adorait la musique, dit Frieda. Il jouait de la guitare et composait des chansons.

— Le seul ennui, c'était qu'il jouait de la guitare tard dans la nuit.

Jupiter montra la fenêtre d'un signe de tête.

— Les voisins s'en plaignaient.

Cardozo s'approcha de la fenêtre. Elle donnait sur un puits d'aération. Même au beau milieu de la journée, le puits était complètement sombre, comme si la machinerie générant le soleil n'y atteignait pas.

— Quand avez-vous vu Pablo pour la dernière fois ?

— Avant-hier soir, répondit Frieda. Il a emporté sa guitare, en nous disant qu'il allait passer la nuit chez son ami Andy.

— Comment je peux joindre Andy ?

— Pablo ne nous a jamais dit grand-chose sur lui.

— Vous avez son numéro de téléphone ou son nom de famille ?

Frieda secoua la tête.

— Pablo ne voulait pas qu'on appelle ses amis. Il ne voulait pas qu'ils sachent qu'il était en liberté surveillée.

— Il avait beaucoup d'amis ?

— Eh bien, il avait Andy.

Elle lança un coup d'œil à son mari.

— J'en vois pas d'autre, dit Jupiter.

Cardozo remarqua une étoffe brodée d'or posée sur la table de toilette, qui avait un vague air sacerdotal, lui sembla-t-il.

— Est-ce que Pablo a joué dans l'un des spectacles musicaux de l'église Saint-Andrew ?

Frieda et Jupiter s'interrogèrent du regard.

— Il ne m'en a jamais parlé, dit Frieda.

— N'a-t-il jamais fait allusion à la révérende Bonnie Ruskay ou au père Joe Montgomery ?

— Pablo n'était pas un amateur, fit Jupiter.

Cardozo examina les bords du morceau d'étoffe à la recherche d'éventuelles marques.

— Ah non ?

— Il cherchait des appuis professionnels pour monter un spectacle de cabaret.

— Quel genre de spectacle de cabaret ?

— Un one-man-show, avec des chansons et des sketches de lui.

Frieda s'aperçut que Cardozo tripotait l'étoffe.

— Pablo adorait les belles choses.

— Vous avez une idée d'où il a trouvé ça ?

— Dans un marché aux puces, sans doute.

Cardozo dit au préposé aux empreintes d'embarquer l'étoffe.

— Vous devriez jeter un œil là-dessus, dit Jupiter en tendant à Cardozo une cassette vidéo qu'il pêcha sur une étagère. C'est la cassette avec laquelle Pablo auditionnait. Y a des trucs super là-dedans.

Sonya Barnett, une tasse de thé en équilibre sur les genoux, était assise au chevet du père Montgomery, à l'hôpital. Elle leva les yeux quand Cardozo frappa au battant de la porte ouverte.

— Je peux vous tenir compagnie ?

Le père Montgomery se tourna.

— Qui est-ce ?

— M. Cardozo, répondit Sonya en lui tendant une main tachée de son. Vous devenez inséparables, le père Montgomery et vous.

Ce dernier, niché dans ses oreillers, sourit.

— Je trouve extrêmement flatteur qu'un lieutenant de police aussi occupé trouve le temps de rendre visite à un vieil impotent ennuyeux comme la pluie. Puis-je vous offrir du thé ? Sonya m'a apporté un merveilleux Darjeeling.

— Non, merci, pas pour moi, dit Cardozo.

— Au cas où vous préféreriez quelque chose de plus fort, dit Sonya Barnett, l'un des paroissiens de Joe a glissé une bouteille de crème de Bristol dans cette composition florale.

Un énorme vase en cristal de roses rouges trônait sur la commode.

— Non merci, pas de sherry.

Le père Montgomery éclata de rire.

— Alors si vous faites aussi peu de cas de mon hospitalité, vous devez être venu pour ma conversation. Sonya, il va falloir que tu m'aides à faire des étincelles.

— Je suis prête à parier que M. Cardozo est ici pour glaner des renseignements, remarqua Sonya Barnett.

— Auprès de moi ? s'exclama le père Montgomery avec un étonnement caricatural.

Cardozo tira une troisième chaise près du lit.

— Wanda Gilmartin, ce nom vous dit quelque chose ?

— Wanda Gil-qui ?

— Gilmartin.

— Je crois n'avoir jamais connu quelqu'un prénommé ainsi.

— A part Landowska, bien sûr, intervint Sonya Barnett. La claveciniste. Divine.

— A part elle, bien sûr. Je ne connais absolument pas cette Gilmartin.

— Avez-vous déjà entendu parler d'un jeune homme du nom de Richie Vegas ?

— Non, jamais.

— Wally Wills ?

Le père Montgomery fit non de la tête.

— Tod Lomax ?

— Ça m'évoque quelque chose. D'où je connais ce nom ? Sonya, aide-moi.

— Désolée, aucune idée.

— Et Pablo Cespedes ?

Le père Joe réfléchit.

— Cespedes, Cespedes... j'ai connu une Margarita Cespedes. Son père était maire de La Havane, à l'époque de Batista. Elle avait deux fils, des danseurs de tango fabuleux...

— Pablo Cespedes, c'est le jeune homme qui a été tué au presbytère. Nous avons trouvé sa photo dans votre fichier comédiens.

Le sourire disparut du visage du père Joe.

— Alors, il a dû jouer dans l'un de nos spectacles. Il faut m'excuser, mais ma mémoire n'est plus ce qu'elle était. Je ne me souviens tout bonnement pas de son nom. Sonya, aide-moi, toi qui as la mémoire des noms. ,

— Avez-vous apporté sa photo ? demanda Sonya Barnett. Faites voir.

Cardozo lui tendit cinq photos.

Sonya Barnett ajusta ses lunettes pour voir de près.

— Elles viennent toutes du fichier de Joe ?

Cardozo opina.

Elle gratifia chacune d'elles d'un coup d'œil qui pour être rapide n'était cependant pas totalement indifférent.

— Joe, ils ne ressemblent pas *du tout* aux jeunes talents qui t'intéressent, ceux-là.

— Allons, Sonya, sois un peu moins snob. Le talent n'a pas de look particulier.

— Je doute fort qu'un seul de ces individus ait déjà joué dans un musical monté par une église.

— S'ils figurent parmi nos interprètes, ajouta le père Montgomery, leur C.V. doit être agrafé à leur photo.

— Il n'y avait rien d'agrafé à leur photo.

— Bon, conclut Sonya Barnett en rendant les photos, nous voilà confrontés à un petit mystère, dirait-on.

34

La femme de ménage introduisit Cardozo dans le presbytère et l'accompagna jusqu'au bureau de Bonnie Ruskay. La révérende était au téléphone, mais elle invita des yeux Cardozo à entrer.

Il s'occupa en examinant les titres de sa bibliothèque. La moitié des volumes étaient en latin, grec ou hébreu. Ceux en anglais paraissaient n'être que des ouvages d'érudition théologique de poids.

— Veuillez m'excuser.

Elle raccrocha et se leva avec un sourire accueillant.

— Vous devez penser que je suis une épouvantable pipelette. Mais c'était mon frère.

Elle tapota du doigt le cadre de l'une des photos posées sur son bureau. C'était celle d'un homme d'une vingtaine d'années au regard intense, à la barbe noire, aux cheveux et aux yeux noirs. Il entourait de son bras une jeune femme séduisante aux cheveux bouclés.

— Vous et votre frère avez l'air de bien vous plaire ensemble.

— Nous sommes très copains. Mon père est mort, et depuis que je suis devenue épiscopalienne, ma mère et moi nous sommes éloignées l'une de l'autre, alors je compte sur Ben pour me donner des nouvelles de la famille.

Elle lui désigna d'une inclination de tête une pendulette Tiffany Art Déco sur son bureau.

— Ben me l'a offerte pour le premier anniversaire de mon ordination.

— Elle est très belle. Mais elle avance de sept minutes.

— C'est moi qui le veut ainsi. Pour éviter d'être en retard.

Elle le vit arrêter son regard sur la photo encadrée d'un homme blond en costume d'homme d'affaires. Il était coiffé en brosse et assis dans un fauteuil avec deux petits enfants, blonds eux aussi, sur les genoux.

— Mon fils et ma fille.

— De beaux enfants, à les voir.

— Deux diables, mais bien à moi.

— Et le monsieur ?

— C'est leur père. Ernie, mon ex-mari.

— Qui s'occupe d'eux pendant que vous travaillez ?

— Leur père a une gouvernante. Il a obtenu leur garde.

Cardozo tiqua.

— D'habitude, ce n'est pas la mère qui obtient la garde des enfants, quand ils sont petits ?

— Ils sont plus grands à présent. En fait, ils sont pensionnaires à Sainte-Anne. Ils travaillent très bien. On me permet de les voir aux vacances.

— Je ne veux pas être indiscret, mais cet arrangement me paraît bizarre.

— Mon mari et mes enfants sont catholiques. J'étais moi aussi catholique. En me convertissant à l'Eglise épiscopalienne et en devenant prêtre, j'ai détruit un foyer catholique. C'est sur cette base qu'Ernie a obtenu l'annulation de notre mariage.

— Vous m'avez dit que vous étiez divorcée.

— Aussi. Ernie a demandé le divorce parce que seul un tribunal peut vous confier la garde des enfants. La juge était catholique et elle a accordé à Ernie tout ce qu'il réclamait.

La révérende Ruskay sourit, mais Cardozo devina le chagrin immense que dissimulait ce sourire.

— Ce doit être très douloureux pour vous, dit-il.

— Surtout au moment des fêtes qu'on fête en famille, Noël, Thanksgiving, la Journée des Parents à l'école. J'adorerais les passer auprès d'eux. Saint Paul a dit que le but du mariage, ce sont les enfants. C'est l'un des rares points sur lequel je lui donne raison.

Il y détecta une allusion au fait qu'elle désirait changer de sujet.

— A vous entendre, vous n'êtes pas une fan de saint Paul.

Elle effleura de la main les reliures sur une étagère de la bibliothèque.

— Je n'ai pas écrit tout ça parce que j'étais d'accord avec lui. Paul n'était qu'un homo refoulé, qui se dégoûtait lui-même.

Les livres portaient des titres de combat : *Le Serpent et le Graal : anti-féminisme et homophobie dans les Ecritures hébraïques et chez saint Paul ; Aucune ressemblance biologique avec le Sauveur : l'opposition doctrinale du catholicisme romain à l'ordination des femmes ; Le Fils de Dieu était aussi Sa fille ; Hostilité de saint Paul envers les femmes : enquête sur la marginalisation, sanctionnée par la religion, de l'identité sexuelle et du choix de sa sexualité ; Le Prophète de la peur et de l'exécration : ce que saint Paul a vraiment prêché.*

Cardozo la regarda, impressionné.

— Vous avez écrit tout ça ?

— Je plaide coupable.

Ses joues rougirent légèrement.

— Quel est le plus facile à lire ?

— Le plus facile ?

— Pour quelqu'un comme moi.

Elle éclata de rire pour masquer sa gêne.

— Ce sont des ouvrages techniques d'homilétique — ça ne vous intéresserait pas.

— Mais si. Je suis sérieux. Lequel me conseilleriez-vous ?

Elle hésita.

— *Le Fils de Dieu était aussi Sa fille* a eu de bonnes critiques, mais la plupart des librairies n'ont pas de rayon théologie. Il vous faudra aller dans une librairie religieuse.

— Pouvez-vous m'en conseiller une dans le quartier ?

Elle griffonna plusieurs adresses sur un bloc-notes.

— Ce sont de bonnes librairies généralistes, dit-elle en lui tendant la feuille de papier. J'espère que vous pourrez relire mon écriture.

— Elle est très lisible.

Il plia la liste et, ouvrant son portefeuille, la glissa dans l'un des compartiments. Il sortit d'un autre une photocopie du petit mot anonyme.

— Vous reconnaissez cette écriture ?

Elle fixa la page, sans s'apercevoir qu'elle se mordait la lèvre.

— Est-ce que vous me demandez si c'est la mienne ? Puisque vous venez de m'en extorquer un échantillon, à quoi bon prendre la peine de me poser cette question ?

— Je vous demande si vous l'avez déjà vue.

Elle secoua négativement la tête.

— Reconnaissez-vous l'en-tête ?

— Naturellement, c'est celui de l'église.

— Avez-vous de ce papier à en-tête ?

— Oui, bien sûr.

— Je pourrais voir ?

Elle demeura parfaitement immobile. Cependant, elle ouvrit vivement un tiroir du bureau en bois d'érable.

— Vous en voulez combien ?

— Quatre ou cinq feuilles suffiront.

Elle lui tendit cinq feuilles du papier à lettre de l'église. Il les glissa dans une enveloppe de service format commercial.

— Qui d'autre possède de ce papier à en-tête ?

— Le père Joe, mais le premier venu de passage à l'église pourrait mettre la main dessus.

— Est-ce que vous pensez qu'un paroissien a écrit ce mot ?

— Je ne pensais pas aux paroissiens. Mais notre dernière femme de ménage, Olga Quigley, nous a quittés en mauvais termes.

— Elle est partie ou vous l'avez virée ?

— Un peu les deux. Elle déclarait qu'elle devait passer trois soirs par semaine auprès de sa mère malade. On a découvert qu'elle faisait d'autres jobs au noir. Si vous décidez de la rencontrer, n'oubliez pas qu'elle ne nous porte pas dans son cœur.

— Vous avez son adresse ?

— Elle logeait ici dans la chambre de bonne. Je ne sais pas où elle habite maintenant.

— Pouvez-vous me donner son numéro de Sécurité sociale ?

Bonnie Ruskay réfléchit un instant. Elle compulsa plusieurs registres, avant de recopier le numéro.

Il pêcha le morceau de papier dans sa main tendue. Il sentit qu'il l'agaçait.

Il brisa le premier ce silence embarrassé.

— J'ai remarqué que vous n'aviez pas de bible dans votre bibliothèque.

— Mais si.

Elle lui montra du doigt des ouvrages reliés de noir.

— Le Nouveau Testament en grec et l'Ancien en hébreu. Je ne crois pas aux traductions — elles sont plutôt mauvaises. Mais ne nous embarquons pas là-dedans.

Il observait maintenant un curieux instrument fixé au-dessus de la bibliothèque en guise de décoration murale. Il avait tout d'un antique gratte-dos auquel on aurait attaché par erreur des cordes de piano.

— C'est quoi ce machin bizarroïde juste au-dessus du *Serpent et du Graal* ?

— Ça ? Quelque chose que saint Paul en personne aurait pu inventer. Ça s'appelle une discipline.

— Et à quoi ça sert ?

— On s'en flagelle. Les moines s'en servaient au Moyen Age pour réprimer leurs pulsions sexuelles.

— Et vous vous en servez ?

— Le moins possible. Je m'intéresse aux côtés pathologiques du christianisme. Vous me croirez si je vous dis qu'on s'en servait encore au XVIIe siècle — quatre-vingts ans avant la Déclaration d'Indépendance ?

— Rien de ce que font les gens ne me surprend.

Son regard abandonna le petit fouet pour se porter sur une eau-forte encadrée qui avait, elle aussi, l'air ancienne. Elle montrait un prêtre dans la clairière d'une jungle donnant la communion à un groupe d'Hawaïens, couverts de pansements.

— C'est le père Damien, dit-elle. Un chrétien d'une tout autre trempe que saint Paul, et qui a eu malheureusement bien moins d'influence que lui. C'est l'un de mes héros.

— Pourquoi ça ?

— Il s'est rendu dans un environnement hostile et a soigné les lépreux quand personne d'autre ne voulait le faire.

Cardozo se demanda si soigner les gens de la haute était sa façon à elle de l'imiter.

— Le père Damien a attrapé la lèpre, non ?

— Il a considéré que c'était une bénédiction divine.

Une bénédiction, tu parles, se dit Cardozo.

Il remarqua un cochon-tirelire sur l'étagère en dessous de l'eau-forte.

— Vous faites des économies ?

— C'est une antiquité.

Elle la prit et la posa sur le bureau. Un cochon à rayures rouges et blanches coiffé d'un panama, sanglé d'un tablier à étoiles bleues et blanches, se tenait prêt à valser sur une caisse-enregistreuse.

— Vous avez un penny ?

Il lui en tendit un. Elle le glissa dans la fente. Une boîte à musique dissimulée dans la caisse enregistreuse joua un extrait de *Swanee River*. Au dernier tintement, le tiroir s'ouvrit brusquement.

— Parfois, devant toute la misère qui nous entoure, ça fait du bien de voir l'homme consacrer sa créativité à quelque chose d'inoffensif.

Elle prit le penny de Cardozo dans le tiroir et le lui rendit.

— Vous n'êtes pas d'accord ?

— Ou bien la consacrer à quelque chose de beau.

Elle le regarda, intéressée.

— Comme quoi ?

Il ouvrit l'enveloppe de service et en sortit l'étoffe brodée d'or qu'il avait trouvée dans la chambre de Pablo Cespedes.

— A votre avis, qu'est-ce que c'est, une nappe d'autel, un châle ?

Elle la déplia.

— C'est une étole.

— Elle appartient à Saint-Andrew ?

Elle en examina le bord.

— Elle est à nous. C'est notre marque.

Elle lui montra la lettre A à l'encre indélébile dans l'ourlet.

— Comme il y a eu des vols dans le voisinage, la police nous a conseillé de marquer tout ce qui nous appartient.

— Nous l'avons retrouvée dans la chambre du mort.

Elle l'interrogea du regard.

— C'était un voleur professionnel, alors ?

— Il avait un casier de délinquant juvénile. On a découvert sa photo dans le fichier-comédiens du père Montgomery.

La pendulette Tiffany poursuivit son tic-tac en sourdine dans le silence qui se fit soudain.

— Il s'appelait Pablo Cespedes.

— Jamais entendu ce nom.

Cardozo lui montra sa photo. Elle secoua la tête.

— Non, je ne le reconnais pas.

Il lui tendit les quatre autres photos.

Elle les examina lentement l'une après l'autre. Quand elle en arriva à celle de Lomax, son front se plissa.

— Ils étaient tous dans le fichier.

Elle parut tomber des nues.

— Je ne comprends pas. Ce sont tous des fugueurs ?

— On est en train de vérifier.

— Est-ce qu'ils sont...

Elle n'acheva pas sa phrase.

— Morts ? On est en train de vérifier ça aussi. Est-il possible qu'ils aient joué dans l'un des spectacles du père Montgomery ?

— Je ne me souviens pas qu'il m'ait parlé d'un seul d'entre eux. Mais les dossiers sont dans son bureau si vous voulez vous en assurer.

— Ça vous dérangerait de me montrer ?

Les volets étaient tirés dans le bureau du père Montgomery. Elle alluma la lampe de la table de travail. Tandis qu'elle passait en revue les cartes du fichier, il regarda les affiches encadrées du *Boy Friend* et de *Zip Your Pinafore*.

— Ma nièce a joué dans ces deux spectacles.

Bonnie leva les yeux.

— Vraiment ? Et elle était comment ?

— Je ne sais pas. Je ne les ai pas vus.

— Moi non plus. Ils ont été montés avant mon arrivée ici.

Elle referma le Rolodex. Un pli lui barrait le front.

— Aucun de ces jeunes n'a joué dans l'un ou l'autre des spectacles ni même fait partie des équipes techniques — il n'est nulle part fait mention d'un seul de ces noms.

Cardozo la regarda replacer les fichiers dans leur tiroir. Ses mouvements étaient calmes et précis.

— Pourrais-je avoir du papier à en-tête du père Joe ? demanda-t-il. Rien que pour comparer.

— Cinq feuilles ?

Elle ouvrit le tiroir du milieu du bureau et les préleva sur une pile bien rangée.

Cardozo glissa les feuilles dans son enveloppe, à l'envers pour savoir quoi était à qui.

— Encore une chose. Y avait-il un jeune homme qui vivait avec le père Joe ?

Elle lui lança un coup d'œil.

— De temps en temps, le père Joe prêtait la chambre d'amis à des jeunes en difficulté, et qui en avaient besoin.

— Mais pas à l'un de ces jeunes en particulier ?

— Que voulez-vous me faire dire, lieutenant ?

— Est-ce que le père Joe est bisexuel ou gay ?

A partir de cet instant-là, son regard devint incendiaire.

— Le père Joe est l'un des plus chrétiens ministres de l'Evangile que j'ai eu le plaisir de connaître, c'est-à-dire l'un des plus bienveillants, des plus concernés, des plus aimants, des plus intègres. Sur le plan social — peut-être est-ce de la perversité —, il aime tous les êtres humains, et se met en quatre pour eux ; mais sur le plan moral, c'est exactement ce que le Christ a prêché.

Elle referma le tiroir du bureau et se leva.

— Pour ce qui est du sexe et de la sexualité, le père Joe est célibataire. Il a prononcé des vœux. Il n'y a là aucun secret. Il a même écrit un article à ce sujet pour...

Elle s'interrompit, comme si le son de sa propre voix la faisait sursauter.

— Excusez-moi. Je n'avais pas l'intention de vous sermonner.

— C'est moi qui m'excuse de l'avoir mérité.

L'instinct soufflait à Cardozo de ne pas s'arrêter en si bon chemin.

— Si je comprends bien, le père Joe invitait quelquefois d'étranges individus au presbytère.

— Comment ça étranges ?

— Des brutes.

— Vous voulez dire des individus grossiers ?

— Dangereux, je veux dire.

— Qui vous a raconté ça ?

— Un témoin.

— Le père Joe porte témoignage du Christ dans une époque déchristianisée. C'est une figure controversée. Je suis convaincue que vous pourriez dénicher des personnes qui jureraient qu'il se livre à des sacrifices d'animaux.

— J'en suis conscient. Mais tout de même, est-il impossible qu'il ait invité le mort, que la rencontre ait viré à l'aigre et que le père Joe se soit défendu ?

— Etes-vous en train de me dire que le père Joe a provoqué son agression ? Qu'il ne l'a pas volée ?

— Je ne parle pas de l'agression dans le parc, mais de ce qui est arrivé à Pablo Cespedes, ici au presbytère.

— L'accident qui s'est produit ici ne serait pas arrivé si le père Joe n'avait pas été malmené si stupidement, si absurdement, dans le parc.

— Le problème, c'est qu'il n'a pas signalé cette agression. Il n'y a aucune trace.

Son regard affronta le sien avec franchise.

— Trace ou pas trace, c'est arrivé. Le père Joe ne ment pas.

— Je ne l'accuse pas de mentir. Mais il lui faut prouver cette agression pour justifier qu'il ait tendu sa souricière. Dans le cas contraire, il s'est rendu coupable d'un meurtre.

Elle soupira en secouant la tête.

— C'est terriblement injuste. Le père Joe n'a jamais fait de mal volontairement à aucun être humain de toute sa vie, pas même en état de légitime défense.

— Alors vous ne verriez pas d'objection à ce que je prélève des cheveux sur la brosse de la chambre d'amis ?

Elle l'observa avec une attention accrue.

— Pourquoi ça ?

— Pablo Cespedes a prétendu qu'il passait la nuit chez un ami du nom d'Andy. Impossible de mettre la main sur cet Andy. Ce qui fait que je me demande si ce ne serait pas par hasard le nom d'une église.

— Vous pensez que Pablo Cespedes dormait ici ?

— J'aimerais bien écarter cette possibilité.

Ses yeux étaient rivés aux siens.

— Bien. Prenez ces cheveux. En fait, je vous le demande. Ils ne prouveront que mieux l'innocence du père Joe.

35

T enant la lettre par un coin, Cardozo la posa sur la table de travail métallique. LES FUGUEURS ASSASSINES SONT DANS LA BOITE A CHAUSSURES DU BUREAU DU PERE JOE.

A droite, il en plaça une seconde, dont le papier jauni s'était gondolé et l'encre avait viré au gris pâle. Mais les mots étaient encore clairement lisibles : « Sally, tu fais ça si divinement — le Ciel soit loué pour les petites filles aussi douées ! Joe. »

A gauche, il mit la liste manuscrite des librairies religieuses de Bonnie Ruskay.

— J'ai deux questions. Primo : est-ce la personne qui a écrit cette liste, ou celle qui signe Joe, qui a écrit la lettre anonyme ?

Des machines murmuraient dans le silence amorti du labo. Lou Stein se pencha en avant sans le moindre commentaire, mais en faisant glisser ses lunettes sur le bout de son nez.

Cardozo empila les cinq feuilles du papier à en-tête de Saint-Andrew sur la table, côte à côte avec cinq autres feuilles de papier à lettre. Ce second groupe était marqué d'un petit X au bas.

— Deuzio. Peux-tu me dire si le papier employé pour la lettre anonyme est le même que celui de l'un de ces deux tas ?

— Ça devrait pas me prendre longtemps pour établir si le papier à en-tête est le même — ou non. Par contre, je fais pas d'analyse graphologique, mais je vais envoyer tout ça à Marge Bonaventura. C'est une bonne et une rapide.

Lou abaissa la lampe d'architecte.

— Ce sont tous des droitiers.

Quelque chose laissa échapper un couinement suraigu. Lou le dévisagea.

— T'as une souris dans ta poche ?

Cardozo arrêta son bipeur.

— Je peux utiliser ton téléphone ?

Lou lui montra le bureau de la tête.

Cardozo appela le commissariat. Ellie était tout excitée.

— Je viens juste d'avoir le Fichier national des jeunes fugueurs et des enfants portés disparus. Lomax et Gilmartin n'y figurent pas.

— Et ?

— Vegas et Wills non plus.

Il se demanda s'il avait bien entendu.

— *Aucun* d'entre eux n'y figure ?

— C'est ça.

— Ellie, pourquoi me filer un coup de bipeur pour ça ?

— C'est fou comme ton obstination te mènera loin. Je leur ai demandé de revérifier. Et il est apparu que Richie Vegas et Wally Wills y avaient figuré tous les deux *antérieurement*.

— O.K. Ce qui signifie qu'ils ont été barrés de la liste.

— C'est ça.

— Ce qui signifie qu'ils ont dû réapparaître.

— Ici même à New York.

— Et ?

— On les a retrouvés morts. Assassinés.

— Merde.

— Pour Wills, l'enquête a été menée par un certain Mort Kandelaft, inspecteur dans le Queens.

Cardozo fouilla dans sa mémoire.

— Je le connais pas.

— Pour Vegas, elle a été menée par l'inspecteur Fred Huck, ici à Manhattan.

— Appelle Kandelaft, dit Cardozo. Tout de suite. Moi, j'appelle Huck.

Il remit le récepteur en place. Quand il se retourna, Lou était penché sur la table de travail, une petite loupe carrée collée à l'œil.

— La liste a été écrite par une femme.

— Sans commentaires, fit Cardozo.

— Pas la peine. C'est évident à cause de l'épaisseur des verticales. Je dirais même plus, une femme pressée.

Lou déplaça la lampe vers la droite.

— La lettre anonyme est de la main d'un homme.

Cardozo sortit un sachet à mise sous scellés de sa poche.

— Rends-moi encore un service.

Lou tendit la main.

— Demande et tu seras exaucé.

Il exposa le sachet plastique à la lumière.

— Blanc, un peu moins de vingt ans.

— J'ai besoin de savoir si ces cheveux correspondent à ceux de Pablo Cespedes.

— Et fixé tu seras, fit Lou en souriant.

— J'aimerais vous poser des questions sur un meurtre dont vous vous êtes occupé il y a trois ans de ça, dit Cardozo, celui d'un ado fugueur.

— Ravi d'être utile.

L'inspecteur Fred Huck lui tendit la main. C'était un homme grand, à l'air affable, et dont la tignasse blonde grisonnait. Il fit signe à Cardozo d'entrer dans son bureau.

La pièce étroite portait des signes des restrictions budgétaires de la municipalité — la peinture vert soupe de pois se gondolait sur les murs légèrement encrassés, du carton et du scotch remplaçaient un carreau cassé de la fenêtre. Des montagnes de paperasses recouvraient le bureau.

— Le nom du gosse, c'était Richie Vegas.

Cardozo prit une chaise et tendit à Huck la photo du garçon.

— Vous l'avez trouvé dans Tompkins Park.

Fred Huck examina la photo calmement, l'air inexpressif. Puis soudain, il claqua des doigts.

— Deux semaines avant Noël. En pièces détachées, dans une glacière.

Cardozo resta impassible.

— Vous avez classé l'affaire ?

— Je crois, faut que je retrouve le dossier.

Fred Huck revint six minutes plus tard, porteur d'une mince chemise maintenue par deux élastiques.

— Désolé d'avoir mis si longtemps. Il y a un de ces bordels dans les dossiers par ici. Une moitié est sur le fichier central et l'autre moitié est perdue.

Il s'assit à son bureau et fit sauter les élastiques.

— Avec tous ces ados qui tuent pour se payer une paire de baskets, pas étonnant qu'il y en ait un qui ait morflé pour les autres.

Huck se mit à feuilleter les pages.

— On a découvert le corps le 10 décembre. Date approximative de la mort, première semaine de novembre. Identifié après voir passé ses dents aux rayons X, le 18 février suivant. On a rendu le corps à ses parents le 21 février.

— Je me souviens pas d'avoir lu quelque chose là-dessus, dit Cardozo. La presse en a parlé ?

— Il y a eu un reportage aux infos d'une télé locale. Le D.A. désirait qu'on donne pas tous les détails de l'affaire aux médias, donc on ne leur a pas communiqué que le corps avait été découpé en morceaux. La seule chose que nous ayons rendue publique, c'est la glacière.

— Un grand conteneur en polystyrène ?

Huck fit oui de la tête.

— Nom de la marque, Polypicnic. Fabriqué à Kalamazoo.

— Vous avez le descriptif des lieux du crime ?

— Bien sûr.

— On a retrouvé un bouquet près de la sépulture ?

Huck lança à Cardozo un regard éberlué.

— Un bouquet ?

— De fleurs fanées, une douzaine environ, attachées par du fil rouge.

Huck parcourut le descriptif.

— A vrai dire, il y avait une botte de fleurs fanées. On ne fait pas allusion à du fil.

— Les auriez-vous gardées par hasard ?

Huck secoua la tête.

— Il n'y a pas de référence indiquée ici. Je pense que non.

— Quand avez-vous classé l'affaire finalement ?

— Sur un coup de pot, en mai de l'année dernière. L'assassin a avoué. Un père de famille. Un analyste des contrats à terme de chez Salomon Brothers. Un vrai Dr Jekyll et Mister Hyde du nom de Martin Barth.

— Les restes du corps de Wally Wills ont été retrouvés le 3 mars, il y a deux ans de ça, dans une glacière en polystyrène sur l'ancien emplacement de la Foire internationale.

Ellie, assise sur la chaise à dossier droit, résumait le contenu du dossier de l'inspecteur Mort Kandelaft d'une voix calme, sans la moindre trace d'émotion.

— Des résidus d'une substance style pain azyme adhéraient au palais. Date approximative de la mort, milieu du mois de janvier précédent. Pas de bouquet sur la tombe.

Cardozo bascula sur sa chaise pivotante.

— Ce qui ne veut pas dire qu'on n'en ait pas laissé un.

Ellie approuva du chef, lui concédant ce point.

— Pour ne pas rendre publiques toutes les informations, on n'a pas divulgué la présence de pain azyme aux médias. Pas plus que le détail de la glacière en polystyrène.

— Dans ce cas-là, ils n'ont pas divulgué le détail de la glacière. Dans celui de Vegas, ils n'ont pas divulgué le démembrement.

Cardozo joignit les doigts, comme s'il priait.

— Qui en a décidé ainsi ? Kandelaft ou le bureau du D.A. ?

— Kandelaft a suivi les ordres du bureau du D.A. L'affaire a été classée au printemps dernier — le 12 mai. L'assassin a avoué : il a déclaré avoir emmené Wills dans une usine d'emballage de viande, où il l'a sodomisé et tué.

Le silence se fit, puis une bouffée de friture radio P.T.P. envahit la salle de garde.

— Et qui était cet assassin ?

Ellie tendit le dossier à Cardozo.

— Un analyste du marché à terme de Wall Street du nom de Martin Barth.

Cardozo flanqua un grand coup de poing sur le bureau, faisant sauter le cadre de la photo de Terri à six ans.

— Barth a avoué le meurtre de Wills. Il a avoué celui de Vegas. Idem pour celui de miss Glacière. Ce sont tous de jeunes fugueurs de race blanche, on les a tous attirés dans une usine d'emballage de viande, découpés en morceaux et abandonnés dans un jardin public dans une glacière de pique-nique en polystyrène. C'est la même façon d'opérer dans tous les cas, ça crève tellement les yeux qu'un gosse de dix ans s'en apercevrait. Je peux pas croire que personne n'ait fait le rapprochement. Et pourquoi n'y a-t-il pas eu au moins une réaction de la presse ?

— Les détails n'ont pas été divulgués.

Ellie haussa les épaules.

— Ce sont les dispositions réglementaires. Dans ce cas, ça signifie que les médias n'ont pas eu assez de matière pour faire le rapprochement qui s'imposait entre tous ces meurtres. J'aimerais bien pouvoir trouver une explication, mais je comprends pas comment les choses fonctionnent de nos jours. Avant tout, parce qu'elles ne fonctionnent pas.

Cardozo feuilleta à toute vitesse les documents.

— Vêtements pliés avec les cadavres, fibres acryliques grises collées aux vêtements, résidus d'encens imprégnant les vêtements — rien de tout ça n'a été communiqué aux médias.

— Ça, tu n'en sais rien, Vince.

— Tu l'as lu dans les journaux ? Tu l'as entendu à la télé ? Parce que moi, bordel de merde, j'ai rien lu rien entendu. La cire de bougie sur le torse, les fragments de cuir aux poignets, les fragments de cuir aux chevilles, les résidus de cocaïne sur les traces de piqûre, les traces d'azido, d'azido truc-machin-chose dans le foie de Vegas et de Wills....

— Azidofluoramine.

— Merci. Pourquoi le bureau du D.A. n'y a vu que du feu ? Pourquoi trois meurtres identiques ont-ils été confiés à trois inspecteurs différents ?

— O.K., quelqu'un a merdé. Ce sont des choses qui arrivent.

— La seule explication à tout ça, c'est que quelqu'un a merdé exprès.

Ellie, jambes croisées, se contenta de faire lentement des cercles avec son pied. Traduit en langage du corps, ça donnait : *Fais gaffe, lieutenant. T'es à deux doigts de péter les plombs.*

— Cette ville est la capitale mondiale du crime. On n'est pas regardant à un détail près.

— Ce ne sont pas des détails.

Cardozo sentit la colère lui vriller le ventre comme la roulette d'un dentiste.

— Et on va y regarder de près à partir de maintenant.

Vince Cardozo et Pierre Strauss étaient assis l'un en face de l'autre sur des sièges capitonnés. Cardozo n'avait pas fait tout ce chemin pour parler à l'avocat de Martin Barth. Mais Strauss se tenait là raide comme la justice, drapé dans sa vertu, un mur.

— Quand avez-vous rencontré Wally Wills ?

C'était la septième fois que Cardozo posait une variante de la même question.

— J'interdis à mon client de vous répondre.

La fenêtre du parloir des V.I.P. à Dannemora était orientée à l'ouest. Derrière Strauss, Martin Barth regardait fixement le soleil se coucher sur les montagnes.

— Quand avez-vous rencontré Richie Vegas ?

— J'interdis à mon client de vous répondre.

— Quand avez-vous rencontré Wally Wills ?

— J'interdis à mon client de vous répondre.

— Comment les avez-vous décidés à vous suivre ? Vous les avez invités à prendre un pot, à dîner ? Vous leur avez proposé du fric, de la drogue, ou quoi ?

— J'interdis à mon client de vous répondre.

— C'étaient que des gosses, Marty. A peine plus âgés que les tiens. Pourquoi tu les as tués ?

— J'interdis à mon client de vous répondre.

Martin Barth se mit à faire les cent pas. Il portait un bleu de la prison, et Cardozo voyait clairement qu'un an et demi à Dannemora l'avait remplumé. Barth s'arrêta à hauteur de la table, près de la chaise de son avocat. Il y prit un paquet de Marlboro light et en fit tomber une.

— C'est votre troisième paquet, Marty.

Strauss lui donna du feu.

— Les cigarettes vous tueront.

— T'as pris ton pied, Marty ?

Strauss soupira.

— J'interdis à mon client de vous répondre.

Derrière ses lunettes à monture de corne, les yeux de Martin Barth n'arrêtaient pas de revenir se poser sur la porte. A l'extérieur, l'épaule bleue du gardien s'appuyait au panneau de verre.

Si je pouvais seulement tenir ce mec entre quatre-z-yeux.

— Comment tu prends ton pied maintenant, Marty ?

T'aimerais que je t'envoie quelques cartouches de Marlboro light ?

— Mon client n'a nul besoin de cigarettes. Ni que vous outrepassiez vos prérogatives.

— Je reste à l'intérieur de mes prérogatives.

— Arrêtez vos conneries. Où est votre autorisation pour cet interrogatoire ? Ces affaires sont closes. Merde, quel est l'objet de cette enquête ?

— Ça me regarde.

Les cheveux se dressaient sur la tête de Strauss comme des tortillons de meringue sur une tarte mal cuite.

— Il se trouve que ça me regarde aussi.

— Martin Barth a fait des déclarations, à moi et à deux autres inspecteurs de la criminelle de New York. J'ai le droit de clarifier ces déclarations.

— Vous n'avez aucun droit de poser des questions sur Vegas et Wills. Mon client n'a jamais été inculpé pour ces crimes.

— A d'autres, il a avoué.

— Rien n'oblige mon client à s'incriminer lui-même.

— Nom de Dieu ! Ce sont ses aveux qui ont fait classer ces putains d'affaires !

— Alors tout ce que mon client a à dire sur le sujet figure déjà dans les dossiers du District Attorney. Ce sera la conclusion de cet entretien.

Pierre Strauss entraîna Martin Barth en le tirant par le bras.

— Venez, Marty. Nous n'avons plus rien à faire ici.

36

— **D**epuis hier au soir, 7 heures et demie, j'ai reçu huit coups de fil de Pierre Strauss.

Le visage congestionné, en sueur, Harvey Thoms exsudait la nervosité.

— Il a pété les plombs ou quoi ?

— Vous êtes meilleur juge que moi en la matière.

Cardozo dégusta une dernière bouchée de steak.

— Vous avez été plus souvent en rapport avec Maître Strauss que moi.

Dans le restaurant aux lumières tamisées et tout en miroir, le murmure des hommes d'affaires faisait un bourdon continu. Thoms se recula pour laisser le serveur enlever son assiette. Il n'avait mangé que la moitié de ses œufs d'alose.

— D'après Strauss, vous les avez harcelés, lui et son client.

— Je voulais simplement passer dix minutes avec Martin Barth.

— Strauss prétend que vous avez essayé de coller sur le dos de Barth tous les crimes de fugueurs commis depuis trois ans. Que vous êtes allé déterrer des affaires sans aucun rapport.

— Les meurtres de Richie Vegas et de Wally Wills ont des rapports très étroits. Vous pouvez même les qualifier de siamois.

— Des rapports étroits avec quoi ?

— L'affaire miss Glacière.

Thoms se tut un instant, puis...

— Cette affaire est classée depuis plus d'un an.

— Laissez-moi finir.

— Vous me laissez le choix ?

Thoms alluma une Benson & Hedges à bout filtre.

— Passons en revue les points communs, dit Cardozo, comptant sur ses doigts. Trois adolescents blancs fugueurs, découpés en morceaux, abandonnés sur un lieu public dans une glacière en polystyrène du même modèle. Des fibres de moquette acrylique de couleur grise et de l'encens, identiques en tous points, sont retrouvés sur les vêtements des victimes.

Thoms exhala un rond de fumée, puis un second.

— Vous vous exprimez comme le rédacteur des titres de la une de l'*Enquirer*. Tout ça c'est de la merde, et vous le savez très bien — des coïncidences, sans aucun lien.

— Neuf points communs entre deux des trois victimes. Primo, présence d'alcool et de cocaïne dans le sang.

— Putain, Vince, c'est d'un banal !

— Mais six de ces points sortent de l'ordinaire : on a découvert une substance genre pain azyme dans la bouche de tous les trois. Leurs pieds et leurs poignets ont été attachés par des lanières de cuir. Les victimes portent des traces de coups, ce qui prouve qu'elles ont été battues.

La colère accentua les rides d'Harvey Thoms.

— Bon Dieu, Vince, si vos raisons pour aller rechercher Martin Barth après tous ces mois tiennent à des boulettes de pain azyme et des lanières de cuir...

— On leur a brûlé l'épiderme avec de la cire. On leur a injecté de la cocaïne, ils ne l'ont ni sniffée ni fumée — on la leur a *injectée*. Et il y a enfin une similitude à des années-lumière de toute coïncidence : des traces d'azidofluoramine dans leur foie.

— Bordel de merde, c'est quoi l'azido...

— Un médicament contre l'angoisse panique. La F.D.A. a donné son autorisation pour qu'on le teste mais on ne le trouve pas sur le marché.

Harvey Thoms se mit à marteler de ses lunettes à double foyer la nappe de lin blanc.

— Que l'on tienne compte d'un seul de ces points ou qu'on les additionne tous, le résultat n'aboutit pas à une affaire. Pas au sens que le D.A. donne à ce terme.

— J'ai gardé le meilleur pour la fin.

Cardozo attendit que le serveur ait débarrassé la table et apporté le café.

— Martin Barth a avoué avoir commis ces trois crimes.

Le visage d'Harvey Thoms ne trahit pas la moindre réaction.

— Qui dit ça ?

— Les inspecteurs chargés de ces affaires.

— J'y crois pas, putain. Barth dit qu'il a tué *les trois* ? Donnez-moi les numéros de référence de ces affaires.

— Vous ne trouverez pas trace de ses aveux. J'ai vérifié. Il n'y a rien dans l'ordinateur.

Thoms jeta sa serviette.

— O.K., vous n'avez rien. Vous avez mis Strauss en pétard, et allez foutre mon bureau dans un sacré merdier pour rien.

— Les aveux de Barth concernant miss Glacière ne figurent pas non plus dans l'ordinateur.

Thoms fusilla Cardozo d'un regard qui, comme un poing levé, lui intimait de ne pas aller plus loin.

— Merde, que me dites-vous là ? Où voulez-vous en venir ? Vous pensez que Barth a trafiqué le réseau informatique du Département de la Justice ?

— Je ne suis pas certain que Barth ait tué ces gosses.

— Nous avons déjà parlé de tout ça, il y a un an et demi.

En cet instant précis, le regard de Thoms parut se focaliser sur un point bien au-delà des murs-miroirs du restaurant.

— Pourquoi aurait-il avoué ?

— Pour faire classer les affaires.

— Pourquoi s'en soucierait-il ?

— Quelqu'un d'autre s'en soucie à sa place.

— Qui est ce quelqu'un ? Qui Barth aide-t-il ? Et pourquoi l'aide-t-il ?

— Je n'ai pas encore toutes les réponses.

Cardozo remua son café.

— Mais nous avons retrouvé la photo de trois gosses morts dans le fichier du père Montgomery, Vegas, Wills et le prétendu cambrioleur, Pablo Cespedes.

L'atmosphère entre Cardozo et Thoms se chargea soudain d'électricité.

Un léger sourire tordit la bouche du D.A. adjoint.

— Exactement comme le disait la lettre anonyme.

Thoms, raide comme un piquet, glissa jusqu'à l'extrémité de sa chaise.

— Alors vous êtes persuadé que Montgomery se cache derrière tous ces meurtres.

— Il y a un an et demi, vous ne vouliez pas en entendre parler.

— Il y a un an et demi, j'ai pu me tromper. Je pourrais me tromper maintenant. Vous aussi.

— En ce moment même, une équipe d'inspecteurs vérifie les autres noms de ce fichier. Il se pourrait qu'il y ait d'autres morts ou disparus parmi eux.

— Ça pourrait être Montgomery.

Le visage de Thoms s'empourpra.

— On pourrait l'inculper. La date à laquelle il a tendu ce piège n'est pas un fait établi. Ce n'est pas non plus un fait établi qu'il ait été agressé dans le parc trois semaines avant l'effraction.

— Il n'y a pas eu effraction.

Ils ne baissèrent les yeux ni l'un ni l'autre.

— Eh, fit Thoms en claquant des doigts. Voyons les choses comme ça : Montgomery invite ce gosse, Cespedes, au presbytère. Il le drague, essaie de le droguer et d'avoir des rapports sado-maso avec lui, mais le gosse disjoncte. Dans la bagarre qui suit, Montgomery est aveuglé et le gosse tué.

Thoms leva sa tasse de café.

— Ce genre de scénario est présentable devant une chambre de mise en accusation.

Cardozo se dit que c'était une excellente occasion de la boucler. Il leva sa tasse.

Ils entrechoquèrent leurs deux tasses.

Thoms avala pensivement une longue gorgée.

— Qui est l'auteur de la lettre anonyme ?

— Nous n'avons pas encore le résultat de l'analyse graphologique.

— Vous savez ce qui serait magnifique — si c'est son assistante, cette femme prêtre, qui l'a écrite, si elle sait ce qu'il a fait et si elle est prête à manger le morceau.

C'était moins qu'une affirmation et plus qu'une question.

— Qu'en pensez-vous ?

— Ce sera dur de faire témoigner la révérende Ruskay contre le père Montgomery. Impossible, peut-être.

— Pourquoi ça ?

— Elle a pour lui une véritable vénération.

— Pablo était O.K.

Sy Jencks ouvrit le dossier portant la mention « Cespedes, P. ». Il étala plusieurs feuillets sur son bureau et les examina. Il avait l'expression vacharde d'un instructeur de Marines, cheveux grisonnants coiffés en brosse.

— Pablo était ce que le système de mise à l'épreuve des jeunes délinquants considère comme un bon pari sur l'avenir. Il ne manquait jamais un rendez-vous. Depuis sa libération, il ne touchait pas à la drogue, à ce qu'on sait. Il n'avait pas de mauvaises fréquentations, à ce qu'on sait. Il n'avait commis aucun délit, à ce qu'on sait.

Le stylo-bille de Cardozo courait sur les feuillets de son bloc-notes. Il en tourna un vivement.

— Il suivait une thérapie au sein d'un projet subventionné par la municipalité, intitulé opération Seconde Chance. Et à ce qu'on sait, il se comportait bien, là aussi.

Cardozo releva la tête.

— L'opération Seconde Chance, c'est cette organisation qui s'occupe de réhabiliter les jeunes délinquants ?

— Tous ceux dont je m'occupe vont là.

Il y eut une pointe d'ironie amusée dans les yeux marron clair de Sy Jencks.

— Ils y sont obligés. C'est la loi.

— Et d'après vous, Pablo évitait les ennuis — à ce que vous en savez.

Jencks repoussa sa chaise pivotante et leva les yeux au plafond. Les murs de son bureau étaient peints dans un gris industriel que les tubes de néon teintaient d'un vert pâle vacillant.

— Pablo était l'une de nos vedettes. Compte tenu des statistiques, il paraît très peu probable qu'un Pablo ait viré au cambrioleur. Il n'avait pas le profil. Ce n'était pas un gamin antisocial ni un gosse violent.

— Quel genre de gosse c'était ?

— Je dirais qu'il était créateur, cherchant une solution pour s'en sortir ; pour me servir d'un vieux cliché, un solitaire écorché vif. Bien sûr, il avait les manières de la rue, mais ça n'allait pas chercher loin. Au tréfonds de son cœur, Pablo avait une trouille bleue de la rue.

— Il était en liberté surveillée suite à quoi ?

— Il est entré par effraction dans un magasin et a volé une guitare. Qui dit mieux ? Une connerie de guitare. Et il n'était pas doué comme voleur. Huit personnes ont entendu l'alarme et vu ce gamin maigrichon s'enfuir avec une guitare. Les flics l'ont rattrapé en cinq sec.

Jencks haussa les épaules. Il avait dû épaissir depuis qu'il avait acheté sa chemise écossaise, car les boutons se fermaient avec difficulté.

— Premier délit.

— Que sait-on de l'ami avec lequel il a passé sa dernière nuit, cet Andy ?

Le téléphone noir sur le bureau émit une série de sonneries perçantes. Jencks attendit que ça s'arrête, puis décrocha et laissa le récepteur posé sur le bureau.

— Pablo n'a jamais fait allusion à un Andy devant moi.

— Alors s'il n'était pas dans sa famille d'accueil, où a-t-il passé la nuit ?

— Où passent-ils tous la nuit ? Dans la rue.

Une colère et une tristesse immenses paraissaient contenues dans la voix de Jencks, à deux doigts de l'explosion.

— Ou bien ils extorquent un lit auprès d'un amateur de chair fraîche, en michetonnant.

— Est-ce que Pablo a déjà cité le père Joe Montgomery de l'église de Saint-Andrew ? Ou la révérende Bonnie Ruskay ?

— Non, pas devant moi.

— Le père Montgomery fait partie du conseil d'administration de l'opération Second Chance. Il est possible que Pablo l'ait rencontré là.

— Tout est possible, mais Pablo ne m'en a jamais parlé.

— Et d'amateurs de chair fraîche, il vous en a parlé ?

Jencks secoua la tête.

— J'étais son agent de probation, pour moi il devait marcher droit et se tenir à carreau. Si un truc comme ça se passait, il pouvait en parler à sa psy. Ce qui se dit en séance est confidentiel.

— Et qui était sa psy ?

— Paula Moseley, de l'opération Seconde Chance.

— La *fameuse* Paula Moseley ? La femme de Douglas Moseley ?

— Vous avez rencontré cette salope, je me trompe ?

37

Cardozo colla son macaron N.Y.P.D. sur le pare-brise et sortit de la voiture.

Au-dessus de la circulation fluide de la 80ᵉ Rue Est, le quartier général de l'opération Seconde Chance miroitait comme un mirage de la Renaissance. Une plaque de bronze près de l'entrée disait que la résidence avait été édifiée, et anciennement occupée, par les Astor. A l'intérieur, Cardozo découvrit qu'ils avaient abandonné derrière eux lustres et statues de marbre.

Un jeune homme l'escorta jusqu'à un petit ascenseur qui l'amena jusqu'au bureau de Paula Moseley, à l'étage.

Elle le reçut toute hospitalité dehors.

— Quelle joie de vous revoir, Vince.

— C'est une joie partagée, madame Moseley.

— Je vous en prie, appelez-moi Paula.

Il jeta un regard circulaire sur la pièce aux hautes fenêtres, et à ses lithos signées de Jasper Johns.

— Magnifique, votre bureau.

— Merci. Je crois que l'endroit où l'on travaille doit être comme un autre chez-soi. Ça met les patients à l'aise.

Cardozo essaya de s'imaginer des gosses de la rue déballant tripes et maux dans un fauteuil de trois mille dollars fabriqué sur commande et tout droit sorti de la rubrique Votre Intérieur du *New York Times*. Il se demanda quelle subvention municipale avait meublé le bureau de Paula Moseley. Quel bureaucrate de beau-frère avait empoché les cent pour cent de marge et les vingt pour cent de pot-de-vin.

— J'ai quelques questions à vous poser au sujet de Pablo Cespedes.

— Ah oui, ce pauvre Pablo. Ne voulez-vous pas vous asseoir ?

Ils s'installèrent dans des fauteuils près de la fenêtre. Il sentit que le compte à rebours était déclenché, que c'était une façon pour elle de tuer le temps avant l'arrivée de son prochain patient.

— Pablo a été tué en pénétrant par effraction dans le presbytère de Saint-Andrew.

La surprise se peignit admirablement dans ses grands yeux verts.

— Je n'avais aucune idée des circonstances de sa mort. Cela m'étonne, Pablo n'avait rien d'un criminel.

Cardozo lui demanda si elle connaissait une liaison à Pablo.

— Je suis sûre qu'il menait une vie sexuelle active, mais il ne m'a jamais parlé d'une liaison particulière.

— Est-ce qu'il se prostituait auprès des hommes ?

— Il se montrait plutôt ouvert avec moi et il n'a jamais fait allusion à quelque chose de ce genre. Il m'a bien parlé une fois de triolisme, avec un homme et une femme. Ça m'a paru un peu louche. L'homme était en relation avec le show-biz. Pablo écrivait des chansons qu'il interprétait. Cet homme devait soi-disant l'aider à s'introduire dans le milieu de la télé et des clips vidéo.

Paula se tut. Elle feignait également à la perfection l'attitude pensive.

— En fait, lors de notre dernière séance, Pablo m'a dit qu'il attendait de passer une audition devant cette personne.

— Est-ce que l'homme en question pourrait être le père Joe Montgomery ?

— Impossible, fit Paula Moseley, les yeux étincelant d'indignation. Le père Joe est un homme d'une absolue intégrité morale. Je peux en attester.

— Pablo connaissait-il le père Montgomery ?

— J'en doute fort.

— Ne peut-il y avoir une possibilité ? Le père Joe faisait partie du conseil d'administration, Pablo venait recevoir ici une assistance socio-psychologique.

— Le père Joe ne venait jamais ici. Il est peu probable que son chemin et celui de Pablo se soient croisés.

— Pablo a-t-il fait allusion devant vous à la révérende Bonnie Ruskay ?

— Jamais. Je doute qu'il l'ait connue.

— Vous racontait-il beaucoup de choses sur lui-même ?

— Pablo était un jeune homme étrange, extrêmement intelligent, drôle, charmant. Il avait d'énormes potentialités. Il avait compris que le processus thérapeutique repose sur une confiance réciproque et, pour répondre à votre question, oui, il m'avait confié tout ce qu'il y avait à savoir sur lui ou presque.

— Il se droguait ?

— Absolument pas. Depuis son procès, il était clean, n'y touchait plus.

A la lumière de cette réponse et de la présence de drogue qu'avait révélée l'autopsie de Pablo, Cardozo était forcé de se demander jusqu'où allait la connaissance que Paula Moseley avait de ses patients.

Une sonnerie retentit.

— Je vous prie de m'excuser. Mon prochain patient vient d'arriver. Vous recevoir m'a fait un immense plaisir. Nous pourrons continuer cet entretien une prochaine fois.

— Bien sûr, dit Cardozo en se levant. Une autre fois.

Cardozo, assis à son bureau en manches de chemise, faisait la grimace. Sur un petit écran de télé, Pablo Cespedes gratouillait une guitare qu'il n'avait pas pris la peine d'accorder. Sourire fendu jusqu'aux oreilles, toutes rouflaquettes dehors, il psalmodiait « Je suis Dieu, je suis Dieu, Dieu est en moi... ».

— C'est quoi ce boucan ? demanda Ellie, du pas de la porte.

— Tes impôts qui travaillent. Pablo Cespedes interprétant ses œuvres. Apparemment, il croyait pouvoir trouver des bailleurs de fonds pour financer un numéro de cabaret.

— Ben, c'est une alternative au braquage des marchands de guitare.

— A peine. Et si tu trouves ça épouvantable...

Cardozo arrêta la cassette vidéo et en glissa une autre dans le magnétoscope...

Une image apparut sur l'écran : le père Joe Montgomery travesti, boa autour du cou, en fourreau de peau de serpent, coiffé d'une perruque de Marilyn, chantait *Anything Goes*. Des plans de coupe montraient un Phil Donahue portant lunettes et affichant un sourire tolérant, qui arpentait micro en main les rangs d'un public de studio essentiellement féminin.

Ellie, frappée de stupeur, ouvrit de grands yeux.

— Merde, qu'est-ce qu'il foutait chez Donahue ?

— De la promo pour l'un de ses spectacles, en éduquant les foules sur le travestisme — les bonnes œuvres habituelles d'un chrétien.

Ellie parut succomber à une espèce de fascination. Elle plaça la chaise au dossier droit face à l'écran, s'assit et regarda. Comme si elle voulait disséquer le moindre mouvement de perruque ou du poignet, le moindre déhanchement.

— Tu sais que le plus effrayant, c'est qu'il est pas mauvais.

— Tu as parfaitement raison. *Mauvais*, c'est pas le mot.

Cardozo mit fin au spectacle.

— Comment une femme intelligente comme Bonnie Ruskay peut-elle se laisser avoir par lui ?

Ellie l'observa pensivement. Un cristal de silence parut se former dans l'air, puis se briser.

— Tant qu'on en est au chapitre de la révérende Ruskay, j'ai pris connaissance du dossier de Sécurité sociale d'Olga Quigley, son ex-femme de ménage. La dernière adresse qui y est portée est le presbytère de Saint-Andrew.

— Donc elle travaille au noir.

Ellie ramassa la cassette de Pablo. Elle examina l'étiquette, écrite au feutre, dont l'un des coins était mal collé. Elle tripota du bout de l'ongle une ondulation du papier.

— Pourquoi tant de gens ne jurent que par le père Joe ? se demanda Cardozo. Quel est son truc magique ?

— Je crois que son charisme ne branche pas des flics cyniques comme toi et moi.

Il y avait quelque chose de collé sous l'étiquette. Elle le détacha soigneusement et le regarda.

— Vince, dit-elle, en lui tendant un reçu de dépôt de gage.

— Pas mal de gens franchissent cette porte.

Une grosse main crasseuse, celle du patron d'Aux justes prêts, tenait le reçu ; dans l'autre, la photo de Pablo Cespedes.

— C'est pas vraiment un visage dont on se souvient.

— Qu'est-ce qu'il a mis au clou ? demanda Cardozo.

— De la camelote, quoi d'autre ? Comme eux tous.

Le patron désigna d'un haussement d'épaules musclées, sous son tricot de peau taché de sueur, le mur derrière lui.

Cardozo n'avait jamais vu autant d'instruments de musique dans une étroite devanture faiblement éclairée : trompettes, violons, concertinas, accordéons, tambourins, guitares, saxophones de toutes les tailles, du minuscule au monstrueux.

Le patron se retourna et décrocha une guitare aux incrustations métalliques et émaillées plus nombreuses que celles d'une dent mal plombée. Il la déposa sur le comptoir. Les cordes gémirent.

Cardozo examina le ticket attaché au manche de l'instrument.

— Ce n'est pas ça qu'il a mis au clou. Les chiffres ne sont pas même approchants.

— Quelqu'un a dû intervertir les tickets. Ça arrive. Dès que j'ai le dos tourné, un de ces gosses joue au petit malin.

Pour Cardozo, le patron n'était pas du genre à tourner le dos même à un aveugle, et encore moins aux voleurs, braqueurs, pickpockets et accros au crack qui faisaient le fond de sa clientèle comme celui de toutes les boutiques de prêt de la Neuvième Avenue.

— Nous aimerions voir l'article correspondant vraiment à ce reçu, dit Ellie.

— Vous l'avez entre les mains.

— Et ce calice dans la vitrine ? demanda Cardozo.

— *Calice* ? Vous vous croyez où, ici ? Dans le grenier du roi Arthur ?

— Le calice de bronze avec les pierres semi-précieuses, précisa Cardozo. Sur l'étagère du haut, à gauche.

— C'est une coupe avec du verre taillé.

— Des grenats et des cornalines, dit Ellie.

Une sonnerie retentit. Le patron jeta un coup d'œil par l'interstice du rideau de velours qui servait de fond à l'étalage de la vitrine. Il pressa un bouton sous le comptoir et la porte donnant sur la rue s'ouvrit avec un déclic.

Bonnie Ruskay, blonde, mince, l'air perdu, pénétra en clignant des yeux dans la boutique. Elle sourit en apercevant Cardozo.

— Je n'étais pas sûre d'être à la bonne adresse. Vous m'avez dit « Echanges » au téléphone et il y a écrit « Prêts » sur la devanture.

Cardozo se tourna.

— Tu te souviens de la révérende Bonnie Ruskay, Ellie ?

— Bien sûr, répondit Ellie avec un aimable signe de tête.

— Reconnaissez-vous quelque chose là-bas, dans la vitrine ? lui demanda Cardozo.

— Le plat de collection et le calice.

— En prenant le calice, dit Ellie au patron, prenez en même temps le plat d'étain au bord de cuivre — seconde étagère, à gauche.

La lumière fit briller la sueur sur le visage du patron.

— La coupe et la poêle à frire.

Le ton de sa voix était coléreux, exténué, mais pas encore résigné. Il retira le calice et le plat de la vitrine, et les apporta.

Bonnie retourna le calice. Une marque avait été grattée sur le socle : *St.A.* Elle hocha la tête.

— C'est à nous.

— Vous reconnaissez autre chose dans la boutique ? dit Cardozo.

Elle examina la vitrine derrière le comptoir, où s'entassaient pièces d'horlogerie, chronomètres, jumelles, comme la vue en coupe d'un conteneur à ordures. Elle montra l'étagère du bas.

— Je pourrais jeter un œil sur le socle de ces chandeliers ?

Vingt minutes plus tard, quatorze ornements d'église étaient posés sur le comptoir, portant tous la même marque grattée, sous la forme d'un petit *St.A.*

— J'aimerais emporter ce calice, dit Bonnie.

Le patron émit des bruits de protestation.

— Ce sont des marchandises volées, dit Cardozo.

— C'est vous qui le dites qu'elles sont volées.

Le patron balaya une longue mèche de cheveux grisonnants de son front.

— Cette dame rapplique de la rue et dit qu'elles sont volées. Vous me montrez des insignes de flic, elle me montre son permis de conduire, mais la seule chose que j'aie pas vue, c'est une preuve. Montrez-moi la preuve et vous pourrez vous tirer avec toute la boutique.

— Combien ça coûterait pour dégager le calice ? demanda Bonnie.

— Eh là, attendez, fit Cardozo. Vous n'allez pas payer pour quelque chose qui vous appartient.

Le patron ne dit rien, ne fit rien, se contenta de regarder et d'écouter, souriant d'un sourire de vieux renard avec l'œil d'un vieux renard.

— L'évêque de Lambeth a fait cadeau de ce calice au père Joe.

Bonnie ouvrit son sac à main.

— Il y est très attaché.

— Cent dollars, dit le patron.

Bonnie lui tendit l'argent.

— Attendez donc, s'interposa Cardozo.

Ellie secoua la tête comme si elle fixait un vieux chien qui ne voulait pas lâcher son os préféré. Elle lui fit signe de ne pas discuter.

— T.T.C., bien entendu.

— Vous voulez que j'arnaque la municipalité ?

Le patron soupira.

— Bon, je l'arnaque.

38

Bonnie se tenait à l'angle de la 49e Rue et de la Neuvième Avenue, se protégeant les yeux du soleil, à la recherche d'un taxi.

Guère prometteur.

La circulation défilait comme les wagons d'un train de marchandises, pare-chocs contre pare-chocs. C'était un mur de plaques minéralogiques du New Jersey, camions, fourgonnettes, voitures de police, ambulances. Des sirènes beuglaient. Des klaxons explosaient en tapageuses fanfares, genre « *dans le cul, connard* ».

N'apercevant pas le moindre taxi, libre ou occupé, elle décida de tenter sa chance sur la Huitième Avenue.

Alors qu'elle se pressait vers l'est, elle fut frappée par les piétons, et comme ils paraissaient différents dans cette partie de la ville des gens que l'on voyait aux environs de Saint-Andrew. Par ici, ni vestons ni cravates. Les regards aussi étaient différents par ici — ils ne se détournaient pas poliment comme dans l'Upper East Side. Ils vous évaluaient, vous défiaient même, ces regards avides, pleins de ressentiment et, c'était déconcertant, de haine.

Elle prit conscience qu'elle était la seule Blanche du bloc. Elle eut honte d'elle-même de penser une chose pareille. Honte aussi d'avoir l'impression qu'on la dévisageait.

Mon Dieu, pria-t-elle, *faites que je ne devienne pas bigote*. Elle surprit son reflet dans la glace d'une vitrine. *Ils ont raison de me dévisager*, se dit-elle. *en me voyant me trimballer, comme une dingue, avec ce calice sous le bras*. Elle regretta ne pas avoir demandé au patron de la boutique de le lui emballer.

Elle aperçut un taxi libre sur la 8ᵉ Rue, bloqué dans la circulation. Elle sauta dedans.

— Angle 69ᵉ Rue Est, Madison Avenue, s'il vous plaît.

Elle posa le calice près d'elle sur la banquette arrière.

Le chauffeur entama un large virage vers la gauche, vers l'Hudson. Bonnie s'avança sur le siège.

— Je m'excuse, mais je veux aller à la 69ᵉ Rue *Est*. Vous vous dirigez vers l'ouest.

Le chauffeur se retourna et elle vit que son visage à peau mate reflétait la plus totale incompréhension. Elle jeta un œil sur sa licence sur le tableau de bord. Le nom qu'elle portait était arabe et elle se demanda s'il parlait anglais.

— Est !

Des klaxons cornaient et elle dut crier. Elle montrait la direction du doigt.

— S'il vous plaît, emmenez-moi à l'est !

Le taxi tamponna une autre voiture. Des freins glapirent, des pneus crissèrent, et il y eut un froissement de tôles alors que le taxi tamponnait une fois encore. Sous le choc elle vint donner de la tête dans la glace de séparation.

Le taxi n'avançait plus et elle entendit le conducteur de l'autre véhicule engueuler l'Arabe. Un type borgne armé d'une raclette traversa en clopinant l'embouteillage et se mit à répandre de l'eau sale sur le pare-brise. L'Arabe jaillit de son taxi et engueula l'homme à la raclette.

Bonnie se renfonça sur la banquette arrière. *Je ferais mieux de continuer à pied*, songea-t-elle. Elle regarda au compteur ce qu'elle devait. Trois dollars. Elle se demanda si le compteur tournait trop vite. Qu'est-ce qui serait un bon pourboire si elle sortait maintenant ?

Elle ouvrit son sac et chercha un billet de cinq dollars.

La portière près d'elle s'ouvrit soudainement et un jeune garçon sauta dans le taxi.

— Je regrette, ce taxi est pris, dit Bonnie.

Il resta assis, lui souriant d'un air mielleux. Ses yeux bleus étaient sans éclat, morts — le regard métallique d'un robot. L'odeur aigre de sa sueur la frappa comme une gifle. Il se passa la langue sur les lèvres.

— Quelle jolie coupe.

Elle fit prestement passer le calice de l'autre côté.

Je dois être en train de rêver, se dit-elle. *Je suis à New York, en Amérique. Pas dans le tiers monde. Les gens ne sautent pas comme ça dans le taxi d'autrui.*

Le garçon glissa la main dans sa chaussette et en tira un rasoir au tranchant droit. Il l'ouvrit d'une chiquenaude.

— Tu fais pas de bruit et je te ferai pas pas de mal. Passe-moi la coupe.

Il lui saisit le petit doigt et le posa contre la lame du rasoir.

Il avait le visage à peau de bébé d'un ado de dix-sept ans. Il arborait un minuscule crucifix d'acier à l'oreille gauche et ses cheveux, soyeux et blonds comme les blés, pendillaient en queue-de-cheval sous une casquette de base-ball des NY Mets.

C'est un enfant, songea-t-elle. *Pourquoi fait-il ça ?*

— Si tu veux garder ton doigt, salope, aboule la coupe.

Il fit mine de refermer le rasoir sur son auriculaire. Un éclair de douleur la transperça. Elle poussa le calice vers lui. D'un seul bond, il fut hors du taxi et s'enfuit en courant.

— Cheveux blonds et longs, dit Bonnie, coiffés en queue-de-cheval.

Les mots se bousculaient, stridents et par à-coups. Elle prit conscience qu'elle était encore sous le choc. *Du calme*, se dit-elle. *T'es en sécurité maintenant. Plus personne ne te menace d'un couteau.*

— Il était frêle, mais vigoureux — ramassé —, bronzé. Comme un surfeur qui vient juste de dévaler une vague.

Cardozo prenait des notes.

— Plutôt polluée, la vague.

Ils étaient assis dans son bureau, au presbytère. La fenêtre était fermée et le ronron du climatiseur paraissait rapprocher les murs de la pièce.

— Quelqu'un d'autre a vu ce gosse ?

— Le chauffeur du taxi.

— Vous avez relevé son nom ou le numéro de sa licence ?

Une vague de lassitude la balaya. Elle tenta de la tenir en échec, mais de petits points noirs dansaient devant ses yeux.

— Non, j'étais trop bouleversée.

Les doigts de Cardozo tambourinaient sur les accoudoirs du fauteuil. Il s'arrêta.

— Avez-vous déjà vu ce gamin ?

— Où ça ?

— N'importe où. Dans les parages du presbytère.

— Pourquoi serait-il venu au presbytère ?

— Le père Montgomery a cet atelier de menuiserie au sous-sol pour les gosses défavorisés.

— Il ne fait pas partie de ceux qui viennent voir le père Joe.

— Vous êtes sûre de ça.

Il y avait quelque chose d'ouvertement inquisiteur dans la façon dont Cardozo la fixait.

— Sûre et certaine.

Mais ce n'était pas vrai. *Pourquoi est-ce que je sens que je dois être catégorique avec cet homme ?*

— Je ne l'ai jamais vu auparavant.

— Mais peut-être que lui, oui. Il paraissait savoir que vous étiez en possession de ce calice.

— Comment n'aurait-il pas été au courant ? Je le transportais dans la rue sans qu'il soit emballé.

— La pub ça paie, hein ?

Elle ravala sa contrariété. Il ne faisait que son boulot, allégeant l'atmosphère par une plaisanterie, tâchant d'être amical et de faciliter l'entretien. Elle fit oui de la tête.

— Vous avez raison. J'ai été stupide.

— Vous ne commettiez aucun délit. C'est lui le délinquant. Et il avait l'air d'avoir de l'expérience. Je ne crois pas qu'il vous ait aperçue simplement et qu'il ait décidé de vous voler comme ça, au débotté. Il aurait pu planquer devant l'église. Ce qui signifie qu'il vous a suivie.

— J'en doute fort. Je vous ai déjà dit que je ne l'avais jamais vu avant aujourd'hui.

— Vous ne l'avez pas vu tant qu'il ne voulait pas que vous le voyiez. Ces gamins sont passés maîtres de ce genre d'exercice. La dernière chose dont vous ayez besoin c'est qu'un jeune ravagé par le crack soit convaincu qu'il a une sorte d'hypothèque sur votre vie.

— Vous semblez croire que seule la racaille est capable de commettre de petits larcins.

— Toutes sortes de gens commettent toutes sortes de délits. Le problème, c'est pourquoi celui-ci a commis cette agression avec coups et blessures ?

— Il n'y a eu ni coups ni blessures.

Il lui lança un coup d'œil.

— Vous m'avez dit que votre sang a coulé.

Elle regarda son doigt. L'entaille était à peine une ligne noire, comme un morceau de fil qu'elle aurait attaché comme pense-bête.

— Une goutte, et encore.

— C'est l'une des définitions des coups et blessures.

— C'était un enfant.

— La moitié le sont, de nos jours. Il se pourrait qu'il ait surveillé la boutique de prêt. Il pourrait même être en cheville avec.

— En cheville ?

— Quatorze articles de valeur de cette église ont atterri dans cette boutique. Il a pu les déménager d'ici à là. Et il n'a pas fait ça d'un seul coup, sinon vous l'auriez remarqué.

— Qu'est-ce que vous dites ?

— Ça a été fait en plusieurs petites livraisons. Par quelqu'un qui avait ses entrées ici.

— Je ne comprends toujours pas.

— Ça ne serait pas la première fois que le père Montgomery inviterait un délinquant ici.

Elle secoua la tête en une dénégation instantanée.

— Il n'a jamais invité de délinquant ici.

— Tommy Lanner. Acteur/voleur. Butin, un magnétoscope.

— Mais c'était il y a une éternité. Et Lanner était tout sucre tout miel. Il a arnaqué le père Joe. Le garçon qui m'a volée serait incapable d'une arnaque.

— Quiconque a pris ces objets se sentait libre de ses allées et venues. Et le père Joe ne lui a pas fermé sa porte.

— Les voleurs ont pour entrer d'autres moyens que de se faire inviter. Je pense que certains ont pour habitude d'entrer par effraction.

— Personne n'est entré par effraction dans le bureau du père Montgomery. On l'a simulée, dit Cardozo guettant sa réaction. La fenêtre a été forcée de l'intérieur. Et on a cassé un carreau *après* le cri poussé par Cespedes.

— Ce n'est pas possible.

— Un témoin a tout entendu.

L'impatience de Bonnie lui expédiait à fleur de peau des décharges d'électricité statique.

— Et comment s'appelle ce témoin ?

Il ne répondit pas. La lassitude sillonnait sombrement son front.

— Dites-moi, lieutenant, vous croyez aussi cette lettre anonyme ?

Il se leva, comme par pièces détachées ; d'abord la tête et les épaules, carrées, se soulevèrent du siège, puis ses longues jambes achevèrent le travail.

— Plusieurs jeunes en rapport avec Saint-Andrew sont morts.

— Qui donc à part ce cambrioleur ? Et il n'avait rien du tout à voir avec cette église.

— Le père Montgomery avait la photo de ce cambrioleur dans son fichier. Et il y avait les photos de deux fugueurs assassinés dans ce même fichier.

Bonnie fixa le lieutenant, stupéfaite, glacée.

— Parce qu'il avait leurs photos, il les a tués ?

Il parut inquiet pour elle, et triste.

— Ne vous est-il jamais venu à l'esprit que le père Montgomery pouvait avoir une face cachée ?

— Et à vous que le père Joe est un libéral et un humaniste ? Il prend une part active aux problèmes sociaux de la cité. Il y a des centaines de personnes qui aimeraient le discréditer, lui, sa ligne de conduite et les activités sociales de cette église.

Cardozo la laissa s'époumoner.

— J'espère que vous n'en faites pas partie.

— Qu'est-ce qui vous fait croire ça ? demanda-t-il tranquillement.

— Le fait que vous soyez prêt à croire n'importe quoi — que Joe est communiste, qu'il séduit les adolescents, qu'il est un assassin.

— Ai-je dit des choses pareilles ?

— Inutile.

Elle était choquée par le ton coléreux de sa propre voix, mais elle ne pouvait pas s'arrêter.

— D'autres l'ont dit. De petites gens étriqués qui meurent de peur et ne veulent pas voir que cette société doit changer ou aller à sa perte. Ceux qui veulent saper tout ce que cette église a mis vingt ans à construire, tout ce que nous défendons. C'est cela la face cachée dont vous parliez, lieutenant. La vraie face cachée.

— Je ne le nie pas.

— Le père Joe est responsable d'une mort accidentelle, et

il l'a reconnu. Il a tendu cette souricière parce qu'il y avait déjà eu des cambriolages et qu'il était terrorisé après cette agression dans le parc.

Cardozo secoua la tête.

— Il n'y a aucune preuve que cette agression ait réellement eu lieu.

— Vous pensez qu'il a simulé ça aussi ? fit-elle, incrédule. Et qu'il s'est aveuglé lui-même ?

Cardozo soupira.

— Le prêteur sur gages a renoncé à ce qui vous appartient. Je veillerai à ce que tout vous soit rendu. Et si vous revoyez ce gamin, prévenez-moi immédiatement. *Immédiatement,* j'insiste.

Elle le suivit des yeux jusqu'à la porte.

Bonnie, se réprimanda-t-elle, *qu'est-ce qui te prend, bon sang ? Dieu a fait les beaufs tout comme les théologiens et les moralistes. Cet homme ne te doit rien, sorti de la personne qu'il est.*

— Lieutenant.

Il se retourna.

— Je comprends que vous avez de bonnes intentions. Je vous remercie.

— Ça va, ça va.

— Et vous avez tort. Joe a été agressé. J'en fournirai la preuve.

Bonnie ferma la porte du presbytère. Elle était en pleine effervescence intérieure. Elle regagna son bureau, s'empara du téléphone et composa le numéro de David Lowndes.

— Vous avez une drôle de voix, dit-il. Quelque chose ne va pas ?

— Non. Enfin, oui. Je m'inquiète de la façon dont la police traite le père Joe. J'ai l'impression que ce pourrait être le début d'une campagne de dénigrement orchestrée contre sa politique.

— N'est-ce pas un peu paranoïaque ?

— La municipalité devient conservatrice et de nombreux policiers sont ouvertement de droite.

— Ils l'ont toujours été.

— Ils prétendent que le père Joe n'a jamais été agressé dans le parc, que tout ça est mensonge, couverture et compagnie.

— Qu'est-ce que tout cela cacherait d'après eux ?

— Ils pensent que la mort du petit Cespedes n'est pas accidentelle.

David Lowndes resta silencieux un instant. Puis il dit :

— Complètement crétin.

— Bien sûr que c'est crétin, mais il faut trouver une preuve que l'agression dans le parc a vraiment eu lieu. Je vais offrir une récompense pour tout témoignage oculaire. Ça pose un problème, légalement parlant ?

39

Au coucher du soleil, le cardinal Barry Ignatius Fitzwilliam, accroupi près du massif de fleurs, tira d'un coup sec sur la ficelle. Le canard en bois avança en se dandinant par à-coups et traversa la pelouse fraîchement tondue. Son bec peint s'ouvrait, se refermait et une crécelle quelque part à l'intérieur imitait approximativement un cancanement.

L'enfant, d'habitude un bambin digne et tranquille, se mit à rire à gorge déployée.

Le cardinal tendit la ficelle à son arrière-petit-neveu.

— Tiens, Barry, tu veux essayer ? dit-il en la plaçant dans sa menotte.

Les doigts minuscules se refermèrent très serré.

— Tire. Vas-y.

Le cardinal donna une poussée au canard par-derrière. La crécelle cancana, l'enfant tomba par terre et roula en gloussant de manière irrépressible.

Dans le ciel, tout là-haut, au-dessus du jardin, une lune cireuse voguait entre un banc de nuages marbrés de rose.

Le cardinal tapota la petite tête blonde.

Si le jour doit s'effacer dans la nuit, réfléchissait-il, *voilà une façon idéale de le faire.*

— Oncle Barry.

Venant de la maison, l'épouse de son petit-neveu surgit dans le jardin.

— Le dîner sera prêt dans une demi-heure.

— Vous me gâtez.

Elle resta plantée là à le regarder, brune de cheveux et sa minceur soulignée par son blue-jeans délavé.

— Vous avez un visiteur.

Il vit qu'elle tenait sa serviette à la main.

— Merci, Nora.

Il prit la serviette et pénétra par la porte-fenêtre dans une salle de séjour faiblement éclairée. Il tourna à droite et descendit par l'escalier dans la salle de jeux.

Bill Kodahl jouait au flipper avec l'un des appareils de collection. Des timbres résonnaient. Des éclats de lumière couraient comme un flot de circulation traversant en toute hâte une dizaine de carrefours en as de trèfle. Au compteur, les extra points et les bonus faisaient tourbillonner un score dans les dix millions.

— Bonsoir, Bill, dit le cardinal. C'est à mon tour de tirer le premier, n'est-ce pas ?

Bill Kodahl récupéra son scotch-soda posé sur le billard électrique. Il se tourna. Son visage lisse avait un soupçon de bronzage récent.

— J'espère que vous avez de bonnes nouvelles pour moi concernant Giuliano.

— La qualité sonore n'est pas excellente.

Le cardinal tendit au D.A. une cassette qu'il sortit de sa serviette.

— Il y avait des festivités dans la rue, à l'extérieur, et le chœur répétait. Giuliano est très, très perturbé.

— Et il a bien raison de l'être.

— Il veut dire toute la vérité.

— A son confesseur ou à moi ?

— Son confesseur l'a persuadé de venir tout vous avouer. Mais il veut qu'on abandonne l'inculpation de son fils pour trafic de drogue.

— Faut aimer les êtres humains, dit Bill Kodahl en souriant. Ils n'arrêtent pas de demander la lune.

Le cardinal, la serviette ouverte sur ses genoux, tapotait la serrure à combinaison.

— Vous avez quelque chose pour moi ?

— J'en ai peur. Un flic en civil a photographié le père McCoy en train de dealer à Canarsie.

— Mon Dieu.

— C'est réglé.

Kodahl se dirigea vers le canapé. Il ouvrit d'un coup sec un attaché-case et tendit au cardinal une chemise.

— Regina Cosmato a accusé le père Bozack d'attentat à la pudeur. On va probablement pouvoir arranger ça.

Il tendit au cardinal une autre chemise de dossier.

— Dieu merci, c'est une femme.

— Elle l'accuse de voies de fait sur sa fille de huit ans.

— Dieu merci, elle est du sexe féminin.

— Puis il y a le père Hoffman. Il a volé des livres d'art dans la boutique de cadeaux du Metropolitan Museum.

— Ça fait des années qu'il s'amuse à ça.

— Mais cette fois, le musée se fait tirer l'oreille.

Le D.A. tendit un troisième dossier au cardinal.

— Ils cherchent la bagarre. Ils ont besoin de construire une nouvelle aile.

Le cardinal se tassa encore davantage sur le canapé. A la perspective de plonger encore une fois dans la politique immobilière de la ville, il se récoltait une migraine de la taille de la salle de séjour du rez-de-chaussée.

— Où est passée l'époque où les prêtres se contentaient de rester dans leur presbytère et de s'abrutir à boire.

— Réjouissez-vous qu'ils ne prennent pas de crack.

— Dans les paroisses des ghettos, certains en prennent déjà.

Le cardinal soupira.

— Qu'est-ce qui arrive au monde que je connaissais, Bill ? Cette époque me manque.

— A moi aussi, mais ça ne sert à rien de regarder en arrière.

La voix du D.A. avait une inflexion qui disait : *le pire est encore à venir*.

— Je crains que nous n'ayons encore une chose dont il faille parler.

Il tendit au cardinal une épaisse enveloppe en papier bulle du Département de la Justice de l'Etat de New York.

Soudain, un bloc de glace pesa sur l'estomac du cardinal et lui coupa le souffle. Il savait ce que contenait l'enveloppe.

— Pas encore un de ces enfants ? Ça ne va pas recommencer ?

— Il y a deux semaines de ça. Dans le Queens.

Bill Kodahl vida son verre.

— Une hostie dans la bouche du gosse.

Le cardinal déchira l'enveloppe. Il examina les photos.

C'étaient les pires qu'il ait vues. Pour la première fois, la victime n'avait pas eu le temps de se décomposer. Il y avait encore de la chair sur ces os, un visage, et une expression sur ce visage.

— Mais nous étions certains que le père Romero était l'assassin. Et quand il est mort, nous étions certains que c'était fini.

— Et compte tenu des preuves disponibles à l'époque, il était logique d'en arriver à une telle conclusion.

— Mais le père Romero est mort, et le meurtrier est vivant. Il a supprimé une autre existence.

Le cardinal avait les yeux fixés sur le District Attorney.

— Nous avons fait une terrible erreur.

— Nous avons fait ce qui nous a semblé le mieux à l'époque.

Le regard du cardinal se reporta sur les photos.

— Est-ce que nous en faisons une autre en continuant à dissimuler ces meurtres ? Ça dure depuis trois ans et ça ne fait qu'empirer.

— Barry.

La voix du D.A. était un ordre.

— Ce souci n'est pas de votre ressort. Je m'en occupe.

Le soleil était tombé derrière la découpe horizontale des immeubles, et la 53e Rue Est était dans l'ombre. A mi-chemin du bloc, coincée entre une boutique de vêtements avec un écriteau « A louer » et un immeuble de bureaux avec un panneau « Etage à louer », Cardozo dénicha la première adresse de la liste de la révérende Bonnie : « Le Poisson et l'Agneau, livres et articles religieux » annonçaient des lettres gothiques dorées.

Il poussa la porte vitrée.

La boutique était peu éclairée et on y parlait bas. Y régnait une odeur de vieux livres évoquant celle des liqueurs digestives à base d'herbes dont seuls des moines possèdent la recette secrète. L'un des murs était couvert d'images pieuses, de croix et de crucifix de toutes les tailles, du maxi au mini. Les autres murs étaient consacrés aux livres.

Deux femmes feuilletaient des ouvrages sur les étagères. L'une d'elles était une religieuse, vêtue d'un habit gris court, qui marquait une sorte de compromis entre le cloître et la Cinquième Avenue. Elle épingla Cardozo d'un coup d'œil qui semblait dire *Vous êtes sûr d'être au bon endroit ?*

Il était tout sauf sûr. Il sourit à la religieuse, qui détourna rapidement les yeux. Il commença à farfouiller dans les rayons. Il découvrit bibles et évangiles, livres de prière et recueils de cantiques, ouvrages d'interprétation des écritures classés par ordre alphabétique et nom d'auteur, mais à la lettre R, aucun Ruskay.

— Je peux vous aider, monsieur ? lui demanda le vendeur, trente ans à peine, cheveux bruns et calvitie précoce.

Rien qu'un instant, Cardozo eut l'impression qu'il connaissait cet homme, puis ce sentiment de familiarité se désagrégea, comme un kaléidoscope qu'on aurait secoué.

— Je cherche certains ouvrages de théologie.

Cardozo se reporta à la liste qu'il avait scribouillée comme pense-bête.

— *Le Serpent et le Graal, Ressemblance biologique avec le Sauveur...*

Le regard noir du vendeur se figea derrière ses lunettes à monture de corne. Sa politesse à cet instant-là fut mise clairement à rude épreuve.

— Le titre exact est *Aucune ressemblance biologique avec le Sauveur.* Ce sont des ouvrages de la révérende Bonnie Ruskay. Nous ne les avons pas en magasin. Nous sommes une librairie catholique traditionnelle.

— C'est étrange. Elle m'a recommandé elle-même cette librairie.

A l'extérieur, au-delà de la vitrine, la rumeur de la circulation était sourde et vaguement inquiétante. Quelque part dans la rue, une alarme de voiture se mit à jodler.

Le vendeur sourit. Il avait le regard oblique d'un comptable.

— La révérende Ruskay est plus éclectique que nous.

Cardozo s'aperçut que la religieuse ne les quittait pas des yeux.

— Où pourrais-je trouver ses livres ?

— Le diocèse épiscopalien a un magasin sur la Troisième Avenue. Ils l'ont en stock.

A la fin du dîner, Cardozo se coula dans l'étreinte confortable d'un vieux fauteuil avec *Le Fils de Dieu était aussi Sa fille : réintégration de l'Anima dans le Saint-Esprit* de Bonnie Ruskay.

— Pourquoi tu lis ça ? lui demanda Terri.

Cardozo ne leva pas les yeux de sa page, faisant mine de ne

pas prendre conscience de l'attente induite par le silence de sa fille.

— Je veux me faire une idée de celles de la révérende Bonnie.

Terri sourit et ce sourire découvrit de magnifiques dents blanches.

— Et pouvoir la flatter, gagner sa confiance et obtenir des renseignements de sa part ?

Elle lui prit le livre des mains et tiqua en voyant la photo de l'auteur.

— C'est drôle, elle a pas du tout le look d'une révérende.

— Et c'est censé avoir quel look, une révérende ?

— Je sais pas, moi, dit Terri, haussant légèrement les épaules. Tristoune. Sérieux. Sincère.

Cardozo examina la photo. Le visage qu'on y voyait, fin et intelligent, avait un regard qui brûlait d'un feu contenu.

— Tu penses qu'elle a pas l'air sincère ?

— Pas sincère au sens chiant du terme. Tu l'as rencontrée. Qu'est-ce que t'en penses, toi ?

Qu'est-ce que j'en pense, au fait ? se demanda-t-il.

— C'est trop tôt pour le dire.

Il essaya de paraître détaché. Il ne se sentait pas si détaché que ça, mais il n'était pas sûr non plus de ce qu'il sentait.

Cette nuit-là, il rêva qu'il faisait l'amour avec une femme étrange. Ses traits étaient dissimulés par des lunettes noires et une chevelure blond foncé qui lui mangeait la moitié du visage.

Une vague venue de très loin les souleva, les hissant jusqu'à sa crête, puis les traversa, poursuivant plus avant son périple, comme un haussement d'épaules de l'éternité.

Du coin de sa bouche, il baisa une minuscule tache de naissance rose sur son épaule gauche à elle.

Il lui ôta ses lunettes et les yeux gris vert de la révérende Bonnie plongèrent dans les siens.

— Oh mon Dieu, s'entendit-il dire, je savais pas, je voulais pas...

Il s'était redressé dans son lit. L'éclairage de la rue qui tachetait à son habitude le papier du mur l'informa qu'il se trouvait dans sa chambre. Les aiguilles du réveil, rougeoyant dans le noir, marquaient 3 h 35 du matin.

Il extirpa ses jambes de l'enchevêtrement de sargasses de sa literie. Il enfila et noua autour de lui son léger peignoir d'été.

Ses pieds trouvèrent ses pantoufles et ses pantoufles, la direction de la cuisine.

Il se préparait une tasse de lait chaud quand Terri entra d'un pas traînant et en se frottant les yeux.

— Ça va, P'pa ?

Il haussa les épaules, gêné.

— J'ai eu un sommeil agité.

— Je t'ai entendu crier.

Il fixait la casserole comme si c'était indispensable pour amener le lait à bouillir.

— J'étais en grande discussion avec moi-même.

Elle souleva la casserole du feu juste avant que ça déborde, et versa le lait fumant dans un bol de petit déjeuner, le saupoudrant légèrement de cannelle.

— Qu'est-ce qui te tracasse ?

Elle tira une chaise et l'invita du geste à s'asseoir. Elle prit place en face de lui, de l'autre côté de la table.

— C'est un truc dans ton boulot ?

Il sirotait. Le lait lui picotait les lèvres. Il le reposa pour le laisser refroidir. Il soupira profondément.

— Parfois, c'est terrible comme ta mère me manque.

Terri hocha la tête. Au fil des années, elle ressemblait de plus en plus à sa mère morte. Le teint pâle, les cheveux châtains, le sourire qui souriait davantage du côté droit que du côté gauche, et maintenant les mêmes yeux noirs qui savaient exactement comment scruter les siens.

— Moi aussi, elle me manque.

— Quelquefois, j'aimerais...

Cardozo fit une nouvelle tentative avec le lait.

— Je sais pas ce que j'aimerais. C'est ça le problème.

— Moi je sais ce que j'aimerais. J'aimerais que tu aies quelqu'un dans ta vie.

— Ma vie est assez bien remplie comme ça. Et je t'ai.

— Alors comment ça se fait que tu te sentes seul ?

— Qui a dit ça ?

— Tu ne travaillerais pas si dur sans ça.

— Je travaille pas si dur que ça. J'arrive à peine à faire tout ce qui doit être fait. C'est pas ma faute si cette ville est saisie de folie meurtrière.

— Tu te mêles tout le temps des problèmes des autres. Ça te ferait du bien d'avoir des problèmes rien qu'à toi.

— Des problèmes du genre de ceux que je vois dans mon boulot, je m'en passe très bien, merci.

— N'empêche, tu as besoin d'avoir *quelque chose* à toi.

— Mais j'ai plein de choses à moi, à commencer par une fille qui est une vraie chieuse quand elle fait de la psychologie de bas étage.

Terri poussa un soupir de résignation. Elle se pencha au-dessus de la table pour l'embrasser.

— Moi aussi, je t'aime, P'pa. Haut les cœurs. Bonne nuit.

Impossible de dormir.

Il alla chercher sa serviette dans le couloir et se mit à relire le descriptif des lieux du crime des meurtres des trois ados.

Il débarrassa un coin de la table et dessina un graphique, portant les pièces à conviction à gauche, à la verticale, et le numéro de référence de chaque affaire, en haut, à l'horizontale. Quand il eut rempli la grille, il sortit les rapports de l'Institut médico-légal.

40

Quelque chose paraissait différent, plus éclatant. Cardozo crut d'abord que c'était simplement le soleil qui illuminait la façade du commissariat avant de s'apercevoir que quelqu'un avait fini par remplacer le globe vert cassé près de l'entrée. On avait même accroché un drapeau flambant neuf à la hampe au-dessus des marches : pour changer, le sceau de la ville de New York et le numéro 22 semblaient nettement lisibles.

Par contre, le pandémonium du hall était pire que d'habitude, tournait au maelström. C'était le début du tour de service 8 heures-16 heures, et Cardozo mit deux bonnes minutes à traverser un tir nourri de tapes dans le dos et autres salutations pour atteindre l'escalier. Il trouva un message d'Harvey Thoms sur son bureau : *Téléphonez immédiatement.*

Le numéro comportait un indicatif régional, le 516, et Cardozo comprit que ça devait être celui du domicile de Thoms, dans la banlieue de Long Island. Il dut s'y reprendre à trois fois pour venir à bout de la tonalité occupé.

— J'ai passé mon après-midi d'hier à fouiller dans les archives.

Suite à une certaine tension, le registre de la voix de Thoms avait gagné en hauteur.

— Je n'ai pas pu mettre la main sur la moindre déposition de Martin Barth. Rien dans l'affaire Richie Vegas ; ni dans celle de Wally Wills ; rien non plus dans celle de miss Glacière.

— Je peux admettre la perte d'un document, dit Cardozo, mais de trois ?

— Environ deux cents pièces dans des affaires où il n'y a pas eu d'action judiciaire ont été égarées. Le Département de la Justice est en train de transférer les dossiers sur fichier informatisé. Il y a des bugs dans le programme. Du moins, c'est l'explication qu'on m'a donnée.

— Bizarre que ce bug ait bousillé tous les aveux de Martin Barth.

— Ça ne signifie pas que le dossier Barth ne puisse pas réapparaître.

— Je compte dessus et je bois de l'eau.

— Je continue mes recherches, dit Thoms. Je vous tiendrai au courant.

Cardozo entra dans la salle de garde, se versa deux tasses de café et remit la verseuse en place sur son support. Il s'arrêta devant le bureau d'Ellie et lui tendit l'une des deux tasses.

— Ou bien le département est dans un foutoir intégral, dit-il, ou bien un truc très particulier est en train de se passer.

Elle portait un corsage saumon et tandis qu'il lui communiquait les dernières nouvelles du bureau du D.A., elle hochait la tête comme s'il s'agissait d'une vieille, très vieille histoire.

— Peut-être que le D.A. devrait investir dans un moyen de stockage vraiment de pointe — le papier, par exemple.

Son regard reflétait un scepticisme rêveur.

— Est-ce que tu as vu le capitaine O'Reilly ?

— Pas encore.

— Il dit que c'est important, il est dans la salle d'inspection.

Cardozo avala son café cul sec.

— Quoi, maintenant ?

Les agents qui prenaient le service de jour embouteillaient le corridor. Le lieutenant Carl Ross, bras droit du capitaine, leur tendait des tubes de cirage noir.

— Profitez-en pour astiquer la visière de vos casquettes — et arrêtez-moi ces radios. Eh toi, Fanelli, enfile ton blouson !

Une lumière insolite se déversait par l'embrasure de la porte comme si un O.V.N.I. avait atterri à l'intérieur. Cardozo savait qu'il ne pouvait s'agir du soleil : de ce côté-là du commissariat, toutes les fenêtres peintes en vert soupe de pois étaient aveugles et la seule chose qui pouvait traverser les carreaux, c'était une brique lancée dedans à la volée.

— C'est quoi cette fiesta ? demanda Cardozo.

— La N.B.C., répondit Ross, rayonnant.

A l'intérieur de la salle d'inspection, une équipe de télé tâchait d'orienter ses projos de façon à éviter de mettre en valeur les pires lézardes des murs et du plafond. Depuis dix mandats au moins, la mairie de New York promettait un nouveau commissariat. Jusque-là, tout ce qu'on en avait obtenu c'étaient de faux plafonds genre Holiday Inn, mais au bout de deux ans, les fuites des anciens plafonds commençaient à infiltrer les nouveaux.

Sur l'estrade, le capitaine Tom O'Reilly aboyait ses directives comme un acteur de télé chevronné.

— Faites-moi circuler tous ces marchands ambulants. Confisquez toutes leurs marchandises, sauf les livres et l'encens — les livres, c'est la liberté d'expression, l'encens, c'est la liberté de religion.

Les caméras panotèrent vers les agents de jour au garde-à-vous. Epaules en arrière et estomacs rentrés. La taille bombée par les revolvers de service, la ceinture chargée des munitions, menottes et matraques.

Campé près du distributeur d'eau fraîche, un très gros homme en tenue de camouflage dernier cri avalait des pilules par poignées et verre d'eau sur verre d'eau.

— Je peux avoir un plan où on ne voit qu'une ligne de chaussures cirées ? hurla-t-il.

Un cameraman s'accroupit.

— Des questions ? fit O'Reilly d'une voix rauque.

Un gardien de la paix novice leva la main.

— Et avec les radios bruyantes, qu'est-ce qu'on fait ?

— Vous ne les confisquez pas. Le conseil municipal a statué que les nuisances sonores dépendent du contrôle de l'environnement, pas de la police. Verbalisez les radios et leurs propriétaires, mais ne les saisissez pas.

O'Reilly éteignit le micro et descendit de l'estrade. Il ne marchait pas tout à fait à la verticale.

— Vous vouliez me voir ? demanda Cardozo.

O'Reilly opina du chef.

— Channel Four fait du métrage pour son show de ce soir.

Il semblait étrangement congestionné, si tôt dans la matinée.

— Pourquoi ne pas leur faire faire un tour dans le secteur ? Histoire de parler aux commerçants, de montrer qu'on a une fonction rassurante dans le coin.

Cardozo comprit qu'on lui faisait une fleur.

— Après mon boulot, j'en serais très heureux. A moins que vous ne me changiez d'affectation.

Ce n'était pas là ce que O'Reilly voulait entendre.

— Vous avez mis un sacré paquet d'hommes sur le truc du presbytère.

— J'en ai expédié six fouiller les squatts de fugueurs pour voir si quelqu'un reconnaissait l'une de ces photos.

— Quelles photos ?

— Wills, Vegas, Gilmartin.

O'Reilly se tirait l'oreille gauche.

— Ces fugueurs morts dépendent d'autres commissariats.

— On peut en parler en privé ?

Ils se rendirent dans le bureau du capitaine. O'Reilly ramassa une pile de justificatifs.

— Vous ne semblez pas vous rendre compte que nous vivons une période de pénurie aiguë d'effectifs.

— Et en cette période de pénurie aiguë d'effectifs, rétorqua Cardozo, le maire utilise des flics en civil pour étendre son linge et accompagner ses filles en discothèque.

— Et alors ? C'est le maire. Il peut bien faire tondre sa pelouse par des flics en civil si ça l'amuse. Vous, par ailleurs, vous n'êtes pas le maire. Votre boulot, c'est l'affaire Cespedes — qui n'est même pas un homicide.

O'Reilly feuilleta les justificatifs.

— Ça ne mérite certainement ni le temps ni l'argent que vous y consacrez. Vous alimentez une caisse noire, Vince ? Est-ce que vous gonflez la note et entretenez une petite amie en cachette ?

— Primo, la réponse est non. Deuzio, Ellie ne me le permettrait jamais.

— Vous êtes un dieu pour Ellie. Bien qu'elle n'ait pas une très haute opinion de Dieu.

— Tertio, l'affaire Cespedes est un meurtre, en relation avec toute une série de meurtres.

Cardozo montra au capitaine son graphique des similitudes entre les victimes.

O'Reilly examina le graphique en silence, l'air absorbé. Cardozo le sentit qui jubilait. Le capitaine allait prendre sa retraite dans seize mois de là. Comme toute huile dans son cas, il voulait finir en beauté. Faire la première page des journaux, l'ouverture des infos du soir, avec une affaire de meurtres en série ne déparerait pas sa cérémonie des adieux.

— Jusqu'ici, expliqua Cardozo, ces affaires ont été traitées comme des assassinats distincts, perpétrés par des assassins différents. Laissez-moi avoir les hommes que je demande et je prouverai qu'une seule personne a commis tous ces meurtres.

— Vous avez un suspect numéro un ?

— Tout à fait.

Et un mensonge, un.

— Des preuves tangibles ?

— Pourquoi me croire sur parole ? Demandez au labo.

Et un coup de bluff, un.

O'Reilly inspira profondément.

— O.K., vous pouvez avoir ces hommes pour cinq jours.

Radin.

— Merci, monsieur.

La gratitude n'étouffait pas Cardozo, tandis qu'il regagnait par le couloir vert éclairé au néon la salle de garde. Un message posé sur son bureau lui demandait de rappeler Lou au labo.

— Qu'est-ce que t'as pour moi, Lou ?

— Quelques résultats intéressants. La lettre anonyme a été écrite sur du papier à en-tête du stock de la révérende Ruskay. Il y a une légère nervure verticale sur les cinq feuilles vierges de son papier à lettre à elle. La même nervure apparaît imperceptiblement sur la lettre anonyme. Le scripteur a été habile — il a utilisé du papier du milieu de la rame, pas du dessus.

— Des empreintes ?

— Désolé. Rien de net.

— Et qu'est-ce qui se passe avec l'écriture ?

— J'attends les résultats de l'analyse graphologique. Mais j'ai un autre résultat à te communiquer. Les labos Lifeways ont fait des tests d'A.D.N. sur les cheveux que tu m'as remis.

Lifeways étaient le nec plus ultra des labos privés, situés à Westchester. Le Département de la Police de New York recourait à leurs services pour des travaux excédant son budget et ses capacités technologiques.

— Et ?

— Ils ne correspondent pas aux cheveux de Pablo Cespedes.

Cardozo sentit comme un coup de poing entre les côtes.

— Déconne pas, Lou. Chez Lifeways, ils ont dû trouver l'équivalent.

— Pour ça oui, mais il se trouve que ça n'a rien à voir avec Cespedes. Les cheveux sont ceux d'un Européen du Nord et ils correspondent à un autre meurtre — celui d'un John X quelconque, dépendant du 77e commissariat.

Cardozo s'empara d'un stylo-bille.

— Tu veux bien me donner le numéro de l'affaire et le nom de l'inspecteur qui en a la charge ?

— Il s'appelle Bob Reach et il est en route pour te voir.

— O.K., Lou. Je bouge pas d'ici.

Cardozo reposa le combiné. En levant les yeux, il aperçut un étranger s'encadrer dans la porte. Il repoussa sa chaise et se leva.

— Inspecteur Reach ?

41

L'étranger tendit la main. C'était un grand rouquin au regard intense dans un visage étroit.

— Il faut qu'on parle.

Cardozo lui désigna de la main la chaise au dossier droit.

— Prenez place.

Il ferma la porte.

L'inspecteur Reach tendit une chemise à Cardozo étiquetée « John X ».

— Un ado qu'on a découvert y a deux semaines dans Marine Park.

Cardozo feuilleta le dossier de l'affaire. Il sauta les pages jaunes où étaient détaillés les résultats de la microscopie électronique de chez Lifeways. Mais s'arrêta au rapport du médecin légiste.

D'après les photos d'autopsie, M. X avait été démembré. La mort remontait à la mi-avril de cette année.

— Cause probable : asphyxie due à une paralysie du système nerveux suite à l'ingestion massive d'un agent narcotique, probablement de l'azidofluoramine, médicament expérimental contre l'angoisse panique.

L'analyse du sang révélait la présence d'alcool et de cocaïne. Celle du foie, d'un taux toxique d'azidofluoramine.

Des lambeaux de phrases lui sautèrent aux yeux : « les mains et les pieds ont été attachés par des lanières de cuir... traces de coups de poing ou de pied... brûlures de la peau ont pu être causées par de la cire de bougie... ».

D'après l'analyse du labo, le T-shirt, le jeans, les chaussettes hautes et les baskets trouvés dans la glacière présentaient des « résidus d'encens » et des « morceaux de moquette acrylique grise adhérant à l'étoffe ».

Le corps avait été retrouvé à l'intérieur d'une glacière en polystyrène.

A la fin du dossier, Cardozo trouva un croquis d'un ado au regard mort. Le robot d'un robot aurait pu en être l'auteur. Il leva le dessin.

— Je suppose que c'est censé être lui ?

— Notre dessinateur l'a croqué tel qu'il aurait été en vie. On a fouillé la ville. Sans pouvoir mettre la main sur quelqu'un qui le reconnaisse.

Cardozo ouvrit le tiroir de son bureau et en sortit les cinq photos qui figuraient dans le fichier du père Joe sans *curriculum vitae*. Il tendit à Reach celle de Tod Lomax.

— Peut-être que votre dessinateur aurait dû pondre un truc plutôt dans ce genre-là.

Bob Reach se raidit. Il compara à plusieurs reprises la photo et le dessin.

— Même mâchoire, mêmes pommettes, mêmes lignes de sourcil...

— Même mec. Semble que c'est quelque chose qui traîne dans l'air.

Cardozo lui tendit les photos de Wills et Vegas.

— M.O. identique pour ces deux-là. Plus pour une fille non identifiée.

— Jamais entendu parler de ceux-là, fit Reach en secouant la tête.

— Jamais entendu parler du vôtre.

— Le D.A. ne voulait pas divulguer les détails. Peu ont été rendus public. Et ce qui l'a été l'a été tout de traviole.

Cardozo acquiesça. Il tourna une page du dossier John X.

— Sur votre inventaire des lieux du crime, il est noté qu'on a trouvé des fleurs près de la sépulture. Je suppose que c'était sous la forme de tiges et de feuilles séchées ?

Bob Reach haussa ses sourcils clairs.

— Je m'en souviens pas exactement.

— Pouvez-vous me rendre un service ? Vérifiez le nombre des fleurs et si elles étaient attachées par du fil rouge. Et s'il y avait des roses ?

Après le départ de l'inspecteur Reach, la sensation d'un truc inachevé tarabusta Cardozo. Il se dirigea vers le classeur de dossiers et sortit celui relatif à miss Glacière. Il ne prit pas la peine de se rasseoir, et le relut en tournant autour de son bureau comme un lion en cage. Il relut tout ce qui concernait Vegas, Wills et John X.

Quatre crimes semblables en l'espace de trois ans. Quatre meurtres identiques sur lesquels avaient enquêté quatre inspecteurs différents de quatre commissariats différents. Trois sur quatre portaient au tampon la mention *classé*, une fois que Martin Barth était passé aux aveux. Même si les aveux de Barth avaient disparu d'une façon ou d'une autre du fichier central, ils figuraient toujours dans la paperasserie d'origine concernant miss Glacière, Vegas et Wills.

Restait John X, le type en trop.

Cardozo téléphona à Dan Hippolito à l'Institut médico-légal.

— Dan, tu pourrais revoir trois autopsies pour moi ? Deux sont à toi et une à Sileson.

Il donna les numéros de référence des autopsies à Dan.

— Tu cherches quoi ?

— Tout ce qui peut indiquer que ces meurtres ont été l'œuvre d'une seule personne. Vérifie bien toutes les similitudes comme le pain azyme dans leur bouche — donne-moi ton avis autorisé.

— Ça peut prendre un petit bout de temps. L'été est meurtrier à New York, on a un tas de cadavres en attente ici.

— Je t'en serais très reconnaissant, Dan. Et tant que tu y es, tu pourrais vérifier si les dossiers ont été falsifiés ? Si des infos ont été perdues ou altérées ?

— On transfère tout sur ordinateur, pas mal de trucs se retrouvent perdus ou altérés accidentellement.

— Tiens-moi au courant si tu sembles y voir une intention délibérée. Merci, Dan.

Comme Cardozo faisait pivoter son fauteuil, Ellie entra dans le box.

— Bob Reach vient de téléphoner.

De minuscules diamants quasiment invisibles scintillaient à ses oreilles.

— Ta ligne était occupée. Douze tiges sèches ont été retrouvées dans un buisson à environ un mètre de la sépulture. Un assortiment de fleurs mortes en bouton attachées par du fil rouge.

— Et la rose ?

— Qui t'a dit qu'il y avait une rose ?

— Quelle variété de rose était-ce ?

— Laquelle tu aimerais que ce soit ?

— Joue pas à ce petit jeu avec moi, Ellie.

— C'était une Linda Porter. T'es content ? T'as pas l'air. Qu'est-ce qui se passe ?

— Je te présente John X, du 77ᵉ commissariat.

Cardozo fit glisser le dossier dans sa direction.

— Même famille en tout point que miss Glacière, Vegas et Wills, excepté son assassin : Martin Barth était en prison quand John X a été tué.

Ellie ouvrit le dossier John X et le feuilleta. Un pli barrait son front.

— Encore un détail. Martin Barth a disparu du fichier central. Aucun de ses aveux n'est enregistré nulle part.

Le regard qu'elle lui lança signifiait *Tu ferais mieux de cesser de manger de la quiche aux champignons hallucinogènes pour déjeuner.*

— Regarde-moi tous ces hasards sur lesquels on tombe et me dis pas que ce sont des hasards. Quatre affaires identiques sur lesquelles il n'y aurait dû y avoir qu'une seule et même enquête. Ça n'a pas été le cas. La presse aurait dû être sens dessus dessous. Ça n'a pas été le cas.

— Vince, tu hurles.

— Un homme qui a avoué trois de ces meurtres, il aurait dû faire la une, et ouvrir les infos télé de la soirée. Mais non. Toute référence à ses aveux a été enterrée dans trois commissariats différents....

— Je ne suis pas sourde, dit Ellie en lui rendant le dossier. Arrête de gueuler, s'il te plaît.

— Et les aveux eux-mêmes ont disparu du fichier central. Envolés d'un coup de baguette magique électronique. Ça n'était jamais arrivé.

Cardozo empila les chemises des dossiers sur son bureau.

— J'aimerais bien voir celle qui va faire s'envoler John X

Ellie le regardait fixement. Quelque chose s'alluma dans son œil.

— Vince.

— Quoi ?

— Enlève John X du sommet de la pile. Mets-le à l'avant-dernière place.

— Quoi ? Pourquoi ?

Ellie se pencha et exécuta la chose elle-même. Puis elle se rassit sur sa chaise en hochant la tête.

— La tache.

— Quelle tache ?

— On dirait du café qui s'est répandu.

Même hochement de tête. Plus lent cette fois.

— Et qui a coulé le long de la pile.

Cardozo fit pivoter les dossiers et vit à quoi Ellie faisait allusion : une tache sombre verticale dégoulinait en s'évasant le long des quatre dossiers.

— T'es pas parano, parce que je le vois de mes yeux, dit-elle. Et je le suis pas, parce que t'en es témoin.

Une vague d'énergie balaya le box comme un claquement de drapeau dans la brise.

— Ces dossiers ont été réunis à un moment, et quelqu'un a renversé du café sur eux.

Ils restèrent là sans bouger, sans parler.

Ellie finit par briser le silence.

— Appelle Lou, Vince.

Cardozo décrocha le combiné et composa le numéro du labo.

— Lou ? J'ai besoin de toi.

— Dis donc, si c'est pas de la transmission de pensée. J'allais justement t'appeler. Qu'est-ce qu'il se passe ?

— Je vais t'expédier quatre chemises en papier bulle. Elles sont tachées. Je veux savoir si c'est bien de la même tache qu'il s'agit. Si à un certain moment de leur histoire, elles ont été au même endroit en même temps.

— Ça me paraît faisable.

— J'ai aussi besoin que tu jettes un œil sur trois cas d'homicide pour moi.

Cardozo lui dicta les numéros de référence de chacun.

— C'est quoi le but ?

— Note toutes les similitudes avec miss Glacière. Je pense qu'il n'y a qu'un seul assassin.

— O.K., je m'y mets tout de suite.

Cardozo saisit sa tasse de café.

— Tu disais que tu avais quelque chose pour moi ?

— Je viens juste d'avoir mon expert graphologique. Tu peux barrer le père Montgomery de la liste, la lettre anonyme n'est pas de sa main. L'écriture ressemble à celle de Bonnie Ruskay.

Le café était amer et Cardozo le reposa sans regrets.

— Tu m'avais dit que ça ne pouvait pas être celle d'une femme.

— C'était mon avis, à moi. Là, il s'agit de celui de mon expert. Il se pourrait que quelqu'un ait imité l'écriture de Bonnie Ruskay en donnant l'impression qu'elle voulait la déguiser. Mon expert soulève une possibilité des plus intriguantes : Bonnie Ruskay pourrait avoir mal imité sa propre écriture pour donner l'impression qu'elle n'était pas l'expéditrice.

— Là, je te suis plus, Lou. Ça me paraît terriblement tordu, presque puéril.

— Je te le donne pour ce que ça vaut.

Le regard d'Ellie était plein d'expectative quand Cardozo raccrocha.

— Vous n'êtes pas d'accord sur Bonnie Ruskay ?

— Qui t'a dit qu'il s'agissait d'elle ?

— Ton air.

— Tu es une très bonne comédienne, Ellie, mais n'abandonne pas ton boulot quotidien.

Cardozo se carra sur sa chaise pivotante.

— L'analyste graphologique de Lou pense que Bonnie a peut-être envoyé cette lettre.

— Et toi, pas.

— Chaque fois que je la rencontre, elle prend la défense du père Joe. Une vraie tigresse quand on aborde le sujet.

— Peut-être qu'elle le soupçonne ou sait quelque chose sur lui, mais ne veut pas le dire.

Cardozo secoua la tête.

— Ça colle pas.

— Peut-être qu'elle essaie de l'incriminer.

— En laissant une trace manuscrite qui l'impliquerait, elle ?

— Il se pourrait qu'elle joue un jeu dont nous n'avons pas encore compris la règle.

— Elle est pas du genre joueuse. Si elle croyait le père Joe coupable, elle nous le dirait.

— Peut-être que tu te trompes sur son compte, Vince. Ne la laisse pas t'embrouiller les idées.

A l'oreille de Cardozo, le verbe « embrouiller », venant d'Ellie, parut comme un gant de soie tenant une grenade dégoupillée. Il leva lentement la tête pour lui lancer un très long regard.

— N'essaie pas de diriger ma vie, Ellie.

— Qui a envie de ça ? Quelqu'un a déjà essayé ?

Garder le silence, découvrit-il, pouvait être un sacré boulot. Il enfila sa veste.

Ellie lui fit un petit signe d'au-revoir espiègle.

— Salue bien la révérende de ma part.

42

En ouvrant la porte, Bonnie Ruskay ne parut pas du tout surprise d'apercevoir Cardozo sur le trottoir.

— Je passais dans le coin. Je tombe mal, peut-être ?

— Pas du tout. Entrez.

Il la suivit à l'intérieur. Il y avait une certaine légèreté dans ses mouvements qui lui donna le sentiment qu'elle n'était pas fâchée de le voir.

— Je me suis fait du souci pour vous. Ce gosse a-t-il recommencé à vous embêter ?

— Je n'ai rien remarqué.

Une porte s'ouvrit à la volée et un gamin aux cheveux filasse bondit dans le couloir en gloussant.

— Kyle ! le réprimanda durement Bonnie. Je t'ai déjà dit de ne pas courir à l'intérieur. Tu pourrais te faire mal ou faire mal à quelqu'un.

Le garçonnet s'immobilisa, tête penchée.

— Viens dire bonjour au lieutenant Cardozo.

Le gamin fit deux pas en avant, les yeux fixés sur le tapis.

— Bonjour, Kyle, fit Cardozo en lui tendant la main.

— Kyle, le lieutenant Cardozo t'a dit bonjour et te tend la main. Qu'est-ce qu'on dit ?

Le garçon lui lança un coup d'œil, levant la tête.

— Bonjour, monsieur.

Il lui serra la main. Ses yeux bleu clair trahissaient une grande timidité.

— Enchanté de vous rencontrer.

— Moi aussi, Kyle. Tout le plaisir est pour moi.

— Où est ta sœur ? lui demanda Bonnie.

— Elle s'est cachée.

Bonnie sourit à Cardozo.

— Les enfants adorent le presbytère. L'endroit est idéal pour jouer à cache-cache.

— Vous laissez les enfants aller et venir comme bon leur semble ?

— Pourquoi pas ? Je les aime. Pas vous ?

— Ah te voilà.

Un homme brun et efflanqué descendait l'escalier avec un grand sourire.

— Un coquin de perdu, un coquin de retrouvé.

Bonnie se retourna vivement.

— Lieutenant, j'aimerais vous présenter un très grand ami à moi. Collie, Vince.

Ils se serrèrent la main. Quelque chose chez cet homme frappa Cardozo comme à côté de la plaque ; les rides de son visage annonçaient qu'il avait dépassé trente-cinq ans, même s'il était habillé comme un étudiant de première année — blue-jeans propre mais déchiré, T-shirt noir de la Wrestling Team de Fordham. Le sourire restait accroché à son visage comme un mot imprimé sur une page, paraissant supplier, *Aimez-moi, S.V.P., je suis bon mec.*

— Je vais te retirer ces petits diables d'entre les pattes.

Collie prit Kyle par la main.

— Viens, fiston, on va chercher Kelly.

Les yeux de Kyle brillaient comme si Collie était le compagnon de jeu rêvé et son conspirateur préféré.

— Elle est en haut.

Cardozo les regarda s'éloigner.

— On n'aura pas beaucoup la paix par ici, c'est évident, dit Bonnie. Mais c'est une belle journée pour une balade. Qu'en dites-vous ?

Ils traversèrent le jardin.

— Le père Joe se charge habituellement du jardinage,

dit-elle. J'ai désherbé récemment, mais on ne le dirait pas, hein ?

Cardozo s'arrêta près du buisson de roses.

— Très inhabituelle cette variété. C'est laquelle ?

— C'est la fierté du père Joe. On l'appelle Linda Porter, d'après le nom de l'épouse de Cole Porter. Les ayants droit de Porter en ont fait cadeau au père Joe pour le remercier d'avoir monté *Anything Goes Again*.

— C'est une rareté ?

— Plus depuis que le père Joe en a hérité. Il a donné des boutures à tout le monde.

— A qui par exemple ?

— Eh bien, à moi.

— Et où avez-vous planté le vôtre ?

— Je l'ai offert à ma mère pour son anniversaire. Elle adore les roses.

Ils atteignirent le portail. Cardozo évalua les barreaux de fer forgé. Ils étaient fermés par un cadenas. Qu'il reconnut pour de la camelote made in Taïwan, vendue à prix d'or sur le marché américain et dont la marque, Eli, faisait croire que c'était un Yale.

— Il vous faudrait un meilleur cadenas, fit-il observer. Ces trucs-là sont pas fiables.

Il donna au cylindre une poussée vers le haut contre l'anse, puis tira d'un coup sec vers le bas. Il sentit l'anse glisser d'un cran à l'intérieur du boîtier. Et le cadenas s'ouvrit.

— Je suis horriblement gênée, dit Bonnie. Vous devez penser que je suis une idiote en matière de sécurité.

— Non, vous êtes comme la majorité des gens.

Il ouvrit le portail à deux battants.

— Vous êtes trop confiante. C'est naturel dans un quartier comme celui-ci.

Ils marchèrent le long d'un bloc tranquille où alternaient hôtels particuliers et petites boutiques, ombrage des arbres et voitures carrossées sur mesure, garées au bord de trottoirs propres.

— Est-ce que Collie travaille à son compte ? demanda Cardozo.

— Pourquoi cette question ?

— C'est bizarre qu'il soit libre à ce moment de la journée.

— Collie est en train d'écrire deux livres sur les éléments de mysticisme oriental qui se cachent dans le christianisme.

— Et il vit de sa plume ?

— Difficilement.

Elle éclata d'un rire jovial.

— A part Collie, personne ne pourrait vivre sur les avances que donnent les éditeurs d'ouvrages religieux. Heureusement, ses besoins sont modestes. Il a un job très peu astreignant à Staten Island, avec des horaires très souples.

— J'espère qu'on trouve plus facilement ses livres que les vôtres. J'ai dû faire toute la ville pour en dénicher un.

— Je sais. Vous avez essayé à « Le Poisson et l'Agneau ». C'est à mon frère que vous avez eu affaire.

— C'était votre frère ?

Elle acquiesça.

— Il m'a tout raconté.

— Comment savait-il qui j'étais ?

— Je lui dis pratiquement tout ce qui se passe par ici — il a fait le rapprochement.

— C'est un vendeur ?

— Il a remplacé au pied levé un employé malade. C'est le vice-président de la société.

— Articles religieux ?

— Et ouvrages de religion. En fait, c'est lui l'éditeur de Collie.

— Intéressant comme domaine.

— Il faut bien que quelqu'un s'en charge, dit-elle en souriant. Ce n'est pas aussi assommant que ça en a l'air, surtout si vous aimez l'Eglise. Ben est diacre.

— C'est comme un prêtre, mais pas tout à fait ?

— C'est une fonction laïque, qui combine celles d'auxiliaire et de substitut d'un prêtre. D'après Ben, c'est comme avoir les clés d'une banque, mais pas celle des coffres.

Le trottoir taché de lumière cliquetait sous leurs pas. Cardozo eut l'impression qu'ils déambulaient à travers le passé. La violence, qui avait rendu la quasi-totalité de New York inhabitable, n'était pas arrivée jusqu'ici. Cette jolie artère n'avait pas encore cédé à la laideur ambiante.

Ou bien, si ? se demanda-t-il.

Ils ralentirent le pas.

— A vrai dire, maintenant que j'y pense, il faut que je vous demande quelque chose.

— Alors ce n'était pas une visite amicale ? dit-elle en se tournant vers lui. Très bien. Je ne suis pas vexée. Je vous répondrai si je peux.

Son amabilité le mit mal à l'aise.

— Vous êtes bien certaine de n'avoir jamais entendu le nom de Tod Lomax auparavant ?

Un très court instant, une légère hésitation fit vaciller son regard.

— Non, je n'en suis pas sûre. J'ai essayé de me rappeler.

— Est-ce que ça vous aiderait de jeter un nouveau coup d'œil sur sa photo ?

Il lui tendit la photo de Tod Lomax.

Elle l'examina pendant une bonne minute, puis son regard revint se poser sur le sien.

— Je ne peux rien affirmer. Je l'ai peut-être vu, lui ou quelqu'un qui lui ressemble.

— Où ça ?

— Au presbytère, dit-elle en lui rendant la photo.

Leurs doigts s'effleurèrent et il fut saisi par la douceur de ce contact accidentel, par ce qu'il lui apprenait de la douceur de sa peau.

— Quand ?

— La première fois remonte à plus d'un an. La deuxième, c'était il y a trois ou quatre mois.

— Que faisait-il au presbytère ?

— Les plinthes et les baguettes de la salle à manger avaient besoin d'une réfection. Le père Joe l'avait engagé pour ce travail.

— L'aurait-il noté quelque part ?

— On pourrait regarder dans le grand livre de comptes.

Ils retournèrent au presbytère. Cardozo la suivit dans le bureau du recteur.

Elle ouvrit l'un des tiroirs et en sortit un registre de la taille d'une bible. Elle le compulsa avec une expression de plus en plus perplexe.

— Il n'y a rien concernant des travaux de peinture pour ces quatre derniers mois.

— Et la première fois — c'était il y a un an, vous avez dit ?

— A peu près à l'époque de la réouverture des Jardins Vanderbilt.

Elle feuilleta à rebours plusieurs dizaines de centimètres de talons de chéquiers.

— C'est étrange. Je ne vois rien.

— Je peux ?

Cardozo lui enleva le registre des mains. Il feuilleta lentement les talons du mois de mai. Il y avait des paiements à l'ordre de Con Edison, de la compagnie de téléphone, d'un plombier, d'un vitrier, d'un couvreur et un talon de deux mille dollars au porteur, pour *Divers*.

Il releva mentalement le numéro du chèque figurant sur le talon : 2727.

— Lomax aurait-il pu être payé au noir ?

Bonnie secoua la tête, manifestant par là davantage le doute que la dénégation.

— Tout est possible, mais ce n'est pas dans les habitudes du père Joe.

— On peut voir si le travail a été effectué dans la salle à manger ?

Malgré une rangée de fenêtres aux vitres plombées donnant sur le jardin, la salle à manger était une sorte de boyau obscur qu'assombrissaient encore davantage les murs peints d'un vert mousse.

— Le père Joe voulait éclaircir la pièce. Il avait en tête une sorte de gris perle pour les moulures et les boiseries.

Cardozo examina les plinthes.

— Ses désirs ont été exaucés sur trois murs.

Les boiseries du quatrième étaient d'une autre teinte — caramel.

— Ah oui, c'est l'ancienne couleur, dit Bonnie. Tout le monde la détestait.

Cardozo compta les chaises sculptées qui entouraient la table d'acajou à pieds de lion. Dix. Un énorme bol à punch en argent, posé au centre de la table, reflétait la pénombre de la pièce en la dotant de la distorsion d'un palais des glaces. Deux candélabres d'argent, dont les bougies s'étaient consumées inégalement, le flanquaient.

— On mange souvent ici ?

— Aussi rarement que possible. Je suis sûre que c'était l'inverse, il y a cent ans, quand les presbytères avaient de la domesticité à plein temps. Mais c'est une pièce un petit peu trop imposante pour l'époque actuelle.

— Et ténébreuse.

— Vous avez remarqué.

— Ça vous contrarierait beaucoup, fit-il, s'il s'avérait que le père Joe a été mêlé à des pratiques criminelles ?

— Evidemment, que ça me contrarierait. Mais ce n'est pas le cas.

Elle redressa l'une des bougies, qui penchait.

— Vous savez, lieutenant, dans le travail que je fais, je suis amenée à côtoyer toutes sortes de gens comme vous dans le vôtre. Ça m'a appris à porter des jugements, tout comme vous, et je ne suis pas mauvais juge en ce qui concerne le caractère. Je suis bien meilleure sur ce plan que sur le plan des cadenas, et certainement pas aussi mauvaise que vous le pensez.

— Comment savez-vous ce que je pense de vous ?

— Je sais que je vous chagrine.

Elle le regarda avec une sorte de tranquillité détachée.

— Vous me voyez comme une belle âme de gauche, qui n'a jamais mis à l'épreuve du réel une seule de ses croyances. Vous m'espérez assez forte pour surmonter ma désillusion quand vous me prouverez que le père Joe n'est rien qu'une canaille.

— Bel exercice de lecture dans les pensées. Mais c'est une arme à double tranchant.

— Je vous en prie. Lisez en moi. Tranchez dans le vif. Je le mérite.

— Vous voyez les flics comme des ploucs déguisés en citadins. Des mecs de droite qui foulent aux pieds les minorités et soutiennent aveuglément un statu quo injuste.

— Il y a un peu de ça qui sommeille dans chaque flic, non ?

— Vous avez déjà connu un flic ? Déjà vraiment parlé avec un flic ? Vous vous êtes déjà assise à la même table qu'un flic et pris un repas avec lui ?

— Vous essayez de me prouver quelque chose ou vous m'invitez à dîner ?

Il prenait conscience avec une certaine gêne qu'ils n'appartenaient pas à la même tribu.

— On a retrouvé Tod Lomax mort il y a quinze jours.

— Désolée de l'apprendre.

— Il y avait des cheveux à lui sur la brosse à cheveux qui se trouvait dans la chambre d'amis du père Joe.

Il sentit un rideau de glace tomber entre eux.

— Je vous ai dit qu'il travaillait là, fit-elle. Il s'est servi de la salle de bains et il s'est brossé les cheveux. Pourquoi cela vous surprend-il autant, lieutenant ? Pourquoi vous attendiez-vous à ce que ça me surprenne ?

Il soupira.

— Avez-vous une idée d'où le père Montgomery a pu rencontrer Tod Lomax ?

— Je suppose qu'ils se sont rencontrés près des docks du West Side, le lieu de rassemblement de tous les fugueurs.

43

Le secret pour obtenir des renseignements auprès d'une bureaucratie quelconque réside dans la confiance en soi et la promptitude. Il faut aborder, intimider et emporter le morceau d'un seul mouvement, continu et audacieux.

Cardozo posa son insigne et sa carte sur le bureau de la directrice de la banque.

— Il me faut la photocopie du chèque 2727 tiré sur le compte paroissial de l'église Saint-Andrew.

Le regard de la directrice trahit une soudaine incertitude.

— Je vous demanderai pour cela de bien vouloir me montrer une ordonnance du tribunal...

— Très bien. S'il faut une ordonnance du tribunal pour retrouver la trace d'un malheureux faux chèque, je vais m'en faire délivrer une.

Cardozo referma l'étui de son insigne d'un coup sec.

— Et peut-être qu'un journaliste qui traînera par là héritera d'un bon article : la plus ancienne banque de Manhattan ne prend même pas la peine de lire la signature figurant au bas des chèques.

Les lèvres serrées de la directrice n'étaient plus qu'une ligne. Elle retira ses lunettes surdimensionnées en écaille de tortue.

— Voudriez-vous s'il vous plaît me laisser terminer ?

— Non, c'est *vous* qui allez me laisser terminer. La prochaine fois que vous ou votre banque aurez besoin de moi ou de mes hommes, je saurai me souvenir que vous m'avez obligé à être réglo.

La voix de la directrice n'était plus qu'un murmure.

— Ce ne sera pas nécessaire. Etant donné que vous êtes du commissariat, nous ne tiendrons pas compte des formalités.

La photocopie était sur le bureau de Cardozo deux heures plus tard. Le recto du chèque ne lui apprenait rien de nouveau : il avait été libellé au porteur et signé par Bonnie Ruskay. Ce qui l'intéressa davantage c'était le cachet de l'endos au verso : les lettres à peine lisibles avaient été salement maculées, mais il put en distinguer suffisamment pour reconstituer les mots *Fidelity Mutual Corp Inc.*

L'officine en question se révéla être un comptoir d'encaissement de chèques donnant sur une portion de Varick Street aux immeubles d'un étage ou deux, où on lisait surtout dans les vitrines « Films pour adultes Triple X » et « A louer ». Les stores inclinés luttaient contre la chaleur et le flamboiement de midi. Cardozo franchit le seuil. Un zombie de plus de deux mètres affublé de lunettes noires, de chaînes en or et d'une chemise hawaïenne dissimulant un holster scrutait la clientèle. Il suivit Cardozo des yeux avec la précision d'un missile à guidage infrarouge.

Cardozo le salua d'un signe de tête et montra son insigne.

Le zombie l'escorta le long d'une file où piétinaient des m'mans donnant le sein et des toxicos dodelinant de la tête.

Cardozo posa la photocopie sur le comptoir près de son insigne.

— Vous avez encaissé ce chèque pour qui ?

L'employé ne répondit pas. Son visage grêlé de petite vérole, à la mâchoire lourde, regarda l'endos. Des notes bizarroïdes et criardes se déversaient des écouteurs de son walkman, comme si des grillons jouaient un duo au violon.

— Ce chèque a été encaissé l'année dernière, dit-il d'un ton geignard.

— D'après la loi, vous devez conserver la trace de vos opérations.

Monsieur Pas D'Sourire Pour Vous Aujourd'hui regarda Cardozo avec des yeux battus, genre *Pourquoi tu m'fais ça à moi*. Il déterra de sous le comptoir un registre de comptes épais d'une bonne vingtaine de centimètres. Il tourna des pages couvertes de ratures Tipp-exées. Un nuage-champignon d'atomes de poussière se souleva dans l'air.

— Ce chèque a été encaissé par Nell Z. Dunbar.

Une mauvaise photocopie d'une photo d'identité avait été attachée à la paperasse. Cardozo examina les joues creuses, les yeux caves.

— C'est elle ?

— Une de ces ados fugueuses qui font la pute. Et qui zonent sur les docks.

— Vous l'avez vue quand la dernière fois ?

— Celle-là ? Elle est venue ici il y a deux jours, pour essayer d'encaisser un chèque d'aide sociale V. et F.

V. et F. signifiait « volé et falsifié », autrement dit le racket le plus profitable qui transitait par ces officines d'encaissement. L'administration des Ressources humaines déclarait qu'elle avait serré la vis des procédures et ne perdait chaque année que « la modeste somme » de cent quatre-vingts millions de dollars du fait de telles arnaques. En réalité, le département admettait *off the record* un demi-milliard annuel lessivé par la fraude.

Cardozo détacha la photo d'identité de la petite Dunbar.

— Eh là !

Les voyelles irlandaises made in Queens de l'employé se fondirent en une jérémiade.

— On en a besoin, nous.

— Moi aussi, dit Cardozo en souriant.

Les narines de Cardozo se pincèrent devant la puanteur de corps mal lavés, de matières fécales et de nourriture en décomposition. Le dock de la 12ᵉ Rue Ouest avait été autrefois un énorme entrepôt. L'intérieur évoquait la désolation d'une capitale du tiers monde prise par des rebelles puis libérée par les US Marines.

Avec sa chemise propre et sa cravate, il était aussi repérable qu'une voiture de pompiers dans Grand Central Station. Une dizaine de têtes, celles de ceux qui n'étaient pas stones ou dans le coaltar, se tournèrent. Il perçut la rumeur se répandre à voix basse — *Gaffe, les flics.*

Il inspecta les lieux comme il l'aurait fait d'un quartier, porte à porte, sauf qu'ici il n'y avait pas de portes, rien que des zones non délimitées que chacun ou chacune des quatre cents fugueurs avait fait siennes. La zone la plus proche de lui était occupée par un garçon unijambiste à peau mate, qui jouait avec les écouteurs de son walkman.

— Tu connais cette fille ? fit Cardozo en lui montrant la photo d'identité.

Le geste attira le regard du garçon. Il plissa les yeux, des yeux d'exilé, sans compassion, y voyant à peine. Il secoua la tête.

— Connais pas.

Chaque parcelle, de la taille d'une tombe, était meublée de tout un bric-à-brac récupéré dans la rue, un matelas au rebut, une caisse de bois, peut-être un fanal ou une torche. Cardozo gagna la suivante.

— Tu as déjà vu cette fille ?

Des doigts calleux saisirent la photo d'identité.

— Jamais vue.

A l'extrémité nord-ouest de l'entrepôt, une fille à la figure blême était assise, pieds nus, sur un matelas troué de brûlures de cigarette. C'était facilement la centième à laquelle il s'adressait. Elle faisait une réussite et, à première vue, elle n'avait pas plus de seize ans.

— Excuse-moi. Tu as déjà vu cette fille ? répéta Cardozo en lui tendant la photo.

Elle y jeta un œil et un éclair de dégoût traversa son regard. Elle avait les yeux couleur bleuet et ses tresses d'un blond vaporeux tombaient sur ses épaules tachetées de rousseurs.

Il s'aperçut en sursautant que c'était la fille de la photo. Le pli de la bouche était plus amer, les yeux plus éteints, elle avait des tresses et plus de frange, mais le visage était le même.

— C'est toi, Nell Dunbar.

Elle ne nia pas et lui rendit la photo.

— Nulle cette photo.

Elle avait un accent légèrement méridional. Nouvelle-Angleterre, Cardozo aurait dit.

— *Fidelity* a encaissé un chèque pour toi.

— Ils encaissent tous mes chèques.

— L'année dernière, ils en ont encaissé un tiré sur l'église de Saint-Andrew. D'un montant de deux mille dollars.

— Et ils en ont gardé cinq cents, dit-elle avec rancœur.

— Il était pour quoi ce chèque ?

— Pour moi, qu'est-ce que vous croyez ?

— Il payait quoi ?

— S'ils disent que je l'ai volé, ils mentent, fit-elle, le souffle court.

— Je vérifie si vos versions concordent.

— Ils me l'ont donné parce qu'ils me plaignaient.

— Deux mille dollars ?

— Ils me plaignaient beaucoup.

Il vit qu'elle n'était pas décidée à rendre compte de ses actes, et encore moins à un flic.

— Quand tu étais à l'église, est-ce que tu as vu ce garçon ?

Il lui montra la photo de Tod Lomax.

Son regard s'assombrit.

— Qui vous dit que je suis allée à l'église ?

— Tu sais bien que tu es allée là-bas, Nell. Les deux mille dollars sont pas venus te trouver tout seuls ici.

Elle haussa les épaules.

— J'ai déjà vu Tod, mais pas à l'église.

— Où ça ?

— Il zonait par ici, y a quelque temps.

— Quand tu l'as vu pour la dernière fois ?

— Il y a deux, trois mois. Trois, je crois.

Elle lui rendit la photo.

— Sa famille le cherche ?

Cardozo fit oui de la tête. Ce n'était pas tout à fait un mensonge.

Elle esquissa un léger sourire.

— Il disait qu'ils enverraient quelqu'un. C'est sa mère, hein ?

— Tu le connaissais ?

Nouveau haussement d'épaules, mais signifiant cette fois qu'elle avait couché avec tant de monde ici, dans la rue ou dans des chambres par toute la ville, qu'il n'y avait rien de spécial à cet égard dans sa relation avec Tod Lomax. Comme elle agitait ses tresses, quelque chose étincela et Cardozo vit qu'elle avait un bracelet-montre en acier entrelacé à la tresse gauche.

— Pourquoi Tod est parti ?

— Il a rencontré quelqu'un.

— Une fille ?

— Ce serait bizarre.

Elle sourit, plus largement cette fois.

— Qu'est-ce qu'il y a de si drôle ?

— Il a rencontré le prêtre de cette église. Le prêtre avait un lit de reste, et il avait du travail à faire.

— Quel genre de travail ?

— Peinture. Menuiserie. Tod est habile de ses mains.

— C'était ce prêtre-là ?

Il lui montra la photo du père Joe.

Elle secoua la tête.

— C'est pas lui que j'ai rencontré. C'est peut-être celui de Tod, moi j'ai rencontré une femme.

— Je peux ?

Cardozo désigna un coin du matelas. Elle se poussa et il s'assit près d'elle.

— Je m'appelle Cardozo. Vince Cardozo.

Il avait acheté des cigarettes et il lui offrit une Tareyton. Elle l'accepta. Il lui donna du feu.

— Dis-moi, Nell, t'as déjà vu ce garçon ?

Il lui montra une photo de Pablo Cespedes.

— Pas que je me souvienne.

— Et celui-ci ?

Elle regarda la photo de Wally Wills en plissant les yeux.

— Non, jamais vu. Mais la photo a été prise juste là-bas.

Elle pointa son doigt vers une porte du hangar, du côté du fleuve.

— Et cette fille ?

Elle prit la photo de Wanda Gilmartin et fronça le sourcil.

— Je ne l'ai pas connue, mais elle a dû connaître Jérémie.

— C'est qui, Jérémie ?

— Il faisait des coiffures. Il savait comment tresser des choses dans les cheveux, comme ce bracelet-montre dans les miens.

Elle lui rendit la photo.

— Et la chaînette dans les siens.

Cardozo examina le portrait de Wanda Gilmartin. Il y avait une zébrure brillante dans ses cheveux. Il avait supposé que c'était un défaut du tirage, mais ça pouvait être autre chose.

— Où je peux le trouver, Jérémie ?

— Nulle part. Il a été tué dans une bagarre l'hiver dernier.

Nell marcha avec Cardozo jusqu'au bord du trottoir, face à la route à six voies.

— Si tu as besoin de quoi que ce soit, lui dit-il, sois pas timide, n'aie pas peur — contacte-moi.

— O.K.

Risque pas d'arriver, songea-t-elle.

Il lui donna sa carte et elle le regarda s'éloigner, puis traverser en courant le flot de la circulation.

Elle n'avait aucun endroit où ranger sa carte excepté dans son débardeur. Mais celle-ci blessait l'entaille au bout de son sein, aussi la transféra-t-elle sur l'autre sein où la coupure avait eu plus de temps pour cicatriser.

Elle revenait vers l'entrepôt quand elle s'aperçut qu'une Porsche blanche s'était détachée du flux de la circulation, en direction du sud, et roulait lentement à sa hauteur. Elle regarda vers les vitres sombres et épaisses d'un seul tenant.

Elle avait déjà vu cette voiture, qui l'avait suivie plusieurs fois. On se passait le mot suivant sur le dock — *Faut pas monter avec ce type, c'est un salopard et un connard, et il paie pas — cent dollars pour faire des trucs qui t'obligent à te faire piquer contre le tétanos après.*

La voiture s'arrêta. La vitre côté conducteur s'abaissa très lentement.

— Salut.

Le chauffeur se pencha au-dehors, tout sourire. Il était baraqué et on apercevait deux chaînes en or dans l'échancrure de sa Lacoste framboise.

— C'est quoi ton nom ?

— Je crois pas que..., fit Nell.

Il descendit de voiture et ouvrit la portière. Un courant d'air embaumant la rose surgit en spirale de l'obscurité et la balaya de sa fraîcheur.

— T'as déjà vu l'intérieur d'une bagnole comme celle-là ? J'parie que non, parce que c'est du boulot sur mesure.

— Merci, mais je crois pas que...

C'était la fraîcheur qui la retenait. Cette fraîcheur était si bonne par ce soleil.

— Cette beauté a un water-bed queen-size, un jacuzzi, un complexe audiovisuel, un bar bien approvisionné. Tout ça inté-gré.

— Et de la musique ?

— T'aimes la musique ?

Elle se rapprocha de la fraîcheur. Une voix de crooner, accompagnée par un grand orchestre, susurrait :

« Don't stop that line you're feedin' me
When you implant that need in me
My heart gets up to speed in me... »

Nell reconnut l'un des disques que son père ne se lassait pas d'écouter avant qu'on l'enferme pour avoir égorgé sa mère et sa sœur.

Une lumière s'alluma sur la banquette arrière où trônait un vieux type en moumoute et blazer de capitaine de marine qui la dévorait des yeux.

— Alors, on se dit bonjour, maintenant ? Appelle-moi Toe — Toe comme dans Knee [1], comme dans Tony.

Il fit claquer ses doigts en souriant. Sa bouche avait bien trop de dents et bien trop blanches.

— Salut, ma jolie poupée. Alors la zizique ça te botte ?

Elle prit conscience que sa voix était la même que celle de la sono. Elle n'arrivait pas à se rappeler son nom, mais elle savait qu'il avait été l'un des grands chanteurs pop des années soixante, bien des années avant sa naissance.

---

1. Jeu de mots vaseux — comme le personnage — qui décompose le prénom Tony, en Toe c'est-à-dire orteil et Knee c'est-à-dire genou. (N.d.T.)

— Peu importe ce qui te fait décoller, poupée. Accroche-toi et viens planer avec moi.

— Merci, dit-elle en secouant la tête. Mais je crois pas que...

Il tendit la main, mais elle recula avant qu'il puisse la toucher.

— Je peux vous rendre service, messieurs ?

Un jeune garçon blanc s'était joint au groupe. Il tendait la main.

— Salut, j'm'appelle Eff, j'peux vous aider ?

Le chauffeur se retourna.

— Qu'est-ce qui t'a mis dans l'idée qu'on a besoin de toi, putain ?

Le gamin avait trente centimètres de moins que le chauffeur et pesait quarante kilos de moins. Sur son T-shirt qui pendouillait sur ses hanches, on lisait « Mes parents sont allés à Baltimore et tout ce qu'ils ont été foutus de me ramener, c'est ce T-shirt nul ». Il portait un petit crucifix à l'oreille gauche, et sous sa casquette de base-ball des New York Mets, ses cheveux blonds étaient coiffés en queue-de-cheval.

— Je représente cette jeune femme. Je m'occupe de tous les arrangements contractuels pour ses services.

Le type à la moumoute claqua dans ses doigts à l'intention du chauffeur.

— Occupe-toi de ce connard.

Le chauffeur recula d'un pas.

Les pupilles bleu revolver du gosse devinrent des têtes d'épingle.

Le chauffeur lança son poing en avant, lesté de tout son poids.

Le gosse brandit un rasoir. Il laissa la baraque se choper le tranchant, puis il tourna.

Le chauffeur s'effondra sur l'asphalte en hurlant.

— J'ai récolté un paquet de « peut-être », tout un tas de « de Dieu, il me rappelle quelqu'un », dit Ellie. Mais personne ne savait où il est parti ni avec qui.

— Personne n'a *admis* qu'il le savait, rectifia Cardozo. Ces gosses ne sont pas des individus expansifs. Sauf qu'une d'entre eux, plutôt disjonctée, m'a mis sur une piste possible.

Il posa la photo de Wanda Gilmartin sur la table.

— Tu crois que ça pourrait être une chaînette nattée dans ses cheveux ?

Ils étaient assis dans un bar de West Street, le Sea Shell. L'endroit était faiblement éclairé, et Ellie dut incliner la photo à la lumière. A travers la vitre, on pouvait apercevoir les docks par-delà West Side Drive embouteillé.

— Je croyais que c'était un mauvais tirage. Mais je suppose que ça pourrait être un truc métallique.

— T'as pas une loupe par hasard dans ton sac ?

— Et pourquoi j'en aurais une ?

Soudain Ellie se fit presque agressive.

— Tu transportes un télescope dans ton portefeuille, toi ?

— Excuse-moi de t'avoir posé la question.

Le seul autre consommateur du bar nourrissait le juke-box de dollars. De vieux tubes des Mamas & Papas créaient un fond sonore rétro pas déplaisant, en accord avec les vieilles affiches de film sur les murs.

— Allez, Ellie, qu'est-ce qui te tracasse ?

— J'ai trouvé ça très triste comme expérience.

Elle retira la paille en plastique de son ginger-ale et la brisa en deux brins.

— J'ai vu le sida à l'œuvre là-bas, chez les fugueurs, les drogués, les prostituées et les petits voleurs. Des ados tournant en rond comme s'ils sortaient de Dachau. Ils ont besoin d'aide.

— Je ne sais pas si c'est de l'aide qui peut les aider. D'après moi, vivre dans un endroit comme ça à une époque comme la nôtre, c'est être complètement foutu.

Elle le regarda d'un air blessé.

— Je suis née à New York. J'y ai passé toute ma vie. J'adore cette ville. Et je l'ai vue dégringoler de plus en plus la pente, au-delà même, là où il y a plus de pente à dégringoler. Ces derniers temps, j'ai tenté de me persuader qu'elle avait le potentiel d'un dernier sursaut pour rebondir.

— Arrête ton lavage de cerveau perso. Elle l'a pas.

Elle souffla longuement.

— Quelquefois la partie de moi qui aimerait être macho admire ta capacité à ne pas se laisser déstabiliser par les choses. Quelquefois aussi, je t'en veux de ne pas te laisser déstabiliser rien qu'un petit peu.

— Qu'est-ce que t'aimerais, Ellie ? Tu crois que si je me payais un ulcère, ça m'aiderait à retrouver un seul de ces fugueurs sur les docks ?

— Tu pourrais au moins ne pas t'en foutre.

— Mais je m'en fous pas. Qu'est-ce qui te prend ?

— Je sais pas.

Elle haussa les épaules.

— Ces gosses m'ont déprimée, je pense.

— Alors tourne ta colère contre eux, pas contre moi.

— Je suis pas en colère. Je flippe.

Elle se tamponna le coin de l'œil d'une serviette.

— Tu as travaillé terriblement dur, Ellie.

Il tendit la main à travers la table et lui prit la sienne.

— Tu crois pas que tu devrais prendre le reste de la journée ? Rentrer te reposer ?

— Me materne pas, Vince.

— Bon, j'ai rien dit. Excuse-moi.

Les yeux qui plongeaient dans les siens étaient rouges et humides.

— Il y a des fois où tu peux être tellement con.

Il retira sa main.

— La communication est brouillée.

La porte donnant sur West Street s'ouvrit à la volée et à travers le soudain trapézoïde de lumière éblouissante, un homme entra d'un pas trébuchant dans le bar. D'abord, Cardozo crut que le type avait été scalpé, puis il s'aperçut que c'était un toupet à moitié arraché.

L'homme introduisit un quarter dans le taxiphone et au bout de cinq secondes, il se servait du récepteur comme d'un poing américain.

Le barman, un vieux mec baraqué et chauve, posa le verre qu'il essuyait et se dirigea vers lui.

— Dis voir, mon pote, qu'est-ce qui coince ?

Le type à la moumoute répondit qu'il avait besoin d'appeler le 911. C'était difficile d'entendre quoi que ce soit par-dessus *California Dreamin'*, mais Cardozo saisit à peu près qu'un chauffeur s'était fait larder sur le dock par l'un des marginaux qui zonaient dans le coin.

— Si tu veux bien m'excuser, Ellie.

Il traversa la pièce et montra son insigne.

— Je peux vous aider ?

— Un allumé du crack qui se trimballe avec un coupe-chou a taillardé mon chauffeur là-bas, comme du sushi.

L'homme au toupet avait la lentille de contact bleue de son œil droit qui s'était décentrée. Un filet de sang coulait de sa narine droite.

— Votre chauffeur est grièvement blessé ?

— Il a les boyaux qui se répandent sur la chaussée. Quelle espèce de brute et de taré a pu faire ça ? Mais quelle espèce de brute et de taré engendre cette ville ?

Cardozo emprunta le téléphone du barman et appela le commissariat. Il leur demanda d'envoyer sur-le-champ une ambulance et une voiture radio.

Quand il revint à la table, Ellie n'avait plus le blues.

— Eh, lui, chuchota-t-elle, c'est Tony Franklyn, le chanteur. M'man a tous ses disques.

— Il devrait pas venir en limousine dans ce coin.

Cardozo empocha la photo de Wanda Gilmartin.

— Tu veux me rendre service, Ellie ? Occupe-toi de ce chauffeur. J'ai à faire à *uptown*.

44

— Les quatre victimes ont été empaquetées dans des glacières en polystyrène expansé, fabriquées par Polypicnic de Kalamazoo.

Lou Stein lisait de petits bouts de papier agrafés à sa planchette à pinces.

— Les vêtements des quatre présentaient les mêmes résidus d'encens et les mêmes pluches de moquette.

— Les mêmes ? insista Cardozo. Pas semblables ? Les mêmes ?

Lou acquiesça.

— Les mêmes. Wills et Lomax avaient de la cire sur la peau dans la région du téton.

— La même cire ?

Lou fourragea dans une corbeille de sorties imprimées, posée sur son bureau. Il en tira un serpentin de papier en secouant la tête.

— Non, pas identique. Celle de Lomax était jaune.

Il tourna un feuillet de sa planchette.

— La rose du bouquet Lomax correspond à celles des deux bouquets Gilmartin — variété Linda Porter.

Il tendit à Cardozo un tirage couleur, format 18 × 24. On y

voyait une sorte de corde noire tressée de tentacules de calmar, saupoudrés de gouttes brillantes de gélatine de pied de veau.

— C'est quoi ça ?

— Un agrandissement du tiers inférieur de la natte de Wanda Gilmartin.

Cardozo ressentit une cruelle déception. Agrandi, le curieux reflet dans la natte de Wanda paraissait un peu plus jaune que les autres rayures de la photo, mais ce n'était rien d'autre qu'une rayure.

— On ne peut pas obtenir mieux ?

Lou fit signe à Cardozo de le suivre dans un coin obscur du labo où un moniteur d'ordinateur clignotait.

— La photo ne se prête pas bien à un agrandissement. L'émulsion donne du grain et, en outre, elle est très rayée. Mais ceci devrait t'intéresser.

Lou activa un dossier. Le moniteur afficha le message *opération en cours*, puis la tête et les épaules de Wanda Gilmartin se déroulèrent sur l'écran, telles que sur la photo Polaroïd.

Cardozo fixa l'image immobile de la jeune fille aux grands yeux noirs et aux longs cheveux bruns réunis en deux tresses. Il y avait quelque chose dans ce visage qu'il reconnaissait, les yeux battus, le regard pathétique qu'il avait vus chez les animaux pris au piège.

Les mains de Lou se déplaçaient sur le clavier calmement, sans hâte aucune. Ses doubles foyers reflétaient la lumière verte.

L'image sur l'écran se liquéfia, se changeant en points. Puis les points à leur tour se mirent à fondre comme les pièces d'un puzzle devenues liquides.

— Que se passe-t-il ?

— Le programme s'est contenté d'agrandir, maintenant il rééchantillonne. Fondamentalement, il effectue un algorithme itératif de connexion des pixels.

— La machine joue aux devinettes ?

— Des devinettes hyper sophistiquées.

Après plusieurs secondes de remous divers et variés, les stries de couleur s'assemblèrent soudain selon un nouveau dessin.

Cardozo ne quittait pas l'écran des yeux. L'image était agitée d'une légère pulsation électronique, comme si elle était faite de micro-organismes vivants. Un filament doré brillait dans les cheveux bruns nattés — c'était très nettement du métal, torsadé en maillons emboîtés les uns dans les autres.

Il se retourna.

— C'est une chaînette.

Lou opina du chef.

— Tout à fait.

Un flot de certitude inonda Cardozo.

— Voilà le chaînon manquant.

— Il me faut vérifier certaines pièces à conviction dans une vieille affaire de meurtre.

Cardozo glissa le formulaire de demande sous la grille et posa sa carte à côté.

L'employé plissa les yeux et jeta un regard à Ellie Siegel.

— La dame est avec vous ?

— Oui, dit Cardozo.

— Elle est flic, elle aussi ?

— Oui, fit Ellie, en présentant son insigne.

La climatisation, à l'intérieur du local des scellés, semblait s'être bloquée sur la position réfrigération maximale. Ellie avait la chair de poule, mais arborait le sourire éclatant « *les femmes flics sont la bonne humeur personnifiée si on les cherche pas* ».

L'employé grommela. Il portait un jeans et une chemise de flanelle, avec des bretelles à rayures. Il fit claquer celle de droite.

— Le système de rangement a changé. Va falloir que vous patientiez une minute.

Il retourna dans le local d'un pas nonchalant, farfouillant sur les étagères et dans des casiers, regardant derrière des sacs à provision et des paquets recouverts de papier kraft. Cardozo eut l'impression que la municipalité, dans son souci d'économie, avait décrété que le moindre truc susceptible de contenir quelque chose tiendrait lieu dorénavant de sac à mise sous scellés.

L'employé revint vers eux avec un dossier grand format bourré à craquer et maintenu par des élastiques. Il souffla la poussière dont il était recouvert, toussa, et le glissa sous la grille.

Cardozo signa et emporta le dossier sur le comptoir métallique de l'autre côté de la pièce. Il enfila une paire de gants chirurgicaux jetables avant d'ouvrir le dossier. Ses narines perçurent la légère odeur de pétrole des produits chimiques dont on avait imbibé les pièces à conviction lors du relevé des traces matérielles.

Il étala soigneusement le contenu du paquet sur le comptoir : un blue-jeans pourri d'une taille enfantine pathétique ; un T-shirt camouflage dans le même état ; une grosse bougie blanche, en partie consumée ; deux petits anneaux assortis, le placage-or de l'un d'eux pratiquement parti ; une chaînette en or bon marché d'une dizaine de centimètres.

Il sépara la chaîne des autres objets. Et posa près d'elle la sortie laser de la photo rééchantillonnée par l'ordinateur de Lou Stein.

Il régla la lampe d'architecte et attendit qu'Ellie donne son avis.

Elle était silencieuse. Comme si elle regardait une eau immobile. Ses yeux sautaient, tour à tour, de la chaînette à l'image d'une chaînette. Ils finirent par se poser sur Cardozo.

— C'est la même. Wanda Gilmartin et miss Glacière ne font qu'une.

— Je vous faxe le dessin de miss Glacière que nous avons publié, dit Cardozo à Harvey Thoms, et la photo de Wanda Gilmartin.

— Ne vous donnez pas cette peine, le dessin, je l'ai.

Au bout du fil, le débit de Thoms était saccadé ; il était pressé, on ne pouvait s'y tromper.

— Vous verrez vous-même qu'il n'y aucune ressemblance entre les deux, et pourtant Barth a identifié la fille à partir du dessin.

— Autrement dit, il a menti. Vous vous répétez.

— Seulement cette fois, il y a une preuve. Il ne pouvait pas la reconnaître à partir du dessin. Personne n'aurait pu.

— Et l'anneau du téton ?

— S'il ne la connaissait pas, il ne l'a pas tuée. S'il ne l'a pas tuée, quelqu'un a dû lui donner l'anneau. Quelqu'un d'impliqué dans l'affaire. De gravement impliqué, je dirais.

— O.K., Vince. Je sais à qui vous faites allusion. Je vais voir ça avec le D.A.

La voix de Thoms avait pris des accents irrévocables de congé immédiat.

— Encore un instant. Le D.A. ferait bien d'examiner de près qui a couvert ça. L'affaire a nécessité des appuis haut placés faisant des heures suppplémentaires.

— Le département apprécie votre aide, Vince. Je veillerai à ce qu'on s'en souvienne.

La ligne devint muette. De la musique rap cognait quelque part, ponctuée par le crépitement d'une imprimante matricielle à aiguille dans la salle de garde. Cardozo resta assis, le front barré d'un pli.

Il sentit le parfum d'Ellie, la douceur faiblement épicée de l'essence de roses, avant même d'entendre son pas.

— Regarde ce que j'ai trouvé au courrier, ce matin. A mon tour de recevoir une lettre anonyme.

Il pivota sur sa chaise. Aujourd'hui, Ellie portait une robe bleu-vert sans manches, mettant en valeur la couleur de ses yeux. Elle lui tendit une banale enveloppe format commercial, qui lui était adressée. Son nom était écrit en capitales d'imprimerie. Une photocopie pliée en deux y était agrafée.

— Je constate que tu n'as pas droit à du papier à lettre à en-tête.

— Soit mes amis inconnus ne sont pas aussi classe que les tiens, soit ils jugent que je ne suis pas aussi classe que toi.

Il n'y avait pas d'adresse d'expéditeur. Cardozo examina le cachet de la poste.

— On l'a postée hier.

— Les mauvaises nouvelles voyagent toujours plus vite.

— Mauvaises comment ? dit-il en désagrafant la photocopie.

— Si ton nom, c'est Vanderbrook, très mauvaises.

Il déplia la feuille. C'était la copie d'un extrait d'avis de décès paru dans un numéro du *New York Times* vieux de dix-huit mois.

Wheelwright Vanderbrook III, vingt-deux ans, a été retrouvé mort le 24 décembre dans une chambre d'hôtes du Knickerbocker Club. Il s'était suicidé, selon toute apparence. M. Vanderbrook était le fils de Baxter Vanderbrook, P.-D.G. de Consolidated Industrial Brands et président du conseil d'administration du Metropolitan Museum, et d'Irène, ex-Morgan. Il était en dernière année à l'Université Harvard, où il était membre du Porcellian Club. Plus connu de ses amis sous le prénom de Wright, il prenait aussi une part active à l'association musicale de l'église épiscopalienne de Saint-Andrew, à New York.

Les mots d' *association musicale de l'église épiscopalienne de Saint-Andrew* avaient été passés au marker jaune.

— Il s'est tué juste pour Noël, observa Cardozo. Quelle touchante attention de sa part.

— N'est-ce pas.

— On t'a envoyé ça directement. Qui sait que tu es sur l'affaire ?

Le silence d'Ellie pouvait être une réponse. Ou rien d'autre que du silence, aussi bien. Elle soupira.

— La révérende Ruskay.

— Et à part elle ?

— Samantha Schuyler. Et quelques autres, peut-être. Faut que je vérifie mes notes.

— Qui a fait l'autopsie ?

— Dan Hippolito.

— Je vais avoir un petit entretien avec lui.

— Au départ, tout était simple. Il était clair que Wright Vanderbrook s'était suicidé. Par overdose.

Ils se trouvaient dans le bureau vert pâle de Dan Hippolito au deuxième sous-sol, sur la Première Avenue. La lumière du plafonnier au néon clignotait sur des plants de maïs en pot et des meubles modernes danois datant d'une quarantaine d'années.

— Puis, ça s'est compliqué. La famille Vanderbrook m'a assigné comme témoin pour que je dépose lors de la phase préliminaire du procès civil.

Le silence parut plein de résonances.

— Qui ont-ils attaqué ? demanda Cardozo.

— La famille a poursuivi plein pot le diocèse épiscopalien.

— Pourquoi ils ont fait ça ?

— Il semble me rappeler que le chef d'accusation était : grave manquement au devoir pastoral.

Dan leva les yeux au plafond où un aérateur chuintait.

— Un prêtre de l'église Saint-Andrew fournissait à Wright Vanderbrook une assistance socio-psychologique. Vanderbrook père affirma qu'il y avait une liaison homosexuelle entre eux et que lorsque ce prêtre avait rompu, son fils s'était tué.

— Donc Vanderbrook père a prétendu que son fils s'était suicidé à cause de ce prêtre ?

Dan opina du chef.

— Et ton avis là-dessus ? Il y avait du vrai dans cette accusation ?

— Franchement, je peux pas te le dire. Ils ne m'ont pas recontacté pour que je témoigne et je n'ai pas suivi le procès.

— Quelle a été l'issue du procès ?

— Chais pas. Après que j'ai déposé, après toutes ces conneries d'assignations, j'en ai plus jamais entendu parler.

Cardozo continua à ruminer tout ça.

— Tu veux que je te sorte le dossier ? proposa Dan.

Un seul regard sur les piles de dossiers, de diapos et de tirages photos sur papier glacé entassées sur le bureau de Dan suffit à informer Cardozo que le pauvre garçon croulait sous les urgences.

— J'ai pas envie de te compliquer davantage la vie.

— Crois-moi, dans ce domaine, t'es un amateur.

Dan fouilla dans ses dossiers à la lettre V et tendit une chemise à Cardozo.

— C'est une relique. On m'a dit que tout allait être informatisé.

— Veinard.

— Va falloir que j'apprenne tout le b a ba des ordinateurs. Tu te rends compte, retourner à la maternelle à mon âge.

Cardozo s'assit dans le fauteuil. Il parcourut rapidement des yeux les colonnes imprimées.

— La mort a été provoquée par une injection mortelle de cocaïne ?

Dan fit oui de la tête.

— Qu'il se serait administrée lui-même.

— Et jusqu'où va cette présomption ?

— Jusqu'à l'évidence. Aucune possibilité que ça ait été un meurtre.

— Se piquer à la cocaïne n'est pas si courant, non ?

— C'est se piquer jusqu'à l'overdose, qui ne l'est pas. Mais moi, je vois que ceux qui y restent.

— Ces gosses que je t'ai demandé d'examiner — il y avait des résidus de cocaïne dans les traces de piqûres qu'ils présentaient.

— Mais ils avaient aussi un tas d'autres choses — des bleus, des entailles, des éraflures causées par des lanières de cuir, de l'alcool dans le sang, de l'azidofluoramine dans le foie. Si tu essaies de faire entrer Vanderbrook dans la série, renonce tout de suite.

Cardozo referma le dossier.

— Alors, tu penses que les quatre autres font partie de la même série ?

— Avec un modus operandi si voisin, je dirais qu'il ne fait quasiment aucun doute que les quatre meurtres ont été commis par le même assassin.

Depuis le temps que Cardozo le connaissait, Dan avait toujours fait montre d'une extrême prudence en matière d'estimations.

« Quasiment aucun doute » revenait pour lui à dire qu'il était absolument certain à cent cinq pour cent.

— Mon seul problème, c'est la présence de restes de pain azyme dans leurs bouches, fit Dan en souriant. L'ordinateur semble avoir digéré cette info. Mais j'irai la déterrer dans la paperasse. Noir sur blanc, le pain azyme aura eu vachement plus de mal à disparaître.

David Lowndes prit avec la brosse de la colle forte dans le pot et en badigeonna le mur. Bonnie détacha une affiche du rouleau et l'appliqua sur la brique humide.

La lumière au-dessus de la porte du 4, Gracie Square, tomba sur le texte qu'elle portait : « 10 000 dollars de récompense pour tout renseignement qui permettra d'identifier l'agresseur du père Joe Montgomery dans le Carl Schurz Park, le 10 mai à 4 heures de l'après-midi. IL N'Y AURA PAS DE POURSUITES. »

— Combien ça coûte l'affichage sauvage sur le plan légal ? demanda Bonnie.

David Lowndes lui tapota l'épaule affectueusement.

— Pas de quoi s'inquiéter. C'est l'œuvre de Saint-Andrew et Saint-Andrew peut se le permettre, ma douce.

Parfois, les manières cool de David genre « rien ne peut déstabiliser un avocat » déplaisaient fort à Bonnie, mais ce soir elle y puisait un certain sentiment de sécurité.

Ils remontaient dans la Porsche de David quand elle remarqua la silhouette entrant furtivement dans la cabine téléphonique, à l'angle d'East End Avenue.

— C'est lui.

Elle reconnut la casquette de base-ball et la queue-de-cheval avant même de s'en faire la réflexion.

— Le garçon qui m'a volée dans le taxi.

— Vous êtes sûre ?

— Presque. Qu'est-ce qu'il fabrique ? Faisons semblant de nous éloigner.

David emballa le moteur, tourna au coin à toute vitesse, freina et fit marche arrière.

Le garçon arrachait l'affiche.

David écrasa le pied sur l'accélérateur. Le garçon plongea à travers le faisceau des phares. David fit demi-tour, les pneus hurlèrent en montant sur le trottoir, et se mit en chasse.

A East End, leur gibier s'esquiva dans le parc.

David brûla le feu. Derrière eux, une sirène de police mugit.

David freina brutalement.

— Désolé, Bonnie, mais je ne veux pas perdre mon permis pour une petite ordure.

45

U n majordome introduisit Cardozo dans le triplex de M. et Mme Vanderbrook sur la 71ᵉ Rue Est.

— Voulez-vous bien m'attendre ici.

Ce n'était pas une question.

Depuis le couloir, Cardozo apercevait deux tables à jeux installées dans la salle de séjour lambrissée de noyer. A en juger par le volume des rires et des conversations, il soupçonna que d'autres tables étaient dérobées à sa vue. En-dessous de toiles impressionnistes dans des cadres dorés, des hommes et des femmes en tenue de soirée jouaient au bridge.

Un gentleman en smoking, grand, mine austère et cheveux blancs, s'approcha.

— Je suis Baxter Vanderbrook. Vous ne connaissez pas l'usage du téléphone, vous autres ?

Il précéda Cardozo dans un bureau tapissé d'éditions reliées. Ce dernier s'excusa de son intrusion.

— Je ne vous aurais pas dérangé sans cela, mais il se trouve que je suis allé au tribunal pour consulter ce qui se rapporte à votre procès, et qu'il n'y a rien de répertorié.

— Mon procès ? De quoi parlez-vous, bon sang ?

— Votre femme et vous avez intenté une action contre l'église épiscopalienne de Saint-Andrew.

Le visage de Vanderbrook devint aussi accueillant qu'une planche hérissée de clous.

— Je regrette, mais c'est un sujet que je ne tiens absolument pas à aborder.

— Que se passe-t-il, Baxter ?

Une femme vêtue de gris, au maintien très droit et d'une minceur régime, s'encadrait dans la porte.

— Je parle avec quelqu'un de la police.

— Je suis Irène Vanderbrook.

Elle plongea ses yeux dans ceux de Cardozo — des yeux verts, de la couleur du lierre en hiver. Elle avança de quelques pas dans la pièce.

— Ça a quelque chose à voir avec Wright ?

— La discussion est terminée, dit Vanderbrook. Retourne à ta partie.

— Je fais le mort.

— Alors, fais mes annonces. Trois cœurs.

Mme Vanderbrook tripota son collier en or.

— Trois cœurs ?

— Trois, nom de Dieu, *trois*.

— Très bien.

Elle se détourna et partit.

— Ma femme ne va pas bien, précisa Vanderbrook. Elle a fait une dépression nerveuse suite à cette histoire, et si vous autres lui en provoquez une autre, je vous préviens que je vous attaquerai.

Il respira un grand coup. Des boutons en diamant étincelaient sur sa chemise amidonnée.

— Le majordome va vous raccompagner.

Cardozo ne prit pas la peine d'attendre le majordome.

Une jeune femme brune, émeraudes et soie violette, l'arrêta dans le hall d'entrée.

— Je parie que vous êtes de la police et que Papa vous a mal accueilli ?

Sa voix avait un ton désespérément enjoué. Elle lui tendit une main cuirassée de pierres précieuses.

— Je suis Pierrette Vanderbrook.

— Vince Cardozo. Vous êtes la sœur de Wright ?

— J'ai eu ce plaisir.

— Le nom de votre frère a réapparu au cours d'une enquête.

— P'pa déteste parler de la mort de Wright.

Le long de sa mâchoire gauche courait une ligne blanche, pas vilaine, mais plus pâle que son teint olivâtre clair.

— Je peux peut-être vous aider.

Cardozo sortit une enveloppe de sa poche.

— Reconnaissez-vous quelqu'un sur ces photos ? Avez-vous vu l'une de ces personnes avec votre frère ?

Pierrette Vanderbrook ouvrit l'enveloppe. Elle examina les visages de Wanda Gilmartin et de Wills. L'éclat de ses boucles d'oreille rehaussait l'étonnement de son regard. Elle passa rapidement sur Vegas, Lomax et Cespedes. Cardozo distingua d'autres lignes encore plus fines sur son front et son nez. Il eut l'impression de regarder la photo retouchée d'une jeune femme extrêmement belle.

— Je crains bien de n'avoir jamais vu aucune de ces personnes. Ce n'est pas du tout le genre de celles que fréquentait Wright.

Son sourire perpétuel ne cadrait pas avec ce qu'elle disait. Il vint à l'esprit de Cardozo qu'il pouvait résulter de la chirurgie esthétique.

— Ne conduisez jamais en état d'ivresse, dit-elle en lui rendant l'enveloppe. C'est ce que j'ai fait et je suis passée à travers le pare-brise. J'ai vu que vous aviez remarqué. Les plasticiens ont bien recousu les morceaux, n'est-ce pas ?

— Vous êtes une jeune femme très séduisante.

Elle grimaça un sourire.

— N'exagérons rien, mais merci quand même.

— Que pouvez-vous me dire du procès intenté par vos parents ?

— Lequel ?

— Celui contre l'église épiscopalienne.

— Il s'est perdu dans les sables.

Ayant dîné tard, Cardozo et Terri étaient assis au salon. Une symphonie de Dvorak jouait si doucement sur le lecteur de C.D., qu'elle semblait nimber le silence d'un halo.

Terri jeta un coup d'œil à son père.

— Tu lis quoi ?

Il avait posé ses pieds sur le tabouret et une pile de dossiers par terre.

— Une vieille affaire. Celle de Wanda Gilmartin.

Elle fronça le sourcil.

— Tu n'as jamais fait allusion à une Wanda Gilmartin.

— On l'appelait miss Glacière tant qu'on ne savait pas son véritable nom.

— Je croyais que cette affaire était classée.

— Elle est revenue sur le tapis.

Le téléphone sonna. Terri prit la communication. Elle fit la grimace et chuchota :

— Tante Jill.

Cardozo prit l'appareil.

— Bonsoir, Jill.

— Je me suis fait du souci quand tu m'as pas appelé.

Son élocution était embarrassée, son ton maniaco-dépressif. A tous les coups, elle avait bu.

— Excuse-moi, mais je devais t'appeler ?

— Tu sais bien quel jour on est aujourd'hui. C'est l'anniversaire de Sally.

Il se raidit comme si elle lui avait balancé un coup de poing.

— Mon Dieu, j'ai oublié. Pardonne-moi.

— Personne ne veut se souvenir, y a que moi. Tout le monde fait comme si elle était morte.

— Sally n'est pas morte.

— Alors pourquoi tu l'as pas retrouvée ? T'es flic, non ?

— On fait tout notre possible.

— Alors tout votre possible, c'est pas assez.

Jill se mit à pleurer.

— Je l'ai vue aujourd'hui.

Cardozo se sentit las comme jamais depuis le dernier anniversaire de Sally. On aurait dit qu'à chaque anniversaire, Sally faisait une nouvelle apparition.

— Où ça ?

— A la télévision. Dans une pub. Je te jure que c'était elle. J'ai essayé de mettre une cassette dans le magnétoscope pour l'enregistrer, mais quand j'ai fini par y arriver, Donahue était de nouveau sur l'écran.

— C'était quoi cette pub ?

— C'était... je me souviens pas, c'était pour un produit.

— Sally posait pour un produit ?

— Tu sais bien qu'elle a toujours voulu faire mannequin.

— Qu'est-ce qui te prend, Jill ?

Il eut l'impression de prendre la parole dans un avion parti pour s'écraser en pleine tempête.

— Comment peux-tu en arriver là ? Faut que tu cesses de croire à la première lubie qui te passe par la tête après quatre vodkas.

— Trois. J'en ai bu que trois.

— T'es en train de te faire du mal. Et par-dessus le marché, tu m'en fais à moi.

— D'accord. Dis tout de suite que je t'embête. Que tu veux pas m'écouter.

— Je ne fais que ça.

— C'est pas suffisant, Vince. Absolument pas suffisant. C'est une chance que ta femme soit morte, parce que si elle était vivante, elle demanderait le divorce.

On raccrocha mollement le récepteur et la tonalité revint sur la ligne.

Elle le pensait pas, se dit Cardozo. *Elle est soûle et à cran.*

Il retourna à ses dossiers. Mais il ne cessait d'entendre la voix de sa sœur qui le déchirait en deux. Il ferma le dossier Gilmartin et ouvrit le Vanderbrook. Il n'arrivait pas à se concentrer.

— Dis-moi, Terri, quand tu t'es présentée pour cette comédie musicale, tu serais pas tombée par hasard sur un jeune type du nom de Wright Vanderbrook ?

— Si, bien sûr. Je l'ai rencontré à l'audition.

Il sentit qu'elle savait quelque chose, et elle affichait ce savoir avec un soupçon de sournoiserie.

— Et ?

Elle haussa les épaules.

— Et je suis sortie avec lui un certain temps.

Cardozo fut choqué. Et d'autant plus choqué de l'être autant.

— Tu es *sortie* avec lui ?

— Ça m'arrive d'avoir des rendez-vous, P'pa.

Cardozo recevait des signaux d'alarme de son cerveau : *Tire-toi tout de suite du guêpier de cette conversation.* Mais il n'y réussit pas.

— Mais Wright Vanderbrook était plus vieux que toi.

— Il avait trois ans de plus. C'était ça qui m'attirait.

— J'arrive pas à croire que tu sois vraiment sortie avec ce type.

— On passait notre temps à jouer du piano à quatre mains, dit-elle en souriant, toute à ses souvenirs. Ça marchait fort entre nous avec Mozart.

Freine maintenant, se dit-il. *C'est ta fille, elle a dix-sept ans, elle ne t'appartient pas...* Mais quelque chose au tréfonds lui disait qu'elle était encore une petite fille, *sa* petite fille, et le poussa au-delà du point limite où il aurait dû s'arrêter.

— Qu'est-ce que tu veux dire avec ton « ça marchait fort » ?

— On jouait un paquet de sonates de Mozart à quatre mains. En fait, on les jouait toutes. Ça marchait *vraiment* fort.

Cardozo aimait à croire qu'il savait distinguer entre ce qui méritait qu'on s'énerve ou pas et, cependant, il était là à laisser le doute s'insinuer comme le fil d'un rasoir.

— Je ne comprends rien à ce que tu dis.

Elle lui jeta un regard d'impatience rêveuse.

— Ce que je veux dire c'est que ça représente beaucoup de musique, même pour un fan de Mozart. Lui l'était, moi pas. Et puis les sonates de Schubert ont tout foutu en l'air entre nous.

— Qu'est-ce qu'il y avait à foutre en l'air ? Qu'est-ce que vous étiez l'un pour l'autre ?

— Quatre mains sur un clavier.

— C'est-à-dire ?

Elle se leva et se rendit dans sa chambre.

Cardozo la suivit.

— Eh, je te parle.

Elle avait sorti un carton de son armoire et, assise sur le tapis, elle épluchait lettres, magazines et partitions. Elle lui tendit un recueil aux pages cornées.

— Voilà ce qui a tout foutu en l'air entre nous.

Il regarda la couverture : *Franz Schubert, Sonates pour piano à quatre mains, éditées par I.J Paderewski.* Un auto-collant imprimé avait été soigneusement apposé en bas au centre : *Appartenant à Wheelright Vanderbrook.*

— Page cinquante-neuf, dit-elle.

Il sentait qu'elle tâchait de faire preuve de patience envers lui et il se fit l'effet d'un vieil imbécile. Il tourna les pages jusqu'à la cinquante-neuf. Des dizaines de doigtés alternés avaient été notés au crayon au-dessus des portées.

— On avait toujours eu du mal à jouer ce passage ensemble. Il m'a dit que c'était de ma faute et moi, que c'était de la sienne. Il m'a dit que je ne comprenais rien au style de Schubert et moi je lui ai dit qu'il était un crétin qui pigeait que dalle, point à la ligne. Il m'a dit de me tirer et je suis partie en claquant la porte. Il était trop tête de mule pour m'appeler et s'excuser. On s'est plus jamais parlé et quelques mois plus tard, il s'est suicidé.

— Pourquoi il a fait ça ?

— Ça n'avait rien à voir avec moi, P'pa.

— Qu'est-ce que tu en sais ?

— Parce qu'on couchait pas ensemble. L'histoire qui a circulé c'est qu'il a rencontré quelqu'un d'autre dont il est devenu l'amant. C'était une vraie histoire d'amour, je veux dire. Sexe, passion, obsession. Ça a mal tourné et il ne s'est jamais remis de sa déprime.

— Il était amoureux de qui ?

— C'était que des on-dit.

— Et ils disaient quoi ces on-dit ?

Elle soupira.

— Que les parents de Wright avaient découvert tout un tas de lettres d'amour du recteur de Saint-Andrew. L'église a dû les racheter.

— J'ai cru comprendre, dit Cardozo, que M. et Mme Baxter Vanderbrook ont poursuivi l'église épiscopalienne, il y a deux ans de ça ?

Les yeux bleus perçants de l'évêque Griswold Hancock le fixaient par-dessus la monture d'or de ses lunettes demi-lunes.

— Ils ont intenté un procès au diocèse de New York.

— Je ne retrouve aucune trace de ce procès.

— Il n'a jamais eu lieu.

— Et pourquoi ?

— Parce qu'il était complètement infondé.

Ils étaient assis dans le bureau de l'évêque dans la maison paroissiale de la cathédrale de Saint-Jean-de-Dieu. La table de travail de l'évêque les séparait, îlot de la taille d'un piano à queue de paperasse, ouvrages de référence et touches clignotantes de téléphone.

— D'après ce que j'ai pu rassembler, dit Cardozo, les Vanderbrook ont intenté une action en arguant que leur fils recevait une assistance socio-psychologique de Saint-Andrew avant de se suicider.

— Ça, ce sont les données brutes des faits dans cette affaire.

L'évêque ôta ses lunettes et se mit à en tapoter le buvard.

— Personne ne les a contestées. Ce que nous avons contesté, c'est la façon dont les Vanderbrook ont assaisonné ces données. Ils ont déclaré que c'est la nature de cette assistance qui a causé le suicide de leur fils.

— Et en ont-ils apporté une preuve ?

— Une prétendue preuve. Des lettres d'amour soi-disant échangées entre leur fils et un ministre de l'église.

— *Soi-disant ?*

— Un examen a montré que ces lettres étaient une pure fiction.

— Des faux ?

— Le tribunal ne s'est pas prononcé là-dessus.

— Alors en quoi ces lettres étaient de la pure fiction ?

Des flèches de lumière tombaient obliquement de la fenêtre grillagée et tachetaient le tapis d'Orient.

— Au sens où c'était quelque chose qui n'arrive jamais dans la réalité.

L'évêque fit pivoter son fauteuil de cuir clouté de cuivre. Il s'adressait à présent à l'horloge.

— En outre, ces lettres étaient communiquées par un paroissien de Saint-Andrew — ancien paroissien — qui poursuivait l'église dans une autre affaire.

— Qui était cet ex-paroissien ?

— La conclusion du procès Vanderbrook m'interdit d'aborder le sujet.

— Quel était cet autre procès sans rapport direct ?

— Ce serait contraire à l'éthique de vous le dire. Le point important, c'est que les Vanderbrook ont renoncé au procès, ce qui est une preuve par présomption de la fausseté de leurs affirmations.

— Vous ne paraissez pas vouloir vous avancer jusqu'à dire que les affirmations des Vanderbrook étaient fausses.

— Il n'y a pas eu procès. Rien n'a été prouvé ni dans un sens ni dans l'autre.

Et c'est reparti, mon kiki. Tu le dis tout en ne le disant pas exactement.

— Comment se fait-il que j'aie l'impression que vous pesez le moindre mot ?

— Parce que nous discutons d'une affaire judiciaire et que j'emploie les termes juridiques. Si vous préférez que je vous réponde en termes clairs, posez vos questions clairement.

Ouch. Je viens de me faire tirer les oreilles comme à l'école primaire.

— Si, fit l'évêque, *si* vous m'interrogez sur la personne du recteur de Saint-Andrew et de son assistante — et il est évident que c'est ce que vous faites — en ce cas, je ne peux que vous dire que je respecte infiniment Joe Montgomery tant sur le plan personnel que sur le plan professionnel. Et Bonnie Ruskay, pareillement. C'est une spécialiste de classe internationale en hébreu ancien et en araméen. Elle a fait un travail extraordinaire sur les manuscrits de la mer Morte. Lui donne des conférences à Columbia University sur la justice sociale et le travail social à la lumière des Evangiles. Leur ministère est chrétien au sens premier du terme et irréprochable sur le plan éthique. Dans toute la ville de New York, vous ne trouverez pas deux autres individus d'un dévouement et d'une rectitude aussi exemplaires.

46

C'était la Journée des Parents à l'école Sainte-Anne, et Cardozo, Ellie et Terri prirent soin d'arriver après les discours. L'auditorium grouillait d'une foule d'élèves, de parents et d'enseignants. La salle donnait l'impression de servir aussi à la fois de gymnase et de cafétéria. Un orchestre d'étudiants jouait du rock, tout sauf hard, sur la scène.

— Souriez, dit Cardozo. Faut assurer notre couverture.

— Laquelle ? Celle d'une famille unie ? demanda Ellie.

— Quelque chose dans le genre.

— Je me sens vachement en porte à faux, dit Terri. J'assiste jamais à ce genre de truc dans mon école.

— Continuez à sourire. Personne ne va nous arrêter ni même nous repérer.

Dans toute la cohue, Cardozo ne dénombra que trois religieuses en habit. Il était clair que la sécularisation avait frappé fort dans les rangs de l'enseignement catholique.

— Je le vois.

Cardozo montra d'un signe de tête discret le petit buffet de rafraîchissements installé sur la ligne de lancer franc du terrain de basket. Un homme trapu avec des cheveux blonds au brushing impeccable se servait un verre de punch à la louche. Cardozo le reconnut pour l'avoir vu en photo sur le bureau de Bonnie Ruskay.

— Excusez-moi, les mecs, il faut que j'aille frayer avec la communauté.

Il se dirigea vers le bar et prit un gobelet plastique sur la pile.

— Je vais vous servir, dit l'ex de Bonnie.

— Merci, fit Cardozo en lui tendant son gobelet.

L'ex de Bonnie y versa une louche d'un breuvage vert.

— Une vraie maison de fous.

— C'est la première année que je viens.

— Pire que cette année, j'ai jamais connu.

L'ex de Bonnie avait des cheveux si blonds que ses sourcils semblaient le résultat d'une greffe de peau.

— Vous avez des enfants en sixième ?

— J'ai honte d'avouer que ma fille est un peu plus âgée. Mais je n'ai jamais pu me libérer avant aujourd'hui. Je suis flic.

— Ah oui ?

D'un commun accord, ils se dirigèrent d'un même pas vers la ligne de touche, passant sous le panneau.

— Moi je suis entrepreneur couvreur.

L'ex de Bonnie lui tendit la main.

— Ernie Stevens.

— Vince Cardozo. Enchanté de vous rencontrer. Et vous avez fait des toitures intéressantes dernièrement ?

Ernie montra le plafond.

— Celle-ci est signée de moi. Et je refais celle d'un centre commercial à Astoria. Et vous ? Vous avez eu des affaires intéressantes dernièrement ?

Il y avait une table libre entre les barres parallèles et le punching-bag. Ils s'installèrent sur des chaises pliantes.

— Vous avez peut-être lu quelque chose sur l'une des affaires dont je m'occupe, dit Cardozo. Un crime au presbytère de Saint-Andrew ?

Ernie plissa le front.

— Notre rencontre, à vous et à moi, ça n'a rien de fortuit.

Cardozo secoua la tête.

— Pas vraiment.

— Ce n'est pas elle qui vous a renvoyé vers moi, n'est-ce pas ?

— Non, mais elle m'a montré votre photo.

— Elle a une photo de moi ?

— Sur son bureau — avec vos enfants.

— Juste, fit Ernie en hochant la tête. Celle avec les enfants.

Il se retourna sur sa chaise pour fouiller du regard le gymnase.

— Ils sont quelque part par là. Il faut que je vous les présente.

Il vida d'un trait son gobelet.

— Ils vont adorer ça, rencontrer un flic.

— Un cambrioleur a été tué, dit Cardozo. Le père Joe avait tendu une souricière.

— Le père Joe a enfin pris la mesure des réalités du monde — et il s'est révélé aussi réac que nous autres.

— Pourquoi dites-vous ça ?

— Ma femme m'a plaqué pour devenir prêtre de l'église épiscopalienne. Je crois qu'à mes yeux le père Joe tient le rôle de l'autre homme.

— Votre ex-femme ne semble pas le juger capable de meurtre.

Ernie tripotait entre ses doigts un cure-dent flanqué d'un minuscule drapeau américain que quelqu'un avait abandonné sur la table.

— Bonnie ne trouverait rien à redire à Jack l'Eventreur, même si vous lui montriez le corps des six prostituées qu'il a assassinées. Trêve de plaisanterie, je connais Bonnie depuis l'enfance. Rien n'a changé. Elle était déjà la sainte du quartier. Quant à ses petits camarades...

Il sourit, replongé dans ses souvenirs.

— Il n'y a pas de mots pour décrire son frère Ben et leur ami commun, Collie. Vous devriez les rencontrer.

— C'est fait.

— C'est vrai que vous naviguez à droite à gauche.

— Ils m'ont paru des types très bien.

— Ce que personne ne conteste. A mon avis, vous auriez dû les connaître quand ils étaient gosses. C'étaient des groupies de la religion. Bonnie, Ben et Collie jouaient à l'église comme les autres enfants jouent à avoir une maison. A six ans déjà, ils enfilaient un peignoir pour donner la communion et les derniers sacrements. J'étais le voyou du quartier, avec ma bande je venais interrompre leurs messes. Bonnie, Ben et Collie adoraient ça. Le martyre. Tout ça, c'était pour rire.

— Je comprends.

— Il y avait une seule chose qui n'était pas pour rire. Ils voulaient tous les trois devenir des prêtres catholiques. Ben a voulu entrer au séminaire, où on lui a dit d'aller dans le monde pendant trois ans et de mettre sa vocation à l'épreuve. Il est parti travailler pour la plus grosse compagnie de fournitures ecclésiastiques de l'État et au bout de trois ans, il la dirigeait. Il n'a plus jamais essayé d'entrer au séminaire.

Ernie s'interrompit.

— Mais pourquoi je vous raconte tout ça, moi ?

— Parce que je vous l'ai demandé et que vous êtes un bon citoyen.

Ernie haussa les épaules.

— Ce qui nous amène à Collie. Lui, c'est une autre histoire. Collie a été reçu au séminaire, puis il a jugé qu'il n'était pas fait pour être prêtre.

— Qu'est-ce qui l'a fait changer d'avis ?

— Il était au Panama avec les forces américaines pendant l'intervention. Quelque chose l'a fait changer d'avis. Il ne m'en a jamais parlé.

Ernie se tortilla sur son siège.

— Si mes gosses se montrent pas bientôt, je vais vous raconter la vie de tous les gens que je connais. Je dois vous ennuyer à périr.

— Pas du tout.

— O.K. Au tour de Bonnie. Vous m'arrêterez. Bonnie fondait de grands espoirs sur le fait que l'Eglise s'ouvrirait aux femmes. Elle s'est présentée au séminaire et on lui a ri au nez, en lui disant qu'aucune femme n'accéderait jamais à la prêtrise. Puis elle a fait la meilleure chose à faire — elle m'a épousé. J'aurais dû comprendre que c'était pour elle une façon de rebondir.

Ernie eut un petit rire triste d'autodérision.

— A peu près à la même époque, l'église épiscopalienne a commencé sans faire de bruit à ordonner les femmes. Un beau jour, Bonnie m'a annoncé qu'elle voulait suivre des cours au séminaire épiscopalien. La suite aurait dû me crever les yeux, mais non, pas à moi. Le temps de faire ouf, elle s'était convertie. Ce que ma conscience n'a pu accepter. Je suis ce qu'on pourrait appeler un catholique d'obédience. Une espèce en voie de disparition, hein ? J'espérais que mes enfants seraient élevés dans un foyer catholique. Donc nous avons fait déclarer nul notre mariage.

— Mais une annulation n'en fait-elle pas des espèces d'enfants....

Cardozo ne tenait pas à prononcer le mot *illégitimes.*

— Si la curie avait décrété une annulation *de principio,* le mariage n'aurait jamais existé et les enfants auraient été illégitimes. Je n'aurais jamais fait ça à ma chair et à mon sang. Nous avons requis une annulation *per causa.* Ce qui laisse les enfants hors d'affaire. Le mariage a cessé d'exister seulement quand Bonnie a cessé d'être catholique. Aux yeux du droit canon, elle est morte.

Curieuse doctrine, songea Cardozo.

— Et maintenant qu'elle a reçu l'ordination, que dit le droit canon ?

— Probablement qu'elle est en enfer.

— Vous êtes d'accord ?

— C'est quelqu'un de bien. Elle fait ce qu'elle estime juste de faire. Je ne vois pas pourquoi Dieu vous punirait pour ça.

— Les réactions de sa famille ont dû être... mitigées.

— Difficile à dire. Ce sont des gens névrosés qui ne savent pas très bien où ils en sont. Son père est mort alcoolique. Ben a eu le même problème. Il se saoulait régulièrement. Il a failli y rester.

— Votre ex-femme a-t-elle eu un problème du même genre ou de toxicomanie ?

Ernie secoua la tête négativement.

— Vraiment pas son style. Elle ne ferait jamais rien qui pourrait faire honte aux enfants.

— Même si, aux yeux de l'Eglise, ses enfants n'ont plus de mère ?

— Les enfants sont en désaccord avec l'Eglise sur ce point. A vrai dire, moi aussi.

— Mais vous êtes libre de vous remarier.

Ernie eut l'air chagriné par cette suggestion. Il se massa le tour des yeux. Il portait toujours une alliance. Cardozo fut obligé de se demander si c'était une mascarade pour la Journée des Parents, ou s'il la portait constamment comme un veuf, en souvenir de la perte qu'il avait éprouvée.

— Je m'en veux d'interrompre une conversation qui va si bon train.

Ellie Siegel s'approchait, avec un grand sourire amical.

— Mais je suis morte. Ces chaises sont occupées ?

Cardozo se leva.

— Ellie, Ernie. Il me raconte tout sur l'art du bâtiment et des toitures dans notre belle ville.

Ernie se leva à son tour et, avec une galanterie pleine d'attentions, lui avança une chaise.

— J'ignore si ce genre de sujet vous intéresse, dit-il en lui lançant un regard appuyé.

Ellie s'assit et lui rendit son regard.

— Ça m'intéresse beaucoup.

— Ernie a fabriqué le toit sous lequel nous sommes assis.

— Vraiment, fit Ellie en levant les yeux. Et vous avez fait comment, Ernie ?

— C'était un défi — une coupole en composite sans clefs pendantes latérales.

— Vraiment.

— Vous n'avez aucune envie d'entendre ça.

— Mais si, mais si, dit Ellie secouant la tête.

— Sans clefs pendantes latérales, pas question d'étrésil-lonnage. Sans étrésillons, comment soutenir le poids du verre ?

— Hum, bonjour tout le monde.

Une femme brune s'approchait de la table, tenant par la main deux très jeunes enfants très blonds.

Ernie s'éclaircit la gorge.

— Laura Lupecano, une amie. Et Kelly et Kyle, mes enfants. Venez dire un petit bonjour à Vince et Ellie Cardozo.

Ce dernier reconnut immédiatement le petit garçon : il jouait à cache-cache avec Collie au presbytère de Saint-Andrew.

— Siegel, rectifia Ellie. Ellie Siegel. Je ne suis qu'une amie de la famille.

— Tout comme moi.

Laura avait de jolis yeux très maquillés ; elle tenait un gobelet plastique presque vide avec des marques de rouge à lèvres sur le bord.

— J'vais vous dire un truc, on est de drôles de bonnes amies pour venir à la Journée des Parents, non ?

— Avec Vince, on travaille dans la même société, dit Ellie. Je me suis dit qu'il fallait le soutenir moralement un petit peu.

Cardozo se leva et avança une chaise à Laura.

— Merci, dit-elle avec un sourire, en s'asseyant. Et c'est quoi cette société ?

— La police, fit Ernie. Ils travaillent pour la police. Alors fais gaffe à ce que tu dis.

Il éclata de rire.

— Je plaisantais.

— Ah bon ? fit Laura, en haussant ses sourcils soulignés au crayon. Vous entendez ça, les gamins ? Ce sont des flics.

— Je peux avoir un autographe ? demanda la petite fille.

Elle avait des nœuds roses dans ses couettes et le sourire irrésistible d'une coquette de quatre ans.

— S'il vous plaît, corrigea Laura.

— Bien sûr.

Cardozo arracha une feuille de son calepin, la signa et la passa à Ellie, qui y ajouta sa signature, et la tendit à la fillette.

Le visage tacheté de rousseurs s'éclaira d'un grand sourire de ravissement.

Le garçon, en retrait, évitait le regard de Cardozo. Il devait avoir six ans et des poussières, et ses lunettes lui donnaient l'air précocement renfrogné d'un très jeune Einstein.

A toi de jouer, gamin, se dit Cardozo. *Soit tu dis à ton papa qu'on s'est déjà rencontrés et tu vends la mèche de tes rencontres secrètes avec ta maman — soit tu gardes tout ça pour toi. C'est comme tu préfères.*

— Bonjour, monsieur, dit le garçon en lui tendant la main.

Cardozo la lui serra.

— Bonjour, jeune homme.

Le garçon le regarda droit dans les yeux.

— Enchanté de vous rencontrer, monsieur.

— Pareillement.

47

— Tout le monde était là — Dinah, Bianca, Betsy, Jackie, Bruce, Bob et Oscar. Dieu sait comment Samantha se débrouille pour ramener dans ses filets la crème des must de la top-list, mais elle y arrive à chaque fois.

Whitney Carls s'arrêta net.

— Mais si vous voulez savoir à quoi ressemble une de ces soirées idiotes et vieillottes, allez-y voir par vous-même.

— Tout ce qui vous touche m'intéresse, dit Bonnie. Pourquoi ne pas me dire comment vous vous sentez ? Vous, personnellement ?

Ils étaient dans son bureau, installés dans les fauteuils près de la fenêtre. L'infusion qu'ils buvaient avait refroidi. Elle se rappelait l'époque où Whitney buvait énormément et dominait de sa présence les dîners en ville, en homme imposant que la haute société new-yorkaise s'arrachait. Elle se souvenait quand dix minutes en tête à tête avec Whitney étaient un tel régal, un tel tonique, que toutes les femmes se battaient pour les obtenir.

Il y avait eu de gros changements.

— Comment je me sens ? *Patraque.*

Il la regarda. Ses yeux exorbités par des verres épais n'avaient pas du hibou la sagesse, mais la tristesse.

— Cette foutue moumoute me donne l'air tellement idiot que, de toute la soirée, les invités n'ont pas arrêté de me dévisager.

Bonnie devait reconnaître que sa perruque était clownesque. Elle comprenait pourtant ce qui était en jeu. Il avait eu une chevelure magnifique jusqu'à ce que la chimio ne l'en prive. Avec tout qui lui glissait entre les doigts, il avait besoin de se raccrocher ne serait-ce qu'à un écho de son passé. Mais elle n'était pas certaine qu'il ait fait le bon choix.

Il attendait son commentaire. Elle n'en trouvait aucun à lui offrir.

— Tout le monde a vu que j'ai perdu du poids. J'ai senti qu'ils s'étonnaient, mais pourquoi grand Dieu Samantha a tenu à inviter ce cadavre ambulant ? Je déteste être un mourant, je déteste jeter un froid dans les soirées, je déteste ça en un mot comme en cent !

— Vous n'êtes pas mourant.

— Eh bien, en tout cas, je suis sûr de ne pas être vivant.

— Pourtant vous l'êtes, Whitney.

— Oh, si vous prenez les choses au pied de la lettre, je suppose que oui.

— Ne perdez pas de vue le pied de la lettre. Et ne soyez pas si persuadé de savoir ce que les autres pensent.

Comme moi qui ne sait pas ce que pense vraiment Vince Cardozo, se fit-elle la réflexion. *Il a tout l'air d'un réac de droite, qui n'a pas plus de sympathie pour mes idées que je n'en ai pour les siennes.*

— Je déteste les hôpitaux, disait Whitney. Je déteste la maladie. Pourquoi faut-il que ça tombe sur moi ?

— C'est normal de penser comme ça. Et vous allez bien.

— Si c'est ça aller bien, j'en suis malade ! Trois semaines de ce traitement chimique, puis trois mois d'attente, puis encore six semaines de traitement chimique. Quand tout ça finira-t-il ? Ah non surtout, ne répondez pas à ça.

Bonnie se demandait ce qu'un homme comme Vince Cardozo ferait dans la situation de Whitney. S'apitoierait-il sur son sort et s'effondrerait-il ? *Non. Il s'est construit cette façade de flic qui survit aux tremblements de terre et aux ouragans.*

Elle tâchait d'analyser les éléments constitutifs de la force de Cardozo. Elle y décelait du défi, un éloignement de Dieu et de l'amour. Une force négative.

Est-ce que je pourrais convertir Vince Cardozo, l'aider à voir le bien présent dans chaque être, Dieu présent dans chacun ?

La présomption de ses idées la fit sourire — sainte Bonnie sauvant le monde. Rien que pour aujourd'hui, c'était une tâche assez ardue de voir Dieu en Whitney Carls.

— En attendant la prochaine période de traitement, lui dit-elle, peut-être que vous pourriez focaliser vos pensées sur autre chose.

Il soupira.

— Je peux vous dire l'horrible vérité, Bonnie ? Je suis fauché. Ces médecins m'ont mis à sec. Tout ce qui me reste c'est le chèque du placement de Maman chaque mois, mais le marché des obligations étant ce qu'il est, c'est autant dire trois fois rien.

Quand tout le reste échoue, ayez recours avec eux à la théologie pastorale.

— Avez-vous envisagé de prier ?

— Je me sens un imposteur quand je prie. Je n'y crois pas.

— Et s'adresser simplement à Dieu ?

— Qu'est-ce que j'ai à dire susceptible de l'intéresser ?

Bonnie trouvait étrange que seuls quelques individus comprennent que le but de la prière était de transformer celui qui priait et non pas de persuader Dieu.

— Vous pourriez parler de quelque chose que vous avez pensé, de quelque chose que vous avez vu et qui vous a rempli de joie.

— Les boutons de manchette en platine que j'ai vus dans la vitrine de chez Tiffany, sur la Cinquième Avenue, par exemple ?

— Pourquoi pas, si vous pensez qu'ils plairaient à Dieu.

— Dieu a meilleur goût que ça.

— Whitney, écoutez-moi. Rien dans ce monde n'est au-dessous de Dieu. Aucune pensée, aucun fait, aucune crainte.

— Vous parlez comme une sorte de marxiste spirituel.

— Vous pourriez offrir à Dieu de ce que vous ressentez. Vous pourriez dire « Seigneur, je vous fais don de mes afflictions afin qu'elles me soient retournées en joies ».

— Ça ne me ressemble pas tellement, Bonnie.

Il retroussa son poignet de chemise amidonné pour regarder sa montre.

— Bon Dieu, il faut que je m'en aille. Tina V. veut que j'emmène son chien chez le véto. Incroyable dégringolade, hein, j'étais le chevalier servant en titre et maintenant je suis le valet de son chien.

Bonnie le raccompagna à la porte d'entrée.

— Je suis sûr qu'elle vous est très reconnaissante de toute l'aide que vous lui apportez.

— Mais non. C'est une vieille femme d'un égoïsme étonnant. Bon, merci de m'avoir écouté.

Il prit congé de Bonnie d'une bise sur la joue.

Elle le regarda s'éloigner. Le ciel s'était obscurci et la pluie menaçait. A mi-chemin du bloc, il se retourna et, avec un sourire de bravoure enfantine sur sa figure de vieil homme apeuré, la salua de la main.

Elle lui rendit son salut.

Quand elle regagna son bureau, le téléphone sonnait. C'était Imogène, la secrétaire de Tina Vanderbilt.

— Mme V. attend Whitney Carls depuis une demi-heure. Est-il là par hasard ?

— Il vient de partir.

— J'espère qu'il vient ici. Mme V. compte sur lui pour emmener Lulu chez le vétérinaire.

— Je regrette, mais il ne m'a pas fait part de ses projets.

Bonnie raccrocha. Elle demeura assise là, une vague de silence déferla. Elle prit conscience avec stupeur qu'elle était seule dans le presbytère.

Elle fut déconcertée de sentir à quel point le séjour du père Joe à l'hôpital la déstabilisait. Elle se demanda comment il s'était arrangé pour diriger la paroisse tout en donnant à ses paroissiens la compassion et les conseils dont ils avaient besoin. Elle les voyait comme des nantis appauvris, gavés de richesses et pourtant affamés.

Le cours de ses pensées dériva vers sa richesse à elle : ses enfants. Elle prit leur photo sur le bureau. Elle contempla leur visage et le cœur lui manqua.

Dans son dos, un pigeon roucoula. Elle s'aperçut que la fenêtre était restée entrebâillée d'une dizaine de centimètres.

C'est bizarre, j'aurais dû fermer cette fenêtre quand j'ai branché la climatisation....

Elle se leva et la ferma, puis regarda dans le jardin. La brise agitait les feuilles du poirier. Le mur de brique était tacheté d'ombres et de lumière. Le portail de fer qui donnait sur la rue était entrouvert.

Ce portail devrait avoir un cadenas.

Elle resta immobile un instant, rassemblant ses idées.

Peut-être que le sacristain a retiré le cadenas. De toute façon, l'après-midi c'est encore trop tôt pour que les fantômes rôdent...

Elle se retourna vers le bureau pour vérifier l'heure. La pendulette Tiffany n'y était plus.

Tout le reste, le porte-stylo, le coupe-papier, la pile de courrier, était exactement à sa place. Près du téléphone, son thé frémissait dans sa tasse.

Elle s'accroupit et regarda sur le tapis. Pas de pendulette qui y serait tombée, mais la porte de la penderie était à moitié ouverte.

Elle sentit les premières alarmes.

Il y a cinq minutes, cette porte était fermée.

Elle eut la sensation de tomber dans un précipice.

Oh, mon Dieu, quelqu'un a pris la pendulette ; il se cache dans la penderie, et il me guette en ce moment même.

Le téléphone sonna deux fois. Le répondeur s'enclencha ; une voix de douairière se fit entendre.

— Bonnie, vous êtes là ? Ma secrétaire vient de me dire que vous avez téléphoné. C'est Tina — vous êtes là, chérie ?

Bonnie saisit l'appareil.

— Allô, Tina.

— Bonnie, ma chérie, où est donc passé Whitney ? Il ne se sent pas bien ?

Tina faisait un effort méritoire pour paraître préoccupée.

— Il est tellement étrange, ces derniers temps.

Les yeux de Bonnie revinrent se poser sur la penderie. Qui semblait exhaler des ténèbres.

— Excusez-moi, Tina, pouvez-vous rester en ligne un instant ?

Enhardie par la présence de Tina au bout du fil, Bonnie posa l'appareil sur le bureau. Elle se dirigea vers la penderie et ouvrit tout grand le battant.

Rien ne bougea.

Elle poussa de côté les impers.

Elle n'aperçut aucun pied dépasser d'entre les caoutchoucs et les chaussures de jogging. Aucun intrus n'était tapi là. Tout semblait à sa place.

Elle aurait dû en être soulagée mais, inexplicablement, elle avait l'impression que quelque chose clochait...

Elle reprit le téléphone.

— Désolée de vous avoir fait attendre. Si vous vous posez des questions sur l'état d'esprit de Whitney, je suis sûre qu'il serait enchanté d'y répondre. Je sais que votre sollicitude le toucherait beaucoup.

— Mais enfin ma chère, on ne peut quand même pas demander à un ami « pourquoi es-tu si lunatique ? ».

— Et pourquoi pas ?

Bonnie se tourna vers la fenêtre et fut surprise de constater que le portail du jardin était maintenant fermé, et le cadenas remis en place.

— C'est plus franc que de me demander à moi de cafarder, non ?

Tina V. soupira à l'autre bout de la ligne.

— Bonnie chérie, vous vous sentez bien ?

Bonnie regardait au-delà du portail. De l'autre côté de la rue, dans l'ombre d'une porte, une silhouette mince se tenait immobile, dégageant, dans son maintien, une effronterie qui ne pouvait être que celle d'un homme jeune.

Encore un tour de mon imagination.

Elle se pinça. La silhouette était toujours là.

— J'ai bien peur que Whitney n'ait déteint sur vous.

Bonnie, tremblant de tous ses membres, prit une profonde inspiration.

— Je vais très bien, je vous assure.

— A bientôt alors.

Elle n'arrivait pas à distinguer le visage de l'homme, mais il semblait l'épier. Il fouilla dans les poches de son jeans, sortit un paquet de cigarettes et en prit une. Il approcha un briquet de ses lèvres.

Elle reconnut la casquette des NY Mets et la queue-de-cheval blonde. Elle avait les jambes en coton.

Dans sa main, le combiné émettait la tonalité occupé. Elle coupa la communication, libérant la ligne, et composa le numéro de Vince Cardozo.

Au-dehors, le tonnerre éclata, faisant vibrer le plancher. Dans la rue, une alarme de voiture se déclencha.

— Cardozo, dit la voix au bout du fil.

— Bonnie Ruskay à l'appareil. Excusez-moi de vous déranger.

— Vous ne me dérangez pas.

Elle se sentait d'une fébrilité extrême.

— Je crois que je viens de le voir — le garçon. Il est de l'autre côté de la rue.

— Et qu'est-ce qu'il fait ?

— J'ai l'impression qu'il surveille le presbytère.

— Est-ce que le presbytère est équipé d'une alarme ?

— Le père Joe ne pense pas que l'église doit être une propriété privée.

— Ah ! Vous voulez dire qu'il pense que l'église doit se priver de ses propriétés ?

Elle pressentit qu'en tant que représentant de l'ordre, il en savait plus long qu'elle sur le monde, et qu'il s'en amusait comme il s'amusait d'elle.

— Pour la différence que cela ferait. Je crois qu'il est déjà entré par effraction.

— J'arrive.

48

— **M**erci de vous être occupé de l'alarme, dit Bonnie Ruskay en criant pour se faire entendre par-dessus le vacarme des ouvriers. Vous avez fait vite.

— Trois fois rien, dit Cardozo. Un simple renvoi d'ascenseur.

Un ouvrier avait poussé quatre chaises à dossier droit au milieu du couloir d'entrée. Les sièges étaient tapissés de ce vert qu'on voit aux vieux billets de un dollar. L'ouvrier, perché sur une échelle, faisait un trou à la perceuse dans le lambris du plafond. L'éclairage s'était mis à clignoter.

Cardozo se dit que l'installation électrique du presbytère avait besoin d'une vérification. Il se dit aussi que le moment était mal choisi pour en parler. Bonnie Ruskay avait l'air dépassée par les événements. C'était trop à la fois.

— D'après vous, comment a-t-il pu entrer ?

— En passant par mon bureau, répondit-elle, d'un ton embarrassé, s'excusant presque. Pendant que je raccompagnais l'un des paroissiens à la porte.

Elle conduisit Cardozo dans son bureau.

— Par cette fenêtre ?

Elle acquiesça. Il vit dans ses yeux sa confusion se teinter de peur. Il se sentit triste pour elle. Une période de sa vie, marquée par la bonté et les convenances, venait de se terminer. Ce presbytère avait été un havre de paix où rien de mal ne pouvait arriver ; il s'était transformé en un lieu complètement différent.

Cardozo traversa la pièce. Il sortit un atomiseur de sa serviette. Il avait remplacé le parfum d'origine par de la poudre dactyloscopique de couleur grise. C'était un cadeau Poisson d'Avril qu'Ellie lui avait fait trois ans auparavant. Mais il avait trouvé qu'il fonctionnait aussi bien qu'une bombe aérosol, tout en prenant moins de place.

— Le gosse vous a menacée ? demanda-t-il.

— Non, non.

— Il vous a dit quelque chose ?

— Non. Il était trop loin pour ça.

Il examina le rebord de la fenêtre avec sa lampe de poche. Une petite tache de graisse miroita faiblement. Il vaporisa cette partie-là, puis, se penchant, il souffla sur l'excédent de poudre.

— Il a pris quelque chose ?

— Je n'en suis pas sûre. Il me manque une pendulette — le modèle de bureau de chez Tiffany. Elle n'avait qu'une valeur sentimentale.

Les trois sillons concentriques d'une empreinte apparurent.

— Il était là-bas dans une encoignure de porte, dit-elle en désignant l'alignement de boutiques de l'autre côté de la rue.

— Vous êtes sûre que c'est le même ado que celui qui vous a braquée dans le taxi ?

Cardozo adapta un téléobjectif sur son appareil, fit la mise au point et prit une photo au flash.

— Non, pas à cent pour cent. Tout ce que j'ai pu voir c'est qu'il avait une queue-de-cheval et portait une casquette de base-ball.

Grosso modo, cette description n'était pas sans rappeler à Cardozo celle de l'adolescent qui avait tailladé le chauffeur de la limousine sur les docks du West Side. Pas le genre d'individu qu'on tiendrait à voir entrer dans son bureau par effraction.

Il prit quatre clichés, par sécurité.

Son regard se posa sur le portail du jardin.

— Vous avez pensé à changer ce cadenas ?

— Ah, je suis désolée, je n'y ai plus pensé, dit-elle comme si elle craignait de l'avoir déçu.

Il ne savait trop que penser de la révérende Bonnie et de ses airs d'enfant pris en faute.

— Il ne s'agit pas de me faire une fleur, c'est dans votre intérêt que je vous parle de sécurité. Je ne voudrais pas vous effrayer, mais...

Son instinct lui soufflait *vas-y, fous-lui la trouille, c'est peut-être le seul moyen de la réveiller*.

— Si c'est le même, il vous file au train.

Elle le regarda bien en face. Il vit qu'il l'avait alarmée et qu'elle faisait tous ses efforts pour n'en rien laisser paraître. Comme si c'était essentiel pour elle de prouver qu'elle pouvait se montrer une hôtesse d'un parfait sang-froid.

— Vous ne trouvez pas bizarre, dit-elle, que quelqu'un prenne le risque d'entrer par effraction rien que pour dérober une pendulette ?

— Les barjos sont bizarres. Le gosse marche peut-être au crack, ce qui veut dire qu'il est capable de n'importe quoi, risqué ou pas, stupide ou pas. Ou bien, s'il est déjà venu ici, le risque ne lui a pas paru très grand. Il considère cette maison comme lui étant ouverte.

— Si c'est un nouveau coup de patte au père Joe, ce n'est pas très habile.

— Je me moque d'être habile. Je ne fais pas de campagne électorale.

Elle rougit légèrement et il tâcha de ne pas remarquer la texture laiteuse de sa peau.

— Au moins vous êtes franc.

— Vous ne savez pas avec certitude qui le père Joe ramenait ici. Ni ce qu'il faisait avec.

Elle paraissait extrêmement lasse. Il éprouvait une certaine culpabilité à la pousser dans ses derniers retranchements, mais il fallait qu'il fasse tomber ses défenses.

— Parce que vous, vous le savez ? dit-elle.

— Je sais certaines choses. Et j'en apprends de nouvelles.

Il ouvrit sa serviette.

— Vous êtes absolument sûre de ne pas reconnaître Wanda Gilmartin ?

Il sentit qu'elle lui passait un caprice en prenant la photo qu'il lui tendait.

— Franchement, je ne la reconnais pas. Y a-t-il une raison qui continue à vous faire croire que je devrais ?

— C'est elle la fille que nous avons trouvée dans la glacière des Jardins Vanderbilt.

Bonnie Ruskay releva les yeux vers lui, saisie.

— C'est la cinquième victime à figurer dans le fichier du père Montgomery.

— Vous avez prévenu ses parents ?

— On n'a pas réussi à les retrouver. Elle se servait peut-être d'un faux nom.

— Je suis sûre qu'il y a une explication.

— Il y en a toujours une pour tout. Je suis prêt à parier qu'il y en a même une pour Wright Vanderbrook.

Ses yeux étincelèrent de colère, mais elle se contint.

— Wright n'a rien à voir là-dedans.

— Pas d'accord. Je crois qu'il pourrait avoir beaucoup à y voir. La famille Vanderbrook a engagé des poursuites, étant donné la manière dont le père Joe « conseillait » leur fils.

Elle avait repris tout son calme, et elle lui lança un regard de défi.

— Cette affaire n'est jamais allée devant un tribunal.

— Les Vanderbrook ne pensaient pas moins qu'il y avait de quoi.

— Pourquoi être allé déterrer tous ces vieux ragots ?

— Wright Vanderbrook est mort, ce n'est pas un ragot. Pas plus que le fait que ses parents aient cru que l'église ait joué un rôle dans cette mort.

— S'il est mort, c'est parce que c'était un jeune homme terriblement perturbé.

— Il était perturbé, et ça explique tout ?

— Non. Pas tout.

Elle se leva et se dirigea vers la bibliothèque. Elle se déplaçait avec une grâce qu'il trouva, compte tenu des circonstances, à proprement parler sidérante. Voilà une femme qui ne craquait jamais.

Elle revint porteuse d'un album photos relié en cuir qu'elle ouvrit sur le bureau. Les photos montraient un jeune homme aux cheveux bouclés châtain clair et aux traits fins, presque féminins. Sur l'une d'elles, il jouait du piano, en habit de soirée. Sur une autre, en maillot de bain devant un évier de cuisine, il passait des pommes de terre sous l'eau.

— Il était jeune, dit-elle. Il était beau, il était doué.

Cardozo se demanda qui avait pris toutes ces photos de Wright Vanderbrook et pourquoi. Cliché après cliché, à la plage, à cheval, à un banquet, les yeux vert pâle du garçon affichaient toujours le même regard endormi, presque sous narcoleptiques.

— Il prenait de la drogue ?

— Pas que je sache.

— Etait-il proche du père Joe ?

Elle hésita. Comme si elle avait pris soudain conscience de ce à quoi tendait la question.

— Le père Joe était proche de tous les jeunes qui l'entouraient. Plus proche peut-être de Wright parce que ce dernier en avait davantage besoin.

— Avaient-ils des rapports sexuels ?

Elle en resta bouche bée. L'album glissa de ses genoux.

Enfin, se dit-il. *Une réponse franche ne serait pas de refus.* Il se baissa pour récupérer l'album et le lui rendit.

— Il y a une chose que vous semblez ne pas comprendre concernant le père Joe. Il a fait vœu de chasteté. C'est une promesse faite à Dieu.

— Beaucoup de gens font des promesses, objecta Cardozo. Il leur arrive même d'en faire à Dieu.

— Mais Joe a tenu la sienne.

— Qu'est-ce qu'on en sait.

— Moi, je le sais.

Il ne répliqua pas. Il sentait chez elle une curiosité à son endroit, faisant légèrement pression sur lui. *C'est ça qu'ils veulent dire avec leur foi ?* s'interrogeait-il. *Cette femme ne croit pas seulement avec ferveur en la sainteté du père Montgomery, elle n'aura de cesse qu'elle ait réussi à m'y faire croire moi aussi.*

— Vous ne croyez jamais personne sur parole, lieutenant ?

— Dans la vie ? Quelquefois. Dans le travail ? Mieux vaut pas, c'est plus sûr.

— Pas même la parole d'un prêtre ?

— Les prêtres peuvent se montrer aussi dissimulés que les autres.

— Dissimulés ?

Elle le regarda, ses yeux pâles pleins d'inquiétude.

— Vous faites allusion à quelque chose en particulier ?

— Vous m'avez demandé de vous rendre la photo de deux enfants dans les Jardins Vanderbilt. Pour quelle raison, exactement ?

Elle inspira profondément.

— Ce sont mes enfants. Le tribunal ne m'autorise à les voir que pendant les vacances scolaires. Ils n'auraient pas dû se trouver là.

— Alors pourquoi y étaient-ils ?

— Parce que c'était un événement, et que je les aime. Et parce que je ne trouve pas malhonnête de ne pas obéir à une ordonnance de garde injuste.

— Mais vous ne tenez pas à en laisser traîner la preuve. Aux yeux de la loi, c'est un délit en pleine connaissance de cause.

— Je n'essaie pas de me protéger — je me moque bien de ce qui peut m'arriver. Mais je ne veux pas que Collie en pâtisse.

— Comment pourrait-il en pâtir ?

— Il est resté neutre lors du divorce, et mon ex-mari lui fait confiance. Kelly et Kyle vont faire des promenades avec Collie deux trois fois par mois, et il se trouve que ces excursions finissent toujours ici.

— Vous devez avoir une grande confiance en Collie pour le laisser trimballer vos enfants un peu partout.

— Mon frère, moi et Collie, nous sommes les meilleurs amis du monde depuis notre enfance. Depuis que je connais Collie, il s'est toujours montré digne de confiance.

Quelque chose dans cette explication chiffonnait Cardozo. Elle semblait coller, mais il ne pouvait s'empêcher de s'interroger. Son intellect avait une façon de voir Bonnie Ruskay et son instinct une autre, et il n'arrivait pas à concilier les deux.

— J'espère m'être disculpée de tous les crimes dont vous m'accusiez ?

— Oui, ou presque, dit-il. Il y a encore une question que j'aimerais vous poser, à propos d'un chèque au porteur, numéro 2727.

— Vous semblez connaître mon compte mieux que moi. Je ne m'en souviens pas comme ça, au débotté. J'étais probablement à court de liquide et je me suis précipitée à la banque.

— Il a été tiré sur le compte de la paroisse. Montant : deux mille dollars. Un comptoir d'encaissement de chèques a versé du liquide à une fille du nom de Nell Dunbar.

Il vit qu'elle faisait très attention à ne pas montrer de réaction.

— C'est une question ? dit-elle.

— Non. Ma question, c'est qu'est-ce que payait ce chèque ?

Un bref instant, sa lèvre trembla.

— Je ne peux pas vous répondre.

— Quels étaient vos rapports avec Nell Dunbar ?

— Cela regarde mon sacerdoce. Je regrette, je ne peux absolument pas en parler.

— C'est moi qui regrette.

Il se leva et elle l'imita.

— Je ne vous cache rien en rapport avec vous ou votre enquête.

Ses yeux étaient presque implorants.

— J'aimerais que vous me croyiez.

— Je n'ai pas les mêmes dispositions que vous pour la foi, dit-il en souriant. A douter de tout, je dois vous paraître un type antipathique.

— Non, vous êtes seulement consciencieux à l'excès.

— Et vous devez en avoir soupé de moi et de ma conscience professionnelle.

Elle n'en disconvint pas. Elle le suivit dans le couloir d'entrée.

— Assurez-vous de réenclencher l'alarme chaque fois que vous ouvrez la porte, lui rappela-t-il. Ça doit devenir une seconde nature ou sinon c'est inutile.

— Je suis nulle avec ces gadgets électroniques et vous êtes gentil de vous en soucier.

Elle l'accompagna jusqu'au trottoir. Elle lui effleura le bras. C'était la première fois qu'elle le touchait.

— Merci.

— Ecoutez, dit-il. Ne seriez-vous pas plus tranquille avec un garde ?

— La police a assez d'ennuis sur les bras, sans avoir à s'inquiéter pour moi.

— A mon avis, vous avez eu assez de complications comme ça avec la loi pour toute une vie.

— Je ne vous suis pas, dit-elle, perplexe.

— Cette enquête qui s'ajoute à ces procès. Vous avez flirté avec le judiciaire, maintenant vous flirtez avec le criminel. De Charybde en Scylla.

— Nous n'avons pas connu tant de procès que ça. Deux seulement. Celui des Vanderbrook et celui des Schuyler. Et il s'agissait de deux procès d'atteinte aux droits privés.

— Qu'est-ce que les Schuyler cherchaient à prouver ?

— Samantha nous a attaqués pour récupérer la moitié du jardin. Le tribunal l'a déboutée.

— N'empêche, c'est épuisant. Il faut monter au créneau contre les avocats, il faut monter au créneau contre les flics. Mais trêve de plaisanterie, si cette petite frappe continue à rôder dans les parages, je vous adjoindrai un garde.

— On verra bien.

Cardozo admirait le cran, mais le cran n'avait pas réponse à tout.

— Il n'y a pas d' « on verra bien » qui tienne.

Cardozo téléphona pour prévenir et la secrétaire de Mme Schuyler lui dit de faire un saut quand il voudrait entre 5 et 7, qu'il n'y aurait aucun dérangement. Quand il arriva à la résidence des Schuyler, des bouchons de champagne sautaient dans le salon et des domestiques en livrée circulaient, portant sur des plateaux d'argent des hors-d'œuvre. Un majordome remit Cardozo entre les mains d'une jeune femme à lunettes collet monté, et sans bijou aucun.

— Bonjour, lui dit-elle. C'est moi que vous avez eue au téléphone.

Elle pilota Cardozo à travers un océan babillard de robes griffées et de costumes italiens sur mesure.

— Madame Schuyler, voici M. Cardozo qui désire vous voir.

Une tête blonde bavardait avec une tête rousse. Les deux se retournèrent, mais ce fut la blonde qui prit la parole.

— Enchantée.

Une main embijoutée se tendit mollement.

— Samantha Schuyler, et voici ma très chère amie Allison Fitzregis. Maggie, apporte quelque chose à boire au lieutenant.

— Non, merci, dit Cardozo.

— Nous ne nous entendrons pas dans tout ce vacarme.

Mme Schuyler n'avait pas pris la peine de lâcher la main de Cardozo.

— Trouvons-nous un petit recoin tranquille.

Elle lui fit décrire un grand huit à travers la pièce, le présentant à une bonne vingtaine de ses amis, et Cardozo comprit que Samantha Schuyler était ravie d'avoir sous la main un lieutenant de police en chair et en os à exhiber devant ses potes.

— Une canalisation a crevé dans la salle d'entraînement de polo. Aussi, si nous voulons un peu d'intimité, je crains bien que nous devions aller nous entretenir dans l'humidificateur. Vous n'avez rien contre le tabac ?

Quand elle ouvrit la porte, il comprit pourquoi elle lui avait posé cette question : du sol au plafond, les tiroirs en bois d'érable qui occupaient trois murs sur quatre avaient dû être bourrés de cigares ; la petite pièce avait l'odeur toute-puissante, douceâtre et humide, de la feuille de tabac séchée.

Mme Schuyler renifla. Des diamants gros comme des grains de raisin à ses oreilles et à son cou renvoyaient des éclats bleutés.

— L'atmosphère vous va ?

— Oui, tout à fait.

— Je ne laisse fumer Richard nulle part ailleurs dans la maison.

Elle s'installa dans un fauteuil de cuir rembourré. Cardozo

prit l'autre. Il vit qu'elle avait fait suivre son verre de champagne.

— Il s'agit de Wright Vanderbrook. J'ai besoin d'avoir quelques renseignements sur lui.

Le sourire de Samantha Schuyler prit une légère nuance de méchanceté satisfaite.

— Donc un homme va soulever un coin du voile de cette saga. Que connaissez-vous de cette histoire ?

Cardozo résuma ce qu'il avait pu déduire du rapport médico-légal.

— Et puis, il y a ceci.

Il lui tendit une photocopie de l'avis de décès du *New York Times*

Son expression prit un aspect nacré.

— C'était un garçon merveilleux et c'est un merveilleux article. Dommage qu'il ait dû mourir pour l'obtenir.

Elle lui rendit l'avis mortuaire. Et sirota son champagne.

— A peine Wright s'était-il suicidé qu'on a découvert des lettres manuscrites. Vous êtes au courant ?

— Je n'ai entendu que des rumeurs.

— Des gribouillages d'effusions puériles. La phraséologie ne laissait aucun doute sur le fait que tout le temps où il se trouvait soi-disant en « entretien », il avait en fait une liaison avec celui qui « l'entretenait ».

— Comment êtes-vous entrée en possession de ces lettres ?

— C'est la femme de ménage qui les a découvertes.

Mme Schuyler acheva d'un coup sec son verre de champagne.

— Elle a fait des doubles sur la photocopieuse de la paroisse, par sécurité, et comme j'étais alors présidente du conseil paroissial, elle me les a apportées. Elles révélaient une relation extrêmement maladive. Naturellement, nous avons adressé une pétition à l'évêque pour qu'il réorganise Saint-Andrew.

— Vous lui avez demandé de virer le père Montgomery ?

— De les virer tous les deux.

Mme Schuyler épiait Cardozo, les yeux mi-clos.

— Bonnie Ruskay et Joe Montgomery sont deux faux jetons. Ils ont quelque chose de particulier en commun — les psychiatres appellent ça comment déjà, ah oui ! une *folie à deux*[1]. Pris séparément, chacun est tout à fait inoffensif. Mais ensemble...

---

1. *Folie à deux*, en français dans le texte. (N.d.T.)

Elle baissa les yeux avec modestie.

— Nous avons expliqué toute l'affaire à l'évêque. Mais ce vieil imbécile nous a dit tout à trac que Montgomery et Ruskay resteraient. Impossible de le faire changer d'avis. Dieu sait ce que ces deux-là savent sur son compte. Mais j'imagine très bien.

49

L'évêque Griswold Hancock présida ce dimanche-là l'office de 11 heures à Saint-Andrew. Bonnie l'assistait. L'assemblée était nombreuse, comme c'était toujours le cas quand l'évêque faisait le sermon.

Les fidèles se relayaient pour recevoir la communion. Le plus grand nombre possible s'agenouillaient devant la sainte table tandis que les autres attendaient sur les bas-côtés. L'évêque distribuait l'hostie et Bonnie le suivait, servant le vin.

— Le corps du Christ.

L'évêque fit le signe de la croix avec l'hostie et la déposa au creux des mains de Tina Vanderbilt.

— Le corps du Christ.

Même chose dans les mains de Whitney Carls.

— Le sang du Christ.

Bonnie éleva le calice à hauteur des lèvres de Tina. Tina battit des paupières en avalant.

— Le sang du Christ.

Les yeux ouverts, mais détournés, Whitney Carls prit une petite gorgée. En se relevant, il tira sur sa perruque.

Bonnie entendit Tina chuchoter :

— Veux-tu bien laisser cette foutue perruque tranquille ! C'est pas un jouet !

Des ombres regagnaient les bancs en file indienne. Une nouvelle fournée prit leur place.

Comme Bonnie se déplaçait le long de la sainte table, un

enfant blond à l'air angélique attira son attention tout à l'extrémité. Il était vêtu dans le style flamboyant du ghetto : chemise hawaïenne, larges pantalons de coton rouge vif, casquette bleue de base-ball vissée devant-derrière sur sa queue-de-cheval.

Avant même d'avoir aperçu le crucifix boucle d'oreille, elle fut transie par une vague de réminiscences.

— Le corps du Christ.

L'évêque déposa l'hostie dans les mains du garçon.

Puis Bonnie prit la place de l'évêque.

Tenant le calice à deux mains, elle l'éleva jusqu'aux lèvres du garçon.

Elle commença à prononcer la formule rituelle :

— Le sang du..

Elle s'interrompit, prenant conscience qu'il avait les deux mains libres alors que les siennes étaient occupées. A cet instant, il pouvait lui faire ce que bon lui semblerait.

— Le sang du Christ, dit-elle d'une voix tremblante.

Il ne prit pas de gorgée du vin qu'on lui présentait ; c'était comme s'il ne l'avait pas entendue. Par-dessus le bord du calice, son regard se posa sur le sien. Ses yeux étaient bleu acier, et morts. Ce fut comme si une aiguille de glace la transperçait.

Elle passa à la personne suivante, une dame à cheveux gris arborant un pendentif de diamant sur sa veste de tailleur.

— Le sang du Christ.

Sa main tremblait en élevant le calice.

Quand elle regarda derrière elle, le garçon avait quitté la sainte table.

Dans la sacristie, Bonnie venait de retirer un bras de son surplis quand elle entendit un léger son derrière elle. Elle se retourna et son cœur ne fit qu'un bond dans sa poitrine.

— Salut.

Le garçon était là.

Elle n'avait même pas entendu la porte.

Sa main tendue était molle et menaçante à la fois.

— Moi, c'est Eff.

L'orgue entonnait la Toccata de Widor, et elle douta qu'on l'entendrait crier.

La main tendue était vide, mais elle ne pouvait voir l'autre. La panique la prenait à la gorge. Elle déglutit, tâchant de la refouler.

— Vous m'avez suivie.

— Je vous ai eue à l'œil.

— Pourquoi ?

— Allez, faisons la paix.

La main restait tendue, sans trembler, exigeant qu'elle la serre.

Son instinct lui souffla de s'y risquer. Elle avança d'un pas, se mettant à portée d'un cran d'arrêt.

— Moi, c'est Bonnie.

Sa main se referma légèrement sur la sienne.

Immédiatement, elle sentit qu'elle avait commis une erreur. Sa main agrippa la sienne. Et la retint. Très lentement, il l'attira vers lui.

— Enchanté de vous rencontrer Bonnie. Vraiment enchanté. Je le pense vraiment.

Elle sentait la chaleur qui se dégageait de son corps. Soudain il la laissa aller. Elle battit en retraite.

Il fouillait la poche revolver de son pantalon. Il en extirpa une sorte de cylindre aplati. Comme il le dépliait, elle reconnut l'une de ses affiches.

— C'est sérieux ce truc ? Dix mille dollars de récompense pour tout renseignement qui permettra d'identifier l'ag... — le mot suivant lui posa problème — l'agresseur du père Joe Montgomery ?

Le silence parut osciller comme un pendule. Elle inspira profondément.

— On ne peut plus sérieux.

— Même ça ?

Il désigna la dernière ligne : « *Il n'y aura pas de poursuites.* »

— Tout à fait.

— Alors, marché conclu.

En trois pas dégagés, il alla se camper devant le miroir.

— J'étais là quand le père Joe a été agressé.

Il déboutonna sa chemise jusqu'au nombril et lança un clin d'œil à son reflet.

— Je peux identifier le type qu'a fait ça.

Il se retourna, grand sourire, yeux plantés dans les siens.

— C'était moi.

Un silence morne se répandit dans la pièce. Elle savait qu'il mentait : le père Joe avait précisé que son agresseur était un Noir.

— Etes-vous disposé à répéter cette déclaration en présence de la police ?

— J'ai pas peur des flics.

— La banque est fermée aujourd'hui. Je ne pourrai pas avoir l'argent avant demain.

— Je suis pas à un jour près.

Maintenant le plus dur.

— Il me faut votre nom et votre adresse.

— Pour quoi faire ?

— Pour le chèque.

— Pas de chèque.

— La paroisse ne m'autorisera jamais à retirer une telle somme en liquide. Je vous donnerai un chèque de banque. Certifié. C'est comme du liquide.

Il la regarda un long moment, la jaugeant.

— Francis Huffington. Avec deux F. Chez Snyder.

Il épela le nom.

— 573, 69ᵉ Rue Ouest. Appartement 4 F.

On frappa au battant de la porte ouverte.

— Je ne vous interromps pas, j'espère ? dit Ellie Siegel, tenant une chemise pleine de photocopies.

— Pas du tout, dit Cardozo. Ellie, tu te souviens de la révérende Ruskay de Saint-Andrew ?

Ellie haussa les sourcils. Elle parut un instant se demander si elle ferait montre de cordialité ou pas.

— Bien entendu.

— Ça me fait plaisir de vous revoir, lieutenant Siegel.

Bonnie se leva de la chaise à dossier droit.

— Vous allez bien ?

— Je vais toujours bien. Et vous ? Ne vous levez pas, je vous en prie, dit Ellie avec un sourire réfrigérant. J'ai effectué des recherches dans les journaux sur microfilm, mais ça peut attendre.

— C'est ce que nous sommes justement en train de faire, dit Cardozo.

— Vraiment, fit Ellie d'un ton inexpressif.

— C'est de ma faute, dit Bonnie Ruskay. J'ai demandé à quelqu'un de nous retrouver ici et il est en retard.

— Tu as trouvé quoi ? fit Cardozo.

— A peu près ce à quoi on s'attendait.

Ellie percha les photocopies au sommet de la pile de paperasserie du service en équilibre instable sur le bureau.

— La presse blanche n'a jamais fait le lien entre Vegas,

Wills et Gilmartin. Les articles ont été relégués dans les dernières pages et on y laisse entendre que les victimes sont des Blacks ou des Hispaniques.

— Et l'*Amsterdam News* ?

— Ils ont parlé des trois histoires, mais en reproduisant grosso modo le communiqué de presse du N.Y.P.D. Ils ont publié un édito disant que la police devrait pousser l'enquête pour établir s'il y avait des liens, mais n'ont pas poussé plus loin.

— *El Diario* ?

— *Nada*. Tout est là. Régale-toi.

Un signe de la main et elle avait disparu.

— Qu'est-ce qu'elle entend par la « presse blanche » ? demanda Bonnie Ruskay.

— Les principaux médias.

Cardozo jeta un œil aux photocopies d'Ellie. Après avoir brassé du papier pendant dix minutes et compté les atomes de poussière en suspension, il consulta à nouveau sa montre.

— Ou bien Francis Huffington a oublié qu'il avait rendez-vous ou il n'a jamais eu l'intention de venir.

— Il est peut-être coincé dans un embouteillage, dit Bonnie Ruskay. Ou dans le métro.

— Croyez-moi, si un gosse comme lui veut se rendre quelque part, rien ne l'arrête. Ce qui s'est passé crève les yeux.

— Ça ne crève pas les miens.

— Il a essayé de vous arnaquer, vous avez tenté de contrer son arnaque et il n'a pas pu trouver une plus grosse arnaque pour contourner votre manœuvre.

S'il avait sorti un Magnum 45 et troué son corsage de dentelle, elle n'aurait pas eu l'air plus stupéfaite.

— Ce gamin vous a agressée, il est entré dans votre bureau par effraction, il vous a suivie, il vous a volée. Vous ne vous attendiez pas sérieusement qu'il vienne ici se livrer ?

Elle le fixa un instant avant de reprendre son sac à main.

— Désolée de vous avoir fait perdre votre temps.

Cardozo fut saisi d'une légère impatience.

— Je n'ai pas dit que c'était du temps perdu. C'était la façon la plus intelligente de traiter avec lui. Vous l'avez mis au pied du mur et il a changé son fusil d'épaule. Il y réfléchira à deux fois avant de revenir vous importuner.

— Je crois que vous avez raison.

Le téléphone sonna.

— Ici, Cardozo.

— L'écriture sur l'enveloppe de l'avis mortuaire ne correspond pas à celle de la lettre anonyme.

C'était Lou Stein.

— Mon expert en graphologie dit que nous avons affaire à une autre personne.

Bonnie Ruskay articula un au-revoir silencieux et gagna la porte.

— Au fait, dit Cardozo en couvrant le combiné. N'oubliez pas de réenclencher l'alarme.

— Je n'oublierai pas.

— Nous avons découvert trois empreintes partielles sur l'avis de décès, poursuivait Lou. Il y en a deux que nous n'avons pu identifier. Nous n'avons pas l'équivalent sur fichier, donc elles n'appartiennent à personne avec qui nous pouvons comparer. En ce qui concerne la troisième, nous avons comparé avec celles trouvées sur la photocopie de l'avis mortuaire.

Lou soupira.

— Là, c'est pas ce qui manque. Les tiennes en particulier.

— Je regrette, Lou. Je pouvais difficilement enfiler une paire de gants en plastique devant Mme Schuyler.

— En admettant que les seules autres empreintes sur la photocop sont les siennes...

— Ce qui est le cas.

— Alors ça colle. C'est Mme Schuyler qui a expédié l'avis mortuaire.

— Alléluia !

Cardozo s'octroya une bonne gorgée de café à la température de la pièce. Il regarda par la fenêtre le mur de brique de la ruelle. Donc cette vieille poupée fardée et brushée n'était pas qu'une langue de vipère.

— Elle ne reste pas non plus les mains dans les poches.

— Pardon ?

— Excuse-moi. Je pensais tout haut.

— O.K. Passons à ces dossiers en papier bulle. Là-dessus, tu as vu juste. A un certain moment de l'histoire, ils ont été dans la même pile — c'est la même tasse de moka non écrémé qui s'est répandue sur eux.

— Tu peux dater cette tache de café ?

— Difficile de dater le café, mais en admettant que la tache de beurre rance figurant sur le dossier Vegas remonte à peu de chose près à la même époque, à en juger par les bactéries, je daterais le tout d'il y a quinze jours à un mois environ.

Cardozo se livra à un rapide calcul mental.

— Ce qui correspond à notre estimation temporelle.

— Heureux d'avoir pu t'éclairer.

Cardozo raccrochait comme Ellie se glissait à nouveau dans le box. Son visage affichait un petit sourire mystérieux.

— Je peux faire quelque chose pour toi, Ellie ?

— Si tu parles sérieusement, eh bien, tu pourrais truquer le loto de New York pour que je touche le jackpot, payer ma note d'électricité ou descendre mon ex-mari.

— Pouce. C'est pas le moment.

— J'adore te voir te mettre en colère. J'adore quand tu te fermes comme une huître parce que t'es à deux doigts d'exploser.

— Pas de quoi se marrer.

Il se carra sur sa chaise en arrière, paumes levées.

— Tu me lâches, tu veux ?

— J'essayais juste d'égayer l'atmosphère un tantinet.

— C'est ça.

— Vince, faut que tu gardes un peu de recul sur toi — et sur elle, aussi.

— Je me débrouille très bien avec ça.

— En la laissant se servir de ton bureau pour ses rendez-vous ?

— Elle croyait nous aider.

— Fais gaffe.

De la fatigue se lisait dans les yeux d'Ellie, mais de la sollicitude aussi.

— Tu as vu ce que cette femme a fait de son ex. T'as envie de finir comme Ernie ?

— Et il a fini comment ?

— Avec une fixette. Accro au souvenir. Il ne trouvera jamais plus de satisfaction auprès d'une autre femme. Et encore moins sa tranquillité d'esprit ou le respect de soi-même. Il y a des femmes qui ont cet effet sur les hommes.

— C'est quoi ce déploiement de Kolossale Finesse ? J'ai réclamé un gourou ? J'ai demandé après un psy ?

— C'était seulement un conseil d'amie, vu ?

— Eh bien, sois une amie et fourre-toi dans la tête que je ne suis pas ta chose.

Elle le fixait sans baisser les yeux de l'autre côté du bureau, laissant s'étirer le silence tombé soudain.

— Qui a envie de ça ?

— O.K. On fait la paix.

Cardozo redressa sa chaise pivotante.

— J'ai raté un épisode ? C'était la guerre ?

— Ça a bien failli. Rends-nous service à tous les deux. Fous-lui la paix. Oublie tes préjugés.

— Pas de préjugés sur la révérende Bonnie ?

Ellie se força à sourire.

— Pour toi, Vince, je suis prête à n'importe quoi. Même à l'impossible.

50

— Vous vous mariez quand, Anne et toi ? demanda Bonnie.

— On a pensé au début de l'automne.

Ben leva son verre d'eau minérale comme pour lui porter un toast.

— Mais on a pas fixé la date.

— Chaque année tu dis la même chose. Dis-moi la vérité. Ça arrivera un jour ?

— Pourquoi se presser ?

Ils avaient achevé leur repas et s'attardaient autour d'un *café filtre*[1]. Ce soir, ça avait été au tour de son frère de choisir le restaurant. Il avait sélectionné un nouvel endroit, le Cottage, à Turtle Bay. L'établissement faisait partie d'une nouvelle vague, et rappelait fortement les cafés-restaurants français des années cinquante.

— Tu es toujours un catholique, dit Bonnie. Et traditionnaliste, de surcroît. T'as beau crier bien haut que tu vis maritalement, ça ne te convient pas.

— Peut-être que ça convient à Anne.

— Peut-être qu'Anne a tort et que l'Eglise a raison.

Il lui lança un regard de stupéfaction tranquille.

---

1. *Café filtre*, en français dans le texte. (N.d.T.)

— Pas sur tout, dit-elle. Mais peut-être bien que oui sur les sacrements.

— O.K., t'as quelque chose sur le cœur. Je l'ai senti toute la soirée. Dis-moi quel est le problème.

— C'était censé être un dîner sympa.

— Arrête ça, petite sœur.

De la musique jouait en sourdine. De l'accordéon, une guitare et Yves Montand, on aurait dit. Sur les murs autour d'eux, les éclaboussures vives de bleu, de blanc et de terre rouge de poteries provençales.

— Je me suis demandé récemment si l'Eglise catholique n'a pas raison concernant l'ordination des femmes.

— Il est bien temps, dit-il avec un soupir, hochant la tête.

Elle percevait de façon palpable son humour, dénué totalement de méchanceté.

— Dernièrement, j'ai eu l'impression de ne pas avoir l'étoffe qu'être prêtre réclame. Et je n'arrête pas de me dire que c'est dû au fait que je suis une femme.

Elle ramassa un couteau à beurre inutilisé que le serveur avait oublié de remporter et l'aligna parallèlement au bord de la table.

— Excuse-moi. Je manque peut-être de délicatesse en te parlant de ça ?

— Non, bon sang. Qu'est-ce qui te fait dire ça ?

— Tu voulais être prêtre et on te l'a refusé.

— On te l'a refusé à toi aussi.

— Mais tu t'es incliné devant leur décision. Moi pas. Peut-être que je récolte ce que j'ai cherché.

— Qu'est-ce qui te tracasse vraiment ? Et ne m'épargne pas les détails, s'il te plaît.

— Ça refait sans cesse surface dans les entretiens que j'ai. Certains problèmes de mes paroissiens sont idiots. Une femme qui ne figure plus sur la top-list. Un homme qui perd ses cheveux. Mais leur souffrance est réelle. Je la sens comme un mur que je ne peux pas franchir.

— Et c'est comme ça que ça doit être.

— Le père Joe ne ressasse pas des histoires de listes d'invitation ou de calvitie.

— Tu n'es pas le père Joe.

— Mais j'essaie de suivre ses traces. Et je ne sais pas si j'en suis capable.

— Le problème, ce n'est pas que tu sois une femme ; le problème c'est que tu es un être humain.

— Tu dirais n'importe quoi pour me réconforter. Tu es mon petit frère et tu as toujours été comme un grand frère pour moi. Je devrais prendre soin de toi et au lieu de ça, c'est moi qui pleure sur ton épaule.

— A quoi d'autre ça sert l'épaule d'un frère ?

— Je suis inquiète, Ben. Qu'est-ce que je vais faire si le père Joe ne revient pas ?

— Mais bien sûr qu'il va revenir.

— Tu ne sais pas ce qui s'est passé. Tu ne sais pas tout.

Il la regardait maintenant avec gravité de l'autre côté de la table.

— Alors raconte-moi tout.

Elle ne répondit pas, faisant décrire de petits cercles à son verre de vin.

— Ce sont ses yeux ? fit Ben.

— Ses yeux iront bien. Le droit, du moins. Il y a quelque chose d'autre. La police essaie de lui faire du tort.

— Explique-toi.

— Ils ont trouvé des photos dans son fichier-comédiens. De jeunes qui n'ont jamais joué dans les spectacles de Joe. L'une d'elles est celle de la morte à la glacière des Jardins Vanderbilt.

Ben mêla une minuscule cuillerée de cristaux de sucre irisés à son café.

— Et les autres ?

— Des jeunes qu'on a retrouvés ces trois dernières années, dans des conditions similaires.

— Dans des glacières ?

Elle approuva du chef.

— Comment ces photos ont-elles atterri dans son fichier ?

— Je n'en sais rien et Joe non plus.

— La police le sait ?

— Elle croit le savoir. Elle croit savoir des tas de choses, par exemple que Joe n'a pas été agressé et qu'il s'est blessé à l'œil en luttant avec le cambrioleur.

— Quelle différence cela fait-il ?

— Ils pensent qu'il a tué le cambrioleur.

— C'est de la folie.

— Mais c'est ce qu'ils croient, j'en suis sûre.

Sa main tremblait et une partie de son café se répandit dans la soucoupe.

— Je me suis rendue au commissariat aujourd'hui.

Il scruta son visage.

— Et pourquoi ?

— J'ai offert une récompense à qui aurait été témoin de l'agression. Un garçon s'est présenté et a avoué en être l'auteur.

— Parfait. Alors tu as une preuve.

— Il mentait. C'est un Blanc, l'agresseur du père Joe était un Noir. Mais j'ai pensé que si ce garçon faisait une déposition, ça aiderait Joe.

— Sœurette, on frise le faux témoignage, là.

— Ne t'en fais pas, il ne s'est pas présenté.

— La police a-t-elle dit *expressément* qu'elle soupçonnait Joe ?

— Non. Mais ils ont des présomptions. Il a donné du travail à l'une des victimes au presbytère. On m'a même posé des questions sur les rapports de Joe et Wright Vanderbrook. Ils n'ont pas cessé de revenir sur la vie sexuelle de Joe.

— Il en a une ?

— Bien sûr que non.

Elle regarda son frère achever de boire son café.

— Ils ont reçu une lettre anonyme.

— Ça ne veut rien dire.

— Elle était sur papier à en-tête de l'église.

— Ils croient peut-être que tu l'as envoyée. C'est toi ?

— Bien sûr que non.

— Ils te testent. Ils n'ont pas assez d'éléments, alors ils veulent voir s'ils peuvent te faire craquer pour que tu leur dises tout ce que tu sais.

— Je leur ai dit la vérité.

— Tu sais quoi, sœurette ? Tu n'as aucun souci à te faire. Pas plus que le père Joe dans son coin.

Elle soupira.

— Merci pour le dîner. Et de m'avoir écoutée. La prochaine fois, ce sera mon tour.

Ils se dirent au-revoir sur le trottoir. C'était une soirée douce et humide. Ben la serra contre lui en riant.

— Et ne t'amuse plus à te faire du souci.

Il lui héla un taxi et elle l'embrassa en lui souhaitant bonne nuit.

Un quart d'heure plus tard, descendue du taxi, elle se tenait sur le seuil du presbytère, fouillant dans son sac pour trouver la clé.

Il y eut une sorte de raclement derrière elle sur la chaussée.

Elle donna un coup d'œil en biais, cherchant à repérer la source de ce bruit, et scruta la nuit brumeuse. Des voitures étaient garées le long du trottoir désert et les encoignures de portes obscures déversaient des ombres.

Encore mon imagination. J'ai bu trop de vin et trop de café.

Elle entra dans le presbytère et tâtonna le long du mur à la recherche de l'interrupteur. Au-dessus de sa tête, une ampoule électrique clignota puis, jetant un éclair comme celui d'un coup de feu, s'éteignit.

Elle demeura un instant immobile dans l'obscurité, tâchant de reprendre son souffle. Un gazouillis perçant très bref la fit sursauter. L'alarme clignotait de tous ses petits voyants rouges, réclamant qu'elle tape son code.

Elle pressa sur quatre touches. L'alarme se tut. Elle attendit pour voir si c'était pour de bon.

Ça avait l'air d'être pour de bon.

Elle ferma la porte de la rue d'une poussée et s'apprêtait à faire glisser le verrou. L'alarme recommença à glapir comme le battant de la porte lui heurtait la main en se rouvrant.

Une ombre se faufila par l'entrebâillement.

Elle sursauta de tout son corps.

L'ombre pesait de tout son poids. Elle était rapide. Elle avait une voix. Une voix de garçon.

— Faut que je vous parle.

Elle resta pétrifiée.

A la lumière tombant en oblique de l'imposte, elle distingua le contour d'une casquette de base-ball coiffée devant-derrière. Elle eut l'impression que l'ombre souriait.

— C'est moi. Eff.

Elle recula.

— Qu'est-ce que vous voulez ?

— Tapez votre code, sinon ils vont envoyer quelqu'un.

— Dites-moi ce que vous voulez.

— Je regrette, j'ai pas pu aller au commissariat. Ma mère a eu un accident. Elle...

Sa voix se brisa.

— Faut que je parle à quelqu'un.

Il craqua une allumette.

— Vous voyez les boutons ?

Elle fixa le jeune homme au regard désespéré et la bravade de la queue-de-cheval l'attrista. *Qu'est-ce que je ressens pour Eff Huffington ?* se demanda-t-elle. Elle interrogea son cœur et eut honte de n'y trouver que le vide.

— Je vous en voudrais pas si vous me disiez d'aller me faire foutre, mais les docteurs ont dit qu'elle va pas...

Il se mit à sangloter.

— Qu'elle s'en tirera pas.

Son instinct professionnel lui soufflait qu'elle était à moins d'un mètre cinquante d'une vraie souffrance. Peut-être pas celle dont il faisait état, une souffrance différente peut-être, plus obscure, innommée. Mais une souffrance néanmoins.

Elle n'hésita qu'un instant. Elle tapa le code dans le boîtier. Le jodle électronique cessa.

— Suivez-moi. On pourra parler par ici.

Elle le conduisit dans son bureau. La climatisation avait les pulsations d'un cœur à bout de course. Elle tira les rideaux.

— Mettez-vous à l'aise. Prenez un siège.

Il ne s'assit pas. Elle le vit regarder les photos posées sur son bureau. *Même si je ne le comprends pas*, se disait-elle, *je peux au moins lui trouver figure humaine.*

— Vous avez soif ? Vous voulez boire quelque chose ? Ou un sandwich ?

Elle sortit du petit réfrigérateur sous la bibliothèque une coupe de fruits, une assiette anglaise, des pots de moutarde, de mayonnaise et de sauce piquante, plus deux boîtes de gingerale. Elle les disposa sur le bureau, se donnant ainsi le temps de trouver les mots.

— Comment votre mère a eu son accident ?

Le silence dans la pièce parut collant comme de la gélatine. Il examinait les objets sur le bureau. Elle sentit qu'il la jaugeait à travers ce qui lui appartenait.

Il se dirigea enfin vers le réfrigérateur et pêcha une bouteille de bière derrière le jus d'orange.

Elle le regarda avec surprise.

— C'est une Carlsberg, une bière danoise, vous risquez de ne pas aimer.

Un étrange sourire retroussa les coins de sa bouche.

— De la bière, c'est de la bière.

Il prit sur le côté du réfrigérateur le décapsuleur aimanté. Comme s'il avait toujours su qu'il s'y trouvait. Il fit sauter la capsule de sa bouteille de bière, qui alla rouler sur le tapis. Il ne fit pas mine de vouloir la ramasser.

Elle posa un rond de bouteille sur le bord du bureau, à sa portée.

— Dans quel hôpital se trouve votre mère ?

Pas de réponse.

Elle n'insista pas, le laissant prendre son temps.

Il leva la bouteille et lui porta un toast.

— *Salud.*

Il avala une longue gorgée. Son T-shirt trempé de sueur sous les aisselles collait à son torse. Un filet de Carlsberg mouilla sa lèvre et dégoulina sur son menton.

Il posa la bouteille sur le bureau, à côté du rond. S'il ne dépassait pas exactement les limites, il n'en était pas loin.

— C'est mauvais pour le bois, dit-elle en posant la bière sur le rond de bouteille.

Il tapotait quelque chose contre son pouce gauche. Il ouvrit la main et elle vit le couteau à cran d'arrêt.

Elle se sentit tomber en chute libre.

— T'es rien qu'une conne, salope. J'ai pas arrêté de te suivre. Je sais partout où tu vas. Je peux t'avoir quand je veux.

Il fit jaillir la lame du cran d'arrêt. Les murs du bureau parurent se rapprocher et elle n'entendit plus que le battement de son propre cœur.

— Je veux mon fric.

Bonnie inspira profondément, puis exhala longuement.

— Je n'ai pas d'argent ici.

— Je veux mes dix mille dollars.

— Vous avez déjà fouillé cette pièce, vous savez bien qu'il n'y a pas de liquide.

Avec une violence soudaine, complètement folle, il la repoussa contre le bureau. L'odeur aigre, presque rance, de son corps engloba Bonnie.

— Espèce de salope, tu me paies ou moi, *je* me paie.

La maintenant d'un bras, il effleura sa gorge de la pointe de la lame. L'acier irradiait une chaleur qui lui picotait tout le corps.

Il l'embrassa sur la bouche, sauvagement ; sa langue était une lancette, dont l'aigreur mêlait la bière aux cacahuètes.

Il se détacha d'elle.

— Tu ferais mieux de faire ta prière, salope, dit-il avec un grand sourire. Parce que c'est le moment de passer à la caisse.

51

— Un peu après 4 heures du matin, le téléphone qui se trouvait à la tête du lit de Cardozo se mit à grelotter. Il souleva le combiné, à moitié endormi.

— Cardozo.

— Vince, c'est Bonnie.

Quelque chose de haché et d'essoufflé dans le son de sa voix l'alerta. Il se redressa en position assise et d'un déclic alluma la lumière.

— Qu'est-ce qu'il se passe ?

— Ce garçon est venu. Eff Huffington.

Cardozo sentit un pincement du côté du cœur.

— Il avait un couteau. Et il...

Elle se mit à bégayer.

— Du calme. Qu'est-ce qu'il a fait ?

Il y eut un horrible silence et avant même qu'elle ait dit la chose, il sut ce qu'Eff Huffington avait fait à la révérende Bonnie Ruskay.

— Il m'a violée. Pendant six heures. Il m'a menacée de revenir et de recommencer si je ne lui donnais pas son argent.

— Vous vous êtes lavée ?

— Je me suis... quoi ? Non, je ne me suis pas lavée.

— Ne vous lavez pas. Ne jetez rien, ne nettoyez rien, ne touchez à rien. J'arrive tout de suite.

Terri en peignoir de bain, debout dans le couloir, fixait sur son père un regard effaré.

— Qu'est-il arrivé ?

— Ce fils de pute s'en est pris à elle.

Quand elle lui ouvrit la porte du presbytère, ses yeux tuméfiés avaient un regard mort. Ils n'exprimaient rien, ni haine, ni peur. Elle tremblait dans son imperméable et Cardozo s'aperçut qu'en dessous, le col de sa robe était déchiré.

— Venez. Ma voiture est par là.

Elle le laissa lui prendre la main. Elle était froide au toucher.

— Où allons-nous ?

— Je vous emmène à l'hôpital.

Dans la voiture, en roulant sur Lexington Avenue, elle se mit à se triturer le visage, se forçant à ouvrir les paupières et les lèvres. Un son inarticulé sortait de sa gorge. Cardozo, de son avant-bras droit, l'obligea à baisser les mains.

— Ne faites pas ça. S'il vous plaît, non.

Il lui posa les mains sur le tableau de bord. Elle les contempla comme si elles l'avaient précédée dans la mort.

— Vous êtes en sécurité, dit-il. C'est fini.

La salle des urgences évoquait un bazar du tiers monde pendant une attaque à la roquette. Des visages hurlaient dans une dizaine de langues, les téléphones sonnaillaient, les roues des civières crissaient, les talons des infirmières claquaient. Une alarme d'incendie se déclenchait toutes les quatre-vingt-dix secondes dans la plus grande indifférence.

Cardozo montra sa carte pour faire admettre Bonnie en salle d'examen. Une jeune femme médecin l'aida à retirer son imperméable.

Il eut un coup au cœur en voyant que la robe, en dessous, n'était qu'un damier de taches de sang.

— Il n'a pas mis de préservatif.

Bonnie Ruskay avait une voix d'automate, sans timbre ni couleur. Son visage reflétait plus l'hébétude que la douleur.

— S'il vous plaît, faites-moi un test H.I.V.

— Les anticorps ne se manifestent pas immédiatement. Nous vous ferons un test plus tard. Pour le moment, ceci va vous calmer.

La femme médecin insinua une aiguille dans le bras de sa patiente.

Cardozo vit Bonnie se laisser couler lentement, très lentement, sous l'effet du narcotique, dans un état de non-être bienfaisant avec gratitude. Il en était malade pour elle, et pour la ville. Voilà à quoi tout cela menait.

L'hôpital la garda jusqu'au lendemain.

Il resta dans sa chambre, à veiller sur elle. Au cours de la nuit, elle chercha sa main.

Cardozo regardait le bureau d'Ellie Siegel avec ses tas de paperasse bien classés en arrivées et en sorties. Un unique œillet d'une blancheur parfaite était piqué dans un vase de verre bleu de la taille d'un flacon de comprimés. On avait fait résolument un effort pour isoler ce bureau de la confusion de la salle de garde qui l'environnait. Ellie ralentit le rythme de sa frappe et leva les yeux vers lui.

— Bonnie Ruskay a été violée hier au soir, dit-il.

— Oh mon Dieu !

Ellie devint toute pâle. Elle débarrassa une chaise d'une pile de dossiers.

— Assieds-toi et raconte.

Il s'assit. Ne raconta rien. Resta assis, simplement.

— Comment elle va ? demanda Ellie, d'une voix calme.

— Elle a craqué.

Ellie lui tendit une tasse de café pleine.

— Tiens, bois, je n'y ai pas touché.

— C'est le gosse qui la filait. Eff Huffington. Je déteste ce gosse. Je déteste ce qu'il a fait et ce qu'il est. Autrefois, c'était une ville où les gens convenables pouvaient vivre. Je veux bien être damné si je laisse cette ville aller à sa perte à cause d'une bande de sauvages et de crapules.

— Parfois je crois m'entendre.

— Je vais la faire surveiller vingt-quatre heures sur vingt-quatre.

Il prit la tasse et n'absorba qu'un mince filet de liquide noir entre ses dents serrées. Le café avait un goût amer et boueux, comme si on l'avait laissé s'épaissir au fond de la cafetière une bonne partie de la semaine.

— Greg Monteleone et Tom O'Bannon planqueront douze heures chacun.

Ellie le regardait, avec de grands yeux peinés, les paupières creusées.

— Je suis désolée, Vince. Vraiment désolée.

Elle tendit sa main armée d'un Kleenex.

— Ne bouge pas, tu as un morceau de chausson aux pommes sur le menton.

Il fixa Ellie en sentant le toucher doux et maternel de ses doigts.

— Merci.

Il repoussa la chaise, se leva et se dirigea vers son box.

— Qu'est-ce qu'il y a de si pressé ?

— Huffington a donné une adresse à Bonnie. Je l'ai notée quelque part dans mon calepin.

— Elle est probablement bidon, l'avertit Ellie.

— Ça peut pas faire de mal de s'en assurer.

On entendait brailler l'*Oprah Winfrey Show* à travers la porte. Cardozo appuya sur la sonnette. Le bouton n'avait pas de répondant et il eut l'impression que le branchement électrique était mort. Il frappa au battant.

Personne ne se manifestant, il tambourina.

Un grand type boutonneux à la barbe rousse entrefilée de gris finit par ouvrir la porte.

— Je cherche Eff Huffington.

Le type garda un silence hébété.

— Francis Huffington. Je veux lui parler.

Une femme en jeans traversa la pièce et baissa le son de la télé.

— Huffington, il habite ici. Lequel de vous s'appelle Snyder ?

— Tous les deux, on s'appelle Snyder, dit la femme en poussant le type de côté.

Elle avait un casque de cheveux d'un blond artificiel et des lèvres de la couleur d'un crachat sur le carrelage rose d'une salle de bains.

— Vous êtes qui ?

Cardozo lui montra sa plaque.

— Je cherche Francis Huffington, surnom Eff. Au cas où ce nom ne vous dirait rien, c'est le gosse qu'a mis en pension chez vous le Service municipal de placements d'enfants.

— Pas la peine de jouer au gros malin. Qu'est-ce que vous lui voulez ?

— Je suis un flic, devinez.

Cardozo lui donna une poussée et pénétra dans l'appartement.

Le mobilier avait l'air d'avoir servi à l'entraînement de deux ceintures noires de karaté. Une fillette hispanique de huit ans passait le suceur d'un aspirateur le long des bords d'un tapis, qui avait été ailleurs et autrefois de la moquette.

— On n'est pas payés pour l'empêcher de faire des bêtises, hurlait la femme. On n'a pas dix-huit mains. On n'est pas responsables de sa conduite à ce gosse.

— Où est-il ?

— Est-ce que je sais, moi ?

— M. Snyder et vous, vous vous faites sept cents dollars par mois nets d'impôts pour le savoir.

— Il est chez son thérapeute.

— Quand est-ce qu'il rentre de sa séance ?

Mme Snyder se tourna vers son mari.

— C'est bien aujourd'hui qu'il consulte pour la drogue, Alvin ?

Elle haussa le ton comme si elle lui donnait la réplique pendant une répétition.

— Ouais.

— Il va consulter pour la drogue, après sa séance de thérapie. Puis il a une heure de battement avant son cours de formation professionnelle. Mais d'habitude il se casse pas la tête, il rentre seulement après.

Cardozo se demanda combien de bureaucrates et de parasites de la municipalité se faisaient du fric sur le dos de ce gamin.

— Vous le voyez souvent cet enfant placé chez vous ?

— Tous les jours.

Ses yeux la trahirent et elle battit en retraite.

— Un jour sur deux.

— Où est sa chambre ? La ville vous paie pour lui donner une chambre, où elle est ?

— Eh, déconnez pas.

L'homme parlait d'une voix basse, comme s'il était en phase terminale d'épuisement.

— On va s'asseoir, s'ouvrir une bouteille de Rolling Rock et parler de tout ça.

— Je t'en foutrais.

Cardoza enfila le couloir à grandes enjambées, ouvrant les portes au passage.

La chambre avec un water-bed et un haltère, plus la coiffeuse rose, était de façon patente celle des maîtres de céans.

Derrière lui, on remit à fond le son du *Oprah Winfrey Show*.

Les toilettes étaient un no man's land de canalisations qui fuyaient et de murs suintants.

La cuisine était une cellule d'attente pour les mouches.

Restait la dernière porte, qui donnait sur une chambre au store baissé. Il le releva d'un coup sec et, dans son élan, le store alla s'enrouler autour de la tringle. Le soleil inonda un lit d'angle défait.

Mme Snyder rappliqua à toute vitesse, lui papillonnant autour.

— Eh, vous m'avez pas montré votre mandat.

Il ouvrit le placard à la volée. Il estima à deux douzaines les chaussures de femme sur l'étagère — toutes, éculées, la plupart à bout ouvert.

— Pas besoin de mandat. Par contre, vous, vous avez besoin d'un avocat.

La fureur lui fit faire les yeux ronds.

— Mais *je suis* avocate ! Et mon mari est expert-comptable ! Et il est couvert !

— Alors écoutez-moi. Eff Huffington n'est pas simplement un de ces éclopés de la récession genre la bourse ou la vie qui a repris contact avec ses instincts primitifs. C'est une vague de criminalité à lui tout seul et si vous le protégez, tous les deux, vous serez déclarés complices et, contrairement à Eff, vous n'êtes pas mineurs, du moins pas sur le plan légal. Pigé ?

Les épaules de la femme se contorsionnèrent sous son T-shirt Motus Mozart. Il se raidit, ne sachant pas trop ce qui allait suivre. Elle retroussa son T-shirt violemment.

— Voyez ça ? hurla-t-elle. Voyez ce qu'il m'a fait ce petit salopard de merde ?

L'un de ses seins explosa à l'air libre. Elle le souleva pour montrer à Cardozo un sillon blanchâtre de dix centimètres, qu'hachuraient des sutures roses.

— C'est un fou furieux, un monstre. Je pourrais vous en raconter sur ce gosse...

— Non. Rangez-moi ça.

Elle remit Mozart en place.

— Il a menacé de nous tuer. Alvin n'est plus qu'une loque. Et moi aussi.

— Pourquoi il veut vous tuer ? Même quelqu'un comme Eff a ses raisons.

— Si jamais on racontait...

Elle se laissa tomber sur le lit d'angle.

— Racontait quoi ?

— Il n'habite plus ici. On l'a pas vu depuis quatre mois. Il a dit que si jamais on racontait à qui que ce soit...

Elle s'essuya les yeux du revers de la main.

— Vous pouvez pas avoir idée des choses qu'il a faites. Il a tranché l'oreille d'une petite fille, Juanita, celle que vous avez vue dans le salon.

— Il est où en ce moment ?

— Tout ce qu'il a dit, c'est...

Elle s'arrachait les mots comme si elle souffrait d'une crise d'asthme.

— ...qu'en cas d'urgence...

— Vous pouvez me croire, il y a urgence.

Elle tira un morceau de journal d'un portefeuille qu'elle pêcha dans sa poche latérale. Sept chiffres à peine lisibles avaient été griffonnés dans la marge.

— Il a dit d'appeler ce numéro.

Une femme répondit à la deuxième sonnerie.

— Bureau de Pierre Strauss. Je peux vous aider ?

Tu parles !

— Il est là ?

— Puis-je vous demander de la part de qui ?

— Vince Cardozo, du 22e commissariat.

Un instant plus tard, Strauss le prit en ligne, toute jovialité bidon dehors.

— Oui, Vince.

— Ainsi vous prenez les messages pour Eff Huffington.

— En effet, je représente Francis Huffington.

— Pourquoi vous encombrer d'une vermine de son espèce ?

— Chaque inculpé a le droit qu'on le défende.

— Je vous suis très reconnaissant de cette petite leçon constitutionnelle. Je vous le serais encore plus si vous me disiez où se trouve votre client. J'ai besoin de lui parler.

— Toute communication que vous auriez à faire à M. Huffington peut être expédiée directement ici, aux bons soins de mon bureau.

— Il a violé une femme.

— Faites-moi seulement connaître le lieu et l'endroit de la mise en accusation et demeurez assuré que mon client et moi serons présents.

— La victime n'a pas porté plainte et espère ne pas avoir à le faire.

— Très bien. En ce cas mon client n'a pas à se présenter.

Cardozo raccrocha violemment le récepteur. La fureur le tenaillait si fort qu'une envie de ruer des quatre fers le démangeait.

Il ferma les yeux et fit accomplir un tour complet à sa chaise pivotante. Il avait beau ruminer la chose, ça n'avait pas de sens.

Pierre Strauss était un avocat ès libertés civiles, très puissant et hors de prix. Il défendait aussi bien des causes étiquetées à gauche que des arnaqueurs milliardaires. Eff Huffington n'entrait dans aucune de ces catégories.

Cardozo gagna l'ordinateur de la salle de garde. Le logo ambré du logiciel résident brillait sur l'écran bleu-vert du moniteur.

Greg Monteleone, assis devant, trempait un gâteau danois au fromage dans un gobelet de Pepsi. Cardozo n'avait jamais compris le penchant de Greg pour les mélanges de saveurs.

— Dis-moi, Greg, ça t'ennuie si j'utilise l'ordinateur ?

— Fais comme chez toi.

Cardozo tapa d'un doigt une touche du clavier. Un menu apparut sur le moniteur. Il sélectionna l'option *dossiers criminels*. Il tapa le nom *Francis Huffington*, puis *enter*.

Les antécédents d'Eff se déroulèrent sur l'écran. Il avait plaidé coupable en deux occasions. En février, il y avait trois ans de ça, violation de domicile avec effraction. En mars, deux ans auparavant, délit de port d'arme prohibée. Le Tribunal pour enfants lui avait accordé des peines avec sursis et Eff était pour l'heure en liberté surveillée. Le dossier mentionnait Sy Jencks comme son agent de probation.

— Tiens, tiens, fit Cardozo. Jencks.

— C'est qui Jencks ? demanda Greg, la bouche pleine d'un innommable compost.

— C'était aussi l'agent de probation de Pablo Cespedes.

Sy Jencks ouvrit la chemise de papier bulle renfermant le dossier du service de liberté surveillée concernant Eff Huffington.

— Ça n'a pas le sens commun.

Il le feuilletait lentement.

— J'peux pas croire qu'Eff irait agresser un prêtre — et le dire. De tous les aveux que le gosse pourrait faire, celui-là serait suicidaire. Vous l'avez vraiment entendu dire ça ?

— Pas personnellement, admit Cardozo. Il l'a avoué à une de mes amies.

— Je peux vous demander pourquoi vous croyez cette amie ?

— Mon amie est prêtre.

— Bon on parle de quoi, là — il y a deux prêtres maintenant ?

Jencks jaugea Cardozo de ses yeux clairs et chafouins, semblant peser le pour et le contre d'une blague éventuelle de la part de ce dernier, avant d'en rejeter la possibilité.

— C'est de plus en plus bizarre. Aux termes de sa liberté surveillée, Eff ne doit pas s'approcher d'un prêtre.

— Et pourquoi ça ?

— Le clergé représentait sa cible de choix.

Les doigts à bout carré de Jenck tripotaient les bords du dossier.

— Depuis l'âge de douze ans, il n'a pas arrêté de faire chanter les prêtres pédophiles et ceux qui ne l'étaient pas, mais redoutaient ce type d'accusation.

— Le prêtre dont je parle est une femme.

Le visage de Jenck refléta une certaine confusion.

— Prêtre de l'église épiscopalienne. Il l'a violée.

Jencks secoua la tête avec un étonnement contenu.

— Bon Dieu, il vient à peine d'être acquitté du meurtre du dernier prêtre auquel il a eu affaire.

— Répétez-moi ça ?

Jencks fit glisser le dossier à la surface du bureau.

— Le père Charles Romero.

— Chuck Romero de Sainte-Véronique, dans le Queens ?

— Vous le connaissiez ?

— Je lui ai parlé une fois.

— Il était très apprécié de ses paroissiens, il a fourni un gros travail avec les ados en difficulté. Une vraie perte pour la communauté.

Cardozo parcourut les pages du dossier.

— J'ai entendu dire que Romero avait été tué, mais j'ignorais qu'il y avait un truc sexuel là-dessous.

— L'affaire a eu très peu d'écho. Le D.A. a persuadé le juge de ne pas permettre aux médias d'assister à l'audience préliminaire. Le D.A. ménage le diocèse. Tout comme certains de nos juges.

Cardozo tourna une page.

— Je vois qu'Eff a plaidé la légitime défense.

— Il a toujours plaidé la légitime défense. Le prêtre aurait beau avoir eu quatre-vingt-dix ans et se déplacer en fauteuil roulant, Eff aurait quand même dû défendre son honneur. Il a affirmé que le père Romero lui a fait des avances et que devant son refus, il l'a menacé de le tuer.

— Et les jurés ont marché ?

— Les jurés n'ont même pas eu cette opportunité. Le ministère public a abandonné l'accusation après trois jours d'audience préliminaire. Eff a plaidé coupable pour possession d'arme pouvant donner la mort.

52

Cardozo trouva le numéro sur la liste du D.A. et le composa aussitôt. Une femme répondit.

— Oui ?

— Le conseiller Fairchild ?

— Il m'a semblé l'être encore la dernière fois que je me suis regardée dans une glace. Qui est à l'appareil ?

— Lieutenant Vince Cardozo, 22ᵉ commissariat. J'effectue une enquête criminelle et le nom d'Eff Huffington y est mêlé.

— Rien que son nom ? Veinard.

— Suivant le fichier, vous avez poursuivi Eff pour le meurtre du père Romero.

— Disons que j'ai tenté de le faire.

— Après trois jours d'audience préliminaire, vous avez opté pour l'acquittement. Pourquoi ?

— C'est difficile de répondre à cette question en peu de mots.

— J'ai tout mon temps.

— Moi pas. En outre, je ne suis pas libre de discuter des détails de l'affaire Huffington-Romero.

— Il vaudrait mieux que quelqu'un le fasse parce qu'Eff Huffington semble penser que tout ce qui porte un col ecclésiastique est sa chasse gardée.

— Je crains que M. Huffington n'ait eu cette idée en tête bien avant d'assassiner le père Romero.

— Laissez-moi remettre votre pendule à l'heure. Depuis que vous avez abandonné cette accusation de meurtre et relâché Eff dans la nature, il a rendu aveugle un membre de l'église épiscopalienne et pas plus tard que cette semaine, il en a violé un autre.

On entendait le silence crépiter le long de la ligne.

— C'est une plaisanterie, dit-elle.

— J'aimerais bien.

— Il vaudrait mieux qu'on se rencontre. Il y a un bar-restaurant sur Franklin, qu'on appelle le Donegal. Vous trouverez, je pense ?

— L'affaire avait l'air entendue : un mineur dépravé victimise un brave prêtre et le tue. J'étais certaine que le ministère public obtiendrait une condamnation. Mais après deux jours d'audience préliminaire, Eff a modifié son témoignage.

L'adjointe du D.A. Fairchild avait des yeux clairs bleu-vert, des cheveux d'un blond très pâle, la peau blanche et ferme. Et aussi une propension à un débit un petit peu trop rapide.

— Avez-vous entendu parler du soi-disant Tueur de la Communion ?

— Pas encore, dit Cardozo.

— Cela ne me surprend pas, personne ne veut que cette histoire sorte au grand jour.

Elle regarda la table de l'autre côté de l'allée, puis derrière elle. Le Donegal était d'une flamboyance Art Déco tout en miroirs gravés, murs blanc et noir, et sol carrelé. Un juke-box années cinquante ajoutait sa lueur ambrée à l'ensemble. Il diffusait un quelconque rock and roll d'époque, dont les *Ch'boum, Ch'boum* d'un fol optimisme le disputaient au ronron des éclats de voix alentour.

— Il y a une rumeur qui circule autour de meurtres en série — des corps démembrés retrouvés dans des endroits publics avec une hostie dans la bouche.

Elle n'arrêtait pas de remonter les manches de sa veste en lin froissé.

— C'est exactement le genre d'affaire que nos services désirent ne pas ébruiter.

— Pourquoi ?

— Le bureau du D.A. a passé un gentleman's agreement avec l'Eglise. Chaque fois qu'en confession une abomination criminelle vient sur le tapis, le prêtre nous le communique.

Elle lui lança un regard pointu.

— C'est de cette manière que le D.A. a pu mettre en accusation John Gotti. Chaque fois qu'un prêtre a des ennuis qui pourraient mettre l'Eglise dans l'embarras, le D.A. étouffe l'affaire. Et s'il échoue à l'étouffer, il n'intente quand même pas de poursuites.

— Comment tout ça se relie à l'affaire d'Eff ?

Elle hésita.

— Un policier en patrouille a entendu des cris aux abords de la gare de Pennsylvanie. Ils provenaient d'une fourgonnette Toyota garée sous un passage supérieur. Il a éclairé l'intérieur de sa torche. Le père Chuck agonisait sur le siège avant et, en train de descendre côté passager, il a vu Eff, l'arme du crime passée à la ceinture — un rasoir à tranchant droit. *Arme du crime* n'est pas le terme exact. Eff a argué de la légitime défense.

— Naturellement.

— D'après lui, le père Chuck l'a invité à monter dans la fourgonnette, l'a entendu en confession et lui a donné la communion.

— Dans la fourgonnette ? C'est quoi cette histoire de prêtre qui se balade avec du vin de messe et des hosties dans la boîte à gants ?

— Laissez-moi finir. Selon Eff, le père Chuck lui aurait fait des avances et il les aurait repoussées.

— Oh ! très vraisemblable qu'un gosse comme Eff ait dû défendre sa vertu.

— Le père Chuck l'a menacé, lui a dit qu'il avait eu des rapports sexuels avec des dizaines d'enfants et d'adolescents, qu'il avait tué trois d'entre eux — une fille et deux garçons. Eff a été saisi d'une crise de « panique homosexuelle », selon le terme employé par la défense. Il a enfoncé un rasoir dans le ventre du père Chuck et l'a tué. Aucun des médecins légistes n'a corroboré les déclarations d'Eff, mais le D.A. m'a donné comme instruction d'opter pour l'acquittement.

— Pour quels motifs ?

— Qu'Eff avait agi en croyant sa vie et son intégrité physique en danger.

— Vous avez cru au récit d'Eff ?

— Le département l'a cru en partie et je suis membre de ce département.

— A d'autres. Eff accusait régulièrement des prêtres de lui faire du rentre-dedans. C'était sa spécialité. Vous autres, vous avez marché dans sa combine et l'avez exonéré de meurtre.

— Arrêtez ça, lieutenant. Vous vous dites flic, mais vous parlez comme l'invité scandalisé d'un débat télévisé bas de gamme.

— Juste pour la bonne bouche.

Cardozo ouvrit l'étui de son insigne.

— Voilà pourquoi on me paie, miss Fairchild. Et vous ?

— Ecoutez, lieutenant. Je veux bien croire que vous êtes quelqu'un d'honnête. En tout cas, c'est mon cas. Ce qui signifie que vous et moi, nous sommes du même côté de la barrière. Donc, pouce, S.V.P. J'ai eu une semaine épouvantable et j'ai une migraine qui ne l'est pas moins.

Elle refroidit son café en rajoutant un peu de lait. Et souleva sa tasse d'une main tremblante.

— Supposons pour faciliter la discussion qu'un Tueur de la Communion existe vraiment et que le D.A. a essayé d'en tenir la presse et les talk-shows à l'écart. Supposons que le D.A. ait entendu Eff modifier son témoignage, ce qui en passant s'est produit à huis clos et *off the record*. Le D.A. aurait compris alors qu'il était impossible qu'Eff soit en possession de cette info si le père Chuck n'était pas le vrai coupable de ces crimes. Ce qui revenait à résoudre idéalement l'affaire : le tueur était identifié et neutralisé, et il n'y avait aucune nécessité de mettre au courant le public. Ce qui serait une raison suffisante pour passer un marché avec Eff et le réduire au silence.

— Vous êtes en train de me dire que c'est ce qui s'est passé ?

— Je risque seulement une hypothèse.

— Avez-vous personnellement connaissance d'une affaire Tueur de la Communion ?

— Comme tout le monde dans le bureau du procureur, j'ai entendu des rumeurs à ce sujet. Pas spécialement crédibles.

Elle jeta un regard à sa montre.

— Je vous laisse payer le café. Il faut que je me sauve. J'avais rendez-vous avec le D.A. il y a déjà cinq minutes.

— Suivez mon conseil et soyez dix minutes en retard. Votre boss risque la peau de son cul.

Elle ouvrit la bouche pour répondre quelque chose, mais en voyant son expression, elle se laissa retomber sur son siège.

Au cours des cinq minutes suivantes, Cardozo lui brossa les grandes lignes des meurtres à la glacière et lui parla de la disparition des trois séries d'aveux de Martin Barth. Quand il eut fini, le cendrier devant Deborah Fairchild était un amoncellement de cigarettes filtre fumées à moitié et tachées de rouge à lèvres.

— Le système égare des dossiers sans arrêt, dit-elle. Mais là, c'est un peu trop bizarre.

— Officiellement, on a enquêté sur ces meurtres séparément. Mais à un certain stade, il y a eu un recoupement d'opéré.

— Comment le savez-vous ?

— Vous allez rire. Quelqu'un a renversé du café sur les dossiers.

Cela ne la fit pas rire du tout. Le vert de ses yeux se troubla.

— J'ai fait vérifier par le labo. C'est la même tache de café sur les quatre dossiers. A un certain stade de leur histoire, ces dossiers ont été empilés sur la même table du même bureau.

— Et merde, dit-elle d'une voix abattue.

— Je sais que ça vous pose un dilemme, mais personne ne vous demande de jouer les arbitres.

Ils restèrent silencieux. Il sentait son appréhension à elle flotter entre eux comme de la fumée.

— Alors qu'attendez-vous de moi ?

— Je veux coincer Eff. J'ai besoin de savoir ce que cette enquête globale a découvert.

— Ce n'est pas ça qui vous aidera à avoir Eff. Ce n'est pas lui le Tueur de la Communion. Si c'était le cas, on n'aurait pas passé un marché avec lui. Croyez-moi, nous ne sommes pas cyniques *à ce point*. La seule façon que vous ayez de le coincer maintenant, c'est que ce prêtre qu'il a violé soit disposé à engager des poursuites.

Les yeux bleu acier d'Eff plongeaient dans ceux de Bonnie. Il lui effleurait le nez de son rasoir, taquin. L'odeur rance, la puanteur infecte de son corps prenaient possession d'elle. Toute force refluait de ses jambes et, sous l'emprise de la peur, elle éprouvait des picotements au niveau du sphincter qui menaçait de se relâcher.

— Voici ce que je suggère, disait Tina Vanderbilt. Bien entendu, j'en ferai la proposition formelle lors de la prochaine réunion du conseil paroissial, mais j'ai pensé qu'il était préférable de s'assurer de votre soutien le plus tôt possible. Il nous faut un code floral.

— Un code floral ? dit Bonnie.

Il y avait une demi-heure qu'ils étaient assis dans son bureau et elle avait du mal à se concentrer sur la discussion.

— Tout à fait. Dans l'église, les fleurs devraient être uniquement blanches, ou de la couleur des murs.

— Qui, présentement, sont ivoire, dit Whitney Carls, faisant mine de vouloir arranger sa perruque.

Tina lui tapa sur les doigts.

— Arrête de torturer cette malheureuse chose qui ne t'a rien fait. Tu ne fais qu'empirer les choses.

Après un court intervalle de silence, Whitney se leva. Se redressant avec hauteur, il quitta prestement la pièce sans dire un mot.

— Au nom du Ciel, dit Tina, mais elle réprimanda une porte close.

— Vous savez pourtant qu'il est en train de mourir, n'est-ce pas ? fit Bonnie.

— Bien sûr que je le sais. Qui pourrait l'ignorer avec l'horrible moumoute qu'il porte.

— Et vous le traitez comme ça ?

— Nous mourrons tous, qu'est-ce que ça a d'extraordinaire ? Pourquoi devrais-je le traiter différemment de d'habitude ?

Bonnie se demanda si Tina avait déjà éprouvé la proximité tangible de la mort.

— Je n'arrive pas à croire que vous pensiez ça.

— Mais bien sûr que si, je le pense. Toutes nos existences sont régies par le goût, et quand nous perdons ça de vue, nous perdons la seule chose qui nous distingue des animaux.

Bonnie tombait des nues.

— Le *goût* est la seule chose qui nous distingue des animaux ?

— Dieu nous a donné le goût et c'est à nous d'en tirer le maximum.

L'instant paraissait bancal et surréel. Bonnie ne pouvait chasser de son esprit la conviction qu'Eff se tenait juste derrière elle, que Tina le voyait parfaitement, mais n'imaginerait même pas de faire preuve de mauvaises manières en mentionnant le fait.

— Ce qui nous amène, disait Tina, à la question des fleurs pour les enterrements.

Je ne vais pas regarder derrière moi, se dit Bonnie. *Il n'est pas là. Inutile de regarder derrière moi.*

— C'est un point que j'aimerais vraiment soulever avec le conseil. Il sera toujours hors de question que des fleurs de toutes les couleurs soient appro...

Tina s'interrompit.

— Quelque chose ne va pas, Bonnie ?

Bonnie changea les filtres de son attention, se concentra fort et dur sur l'ici et maintenant, sur le chapeau cloche nacré de Tina, pivotant lentement dans la lumière argentée.

— Ça va bien.

— Non, ça ne va pas.

Elle sentait la présence d'Eff flotter dans son dos comme une tapisserie. Mais elle refusa de se retourner sur sa chaise. Elle fixa son regard au-delà de Tina, par la fenêtre, sur une branche du poirier que léchait la brise.

— Vous n'avez pas écouté un mot de ce que j'ai dit.

Tina était grognon à présent.

— Mais si.

Bonnie se mit à respirer par la bouche, craignant si elle respirait par le nez de sentir la présence d'Eff.

— Chaque mot.

Quand Cardozo arriva au presbytère de Saint-Andrew, Bonnie l'accueillit avec un sourire trop vif, trop lumineux. Il lui tendit une enveloppe de papier bulle, où on lisait « Département de la Police de New York — Réservé aux affaires officielles — Amende en cas d'usage personnel ».

— Qu'est-ce que c'est ?

— La paperasse pour porter plainte contre Eff.

Le sourire disparut de son visage.

— Tout ce dont j'ai besoin, c'est de votre signature.

Ils se rendirent dans son bureau. Immédiatement, il remarqua qu'il manquait quelque chose sur l'étagère.

— Qu'est-il arrivé à votre petit cochon-tirelire ?

— Je l'ai donné à quelqu'un.

Sa voix était sans timbre.

— Dommage, je l'aimais bien.

— Alors, il faudra que j'en trouve un autre.

Elle prit place dans un fauteuil et regarda les trois feuillets sur lesquels Vince Cardozo avait tapé laborieusement tous les détails et particularités, et corrigé tout aussi laborieusement au stylo-bille, les fautes de frappe.

— Je regrette d'être obligé de vous infliger ça, mais Eff a un avocat des plus retors — Pierre Strauss. Il me faut une accusation de délit majeur pour le retirer de la circulation.

Il lui offrit son stylo-bille.

— Signez au bas, là où est tapé votre nom.

Elle fixa les pages, puis leva les yeux vers lui.

— Je continue à espérer que c'est un mauvais rêve. Je ferme les yeux et je m'ordonne de me réveiller. Mais quand je les rouvre, rien n'a changé.

Il se tenait près d'elle au point de percevoir la douce odeur de camomille de ses cheveux.

— On m'a dit que ça arrive souvent.

— Ça vous ennuierait si je ne signais pas encore ?

Elle détourna les yeux.

— J'ai besoin de temps. Je ne peux ... rien décider d'important. Pas pendant quelques jours.

— Je vous les laisse. Téléphonez-moi quand vous aurez signé.

— Merci.

— Bonnie, ajouta-t-il. Tout va bien. Croyez-moi. Tout est O.K.

— Il faut m'excuser. Vous avez été merveilleux. Mais j'ai besoin d'être seule.

Il tâcha de ne pas lui montrer combien elle le blessait.

— Bien sûr. Je comprends.

53

Cardozo, installé dans un fauteuil en cuir éraflé du presbytère de Sainte-Véronique, écoutait le débit tranquillement
résigné du nouveau recteur.

— Le bureau du procureur ne nous a jamais expliqué
pourquoi le ministère public avait abandonné l'accusation de
meurtre, mais a toutefois précisé qu'on avait découvert de
nouvelles preuves.

Le père Gus Monahan hocha la tête. C'était un petit
homme bourru, aux yeux tristes et soucieux.

— Personne n'a voulu nous dire en quoi consistaient ces
nouvelles preuves. Personne n'a voulu répondre à nos questions. Ils devaient être trop occupés à nous en poser, je suppose.

— Quelles questions vous a-t-on posées ? demanda Cardozo. Elles tournaient autour d'un point particulier, vous a-t-il
semblé ?

— La plupart concernaient la vie privée du père Chuck.

— Ce dernier avait des problèmes dans sa vie privée ?

— Sans aucun doute. Quel prêtre n'en a pas. Le principal
problème de Chuck, c'est qu'il n'avait pas de vie privée. C'était
un bourreau de travail. Ses agendas en attestent.

Cardozo se sentit titiller par un doute. Il sentait le père Gus
sur la défensive, suggérant qu'il pouvait bien protéger la
mémoire de son prédécesseur.

— Me serait-il posible de les voir ?

— Le diocèse nous a fait remettre les papiers du père
Chuck au D.A. Ceux du moins qu'il n'avait pas détruits lui-
même.

— Quels sont les papiers que le père Chuck a détruits ?

— Sa correspondance personnelle, son journal, ses comptes rendus de séances de conseil socio-psychologique.

— Avez-vous une idée de la raison pour laquelle il les a détruits ?

— L'une me semble évidente — préserver le secret de la confession.

— Il vous l'a dit ?

— Il n'en avait pas besoin. Ça va sans dire.

— Il n'y avait pas d'autre raison ?

— S'il y en avait une, il ne m'en a jamais parlé.

— Qui recevait-il à ces séances de « conseil » ?

— Tous ceux qui le lui demandaient. Il avait un don d'empathie avec les jeunes — les fugueurs, les adolescents tombés dans la drogue et la prostitution.

— Il n'existe aucun document qui nous indiquerait l'identité de ceux qu'il conseillait ?

Le père Gus réfléchit un moment.

— Je ne vois rien d'autre que ses agendas, mais nous n'en avons jamais récupéré un seul.

— Vous travailliez ici à l'époque ?

— J'étais l'assistant de Chuck. Si j'y repense, ça a été la période la plus heureuse de ma vie professionnelle. La fin exceptée.

— Peut-être vous souvenez-vous des noms de certains de ceux qu'il conseillait.

— J'ai dû en apercevoir un ou deux traverser le presbytère. Le père Chuck était très populaire. Les gens n'arrêtaient pas d'entrer et sortir.

— Savez-vous s'il a conseillé le garçon qui l'a assassiné ?

— Eff Huffington ? Il s'est peut-être imaginé qu'il le conseillait.

Le père Gus se tut un long moment. Quelque chose émanait de lui que Cardozo tenta de capter.

— Chuck croyait les gens sur parole.

Le père Gus émit la houle d'un long soupir.

— Il croyait au meilleur en eux. Il pensait qu'il y avait une contradiction dans les termes si l'on disait qu'un enfant pouvait être le mal incarné.

— Vous ne partagez pas son opinion.

— Huffington fait profession d'accuser les prêtres, de les faire chanter. J'ai toujours soupçonné qu'il cherchait à piéger Chuck dans une arnaque quelconque.

— Le père Chuck vous a dit quelque chose qui ait pu vous le faire penser ?

— Chuck ne disait de mal de personne. Jamais. Tout

comme il refusait d'y croire. La réputation d'Eff Huffington me tracassait. Ce garçon avait un passé, et il était là à demander après le père Chuck à toute heure du jour et de la nuit, à passer du temps avec lui.

— Et vous savez pertinemment que le père Chuck gardait des comptes rendus de leurs entretiens ?

— Il en gardait de ses entretiens avec tout le monde. Il notait tout excepté la teneur des propos. Il devait se protéger.

— De quoi ?

— Dans le temps, une paroissienne déséquilibrée pouvait accuser un prêtre d'attentat à la pudeur. De nos jours, ce sont les enfants.

— Y a-t-il eu des accusations de cette nature portées contre le père Chuck ?

— Un ou deux paroissiens ont peut-être tenté de lui chercher noise, mais les comptes rendus de Chuck étaient au-delà de tout reproche.

— Pourtant il les a détruits.

— Vous savez comment sont les avocats. Ils peuvent tout faire paraître équivoque.

— On enquêtait sur le père Chuck ?

— Comme sur nous tous, potentiellement. D'après moi, Chuck, en relisant ses comptes rendus, a pris conscience du temps faramineux qu'il avait consacré à Huffington. Il n'a pas voulu courir le risque de ce que pourrait en déduire un avocat.

— Et vous, qu'en déduisez-vous ?

— Que sous certains aspects, Chuck était un imbécile avec un cœur gros comme ça. Bah, que peut-on attendre d'un homme qui croit aux licornes ?

— Pardon ?

Cardozo dévisagea le père Gus qui le lui rendit bien.

— Chuck avait une licorne sur le mur.

— Ça vous ennuierait de me la montrer ? dit Cardozo, en fermant son calepin.

— Je ne vois pas quel mal ça pourrait faire.

Le père Gus précéda Cardozo dans un couloir sombre et gravit une volée de marches étroites. Il ouvrit une porte. Une odeur de désinfectant et de vieux vêtements jaillit de la pénombre. Le père Gus alluma la lumière.

La gravure d'une licorne était accrochée au-dessus d'un lit à colonnes. Les murs étaient couverts d'affiches des spectacles musicaux amateurs du père Chuck. Une photographie de samouraï extraite du *Mikado* était accrochée au-dessus de la cheminée. C'était la même que celle de la chambre du père Joe Montgomery.

— Le père Chuck voyait beaucoup le père Joe Montgomery ?

Le père Gus fit oui de la tête.

— C'étaient de grands copains. Ils travaillaient ensemble à leurs spectacles musicaux. Ils travaillaient ensemble dans la société Barabbas.

Cardozo contourna un fauteuil à bascule pour atteindre la fenêtre. Une petite forêt de plantes d'appartement poussait sur le rebord.

— Chuck adorait les plantes, dit le père Gus. Celles-ci étaient à lui. Il pensait que toute forme de vie est sacrée.

Cardozo écoutait le silence de la chambre. La chambre d'un prêtre dont les meilleurs amis étaient des plantes vertes et une licorne. Un parfum de solitude, de renoncement, pesait sur l'atmosphère.

L'un des carreaux, cassé, avait été remplacé par du contre-plaqué.

— Quand l'a-t-on cassé ?

— Avant la mort de Chuck. Impossible de le persuader de faire venir un vitrier.

— Comment est-ce arrivé ?

— Il y a eu effraction. On a volé des objets d'église.

Cardozo releva la fenêtre et se pencha à l'extérieur. La chambre donnait sur la rue au-delà d'un petit carré de verdure. Un treillis posé contre le mur de brique paraissait devoir en faciliter l'accès si l'on était assez léger et agile pour cela.

En rentrant la tête, il remarqua de la poudre noire mouchetant l'une des barres de la fenêtre à guillotine. Il reconnut de la poudre à empreintes.

— La police est venue récemment ici ?

— Trois membres du bureau du District Attorney étaient ici il y a peu de temps.

Qu'espéraient-ils découvrir ? se demanda Cardozo. *Et pourquoi l'ont-ils cherché encore, si longtemps après que l'accusation de meurtre a été abandonnée ?*

— Il y a combien de temps ?

— Ça ne doit pas faire plus de quinze jours, trois semaines. Il vous faudra poser la question à Mme Quigley, ma gouvernante.

Cardozo se retourna.

— Votre gouvernante s'appelle Quigley ?

— Olga Quigley. Un amour de femme. Je ne sais pas ce que je deviendrais sans elle.

— J'aimerais lui parler.

Olga Quigley faisait sa pause-thé de milieu d'après-midi dans la cuisine.

— Vous étiez la gouvernante du père Romero ? demanda Cardozo.

— Effectivement.

Elle s'exprimait avec un léger accent irlandais.

— Ça fait douze ans que je suis dans ce presbytère.

— Et vous avez aussi été celle du père Montgomery à Saint-Andrew ?

Cette fois, elle hésita, remuant une poudre qui n'était ni du sucre ni du lait dans une tasse décorée de vues de Cypress Gardens, Floride.

— Et puis après ?

— Ça semble bizarre — de faire la gouvernante pour deux prêtres différents.

— Quand j'étais plus jeune et plus forte, j'ai tenu la maison de trois prêtres à la fois. J'ai dû en faire moins depuis mon problème de hanche.

— Comment êtes-vous entrée au service du père Montgomery ?

— Il a dit au père Romero qu'il cherchait une gouvernante à mi-temps. Le travail ici ne m'occupait que trois jours par semaine, le père Romero m'a recommandée. Je suis une bonne gouvernante.

Son ton était chagrin, comme si elle se défendait d'une accusation.

— Je comprends les besoins qu'ont les prêtres. Ce ne sont pas des célibataires comme les autres.

— Pourquoi avoir arrêté de travailler pour le père Montgomery ?

Les grands yeux noirs d'Olga Quigley se posèrent longuement sur lui. Elle avait un long visage ovale et de nombreuses mèches grises striaient sa chevelure brune qu'elle remonta sur son front.

— Quand on est domestique, on est censée fermer les yeux. Et rester bouche cousue. Surtout avec les flics.

— Personne ne sera au courant de cette conversation.

Le père Gus les avait laissés en tête à tête. La lumière

entrant par la fenêtre tachetait l'évier de porcelaine immaculé, les casseroles de cuivre pendues près de la vieille cuisinière six brûleurs à hotte, la table avec sa coupe de fruits frais sur la nappe propre.

— Je ne témoignerai pas au tribunal.

— Je ne vous le demande pas.

— J'ai travaillé pour le père Joe pendant dix ans. Je faisais du bon boulot chez lui. Il était heureux avec moi. Jamais une dispute. Pas l'ombre d'un problème. Puis cette femme est arrivée.

— Bonnie Ruskay ?

Olga Quigley acquiesça. Il était clair qu'elle n'avait pas l'habitude de laisser ce nom franchir ses lèvres.

— Le monde part en morceaux. Les honnêtes gens ont peur de marcher dans la rue. On viole les personnes âgées. Pas plus tard que la semaine dernière, un évêque grec orthodoxe a été descendu au cours d'un hold-up. On assassine chaque jour des enfants dans cette ville. Et maintenant, il faut supporter des femmes prêtres. *Divorcées*, par-dessus le marché.

— Outre le fait que c'était une femme prêtre et une divorcée, y avait-il une raison particulière pour que vous ne l'aimiez pas ?

— C'est pas que je l'aimais pas, je me méfiais d'elle. Et j'avais de bonnes raisons pour ça.

— J'aimerais les entendre.

— Elle a changé le père Joe.

Les bonnes raisons d'Olga Quigley commençaient à devenir aussi claires que le nez au milieu de la figure : c'était une femme triste, plus très jeune, qui avait consacré dix ans de sa vie à faire la poussière chez deux prêtres. Là-dessus, une autre femme s'était faufilée dans le tableau et avait usurpé la moitié de son royaume. Et la meilleure, ce n'était pas impossible.

Cardozo prit conscience qu'il lui faudrait interroger Olga Quigley en douceur, en lui laissant de quoi sauver la face, en lui permettant les faux-fuyants, le mensonge même, si elle jugeait qu'elle devait mentir.

— Racontez-moi comment elle a changé le père Joe.

— Elle l'a mêlé à des choses dont un prêtre ne devrait pas se mêler.

Le regard d'Olga Quigley ne cessait de se poser un peu partout dans la cuisine, tout en évitant soigneusement celui de Cardozo.

— Toute la journée, c'était un défilé de prostituées au

presbytère, de gosses drogués, et j'en passe. Je me sens sale rien que d'y repenser.

Elle se tordait les mains, posées sur ses genoux, les ailes du nez pincées.

— Un beau matin après une soirée dansante, comme j'étais en train de nettoyer la salle des jeunes, j'ai trouvé des préservatifs dans le bol à punch et des sachets de je ne sais quoi — une espèce de gelée contre le sperme. Elle encourageait ces gosses à s'en servir. Et puis il y avait des cassettes vidéo.

Cardozo se tut pour ne pas interrompre le flot. Olga Quigley tourna lentement vers lui des yeux emplis d'une gravité mélancolique.

— Je me demandais quel genre de cassettes elle montrait aux enfants, alors j'en ai mis une dans le magnétoscope. C'était si horrible que j'ai quitté mon boulot. Impossible pour moi de continuer à travailler là après avoir vu ça.

Cardozo se demanda si Olga Quigley ne s'était pas outrée d'une vidéo de *safe sex*.

— On peut parler un peu de cette cassette ? C'était quoi ? Du porno ?

— Pire.

Elle avait du mal à en parler, il ne la poussa pas dans ses retranchements. Un ange passa.

— Des enfants attachés, finit-elle par dire. Bâillonnés, drogués, brûlés.

— Brûlés comment ?

— J'ai essayé d'oublier.

— Eh bien, essayez de vous souvenir. Comment les brûlait-on ?

— Avec des bougies.

Cardozo perçut soudain un autre bruit dans la cuisine, outre le bourdonnement du frigidaire. C'était la pluie cognant doucement à la vitre.

— Le père Chuck avait-il des activités avec les jeunes ?

— Rien à voir.

— Evidemment. Mais il lui est arrivé de travailler avec le père Joe ou la révérende Bonnie ?

— Il avait des activités avec les jeunes — mais pas de temps pour les mêmes que ces deux-là.

— Il faisait des comptes rendus ?

— De quoi ? Des parties de softball ? Des soirées dansantes du samedi soir ? Il était trop occupé à faire des choses pour les gens pour coucher tout ça par écrit.

— Et il conseillait des jeunes ?

— Des jeunes, des vieux — tous ceux qui le lui demandaient. Il avait toujours une demi-heure et un cœur compatissant pour ceux qui en avaient besoin.

— Quelle vie sociale menait-il ?

— Il n'avait pas le temps pour ce genre de bêtises. Tout comme le père Joe avant l'arrivée de cette femme.

— Mais le père Chuck et le père Joe étaient amis.

— Ils jouaient au golf ensemble.

— Rien d'autre ?

— Pas que je sache.

— Il était l'ami de la révérende Bonnie ?

— Elle essayait toujours d'acheter son amitié, mais il voyait clair dans son jeu.

— Acheter son amitié comment ?

— En lui faisant des cadeaux. A chaque Noël, une bouteille de rhum d'importation à 75°. Impossible de se coller ça dans le buffet sans exploser. Il n'y a jamais touché. Il le versait dans l'évier. Une fois, elle lui a offert une casquette de golf pour son anniversaire. Un truc idiot qu'il n'a jamais porté.

— En tweed, avec une visière ?

Elle le regarda avec surprise.

— Il ne l'a jamais portée ou *vous* ne l'avez jamais vu la porter ?

— Je sais les vêtements qu'il aimait et ceux qu'il aimait pas.

— Je n'en doute pas, et bien d'autres choses encore.

Cardozo ferma son calepin qu'il glissa dans sa poche.

— Je suis persuadé que vous rendiez la vie très agréable au père Chuck.

Il ouvrit son portefeuille et posa une carte professionnelle sur la nappe.

— Si jamais vous vous rappeliez quelque chose d'inhabituel que le père Chuck aurait dit sur ceux qu'il conseillait ou à propos des jeunes avec lesquels il travaillait, téléphonez-moi à ce numéro, S.V.P.

Après le départ de Cardozo, un nuage d'anxiété électrique parut flotter au-dessus de la table de la cuisine. Mme Quigley vit qu'il n'avait pas touché à son thé. Elle vida la tasse dans l'évier. Puis elle prit la carte qu'il avait laissée et alla dans sa chambre.

Elle ouvrit le tiroir du bas de la commode, déplaça bas et chaussettes de laine et sortit un dossier en papier bulle. Elle alla s'asseoir dans le fauteuil et étala le dossier sur ses genoux.

Elle réfléchit un long moment en étudiant les bouts de papier à demi brûlé. Sur l'un d'eux, les lettres ALLY MANFRE étaient tracées en capitales de la main du père Chuck, et en dessous, la même main avait noté un indicatif régional et un numéro de téléphone.

Mme Quigley ajouta la carte professionnelle de Cardozo à sa collection. Elle referma la chemise et, s'emparant de la télécommande, en visa l'écran du poste de télévision.

54

Cardozo tendit à Greg Monteleone un gobelet de café frais sorti de la machine à café de la salle de garde. Il était 4 h 05 de l'après-midi.

— Greg, dis-moi, quand tu travaillais à la mondaine, t'as donné souvent dans le sado-maso ?

— Si tu veux dire, personnellement, répondit Greg, la bouche pleine de beignet, je parlerai qu'en présence de mon avocat !

— Tu peux venir dans mon bureau une minute ? J'aimerais te montrer quelque chose.

Greg entra d'un pas dégagé dans le box. Aujourd'hui, il portait un polo de coton couleur citron vert. Une chaîne en or étincelait sur un bronzage en V de supermarché.

Cardozo lui tendit quatre photos d'autopsie, celle de Wanda Gilmartin, de Vegas, de Wills et de Lomax.

Greg jeta un œil sur les photos.

— T'as conscience que tu fous en l'air ma pause-café ?

Il les examina à la lumière de la lampe du bureau, puis alla à la fenêtre pour les étudier à la lumière du jour.

— Tu vois les marques là où la cire a protégé la peau ?

Greg secoua lentement la tête de droite à gauche.

— Oui.

— Tu crois qu'il s'agit de pratiques S.M. ?

— Ça m'en a tout l'air. Explique-moi, Vince. Ce pays part en couille et y a des gens qui s'amusent encore à ce genre de connerie criminelle.

— Ne me demande pas ce qui se passe dans la tête des gens. Ils se jouaient quel film ces gosses, à ton avis ?

— Gagner assez de fric pour leur prochaine pipe de crack.

— Tu crois qu'il y a des chances que ça ait été le même officiant les quatre fois ?

— Je suis pas coroner, Vince. Et ma période sado-maso est loin derrière moi. Mais je connais une *maîtresse* S.M. qui pourrait peut-être t'aider.

Sybil Stoller étala les cinq Polaroïds côte à côte sur la table à café en acajou incrusté de bois de rose. Elle les examina tour à tour de ses yeux marrons lourdement maquillés, en prenant son temps.

— A ce que je vois, ce sont des gosses des rues, mineurs et défoncés aux tranquillisants. Non, j'en reconnais aucun.

Cardozo lui tendit trois photos d'autopsie de Pablo Cespedes, prises juste avant que le médecin légiste commence la dissection.

— Pouvez-vous me dire quelque chose des marques que porte ce jeune homme ?

Un ongle long et cramoisi pointa sans hésiter les rangées de traces parallèles qu'on devinait sur le dos de Pablo.

— Ça, c'est l'œuvre d'une discipline.

Ils étaient assis sur du métal et du cuir dans le salon à haut plafond de l'appartement de Sybil, à Sutton Place Sud. L'air embaumait le lilas de serre fraîchement coupé. Des lithos de Rauschenberg parsemaient les murs. Une sono habilement dissimulée diffusait discrètement du Mozart.

Cardozo joua les idiots.

— C'est quoi une discipline ?

— Un appareil d'auto-flagellation des moines du Moyen Age. On l'a modernisé.

— C'est courant ?

— Je ne crois pas qu'on en fabrique en masse pour les sex-shops, mais c'est un article relativement courant.

— Vous en avez ?

Elle lui coula un regard qui en disait long, au-dessus de ses hautes pommettes bien dessinées. Elle considérait le fait de parler aux flics, pressentit-il, comme une part du loyer dont elle devait payer sa place sur terre.

— Je n'utilise pas de disciplines et je ne permets pas à mes clients de s'en servir. Ça entaille la peau. Sévices sans cicatrices, c'est notre devise par ici.

Cardozo lui désigna des écorchures sur la poitrine de Pablo et sous ses aisselles.

— Qu'est-ce qui a causé ça ? La discipline, encore ?

— Non. Ça, c'est une signature.

— Vous allez devoir faire mon éducation. Je ne sais pas ce qu'est une signature.

— Et qu'est-ce que vous savez du Kentucky Fried Chicken ?

— Je sais que c'est mauvais pour les artères.

— Très drôle, lieutenant.

Mais son regard disait clairement : *Ton compteur tourne peut-être pas, mais le mien si, alors on arrête cette comédie, S.V.P., et on va de l'avant, merde.*

— Sauf qu'il ne s'agit pas de régime, mais de S.M. Dans le Kentucky Fried, vous mettez votre petit poulet en cage et vous pratiquez sur lui des jeux S.M.à feu doux ou à point.

Elle lui expliqua qu'une fois corsetée, la cage d'osier laissait sur la peau une signature — des écorchures et des traces de pression au dessin reconnaissable.

— Ici, en fait, il y a plus qu'une signature. Il a été brûlé.

Elle chaussa une paire de lunettes cerclées d'or au look sévère et examina de près la photo de la poitrine de Pablo.

— Avec de la cire de bougie.

— Vous avez de bons yeux.

— Tout le mérite en revient à mon optométriste. Bon. Voilà ce que je crois. Il y a un truc en vogue depuis quatre ans à peu près, on appelle ça le Colonel Sanders — c'est une variante du Kentucky Fried. Dans le sado-masochisme traditionnel, le maso est consentant, mais dans le Colonel Sanders, le sado essaie de foutre une trouille bleue au gosse. Ce qui implique qu'on franchit certaines bornes — on brûle et on entaille. Comme tout repose sur la terreur du gosse, il y a une grosse demande de mômes qui n'y sont jamais passés. Personnellement, je refuse de fournir ce genre de service. Primo, je fais pas dans les mômes. Et deuzio, tous ces machins de terreur et compagnie, de baise « tout dans la tête », ça me branche pas.

— Vous croyez donc, à cause des brûlures, à un Colonel Sanders.

— Pas tout à fait.

Elle le regarda un long moment et prit une profonde inspiration.

— C'est une version du Colonel Sanders — qu'on appelle Omaha, ne me demandez pas pourquoi. Je pense que c'est ce que vous avez ici.

— Dites-moi tout sur Omaha.

— Le maso y dupe le sado. Les mômes prétendent n'avoir jamais fait ça, mais en fait ils connaissent la musique. Pour éviter de flipper, ils se défoncent à mort.

— A quoi ?

— A tout ce qui leur tombe sous la main. Les médocs anti-panique, c'est le mieux, mais pas facile de mettre la main dessus.

— Vous semblez connaître le milieu.

Sous le halo high-tech de sa chevelure auburn foncé, son visage était aussi imperturbable et lisse que de la meringue.

— Je ne connais pas *ce* milieu-là, lieutenant. Mais la rue, oui. Chaque nuit, une cinquantaine de gosses zonent dans la 58e Rue, à deux blocs d'ici. Pour deux cents dollars, vous pouvez leur faire tout ce qui vous chante. Ils ont de la chance quand ils ne meurent pas comme des mouches.

Elle tapota le Polaroïd de Pablo.

— Ce gosse est raide défoncé ; vous pouvez lui balancer un coffre-fort en pleine poitrine, sa seule réaction serait *Oh wouah.*

Elle tapota la photo d'autopsie du visage et de la poitrine.

— Ces traces plus les brûlures — mon instinct me dit Omaha.

— Des gosses ont été tués en jouant à Omaha ?

— Pas à ma connaissance. Aucun sado ne pourrait aller aussi loin et être encore accepté dans la communauté S.M.

— Et tués accidentellement ?

— C'est le risque du S.M., mais c'est rare.

— Qui organise Omaha ?

— Là vous avez un problème. C'est même pas semi-régule. Tous les tapins mineurs tombent sous le coup de la prostitution enfantine, mais comme la plupart des macs sont eux aussi des gosses — on ne peut pas les poursuivre. Comme je vous l'ai dit, j'évite.

Sybil inclina son poignet. Une Pathek-Philippe de platine,

mince comme du papier à cigarette, brillait sur le bronzage soutenu de son avant-bras. Prendre connaissance de l'heure devint tout un show. Une allusion claire lancée à son visiteur.

— J'aimerais pouvoir vous aider davantage.

Elle se leva de la causeuse de cuir cloutée de cuivre.

Cardozo réunit ses photos et se leva à son tour.

— Vous le pouvez peut-être. Auriez-vous rencontré par hasard un homme du nom de Joe Montgomery ?

— Le père Joe Montgomery ?

Elle lui lança un regard « *qui roule qui* » partant d'un bon naturel.

— Voyons, lieutenant, est-ce que vous me prenez pour une bonne petite fille juive qui court à confesse tous les mercredis ?

— C'est peut-être lui qui est venu vous voir.

Elle accompagna Cardozo le long d'un couloir décoré d'affiches de galeries parisiennes, annonçant des expos de Miro, Chagall et Picasso.

— Primo, je suis physiothérapeute agréée par l'Etat de New York et je considère les dossiers de ma clientèle comme médicalement confidentiels. Deuzio, tout membre du clergé recourant à nos services aurait l'intelligence d'utiliser un faux nom. Tertio, oui, je compte des prêtres, des pasteurs et des rabbins parmi mes clients ; non, je ne vous dirai pas qui il sont, et enfin, non, le père Montgomery n'est pas l'un d'eux — bien que je l'aie rencontré dans le monde et que, franchement, entre nous soit dit, il aurait salement besoin de tirer son coup.

Elle lorgna Cardozo d'un œil connaisseur.

— Vous m'avez l'air un petit peu en manque vous aussi. Ne vous gênez pas pour faire un saut si l'une des spécialités de la maison vous tente.

— Merci bien, ce n'est pas ma tasse de thé.

— Peut-être ne vous connaissez-vous pas vous-même. Beaucoup de flics ont du mal à assumer leurs pulsions S.M.

— Si l'envie m'en prend, je vous ferai signe.

Ils atteignirent la porte.

— Au fait, comment va Greg ?

— Super bien.

— Greg et moi sommes de vieux amis. Ça fait un bail.

— Il me l'a dit.

Sybil sourit.

— Dites-lui salut de ma part.

— Le père Joe n'a jamais essayé de te convertir ? demanda Cardozo.

— Si, fit Jonquille en hochant la tête, au punch au rhum.

— Et le père Chuck ?

— Qui a dit que le père Chuck était un de mes clients ?

— Tu n'as pas dit qu'il ne l'était pas.

— Je veux pas parler du père Chuck.

Jonquille se peignait les ongles des orteils, l'un de ses pieds bruns et nus posé sur le lit, concentrée comme un moine du Moyen Age enluminant un manuscrit.

— Ça porte malheur de dire du mal des morts.

Ils se trouvaient dans la minuscule chambre qu'occupait Jonquille au George Washington Hotel à l'angle de Lexington Avenue et de la 30ᵉ Rue. C'était un hôtel minable pour les putes, macs, toxicos, loubards et autres petites frappes, qui avaient rendu les rues juste assez dangereuses pour qu'on ne puisse pas y dormir tranquille. Mais la chambre de Jonquille était un rêve de petite fille, tout en dentelles, poupées et carrés de soie jetés sur les abat-jour. Il s'en dégageait une atmosphère de douceur récurée, où chaque chose était à sa place.

— Est-ce que le père Joe ou le père Chuck t'ont demandé de cesser de faire la pute, ou bien de ne pas utiliser de présos ?

Jonquille, rejetant la tête en arrière, partit d'un éclat de rire d'arrière-gorge. Ce rire disait clairement *Je suis Jonquille la Magnifique, tout à fait à l'aise avec qui je suis et ce que je suis.*

— Je te l'ai déjà dit et répété, je te parlerai pas du père Chuck. Maintenant, si on parle du père Joe, c'est du père Joe à jeun ou avec quelques coups dans le nez ? Parce que rien à voir entre les deux. Le père Joe à jeun me file des présos à la douzaine en me demandant d'en distribuer aux autres filles.

— Et le père Joe quand il a bu ?

— Je viole pas les secrets du contrat de confiance entre la pute et son client.

— Les autres putes m'ont parlé d'un prêtre qui rôdait dans les parages en fourgonnette, en leur disant d'arrêter de tapiner et de pas utiliser de préservatifs.

— Exact. C'est une fourgonnette avec écrit sur le côté « Dieu est super chouette ». Il aime qu'on l'appelle Damien, c'est un cinglé.

Il n'y avait pas de climatisation dans la chambre. Il faisait une chaleur presque incommodante, mais un ventilateur électrique posé sur la commode brassait des bouffées de jasmin dans l'air humide.

— Tu connais Damien ?

— Mon chou, je connais tout le monde.

— Damien, c'est son vrai nom ?

Elle lui lança un regard soyeux de ses lentilles de contact bleues.

— Personne n'utilise son vrai nom sur le baisodrome.

— Ce Damien, il y vient souvent ?

— Pas plus que le père Joe. C'est pas régulier.

Elle examina les ongles de ses orteils puis, après avoir pris lentement son inspiration, souffla dessus en se penchant en avant.

— Une semaine, c'est deux, trois fois, puis pendant quatre mois on le revoit plus.

— La dernière fois que tu l'as vu, ça remonte à quand ?

Elle revissa le bouchon de son flacon de vernis à ongles.

— C'est pas récent.

— Est-ce que le père Joe t'a proposé des jeux sado-maso ?

— Y a des prêtres qu'aiment ça, d'autres pas.

— Damien, il aime ça ?

— Damien, c'est un enfant. Si ça le tue pas, il aime ça.

— Et si ça tue quelqu'un d'autre ?

— Il pourrait bien encore aimer ça. Tu veux que je lui demande ?

— Tu me fais marcher, hein ?

— Un peu.

— Il faut que je sache le vrai nom de Damien.

Jonquille mit sa perruque à boucles blondes. Une émeraude démesurée, montée sur ce qui avait tout l'air d'une bague-souvenir de lycée, envoyait des feux. Elle se regarda dans le miroir, puis le regarda, lui.

— Au fait, où t'en es dans tes efforts pour raccourcir ma conditionnelle ?

Sur ce Cardozo, dont la carrure débordait largement le dossier droit de la chaise où il était assis, se leva.

— C'est en bonne voie.

Son regard prit soudain l'éclat malin de celui d'un chat de pure race.

— Eh ben, tu t'arranges pour que ça le reste, mon chou, et je te donnerai de mes nouvelles.

— Bientôt, j'espère.

— Ça dépend de toi.

Jonquille referma prestement la porte à clé derrière Cardozo. Son sourire s'effaça.

— En bonne voie, marmonna-t-elle, je t'en fous !

Une sirène hurla dans Lexington Avenue. Elle ferma la fenêtre à la volée. En bas, dans la ruelle, une fusillade claqua. *M'intéresse pas*, se dit Jonquille. *Vais même pas jeter un œil.*

Elle tira le store de la fenêtre et alluma la lampe de la commode. Elle s'étudia dans le miroir.

Elle fronça le sourcil. Le miroir lui renvoya son froncement de sourcil.

Elle aimait les miroirs. Elle savait ce qu'on pouvait en attendre. Alors que les fenêtres pouvaient vous causer un choc, surtout celles du George Washington Hotel.

Elle inclina l'abat-jour de soie, de façon à éclairer davantage son visage. Elle sourit à son reflet, découvrant ses dents.

Elle fit la grimace. L'état de récession de ses gencives était digne de ce que venait traverser l'économie du pays depuis dix ans.

Le temps gâche tout, se remémora-t-elle. *T'approches à grands pas de cet âge, tout sauf charmant, où plus personne au monde te fera de fleur. Et si t'as quelque chose pour toi, cocotte, c'est pas ta jolie gueule, tes seins de robot — ni même ta queue...*

Dans les années quatre-vingt, elle s'était vu un avenir à New York. Elle avait pensé qu'en sacrifiant le nombre d'années qu'il fallait, épargnant la somme d'argent qu'il fallait, elle l'aurait assuré. Mais la ville avait changé. L'avenir était mal parti. Les cannibales étaient au pouvoir, et ils en engendraient d'autres. Aujourd'hui, si elle avait une chance de s'en sortir, elle savait qu'il lui fallait la saisir à pleines mains.

Elle fouilla sous les collants dans le tiroir du milieu de la commode. Elle en sortit son livre de comptes, s'assit au bord du lit et fit le total de la somme qu'elle avait économisée pour la seconde partie de l'opération. Elle calcula qu'il lui fallait encore trois mille trois cents dollars pour payer le billet d'avion et la clinique de Tanger, alors elle pourrait épouser ce propriétaire d'une entreprise de construction du New Jersey qui la prenait pour une femme...

Tout en feuilletant les pages, elle ne parvenait pas à oublier la musique de rap qui pulsait à fond dans la chambre du dessus. Elle fit une nouvelle grimace.

Ma cocotte, se dit-elle, *y a pas trente-six moyens de tirer ton cul de cet hôtel pourri.*

Elle fit bouffer sa perruque, la remit d'aplomb et noua un bandana turquoise sur son front. D'une enjambée chaloupée, elle enfila le couloir et prit l'escalier menant au hall d'entrée.

On aurait dit une comtesse arpentant son jardin, une femme à qui tout au monde était dû. Elle demanda au réceptionniste de la monnaie pour le téléphone. Elle se dirigea vers l'appareil à pièces et appuya sur les sept touches magiques.

La sonnerie retentit trois fois.

Puis une voix d'homme, enregistrée :

— Prière de laisser son nom, son numéro ou un bref message après le bip sonore. Je vous rappelerai dès que possible.

— Salut. Père Damien ?

Un concert de voix éraillées s'éleva à l'autre extrémité du hall. Elle se pressa un doigt sur une oreille.

— Ici Jonquille, votre petite pécheresse préférée. Ça boume ? Moi, mon père, je viens juste de tailler une bavette avec une baraque de flic super craquant. Il veut *tout* savoir sur le S.M. et je sens bien que j'ai envie de lui confesser un truc vraiment *abominable*.

55

Je crois me souvenir, dit Dan Hippolito, qu'en faisant l'autopsie de Vegas et de miss Glacière, j'avais trouvé dans leurs bouches une fine pellicule qui ressemblait à un résidu de pain azyme. Mais rien de tel n'apparaît dans les rapports d'autopsie sur informatique.

Il donna un coup sec du capuchon de son stylo sur deux des trois rapports. Cardozo, assis une main appuyée sur sa joue, se pencha un peu en avant pour mieux voir les documents posés sur le bureau de Dan. L'éclairage au néon projetait une lumière pleine de tics nerveux.

— Je fais plus de quatre cents autopsies par an, continua Dan. Ça fait un an et deux mois que j'ai pas pris de vacances — je me suis dit que peut-être je reconstruisais mes souvenirs. Alors je me suis reporté à mes notes d'origine.

Il tournait les feuillets en lambeaux d'un vieux calepin à spirale.

— Et c'était là, écrit noir sur blanc : résidus d'une substance rappelant le pain azyme.

Il tapota le bas d'une page de son doigt et retourna le calepin pour permettre à Cardozo de lire l'observation qu'il avait notée.

— Alors, j'ai contacté Howie Sileson, qui a pratiqué l'autopsie de Wills. Même topo.

On percevait une certaine excitation maintenant dans la voix de Dan, qui restait néanmoins prudent. Il pointa son stylo-bille sur le troisième rapport.

— D'après l'autopsie sur informatique, on n'a rien découvert dans la bouche de Wills, si ce n'est ses dents pourries. Mais les notes de travail de Sileson sont claires sur ce point : il relève la présence d'un corps étranger, du pain azyme probablement.

Dans le couloir à l'extérieur du bureau de Dan, des voix passèrent. Un instant plus tard, ce fut le crissement des roulettes d'une civière.

— Le pain azyme a disparu des trois rapports d'autopsie.

Cardozo les observa et les rapports parurent lui rendre son regard.

— Ça paraît être une coïncidence.

— Je crois pas que c'en soit une. Je pense même pas que c'est un accident. On a délibérément effacé cette info des dossiers.

— Comment y ont-ils eu accès ?

— Pour le comment, c'est facile. Si t'es assez malin pour appuyer sur l'interrupteur, rien n'est à l'abri dans cet ordinateur. Non, ce qui me dépasse, c'est le pourquoi. Pourquoi se donner la peine d'aller fouiller dans de vieux rapports pour en retirer toute mention au pain azyme ?

— Si encore les gosses étaient morts parce que le pain azyme était *avarié*, dit Dan, je comprendrais que le fabricant n'ait pas tenu à ce que son produit soit nommé. Mais d'après ce que je peux déduire de ces rapports, Gilmartin, Vegas et Wills étaient abrutis par la drogue, puis on les a débités à la scie et saignés à mort. Le pain azyme n'a rien à voir là-dedans.

— Peut-être pas comme tu le crois...

Le regard de Cardozo s'éclaira.

— Je te revois me dire que tu pensais que ces résidus de pain azyme auraient pu être de l'hostie.

Dan soupira.

— Etant donné l'état des corps, de la quantité et de la condition de ces résidus, ça serait dur à prouver ou à réfuter. Le pain azyme ou l'hostie sont tous les deux sans levure. Ils se décomposent chimiquement de la même façon. La seule différence, c'est que certains pains azymes sont salés.

— Mais pas les résidus qu'on a retrouvés dans la bouche de ces gosses.

— Non, ni les miens ni celui de Sileson.

— Donc, ça aurait pu être de l'hostie.

— Vince, combien de fois tu veux que je te le répète ? Tout ce que je peux dire c'est que c'est possible.

— Il y avait du vin dans leurs estomacs ?

— Les corps étaient trop décomposés pour qu'on puisse analyser le contenu de leurs estomacs.

Dan fit courir son index le long de la sortie-papier du dossier Vegas.

— Tu te demandes s'ils ont communié avant d'être tués ?

— Oui.

— Cette idée me soulève le cœur. Où tu es allé la pêcher ?

Cardozo ne répondit pas et Dan ne parut pas s'attendre à ce qu'il le fasse.

— La communion, ça se passe dans l'autre sens. D'abord, l'hostie, puis le vin. Il n'y aurait pas de vin dans l'estomac, s'il y avait encore de l'hostie dans la bouche.

— O.K.

Cardozo réfléchit un instant.

— Certaines Eglises ne bornent-elles pas la communion à l'hostie ?

Dan acquiesça.

— Les catholiques ne communient que sous une espèce. Le prêtre communie avec le pain et le vin, tandis que le tout-venant des fidèles doit se contenter de pain sans levain et sans sel.

— Donc le résidu pourrait encore coller avec la théorie de la communion.

— T'aimes vraiment cette théorie, hein ? Je vais te dire pourquoi elle me plaît pas à moi. Une hostie représente sacrément peu de nourriture. Qu'on ne peut même pas mâcher ni mélanger à la salive. On l'avale purement et simplement. Il est hautement improbable qu'il en reste quelque chose, et encore moins une telle quantité.

Cardozo continuait à se creuser la tête. Soudain, il eut le cœur au bord des lèvres.

— A moins que l'assassin n'ait donné la communion à une personne morte.

— T'as gagné, je me rends, fit Dan en levant les mains paumes en avant comme s'il pouvait parer les coups.

— Donne la communion sous une seule espèce à un mort, et t'auras des résidus. Mais t'auras aussi en prime un prêtre joliment cinglé.

Cardozo quitta la rue et pénétra dans Le Poisson et l'Agneau. Comme la porte se refermait derrière lui, il fut coupé de la rumeur du monde et l'odeur de vieux bouquins et d'herbes l'accueillit comme un souvenir à demi oublié.

— Vos recherches des ouvrages de la révérende Ruskay ont-elles été couronnées de succès ?

Celui qui posait la question était le même vendeur à lunettes et à calvitie précoce qui s'était occupé de Cardozo la fois d'avant. Mais son sourire « *nous sommes de vieux amis* » était flambant neuf.

— J'en ai trouvé un. *Le Fils de Dieu est aussi Sa fille.*

— C'est son meilleur, probablement. Si l'on admet son questionnement de la tradition, sa pensée est merveilleusement originale.

— C'est aussi une amie que nous avons en commun.

Cardozo sortit l'étui de son insigne.

— Elle m'a parlé de vous. Je suis Ben Ruskay, son frère.

— Elle me l'a dit, dit Cardozo.

Ben lui tendit la main.

— Qu'est-ce que je peux faire pour vous, aujourd'hui ?

— J'ai besoin d'un renseignement. Où les églises catholiques se procurent-elles leurs hosties ?

— Sur la côte est, la plupart les commandent en gros à un couvent de carmélites du Wisconsin. C'est de là que viennent les nôtres.

— Et les églises épiscopaliennes ?

— Elles seraient très susceptibles d'utiliser la même source, bien qu'existe un ordre de sœurs épiscopaliennes qui en fabrique aussi.

— Et si l'on n'est pas prêtre, où peut-on en acheter ?

— Des hosties ?

Ben exprimait une stupeur non dissimulée.

— Si l'on n'est pas prêtre, pourquoi vouloir s'en procurer ?

— A supposer qu'on le veuille.

— Eh bien, il faudrait s'adresser à une boutique de détaillant, comme ici — nous en avons un stock au cas où une église du quartier viendrait à en manquer.

— Vous avez déjà vendu des hosties à une personne qui n'était pas prêtre ?

— En connaissance de cause ?

Ben se frotta de l'index la naissance des cheveux, qui commençait à se déplumer.

— On part du postulat que quiconque achète des hosties est un prêtre ou une religieuse. En fait, la plupart de nos acheteurs sont de vieux habitués. Par ailleurs, nous ne sommes pas une boutique d'armurier. On ne contrôle pas leur identité.

— Donc, vous vendez à tout porteur de col ecclésiastique.

— Et à toute religieuse ou personne laïque qui déclare acheter pour le compte d'une église.

— Avez-vous eu de nouveaux acheteurs d'hosties ces trois dernières années ?

Un instant, les yeux noirs de Ben furent deux puits de perplexité.

— Je connais de vue la plupart de nos clients. Je ne me rappelle pas d'en avoir vu de nouveaux. Mais je ne pourrais pas vous l'assurer sans avoir vérifié.

— Si ce n'est pas trop vous demander.

— Mais non. Pas du tout.

Ben se dirigea vers son bureau au fond du magasin.

— Peut-être aimeriez-vous le nom des autres boutiques qui vendent des hosties dans la zone métropolitaine ?

— Merci. Ça m'aiderait bien.

— J'aimerais garder les originaux des photos de ces fugueurs, dit Lou Stein. Tu as remarqué qu'il y a des rayures dessus ?

— J'avais noté qu'elles étaient pas mal esquintées. Quel genre de rayures ?

— Elles sont toutes sur le même modèle. Ça pourrait être de l'écriture. J'aimerais bien m'amuser un peu avec.

— Amuse-toi, Lou. Prends ton pied.

— Idem pour la photo de Pablo Cespedes.

— Elle est à toi.

— Au fait, Eff est un individu sécréteur. On a retrouvé des cellules sanguines dans le sperme prélevé sur Bonnie Ruskay. Groupe A positif.

Cardozo sentit son estomac se nouer.

— La bonne nouvelle pour la révérende, c'est que son test H.I.V. est négatif.

Cardozo désirait y croire, mais il y avait de quoi s'étonner.

— Comment un tapin de bas étage comme Eff peut être séronégatif ?

— Les choses les plus bizarroïdes arrivent avec le H.I.V. Peut-être qu'il a eu du pot. Peut-être qu'il a pris ses précautions.

— Il ne les a pas prises avec elle.

— Au cas où il aurait commis un autre viol, j'ai envoyé des échantillons chez Lifeways pour voir si l'A.D.N. correspond.

— Ça prendra longtemps ?

— Je leur ai dit de faire fissa. Un jour ou deux.

— Merci, Lou.

Cardozo raccrocha. Il prit progressivement conscience d'un léger picotement dans la nuque. Il pivota sur sa chaise.

Ellie se tenait dans l'embrasure de la porte.

— Ta ligne était occupée.

Elle le regardait comme un animal se branchant sur son sixième sens.

— On t'a appellé.

— Oh ?

— Non, pas elle, Vince. Une autre femme. Deborah Fairchild, du bureau du D.A. Tu veux bien la rappeller.

Cardozo composa le numéro de poste de D. Fairchild.

— Vous aviez raison.

La voix de Deborah Fairchild dénotait un léger emballement. Pas assez de sommeil et trop de café. Ou peut-être était-elle sous speed par ordonnance.

— Un groupe d'intervention spécial du D.A. a travaillé sur les homicides Vegas, Wills et miss Glacière. Mais les dossiers ont disparu depuis belle lurette — on les a effacés.

— Alors qu'est-ce que vous avez ?

— Le règlement comptable de la ville et de l'État exige que tout document financier soit conservé pendant sept ans. J'ai mis la main sur la seule chose qu'ils ne pouvaient pas effacer — les justificatifs de frais.

56

Le Moon Song Café était un snack restauré des années cinquante, décoré de posters de Cary Grant, de Barbara Stanwyck et d'autres grands noms du cinéma noir et blanc. Une hôtesse dynamique escorta Cardozo jusqu'à une table du fond où Deborah Fairchild dégustait un cappuccino glacé en faisant durer le plaisir. Cardozo commanda la même chose et s'assit.

Deborah Fairchild poussa vers lui une épaisse liasse de photocopies sur le formica de la table. Sous ses cheveux impeccablement coiffés, elle offrait un visage tiré et maussade.

— On l'avait surnommé groupe d'intervention Babar.

— Comme l'éléphant ?

— Dieu sait où il vont chercher ça. Ils doivent probablement verser deux cent cinquante mille dollars à l'agence de relations publiques du beau-frère d'un quidam x.

Cardozo jeta un œil sur les justificatifs : 32 dollars 50, course en taxi ; 42 dollars, appareil photo ; 98 dollars 60, déjeuner avec un « avocat » ; 57 dollars 60, fleurs ; 104 dollars 72, divers. Et ce n'était là que les cinq premiers de la liste. Cardozo reniflait l'arnaque à plein nez, comme un filet de graisse dans du porc.

— Les fonds affectés au groupe d'intervention étaient prélevés sur le budget « carte blanche » du D.A.

Deborah lui montra une photocopie d'un ordre de virement bancaire. Les chiffres en blanc étaient à peine lisibles sur le fond strié de noir.

— Ils ont loué un bureau tout de suite après la découverte du second corps. Ils l'ont fermé après qu'Eff a changé son témoignage. Quatre mille trente-six dollars de loyer par mois. Ils mettaient de côté en sus neuf pour cent de cette somme pour le droit de bail commercial. Bien entendu, ils n'avaient pas à l'acquitter. Ça filait tout droit dans la poche de quelqu'un. Si un comptable extérieur examinait ces chiffres, il y relèverait une manœuvre frauduleuse.

Une serveuse apporta le cappuccino glacé de Cardozo. Deborah Fairchild attendit qu'elle s'éloigne avant de poursuivre.

— Babar a pratiqué de la rétention fiscale dans un seul

secteur, à ce que je peux voir. Les membres du groupe d'intervention déjà salariés par le bureau du D.A. touchaient leur paie normalement. Ils n'émargeaient pas à la comptabilité de Babar. Ils auraient pu cumuler, et dans une telle magouille, je m'y serais attendu. J'y ai bien réfléchi, mais je crois qu'ils avaient besoin d'une capacité de déni. Ils voulaient voir figurer le moins de noms possibles sur les rapports de l'opération Babar.

Elle posa un autre ordre de virement bancaire sur la pile.

— Mais voici l'info qui tue. L'un des principaux experts psychiatres auprès de la municipalité a été rémunéré sur les fonds de Babar. Il s'agit de Vergil Muller.

Un frisson de stupéfaction transperça Cardozo.

— Je le connais.

— Alors vous devez savoir qu'il s'est fait une spécialité des prêtres pédophiles.

Cardozo soutint le regard de Deborah Fairchild. Elle trahissait son habitude des tribunaux. Elle était comme un miroir, réfléchissant exactement ce qu'il lui présentait, ni plus ni moins.

— Je n'avais pas compris ça, dit Cardozo.

— On l'a engagé une fois qu'Eff a changé son témoignage.

Cardzo réfléchit aux implications du timing.

— Le D.A. a mis sur pied Babar après la découverte du second meurtre du Tueur de la Communion. Ceux de Babar jetaient les yeux les premiers sur les rapports psychiatriques et légistes. Ils les modifiaient juste ce qu'il fallait pour dissimuler les similitudes avant de les communiquer à la presse. C'est ainsi que la police n'a jamais mené une simple enquête en coordination. Babar a mené la sienne. Ce qu'ils ont découvert, nous l'ignorons. Mais quand Eff a accusé le père Chuck, Babar a fait intervenir Muller pour évaluer l'information d'Eff. Muller a eu le sentiment qu'elle était authentique. Alors Babar a arrangé un marché.

Une lassitude parut s'emparer de Deborah Fairchild.

— Franchement, je ne vois pas d'autre explication à ce timing.

Elle étala des photocopies de transferts de banque à banque.

— Ce chèque de deux cent cinquante mille dollars a été émis à l'ordre de Pierre Strauss pour « honoraires ».

Le ton de sa voix mit le mot entre guillemets.

— Ces trois chèques dont le total se monte à quatre cent

soixante-quinze mille dollars ont été émis à l'ordre d'un « informateur confidentiel », les 12, 15 et 19 mai.

— Et si ces dates correspondent à celles où Barth a passé ses aveux, nous saurons qui est ce fameux informateur.

— Je vais tâcher de vérifier ça.

Deborah Fairchild alluma une autre cigarette.

— Comme les affaires ont été classées, parce que non élucidées, aucun aveu ni déposition ne figure dans les dossiers.

— Une première dans l'Etat de New York.

Cardozo aligna les trois chèques de l'informateur confidentiel côte à côte. On les avait libellés payables au compte 21-47-531-2468 et il n'y avait pas d'endos, seulement un coup de tampon de la banque.

— Qu'avez-vous découvert concernant ce compte ?

— 21, c'est la Chase Manhattan ; 47, les fonds communs de placement ; 2468, un compte personnel ouvert juste assez longtemps pour permettre l'encaissement de ces chèques.

— Qui l'a ouvert ?

— Une certaine Eloïse Forbes. Impossible de localiser ce nom quelque part. Ça pourrait être un pseudo.

Cardozo voyait noir sur blanc les chèques qu'on avait retournés[1].

— Ça crève les yeux comme le soleil en plein midi. Le D.A. ne veut pas inculper un prêtre de meurtre, pas même après sa mort. Il va trouver Strauss et lui met un marché en main : persuadez l'un de vos clients déjà condamnés d'avouer le meurtre des trois fugueurs. Je ne l'inculperai pas, j'égarerai ses aveux, je réduirai sa peine quelle qu'elle soit.

La main de Deborah Fairchild tremblait alors qu'elle ôtait d'une chiquenaude une mèche de ses yeux.

— Le tour de passe-passe est habile. On est obligé d'admirer la façon dont ils ont exploité les incompétences inhérentes à la bureaucratie de la justice criminelle.

— Mais tout ça leur a pété en pleine figure après l'assassinat de Lomax. Le père Chuck ne peut plus être le meurtrier.

Deborah acquiesça.

— Là, ils ont un problème.

— Et si l'info d'Eff vient du véritable assassin, alors il court encore, et Eff sait qui il est.

— Etant donné les circonstances, ce qu'il sait vaut de l'or.

---

1. Dans le système bancaire américain, les chèques une fois encaissés sont retournés à l'émetteur. (N.d.T.)

— Et sa vie pas un sou.

— Elle a déjà valu autre chose ?

— Je pensais que vous autres croyiez à la rédemption des jeunes pécheurs.

— Tout ça, c'était très bien quand la ville avait de l'argent. Nous sommes dans les années quatre-vingt-dix, lieutenant.

Cardozo resta songeur.

— Je me demande qui a récupéré le magot. J'ai comme une idée que ce n'est pas Eff.

Il y avait dans le bureau de Vergil Muller des antiquités que Cardozo n'y avait pas vues un an et demi auparavant — tables en marqueterie et cartes du XVIIᵉ siècle — et l'endroit avait une odeur de voiture neuve.

— Le procès pour meurtre d'Eff Huffington se résumait à une seule question.

Vergil Muller, en survêtement gris, se démenait sur son vélo d'appartement.

— Le père Romero était-il pédophile ou non ? Le D.A. a fait appel à moi pour évaluer le témoignage d'Eff et examiner les preuves.

— J'aurais cru que c'était le boulot de la défense, dit Cardozo.

— Un D.A. averti en vaut deux. Il fallait qu'il sache si la défense avait des atouts solides. Même avec rien dans les mains, Peter Strauss peut se révéler un adversaire redoutable. Quand il a beaucoup d'atouts, la meilleure stratégie du procureur c'est de se couper lui-même la gorge.

— Mais vous n'avez pas conseillé ce remède au D.A.

— Je lui ai conseillé de classer l'affaire.

— Pourquoi ?

— *Off the record*, il existait des preuves que Romero était un pédophile pratiquant. On pouvait avoir la présomption qu'Eff l'avait tué en légitime défense.

— Quel genre de preuves ?

— Accablantes. Les journaux, agendas et lettres personnelles du père Romero étaient une mine. J'aurais aimé les citer dans mon ouvrage, mais le D.A. a refusé. J'ai dû les lui restituer en totalité.

— Vous avez trouvé des aveux de comportement répréhensible dans ces journaux intimes ?

— Pas au sens où vous l'entendez. Mais s'y révélait une

tendance marquée à la rumination obsessionnelle paraphi-
liaque.

Muller s'interrompit.

— Je ne devrais vraiment pas discuter de ça avec vous. '

— Je vous remercie de me consacrer un peu de votre
temps.

Cardozo refeuilleta les pages de son calepin, mécontent.

— Au cours de cette affaire, auriez-vous rencontré par
hasard une certaine Eloïse Forbes ?

— Rien à voir avec l'affaire Huffington. Eloïse Forbes
figurait dans celle de l'assassinat qui nous a fait faire connaissance.

Vergil Muller eut un grand sourire comme si Cardozo et
lui étaient de connivence dans la même blague.

— La fille dans la glacière. Comme le temps passe. Vous
vous en souvenez ?

Cardozo leva les yeux.

— Et comment.

Vergil Muller se balaya le front de la main et, repoussant
ses cheveux blond roux en arrière, recouvrit un rond de calvitie.

— Forbes est le nom de jeune fille de l'épouse de Martin
Barth. Elle m'a fourni des renseignements inestimables sur les
antécédents de son mari.

— En avril de l'année dernière, dit Cardozo, votre mari a
avoué le meurtre de trois adolescents fugueurs. Au mois de mai
suivant, vous avez reçu pas loin de cinq cent mille dollars du
groupe d'intervention du D.A. qui enquêtait sur ces meurtres.

Eloïse Barth ouvrit la bouche, mais avant qu'elle ait pu
opposer le moindre démenti, il lui tendit les photocopies des
relevés bancaires de son fonds commun de placement.

Le poids de ces documents parut l'écraser. Elle s'effondra
sur le canapé. Elle les étudia lentement. Son regard se posa
enfin sur Cardozo. Elle était défaite.

— Ce n'est pas ce dont ça a l'air.

— Jamais rien ne l'est.

— Je ne savais pas pourquoi ils me payaient.

— Je regrette, madame Barth, mais si vous avez encaissé
ces chèques, c'est que vous saviez.

— Pas tout. Pas les détails.

— Si Pierre Strauss représentait votre mari, il a dû s'assurer que vous les connaissiez.

D'une main impatiente, elle repoussa ses cheveux bruns en arrière.

— Où était le mal ? Martin était condamné à perpétuité, de toute façon. Et le véritable assassin...

Elle n'en dit pas plus long.

Le seul bruit était le tic-tac profond et rassurant de l'horloge de parquet. Ils étaient assis au salon. Le piano crapaud était de retour et les rideaux avaient l'air neufs.

— Le véritable assassin ? insista Cardozo.

Eloïse Barth soupira.

— Etait mort.

— Et c'était qui ?

— Un Noir. Qui, après des années d'injustice et d'humiliations, a laissé libre cours à sa colère. N'importe qui en aurait fait autant à sa place.

— Comment s'appelait-il ?

— Je ne l'ai jamais su.

— Qui a vous raconté tout ça ?

— C'était un client de Pierre Strauss. Il est mort lors d'une fusillade avec la police.

Dans sa tête, Cardozo essayait de reconstituer une partie du puzzle, tentant diverses combinaisons.

— Quand Pierre Strauss a-t-il commencé à s'occuper de l'affaire de votre mari ?

Eloïse Barth marqua une hésitation.

— Six mois après la condamnation de Martin.

— Et il vous a proposé de passer un accord avec le D.A. ? Trois aveux contre... diverses rétributions ?

Elle garda le silence, puis finit par dire :

— J'ai deux enfants à élever et mon mari n'est plus là pour m'y aider. Je gagne à peine trente-cinq mille dollars en tant que conseillère juridique. C'est tout juste suffisant pour la vie de tous les jours, le remboursement de l'emprunt, et les frais de scolarité des garçons. Pierre me proposait une belle somme.

— Je ne vous critique pas, dit Cardozo. J'essaie simplement de connaître la vérité.

— Je n'aurais pas accepté, si ce n'est...

Se levant, elle se dirigea vers la fenêtre et contempla Park Avenue en contrebas.

— Si la vérité avait fait surface, ça aurait pu déclencher une émeute raciale — des fugueurs blancs tués par un Noir. La minorité noire a suffisamment souffert comme cela dans ce pays.

— Quelle explication vous a donnée Strauss pour les hosties ?

Elle lui jeta un regard intrigué.

— Je vous demande pardon ?

— Toutes les victimes ont été découvertes avec une hostie dans la bouche. Ce Noir était-il un prêtre ?

— C'était un ouvrier au chômage.

— Pierre Strauss vous a baratinée. Ce n'est pas un Noir qu'il a demandé à votre mari de couvrir, mais un prêtre blanc.

— Impossible, dit-elle sous le choc.

Cardozo avait conservé l'original du rapport d'autopsie de miss Glacière depuis dix-huit mois. Contrairement à celui figurant dans le fichier central, rien n'en avait été omis. Il se leva et lui tendit une copie.

Elle se rassit dans le fauteuil. Au début, elle ne parut pas comprendre ce qu'elle lisait. Puis, au fur et à mesure, son visage devint la gravité même. Cardozo sentit que son incompréhension était à son comble.

— Ce n'est pas une émeute raciale que vous avez contribué à éviter, madame Barth, mais un scandale ecclésiastique.

Eloïse Barth ferma les yeux un long moment. Puis elle les rouvrit.

— J'ai quelque chose pour vous.

Elle quitta la pièce et revint quelques minutes plus tard avec une enveloppe grise grand format qu'elle tendit à Cardozo.

— Voici les reçus des articles contenus dans le sac à dos de Martin.

Cardozo ouvrit l'enveloppe et en sortit deux reçus : l'un pour de l'encens Bombay Girl, l'autre pour une bougie de table Heureuse Hôtesse. La désignation et la date étaient sans ambiguïté aucune. Il la regarda, surpris.

— C'est vous qui avez acheté ça ?

Elle acquiesça.

— Pierre m'a demandé de le faire. Il m'a dit de garder les reçus, au cas où, on ne sait jamais.

— Je ne vois pas de reçu pour l'anneau du téton.

— Ce n'est pas moi qui l'ai acheté. C'est Pierre qui me l'a donné.

— Vous permettez que je les garde ?

— Non seulement je vous le permets, mais je vous autorise à les utiliser.

Cardozo se leva.

— Madame Barth, je regrette infiniment.

— Ne vous en faites pas, lieutenant. A long terme, la vérité se révèle être la panacée.

57

En ce début d'été, il pleuvait à verse. Des gouttes de pluie crépitaient sur le boîtier du climatiseur extérieur du bureau de Bonnie Ruskay comme de minuscules balles de ping-pong. L'humidité traçait de luisants rubans sur les murs de brique du jardin.

Assis à l'abri, et au sec, dans la lumière tamisée du bureau, Cardozo joua son va-tout. Pendant vingt minutes, il raconta à Bonnie Ruskay tout ce qu'il avait pu rassembler concernant les meurtres des jeunes fugueurs.

Tout en l'écoutant, ses yeux s'emplirent d'incrédulité.

— C'est incroyable. Je connaissais le père Chuck. Il n'aurait jamais pu faire une chose pareille.

— Vous le connaissiez bien ?

— Sans être des amis intimes, on s'appréciait beaucoup. Entre nous, le courant est tout de suite passé. Le père Joe et lui s'échangeaient des décors et des accessoires pour leurs spectacles musicaux. Nous avons fêté trois ou quatre Noëls ensemble. C'était un homme bon, la gentillesse même, entièrement voué à dispenser de la joie à son prochain.

— Et vous lui avez offert une casquette de golf pour un de ces Noëls.

— J'ai fait cadeau de la même à bien d'autres personnes. Un souvenir la fit sourire.

— J'en ai donné une au père Joe. Ils jouaient ensemble au golf. Joe a eu le cœur brisé quand Chuck est mort.

— Le père Chuck a été assassiné.

— Je sais. Un garçon qu'il essayait d'aider s'est retourné contre lui.

— C'est Eff Huffington qui a tué le père Chuck.

Elle le fixa, le visage exsangue.

— Les journaux n'ont jamais mentionné son nom, dit Cardozo. Il était trop jeune pour qu'on donne son nom, mais pas trop jeune pour donner celui des autres.

Il lui expliqua les accusations qu'Eff avait portées contre le père Romero et comment le D.A. avait dissimulé l'affaire.

— Les aveux de Barth étaient censés mettre un point final à cette histoire. Mais il y a eu un nouveau meurtre depuis — celui de Tod Lomax. Le meurtre de Lomax remet les trois autres en question. Le D.A. est en train de s'apercevoir qu'il a commis une erreur. Il a besoin que quelqu'un endosse le meurtre de Lomax et des trois autres, si possible. Il est évident que le père Chuck n'était pas coupable et il n'est pas moins évident que Barth ne l'est pas.

L'attention avec laquelle Bonnie écoutait Cardozo avait quelque chose de farouche.

— Là-dessus, un cambrioleur est tué accidentellement au presbytère de Saint-Andrew, et le District Attorney comprend qu'il a l'homme qu'il lui faut sous la main — le père Joe. C'est bien ce que vous êtes en train de me dire ?

— Le D.A. ne m'entretient pas de sa stratégie, mais il est évident qu'il y a anguille sous roche.

— Est-ce que cela signifie que vous avez changé d'avis à propos de Joe ?

— Qu'on fasse porter le chapeau à quelqu'un ne signifie nullement qu'il soit innocent. Un vrai coupable peut être aussi vite expédié qu'un faux.

Elle le regarda comme si elle essayait de toutes ses forces de lire en lui à livre ouvert.

— Vous croyez donc que le D.A. s'attaque à la bonne personne mais en s'y prenant mal.

— Je n'ai pas dit ça.

— Alors j'ai besoin d'un Sonotone.

— Tout ce que je dis, c'est que le père Joe ferait mieux de préparer sa défense.

— Merci du conseil, mais comment ?

— Il est temps pour lui de dire s'il a trempé dans la première tentative de dissimulation de cette affaire.

— Joe n'a jamais dissimulé quoi que ce soit.

— Il a conseillé à Barth d'avouer.

— Joe croyait sincèrement que Martin Barth était coupable.

— Barth a avoué avoir commis trois meurtres identiques. Combien en a-t-il confessés au père Joe ?

— Je ne sais pas.

— Comment savoir ?

— Impossible. Le secret de la confession est inviolable.

— Même s'il s'agit d'un mensonge ?

Elle ne répondit pas.

— Si le père Joe peut produire des preuves écrites qu'il y a bien eu tentative de dissimulation, le D.A. ne se risquera pas à l'incriminer.

— Aucun prêtre ne garde de trace écrite des confessions qu'il reçoit.

— C'était un entretien socio-psychologique, pas une confession. De par la législation de cet État, il est tenu d'en garder une trace.

Elle lui lança un regard prudent, comme si elle savait exactement ce qu'il allait lui demander ensuite.

— Pouvez-vous fouiller dans les papiers du père Joe ? fit-il.

— Sans sa permission ? C'est hors de question.

— Vous pouvez l'obtenir. Et vous pouvez au moins lui demander ce qu'a reconnu Barth.

— Je n'ai aucun droit de lui demander ça.

— Ecoutez, nous sommes dans le même camp.

— Ah oui ? Vous êtes persuadé de la culpabilité du père Joe.

— Je n'ai jamais dit ça.

— Inutile. C'est implicite dans la moindre question que vous avez posée depuis le tout début. Mais je sais que le père Joe est innocent.

Un ange passa.

— Il faut que je vous demande quelque chose, dit-il, sans se départir de son calme.

— Tant qu'il ne s'agit pas de trahir autrui.

— Olga Quigley a trouvé une cassette vidéo ici.

Bonnie changea d'expression. Elle parut troublée et blessée, comme s'il l'avait critiquée injustement.

— Olga n'a pas trouvé cette cassette, elle l'a volée dans mon bureau.

— Elle m'a dit qu'on y voyait...

— Je sais ce qu'on y voit.

— Pourquoi aviez-vous cette cassette en votre possession ?

— Un enfant nous l'a apportée. Un enfant qui en était l'un des participants.

Cardozo la regarda, qui se tenait immobile dans son fauteuil près de la fenêtre. L'une de ses boucles d'oreille capta un éclat de lumière.

— On essayait d'obtenir de la municipalité qu'elle prenne un arrêté contre la pornographie enfantine. Il nous fallait des preuves.

— Où est cette cassette, maintenant ?

— Elle a disparu.

Elle leva les yeux. Son regard était d'une mélancolie distante.

— Vous ne pensez pas que Joe avait quoi que ce soit à voir avec...

Elle n'alla pas plus loin.

Il sentit comme un voile noir entre eux et au tréfonds d'elle-même, de l'inconnaissable.

— Je peux prouver l'innocence de Joe, dit-elle soudainement. Je peux même vous la prouver à vous. Si les aveux de Barth sont faux, et si Eff Huffington en savait assez pour compromettre le père Chuck, alors Eff sait qui a tué ces enfants. Il peut nous le dire.

— Malheureusement, Strauss et le D.A. ont édifié un rempart autour d'Eff.

— Je sais comment faire une brèche dans ce rempart.

— J'aimerais bien que vous me le disiez.

— Utilisez-moi comme appât.

— Pas question.

Elle lui lança un regard de défi.

— Eff pense que je l'ai frustré de ce qui lui revient de droit. Il veut l'argent de la récompense promise et qu'on lui rende justice. Et il risquera l'arrestation pour obtenir les deux.

— Je veux aussi qu'Eff ait maille à partir avec la justice, mais pas comme ça.

— Vous êtes un imbécile de ne pas jouer les cartes qu'on vous a distribuées.

Il était assis là, à la dévisager, à se poser des questions sur son compte, ne comprenant rien à rien, en ce qui la concernait.

— Eh bien oui, je suis un imbécile.

— On m'a dit de frapper et d'entrer.

Cardozo leva la tête. Un homme aux yeux noirs s'encadrait dans la porte. Il ne reconnut qu'au bout d'un instant Ben Ruskay du Poisson et l'Agneau.

— Salut, Ben.

Cardozo lui désigna la chaise à dossier droit.

— Asseyez-vous.

Ben obtempéra.

— J'ai dressé la liste des facturations d'hosties des trois dernières années. La plupart des factures sont établies à des églises. Trois le sont à des couvents.

Il sortit une enveloppe de la poche intérieure de son blazer bleu à boutons dorés. Cardozo eut l'impression qu'il avait mis ses plus beaux habits pour venir au commissariat. Certaines personnes font ça.

Ben tendit la liste à Cardozo. Ce dernier l'étudia. Des flèches avaient été tracées à l'encre en face de onze noms propres.

— J'ai effectué une contre-vérification pour les autres acheteurs auprès du registre national des prêtres catholiques. Un seul nom ne correspond pas à ceux du registre.

Cardozo vit que l'un des noms était coché de deux flèches.

— J.C Wheeler ?

Ben fit oui de la tête.

— Le diocèse nous a demandé de ne plus vendre d'articles religieux à Wheeler.

— Je me suis rendu chez trois autres fournisseurs d'articles religieux. Wheeler n'a acheté qu'une seule fois des hosties chez tous les trois, et sur leurs ordinateurs figure le même contrordre — *ne pas vendre*. Que savez-vous de lui ?

Ben réfléchit un instant. De la salle de garde voisine, provenaient éclats de voix et sonneries de téléphone.

— C'est une fanatique, dit-il. Elle bouffe du catholique.

— Wheeler, c'est une femme ?

Ben lui jeta un regard tellement revenu du monde qu'il en était presque comique.

— Elle dirige une revue anti-catholique où elle imprime des choses assez irresponsables.

— Comme ?

— Elle accuse le clergé et leurs affiliés d'hypocrisie et de conduite immorale. Si vous allez la voir, je suis persuadé qu'elle se fera un plaisir de vous passer quelques vieux numéros.

— Je compte aller la voir.

Ben haussa les sourcils, qui firent comme deux accents circonflexes sur son front.

— Je ne vous demande qu'une chose. Ne citez ni mon nom ni celui du magasin. Elle est capable de nous envoyer ses séides nous poser une bombe.

58

— Miss Wheeler, dit Cardozo.

Elle leva un doigt.

— Huh. Huh. *Miss* est sexiste et « classiste ». Ici, à *Out-Mag*, on s'appelle par nos prénoms. Moi, c'est Jaycee. Et vous ?

— Vince.

— O.K., Vince, maintenant que ce point est clair, que puis-je pour vous ?

Jaycee Wheeler était assise en tailleur sur un antique canapé au quatrième étage d'un loft de la 22ᵉ Rue Ouest.

Cardozo occupait le rocking-chair, en faisant de son mieux pour éviter qu'il ne se balance.

— Etes-vous prêtre d'une quelconque Eglise d'obédience chrétienne ?

— Foutre, non.

Ses grands yeux d'un bleu très clair, au-dessus de pommettes bien dessinées, pétillaient d'ironie.

— Je ne mange pas de ce pain-là

— Avez-vous acheté un lot de cinq cents hosties auprès de la Calgary Shop ?

— C'est exact.

— Avez-vous acheté un lot de cinq cents hosties chez Hofbauer et Swayze ?

Elle repoussa d'un revers de main ses mèches blondes, découvrant un front parfaitement lisse. Une bague luisait à son annulaire. Elle était faite d'un entrelacement de languettes d'aluminium de boîtes de soda.

— Encore exact.

— Et cinq cents chez Le Poisson et l'Agneau ?

— Oui. Et j'en ai acheté d'autres chez une douzaine de fournisseurs dont je peux vous dresser la liste si ça vous intéresse.

Elle décroisa ses longues jambes, se mit debout en tirant sur son jeans et se dirigea vers un bureau à cylindre aux deux cents casiers bourrés de paperasses. Elle se mit à fouiller parmi ses factures.

— Ça vous dérangerait de m'expliquer pourquoi vous avez stocké autant d'hosties ?

— On les stocke pas, ça vous pouvez me croire. On les utilise dès qu'on peut mettre la main dessus.

— Vous les utilisez comment ?

Elle déversa une brassée de papiers divers et variés sur les genoux de Cardozo.

— Que savez-vous d'*OutMag* ?

Il sourit.

— Vous passez pour des agitateurs.

— Oui. Mais nous sommes aussi un mensuel gay. Nous aimons à nous considérer comme des taons sur le corps politique. L'un de nos buts avoués est de titiller la hiérarchie catholique. Il se trouve que notre action qui a le plus payé, c'est d'avoir jeté des hosties dans la cathédrale pendant la messe. A propos, contrairement aux déclarations du diocèse à la presse, ces hosties n'étaient pas consacrées.

Cardozo transféra prudemment la brassée de paperasses de ses genoux sur le plancher.

— Consacrées ou pas, pourquoi une telle dent contre l'Eglise ?

— Oh bon Dieu, nous avons tenu des séminaires sur cette question et vous voulez que je vous réponde en trente secondes.

— Disons soixante.

— J'ai une dent contre l'Eglise comme vous dites parce qu'elle m'opprime. Elle vous opprime aussi, bien qu'en tant que flic, vous n'en êtes probablement pas conscient.

— A vous voir, vous semblez bien peu opprimée.

— Merci. La raison, c'est que je n'ai jamais eu le choix. Je suis gouine. En Amérique, ça fait de moi une poupée Barbie manquée. Ce qui signifie que je dois me battre pour des droits qui, pour vous, semblent acquis.

— De quels droits parlez-vous ?

— Déconnez pas, Vince. La racaille peut arpenter les rues des villes américaines comme elle l'entend, elle peut renverser les bagnoles et piller les magasins. Elle peut foutre le feu et assassiner tout son soûl. Mais mes semblables ne peuvent même pas se tenir par la main dans la rue, encore moins manifester pacifiquement. J'ai été tabassée, traitée comme un chien, arrachée de force d'un piquet de grève, traînée dans la rue et matraquée. Quand je vais chercher du lait à l'épicerie du coin, je sais jamais si un hétérosexiste ne va pas me jeter la première pierre. Ou me violer.

Elle lui parut trop culottée et avoir beaucoup trop de jugeote pour qu'il marche dans ses plaintes de victime-type faiblardes.

— Vous avez déjà été violée ? demanda-t-il.

Tout se concentra dans ses yeux.

— Et vous ?

— Non.

— Eh bien, moi, oui. Il y a trois ans de ça. Celui qui m'a violée l'a fait parce que je suis lesbienne et que le cardinal déclare que les lesbiennes sont le mal incarné et contre nature. Violer une femme qui est une erreur de la nature ne compte pas, car tout ce qu'elle mérite c'est d'être violée.

— Le cardinal n'a jamais dit ça.

— Pas sous cette forme. Mais Son Eminence contribue à un climat de violence par les paroles qu'il profère. Mais pourquoi devrait-il s'en faire ? Il se balade dans toute la ville dans une bagnole blindée, escortée par la police.

Elle serra les poings. Sous la chemise flottante en jean, son corps avait une dureté compacte qui suggérait qu'elle prenait des cours de self-défense.

— Vous appelez ça être chrétien, Vince ? Pour moi, c'est un déni de démocratie.

— Je n'ai pas ouvert la bouche.

— Pas la peine. Vous avez un flingue.

— Ça vous aide moins que vous croyez.

— Ça vous aide peut-être pas, mais ça met les chances à égalité. Ce qui est déjà plus que ne font les lois de ce pays.

— Votre violeur a été arrêté ?

— Les flics ont pu le localiser — je l'ai identifié.

— Il a été condamné ?

— Il n'y a pas eu de procès. Mon avocat a négocié un accord à l'amiable : j'acceptais de ne plus parler de viol, le dossier était purement annulé ; en échange, mon agresseur versait une grosse contribution en liquide à la revue. Et j'espère, bordel, que ce salopard en crève encore de rage.

— Votre agresseur était riche ?

— Peut-être que c'était pas son fric. L'Eglise a dû le dépanner. Ils ont une caisse noire pour les prêtres qui se livrent à des attentats à la pudeur sur des enfants.

— C'était un prêtre ?

— Est-ce que j'ai l'air d'une enfant ? J'en ai trop dit.

— Qui est votre avocat ?

— Il s'appelle Pierre Strauss.

Cardozo fit la grimace.

— J'aime bien Pierre. Il ne lâche pas le morceau sans avoir obtenu ce qu'il veut. Vous savez à quoi il a obligé le juge ? A condamner mon violeur à huit semaines de rééducation dans un programme pour jeunes délinquants.

— Alors vous avez pris votre revanche sur votre violeur en l'humiliant. Et vous voulez la prendre sur l'Eglise parce que vous croyez qu'elle a autorisé ce viol.

— Il ne s'agit pas seulement de ce viol en particulier ni de moi. Ses représentants contribuent à ancrer dans l'esprit du public que quiconque est en désaccord avec eux ne possède aucun droit. Ni celui à la dignité, ni celui à la sécurité. Ni le droit de vivre. Sauf si vous n'êtes pas encore né.

Elle se laissa retomber sur le canapé en soupirant.

— Ou bien vous êtes un de ces flics qui croient que Dieu est catholique et que l'Eglise ne peut causer aucun tort ?

— Sans commentaires.

— Parce que l'Eglise, elle, en cause en pagaille. Les prêtres condamnent ouvertement l'homosexualité entre adultes consentants et abusent des enfants de chœur. Et l'Eglise couvre leurs agissements. Ne me dites pas que vous n'êtes pas au courant !

— Sans commentaires.

— Peut-être que vous pensez que l'Eglise en a le droit. En ce cas, vous devez probablement penser qu'elle a le droit de couvrir aussi les meurtres du Tueur de la Communion.

Elle le regarda tranquillement, sans ciller. Elle avait lancé sa bombe et elle le fixait maintenant pour voir si elle avait mis dans le mille.

Il ne dit rien, ne réagit pas.

— Vous n'allez pas rester assis là en faisant semblant de ne rien savoir sur ces meurtres.

— J'ai entendu une rumeur. Rien de crédible.

— Croyez-moi, ce n'est pas qu'une rumeur.

Elle ramena ses jambes sous elle.

— Je suis en contact avec une petite frappe. Son champ d'activité, ce sont les docks du West Side — il deale et maque-reaute les fugueurs pour des amateurs de chair fraîche. Il est quasiment au courant de tout ce qui se passe. Il a entendu parler d'un prêtre en chasse sur les docks. Ce prêtre clame qu'il est un défenseur de l'Eglise et un pourfendeur de ses ennemis, il confesse des prostitués des deux sexes et leur donne la communion.

— A quoi rime cette action type comité de surveillance ?

— Je ne sais pas, mais les fugueurs disparaissent.

De l'autre côté d'une cloison en aggloméré, un téléphone sonna. Une voix d'homme répondit.

— Comment s'appelle ce prêtre ?

— Il dit s'appeler Damien.

La première association qui vint à l'idée de Cardozo fut l'ami du même nom de Jonquille. Le prêtre anti-préservatifs et pro-chasteté qui cherchait à faire des prosélytes chez les prostitués. La deuxième concernait la gravure au mur du bureau de Bonnie Ruskay — le père Damien qui donnait la communion aux lépreux.

— C'est son vrai nom ?

— Mes infos sont vagues. D'après moi, c'est un prêtre bisexuel non avoué qui s'éclate les couilles en utilisant un pseudo et suffisamment haut placé dans la hiérarchie de l'Eglise pour ne pas être éclaboussé par toute cette merde.

Un jeune homme brun entra dans le bureau d'un pas légèrement lourd. Il tendit à Jaycee un jeu d'épreuves de couverture. Un plâtre recouvrait sa main et son avant-bras droits.

— Vois si l'imprimeur peut gonfler le jaune, dit Jaycee en lui rendant les épreuves. Vince, je vous présente l'autre tête de *OutMag*, Scott Rivera. Scott, je te présente Vince Cardozo — Vince est de la police.

— J'ai entendu. J'étais dans l'autre pièce.

Scott s'assit sur le rebord de la fenêtre. Il sortit un mouchoir à motifs bleus et essuya ses lunettes sans monture.

— T'as rien de mieux à faire ? lui dit Jaycee.

— C'est ce que je fais.

— Vous vous êtes blessé comment ? demanda Cardozo.

Les yeux noirs de Scott se posèrent tranquillement sur lui.

— Je me suis pas blessé. Des mecs du New Jersey s'en sont chargés à ma place.

— Scott s'est fait tabasser, précisa Jaycee.

— Navré de l'apprendre.

Scott remit ses lunettes.

— Bon, dites-moi, Vince, vous faites partie de ceux qui couvrent Damien ?

— T'es un digne fils de l'évêque de Kerry, tu sais ça ? dit Jaycee. Damien, c'est mon article. J'ai fait le plus gros du boulot, c'est moi qui suis allée au charbon. Vince est venu me voir, moi. Pas toi. S'il a une info, elle est pour moi.

Scott regarda à nouveau Cardozo.

— Vous avez une info, Vince ?

— J'aimerais bien. Vous en avez une, vous ?

— C'est Jaycee qui l'a.

— Enfoiré.

— Elle sera publiée dans le prochain numéro.

— Je t'emmerde, dit Jaycee.

Cardozo eut l'impression que ces deux-là souffraient fortement de la fièvre de promiscuité. Ou bien d'une dangereuse overdose réciproque. Il espérait que la revue en valait la peine.

— C'est quoi votre info ? fit-il.

Jaycee cassa un crayon en deux.

— Il n'y a pas d'info. Mon contact n'a pas pu m'organiser une rencontre.

— Avec Damien ? insista Cardozo.

Elle acquiesça.

— Faites attention, ce Damien m'a l'air dangereux.

— Personne n'a dit que c'était un agneau, dit Jaycee. Après tout, il tue des gamins.

— Qu'en savez-vous ?

— Elle n'en sait rien, dit Scott. Damien clame que les sacrements ont sauvé ces ados et que c'est la raison pour laquelle on ne les voit plus dans la rue.

— A d'autres, dit Jaycee. Il les tue.

— Tout ce qu'il nous faut, c'est une preuve. Vince, vous avez une preuve ? Vous voulez bien nous aider à gagner notre premier Pulitzer ou vous vous en foutez ?

— Si j'étais à votre place à vous deux, dit Cardozo, je ferais très attention.

— *OutMag* n'a peur de rien, affirma Jaycee.

— En fait, ajouta Scott, si vous voulez surprendre *OutMag* en flagrant délit de courage, faites un tour à Saint-Patrick, dimanche prochain.

— Scott ! Connard ! Tête de nœud !

— Panique pas, fit Scott. Vince racontera ça à personne, pas vrai, Vince ?

Cardozo secoua la tête.

— Pourquoi je le ferais ? C'est pas du ressort de mon service.

Et par dessus le marché, songea-t-il, *les flics sont sans doute déjà au courant.*

59

Le cardinal Barry Ignatius Fitzwilliam gravit la spirale de huit marches de la chaire. Le silence se fit, comme avant un lever de rideau au théâtre. Les bancs de la cathédrale n'étaient qu'un océan de visages tendus dans l'expectative.

Il déplia les notes de son sermon et les posa sur le lutrin. Elles étaient floues. Il passa la main sous son aube et sa chasuble, extirpa ses lunettes double foyer de la poche de sa soutane et les ajusta sur son nez. La feuille couverte de pattes de mouche devint nette aussitôt.

Aujourd'hui, prenant comme point de départ la deuxième Epître aux Corinthiens, le cardinal prêchait qu'il est de « notre devoir et notre privilège en tant que catholiques de profiter du pouvoir de guérison surnaturel des sacrements ».

Il leva les yeux vers l'assemblée des fidèles. La force de ses verres ne jouant plus pour voir de loin, visages et vêtements perdirent leurs contours et s'interpénétrèrent doucement.

— C'est aussi de notre devoir d'encourager la moralité publique de la société civile au sein de laquelle nous vivons en nous basant sur des valeurs morales fondamentales. Par-dessus tout, nous devons soutenir les efforts du gouvernement en faveur de la famille traditionnelle.

Quelque part dans le fond de la cathédrale, il y eut une agitation et une houle sonore. Les bancs paraissaient saisis d'ondulations floues.

Le cardinal baissa ses lunettes d'une chiquenaude. Une perturbation balayait l'assemblée des fidèles. Des têtes se retournaient.

— Nous ne devons pas redouter de nous élever contre ceux qui contestent les valeurs familiales traditionnelles.

Le cardinal se pencha plus près du micro, articulant distinctement.

— Nous devons soutenir la législation qui met un frein aux activités de ceux qui voudraient défier l'ordre social voulu par Dieu.

Cris et murmures augmentèrent. Des voiles aux brillantes couleurs pointillaient l'océan. Le cardinal baissa encore ses lunettes.

Sur les bancs, des contestataires avaient silencieusement hissé des pancartes, dont les slogans affluèrent vers lui :

STOP À L'HOMOPHOBIE DE L'ÉGLISE.

ARRÊTEZ DE PRÊCHER L'AMOUR — PRATIQUEZ-LE.

CATHOLIQUE SIGNIFIE UNIVERSEL.

OUVREZ L'ÉGLISE AUX FEMMES OU BIEN CHANGEZ

D'APPELLATION.

Le texte de l'une des pancartes le frappa comme un coup de poing dans l'œil.

ÉGLISE CATHOLIQUE — CESSE D'ÉTOUFFER LES MEURTRES DU

TUEUR DE LA COMMUNION !

Les contestataires se mirent à lancer des hosties en l'air. Quarante flics en civil se précipitèrent le long des bas-côtés pour procéder à leur arrestation.

Le cardinal couvrit le micro de sa main. Il se pencha pour crier à l'un de ses assistants :

— La jeune femme qui brandit la pancarte du Tueur de la Communion — dites à la police que je veux lui parler.

Dans la sacristie, un prêtre ôtait la mitre de sur la tête du cardinal.

Ce dernier frissonnait.

— Quelle terrible scène vient de se dérouler là-bas. La pire à ce jour.

— Oui, Votre Eminence.

Le prêtre aidait le cardinal à retirer sa chasuble.

— Votre Eminence est très tendue.

Le cardinal avait les muscles des épaules noués et avait beau les hausser, rien n'y faisait. Il défit sa ceinture avec des mains tremblantes.

Le prêtre souleva l'aube.

— Vraiment très tendue.

On frappa. Le prêtre sollicita des yeux la permission du cardinal.

Le cardinal opina. Il s'exerçait à garder la face. Il allait en avoir besoin.

Le prêtre ouvrit la porte. Deux policiers en civil poussèrent une jeune femme dans la pièce. Elle avait des menottes aux poignets. Le cardinal la regarda, son estomac n'était plus qu'une boule douloureuse. Elle avait une coupe de cheveux hérissés, comme un jeune garçon, et portait des jeans et des bottes de chantier.

— Ma fille, dit-il, je n'ai pas pu m'empêcher de remarquer votre pancarte.

— Heureuse d'avoir réussi quelque chose.

Sa voix était celle d'une personne éduquée, mais elle exsudait la provocation comme de l'électricité.

— D'où tenez-vous vos renseignements sur le soi-disant Tueur de la Communion ?

— En tant que journaliste, je suis protégée par le Premier Amendement. Je ne vais pas vous dévoiler mes sources.

— Vous pourriez rendre un grand service aux habitants de cette ville. Au lieu de ça, vous commettez une grave erreur.

— Commettre des erreurs est un droit civil en démocratie.

— Mais pas un droit moral.

— Votre Eminence, l'un de vos groupies m'a violée.

— Je n'ai pas de groupies.

— Alors il y a longtemps que vous n'avez pas jeté un coup d'œil dans votre rétroviseur. Il m'a violée parce que j'étais lesbienne.

Le cardinal sentit ses cheveux se hérisser. Il prenait conscience avec incrédulité que la personne en face de lui était du même sexe que la mère du Sauveur.

— Il croyait que cette expérience me remettrait dans le droit chemin, fit-elle avec un rictus haineux. Il n'a pas mis de capote, parce que pour vous les préservatifs sont immoraux. Ce qui m'a exposée au virus du sida. Ce qui fait que je suis séropositive. Grand merci de faire partager votre morale aux habitants de cette ville, Votre Eminence.

— Je comprends votre amertume, mon enfant, mais je prierai Dieu de ne pas la laisser endurcir votre cœur.

Un cri jaillit de sa poitrine.

— Alors n'envoyez pas vos acolytes rudoyer ceux de ma tribu !

L'un des policiers la saisit par le col de son sweat-shirt.

— Eh oh ! un peu de respect.

— Laissez-la s'en aller, soupira le cardinal.

— Ouais, pour filer, ça elle va filer, dit le flic, directo au bloc chez les femmes.

Elle fit volte-face, l'ironie incarnée.

— Vous n'avez pas peur que je prenne trop mon pied là-bas ?

Le cardinal, choqué, se détourna avec tristesse.

De son bureau, il téléphona au District Attorney.

— Bill, il y a eu des fuites — ce matin, à la cathédrale, j'ai vu des pancartes sur le Tueur de la Communion.

— Ce ne sont que des rumeurs véhiculées par *OutMag*, ce torchon de barjos.

Comme toujours, la voix de Bill Kodahl débordait d'une confiance en soi style « *minute, le monde décolle de ma piste d'envol* ».

— C'est du bluff, ils ne savent rien de rien.

— D'après lui, Martin Barth a avoué trois meurtres. Pas seulement celui de la fille des Jardins Vanderbilt. Mais aussi deux autres, du même genre. Des fugueurs empaquetés dans des glacières en polystyrène.

Bonnie, assise au chevet du lit d'hôpital, ne quittait pas le père Joe des yeux.

— Il m'a demandé si vous étiez au courant.

Elle prit conscience au bout d'un petit moment que Joe ne répondrait pas. Un voile noir l'enveloppa.

— D'après lui, les aveux de Martin Barth sont bidon, un truc pour classer les affaires. Il se demande si vous saviez.

Le père Joe la fixait. Ses yeux semblaient la voir, la juger même, et pourtant elle savait qu'ils ne distinguaient rien, mis à part les variations tranchées de luminosité.

— Un quatrième fugueur a été retrouvé mort. D'après lui, on ne peut pas attribuer cette fois le meurtre à Barth. Il prétend qu'on pourrait vous accuser de ces assassinats.

— De tous les quatre ?

— C'est ce qu'il prétend.

— Vraiment.

Le père Joe faisait montre d'une stupéfaction tranquille, sans être le moins du monde troublé. Comme s'il venait de recevoir une décoration sans importance.

— Il m'a demandé si vous avez consigné vos entretiens avec Martin Barth.

Le père Joe pressa sur un bouton pour se rehausser sur son lit d'hôpital. Le dispositif bourdonna doucement.

— Pourquoi veut-il le savoir ?

— On a égaré les aveux de Barth. D'après lui, à dessein.

Elle jeta un coup d'œil vers la porte entrouverte. Une infirmière passait dans le couloir. Elle baissa la voix.

— Il prétend qu'au cas où vous auriez des preuves écrites qu'il y a eu tentative de rejet de l'accusation sur autrui, le D.A. ne se risquerait pas à vous poursuivre. Du moins de l'avis de Cardozo.

Elle ne pouvait pas déterminer exactement ce que le père Joe avait compris de ce qu'elle venait de lui dire, tant il paraissait léthargique, sous sédatifs.

Il tendit la main vers la sienne.

— Et quelle est votre opinion là-dessus ?

De l'autre côté de la fenêtre avec vue imprenable sur l'East River, un remorqueur lança un coup de sirène.

— Je ne sais pas trop.

— Pauvre chère Bonnie, ça fait beaucoup de choses à affronter seule. Vous tenez le coup ?

Elle ne croyait pas aux vertus du mensonge, mais ne pas mentir requérait une espèce de prudent compromis avec la vérité.

— Ça va, dit-elle en souriant, comme si sourire prouvait quoi que ce soit. *Et merde*, songea-t-elle, *pourquoi sourire, pourquoi même faire semblant de sourire ? Il ne me voit pas.*

— Ne vous forcez pas à sourire, dit-il. Pas à moi.

— Joe, dit-elle en se tournant vers lui. Vous recouvrez la vue ?

— Je sais à quel moment vous souriez.

Il lui tapota la main.

— Et quand vous ne souriez pas. Vous êtes très, très, tendue. Je le sens dans vos doigts.

Les bruits de l'hôpital parurent soudain s'atténuer à l'étage.

— J'aimerais vous demander une faveur, dit-elle. Serrez-moi contre vous rien qu'un instant.

Il l'attira à lui, l'entourant doucement de ses bras.

60

— Une chose intéressante à propos des photos des gosses morts, dit Lou Stein, le négatif a pris le jour.

Au fond de la pièce plongée dans l'obscurité, Wally Wills

souriait sur l'écran. Cardozo se tassa en avant sur sa chaise. En plissant les yeux, il arrivait à distinguer une étrange et imperceptible brèche dans la couleur du mur derrière le garçon.

— On le voit très nettement à la loupe, mais c'est vraiment évident sur un agrandissement.

Lou cliqua sur la commande. Le Carrousel enclencha la diapo suivante. Le quart supérieur droit de la photo de Wills, rendu flou par l'agrandissement, remplissait à présent l'écran : les cheveux châtains coupés en brosse de Wills, son œil droit, un bout d'oreille. Le zigzag d'un pur éclair blanc zébrait le coin supérieur droit, et descendant le long du mur, allait toucher l'oreille.

Nouveau déclic et Wanda Gilmartin apparut sur l'écran.

Encore un déclic. Agrandissement du quart supérieur droit. Même éclair éclaboussant le mur derrière elle.

— Une fêlure imperceptible dans la monture de l'objectif.

Lou projeta ensuite les photos de Cespedes, Lomax et Vegas. Toutes présentaient le même zigzag dans le coin supérieur droit.

— Maintenant, un point intéressant : les autres photos provenant de la boîte du père Joe n'ont pas pris le jour.

Clic. Arlequin et Colombine faisant des claquettes, leur chapeau haut de forme en équilibre au bout de leur canne.

Nouveau clic. Agrandissement. Pas de zigzag.

Clic encore. Arlequin dans une passe de lindy-hop, projetant Colombine par-dessus son épaule.

Et encore une fois, aucun zigzag.

— Les victimes n'ont pas été photographiées avec le même appareil que les danseurs de claquettes. C'est un Minolta du même modèle, mais sans ce défaut de l'objectif. Comme il n'y a aucune raison qu'un photographe possède deux Minolta bas de gamme, deux appareils égalent probablement deux photographes. A présent, je vais encore te montrer quelque chose d'intéressant concernant ces photos de fugueurs. Il y a des rayures sur toutes sauf sur celle de Pablo.

Lou reprojeta toute la série. Cardozo discerna des marques sur celles de Vegas et Wills, comme de légères indentations du côté brillant du cliché.

— Ces rayures sont difficiles à distinguer, mais certaines montrent des traces de dérivé de benzène, comme on en aurait si quelqu'un plaçait une feuille de papier sur la photo et écrivait dessus avec un stylo-bille. J'ai testé deux hypothèses de travail : un, chacune des quatre photos rayées a été glissée dans une enveloppe, sur laquelle on a écrit une adresse avant de la poster. Puisque celle de Cespedes n'en porte pas, cette dernière n'a probablement pas été postée. Le benzène de l'encre d'un stylo-bille pénètre le papier tout en restant incolore, donc ça ne dérange pas les utilisateurs de stylos-billes. Cependant, sous réserve d'une densité suffisante, le dérivé apparaît en vert sous un éclairage ultra-violet.

Lou projeta une autre série des mêmes clichés rephoto-graphiés sous rayonnement ultra-violet. A présent, chaque fugueur était griffé de peppermint.

— Le dessin, aléatoire, diffère sur chaque visage. Et main-tenant mon hypothèse de travail numéro deux : les quatre photos ont été adressées au même correspondant. En ce cas, certaines au moins de ces griffures devraient se renforcer mutuellement.

La série suivante montra des surimpressions successives des quatre photos, sous ultra-violet, une fois encore. Lou les avait alternées les unes par rapport aux autres, produisant un maelström de détails confus.

— Il y a quatre photos, que l'on peut glisser de quatre façons différentes dans une enveloppe. Pour tout compliquer, la même photo peut se trouver face au rabat ou au recto. Je ne t'ennuierai pas avec les milliers de combinaisons possibles. Pour être franc, ça ne m'a pas beaucoup ennuyé moi-même, c'est un ordinateur qui a effectué les recherches. Mais il se trouve que l'une de ces combinaisons est très, très, intéres-sante.

Clic. Les quatre visages surimpressionnés dans tous les sens, griffés de vert, donnaient l'image cauchemardesque d'une figure humaine déconstruite, générée par un cyclotron haïs-sant le genre humain. Mais, quasiment au centre de l'image, les griffures vertes étaient d'un parallélisme flagrant.

Cardozo eut un tressaillement d'espoir.

Lou améliora la définition du projecteur.

Un 2 fantomatique brilla avec netteté, suivi d'une série de courbes qui formaient presque le mot manuscrit *High*.

Cardozo se redressa sur la chaise métallique, une certitude ancrée en lui.

— Ça te va ?

— Oui.

Lou éteignit le projecteur de diapos et étendit la main pour atteindre l'interrupteur du plafonnier sur le mur. Le néon illumina de son clignotement la petite pièce sans fenêtres.

— Au fait, est-ce que je t'ai dit ? Nous avons finalement eu ces résultats des labos Lifeways.

Lou se leva en bâillant.

— A propos du sperme prélevé sur la révérende Ruskay.

— Non, tu ne m'as rien dit.

— Ils ont établi un recoupement avec l'A.D.N.

— Qui d'autre Huffington a violé ?

— C'était peut-être pas un viol. En tout cas, le sperme correspond à celui prélevé dans l'anus de Pablo Cespedes.

Cardozo fut comme transpercé par une onde de choc. Il lâcha son stylo-bille qui tomba avec un cliquetis sur le sol en linoléum.

— Vince. Qu'est-ce qui se passe ?

— Rien. J'ai perdu l'équilibre.

Cardozo se ressaisit et inspira profondément.

— Donc Huffington et Cespedes se connaissaient.

— C'est le moins qu'on puisse dire.

Lou avala une grosse gorgée de café et s'essuya les lèvres du revers de la main.

— Assure-toi que la révérende a fait le test H.I.V.

C'était comme si, après avoir tourné un coin de rue à toute allure, on tombait sur le carambolage de trois voitures. Cardozo, clignant des yeux, restait là dans le bureau de Lou Stein, tâchant de se convaincre qu'il ne rêvait pas.

— Elle l'a fait.

— S'il est négatif, assure-toi qu'elle en refasse un autre dans quinze jours.

La première chose que fit Cardozo à son retour au commissariat fut de commander d'autres exemplaires des photos. La deuxième, de réaffecter huit inspecteurs à une mission entrant en vigueur immédiatement. Leur job était de se mettre en quête de toute rue, avenue, impasse de la ville dont le nom commençait par *High*, de cogner à chaque porte des immeubles dont le numéro se terminait par deux et de voir si quelqu'un reconnaissait Pablo ou l'un des autres fugueurs.

Un peu après 4 quatre heures, Tom O'Reilly convoqua Cardozo dans son bureau.

— A ce que je vois, Vince, cet Eff est du menu fretin.

O'Reilly, sa cravate dénouée, avait un pied posé sur son bureau et Cardozo se disait que son verre de Coca-Cola ne contenait pas que du Coca.

— Vous avez mis un sacré paquet d'hommes sur le coup.

— Je sais, monsieur.

Le moment périlleux était pendant.

— Je me suis fourré dans un guêpier en vous écoutant, dit O'Reilly. Vous avez intérêt à savoir ce que vous faites.

— Je sais parfaitement ce que je fais, monsieur.

— Auriez-vous déjà vu un de ces gosses par hasard ? demanda l'inspecteur Sam Richards.

L'homme qui habitait au premier étage sur cour était relié à un pied à perf portant quatre poches en plastique. L'appareillage tressauta en avant comme l'homme tendait la main vers les clichés. Les yeux étaient énormes dans la figure squelettique et passaient des photos à Sam Richards et de Sam à Ellie Siegel. Il était visiblement intrigué par cette équipe de flics bicolore, composée d'une Blanche et d'un Noir, avec leurs photos de gamins blancs à moitié nus. Mais il joua la prudence.

— Peux pas vous aider, dit-il en secouant la tête et en leur rendant les photos.

Ellie et Sam le remercièrent. Il referma la porte, et ils entendirent couiner les roulettes du pied à perf.

— Encore un à barrer de la liste, soupira Sam.

Ellie et Sam avaient hérité du numéro 322, Highland Road, dans le Bronx, dans l'enquête *High-2*. Ne vivaient là que de vieux Noirs apeurés. C'était un immeuble qui avait de quoi effrayer, et pas seulement parce qu'on y avait surpris deux soirs plus tôt une ado de seize ans qui passait des appels bidon au 911 et recevait les agents qui se déplaçaient en les bombardant de cailloux depuis le toit. Il y avait des impacts de balles dans les portes et on avait mis le feu à des tas d'ordures dans les couloirs. Des morceaux de latte en charpie dépassaient du plâtre craquelé. De l'eau dégouttait de la tuyauterie crevée.

— Imagine un peu pour un vieux, dit Ellie, d'être obligé d'habiter ici.

Sam fit la grimace.

— Je me sentirais plus en sécurité dans la fosse aux ours du zoo du Bronx.

Au moment où ils sortaient, un rat détala dans les murs. Sam vérifia les boîtes à lettres une dernière fois par acquit de conscience.

— On en a oublié un. Il y a un appartement à la cave.

Sous la cage d'escalier, une volée de marches en bois

conduisait à une porte blindée. Il y avait huit impacts de balles dans l'acier. Sam frappa.

— Qui est là ? cria une voix de femme.

— Police, m'dame.

Sam tint sa carte devant l'œilleton.

Des verrous glissèrent et la porte s'ouvrit vers l'intérieur en grondant. Une senteur fraîche et citronnée d'encaustique les accueillit.

Une petite femme bien mise à cheveux gris les regardait. Ses lunettes étincelaient.

— Désolé de vous déranger, m'dame, dit Sam.

Les yeux de la vieille dame s'éclairèrent d'une lueur amicale. Elle donnait l'image même de la patience, comme si elle l'avait inventée.

— Vous me dérangez pas.

Sam lui montra les photos.

— Nous aimerions simplement vous demander si vous reconnaissez un de ces jeunes ?

Elle prit tout son temps pour examiner chaque photo tour à tour. Elle les leur rendit enfin.

— Non, je regrette, j'ai jamais vu un seul d'entre eux.

— Merci d'avoir pris le temps, m'dame.

— Je vous en prie.

La vieille dame observa le policier et sa coéquipière remonter la volée de marches. Leurs ombres les suivaient le long du mur suintant de la cave.

Derrière elle, dans son petit appartement, un téléphone sonna. Elle ferma la porte, la verrouilla et se pressa d'aller répondre.

— Allô ?

— 'lut, Mamy.

Elle sourit comme elle le faisait toujours en entendant sa voix.

— Eff, mon chéri, il y a du courrier pour toi qui vient juste d'arriver.

— Merci, Mamy. Tu seras là, cet aprem ?

Mamy ouvrit la porte au premier coup frappé à la porte.

Eff affichait un large sourire, mystérieux et espiègle.

— 'lut, Mamy. Plus belle que jamais.

Il l'embrassa et le regard de la vieille dame s'illumina.

Il tournicota dans l'appartement. Il portait une chemise

propre en denim retroussée aux poignets, des blue-jeans et des bottes Wellington en veau qui avaient l'air neuves. Il tenait respectueusement à la main sa casquette des New York Mets.

— J'ai des gâteaux et des cookies, dit Mamy. Je peux faire du café.

Rendre visite à Mamy, c'était comme se rendre à une soirée où il était l'invité d'honneur.

— J'ai pas le temps aujourd'hui, Mamy. La prochaine fois, peut-être.

— Ton jeans est troué.

— C'est la mode.

— Parce que c'est la mode, ça veut pas dire que c'est bien et que tu dois la suivre.

Elle fronça le sourcil.

— Qu'est-ce qui t'arrives ? Tu marches comme si t'avais dans le dos un truc fourré dans ta ceinture.

— Mais j'ai fourré un truc dans ma ceinture.

Mamy se mordit un doigt replié.

— Eff, me dis pas que tu portes une arme !

La vie n'avait pas ménagé ses coups durs à Mamy et Eff mettait son point d'honneur à lui en ménager de tendres. Aujourd'hui, ça prenait la forme d'une douzaine de roses rouges qu'il avait piquées dans une épicerie coréenne.

— Bon anniversaire à ma chérie préférée, dit-il en lui tendant le bouquet.

Mamy le regarda sans bouger ni parler. Une larme roula sur sa joue. Comme si elle demandait à Dieu, *d'où m'est tombé cet ange ?*

Il lui mit les fleurs dans les mains.

— Où est mon courrier, Mamy ?

Elle secouait la tête, chassant ses pleurs d'un battement de paupières. Les notes ni pressantes ni pressées d'une sirène qui passait dans la rue se mêlèrent au silence.

— Sur la table.

Il y ramassa l'enveloppe, jeta un œil sur l'écriture.

— C'est O.K. si j'utilise la salle de bains ?

— Bien sûr que c'est O.K.

Eff s'y rendit et tourna si doucement la clé dans la serrure qu'on n'entendit pas de déclic. Il ouvrit l'enveloppe.

Elle contenait un morceau de papier quadrillé et une photo. On avait écrit sur la feuille une heure, une date et une adresse. Rien d'autre. La photo était celle d'un jeune homme en slip Jockey, faisant jouer ses muscles sur les docks. On avait tracé le nom « Sandy » en capitales dans la marge du bas. Il était suivi du chiffre six.

Eff glissa la photo et le morceau de papier dans sa poche.

Il abaissa le couvercle de la cuvette et grimpa tranquillement dessus. Il passa le doigt dans la rainure où la chaîne de la fenêtre à guillotine entrait dans le châssis. Il trouva la boucle du fil de fer qu'il avait caché là. Ça lui prit un moment pour y glisser le bout de son doigt.

Il en extirpa un sachet plastique auto-hermétique. Il prit dans la provision d'herbe, de coke et de pilules, une pilule rose et assez d'herbe pour en rouler quatre joints.

Quand il revint dans l'autre pièce, Mamy avait disposé sur la table une assiette de cookies Pepperidge Farm à la farine d'avoine.

— Le café va pas tarder.

— Désolé, Mamy, faut que j'y aille.

Eff alla au réfrigérateur et y prit une bouteille de boisson rafraîchissante.

— Il y a de l'alcool là-dedans, l'avertit-elle.

— Je suis un grand garçon, Mamy, fit-il en l'embrassant en guise d'au-revoir. Prends soin de toi et reste toujours aussi jolie. Je te téléphonerai.

61

Harvey Thoms, le District Attorney adjoint, vira à droite, tête baissée, le long du couloir vert pâle et se fraya un passage à grandes enjambées à travers un troupeau d'infirmières guidant un malade relié à un pied à perf.

Il avait atteint les chambres à numéro pair, semi-particulières, avec vue sur le fleuve, et accéléra le pas en approchant de la 1612.

La porte était entrebâillée et il finit de l'ouvrir. Il aperçut le lit d'hôpital remonté en position assise et vit qu'il était vide.

Son regard se porta vers la chaise où un infirmier dégingandé feuilletait un magazine de cinéma.

— Où est Montgomery ?

L'infirmier leva les yeux. Les taches sur sa blouse autrefois blanche indiquaient qu'il avait déjeuné d'épinards à la béchamel.

— Montgomery. L'homme qui est censé se trouver dans ce lit. Qu'avez-vous fait de lui ?

Le visage tiers-mondiste n'exprimait que le vide et ignorait visiblement la réponse.

Thoms frappa à la porte de la salle de bains et lui donna une poussée. Il appuya sur l'interrupteur. Les affaires de toilette de Montgomery étaient encore là, disposées pêle-mêle sur la tablette de verre. Thoms toucha la serviette-éponge : elle était humide.

— Bordel de merde, y a personne qui parle anglais ici ? fit-il en se retournant.

On n'avait pas frappé. Quelqu'un se prit les pieds dans une chaise et, levant le nez, Cardozo aperçut Harvey Thoms, à bout de souffle, le visage légèrement congestionné.

— Où est le père Montgomery ?

Cardozo remit lentement sa chaise d'aplomb et s'accouda tout aussi lentement à son bureau.

— La dernière fois que je l'ai vu, il était au Doctors Hospital.

— Il n'y est plus.

— Ah bon ?

— Il faut que nous le questionnions.

Le regard de Cardozo se porta vers le flic baraqué en manches de chemise qui se tenait à la porte de son box, un air de profond ennui sur le visage. Il se demanda s'il était englobé dans ce « nous ».

— A propos de quoi ?

— La mort de Pablo Cespedes et de Tod Lomax.

Cardozo retourna la question dans sa tête ; cela ne lui plut pas.

— Pourquoi aujourd'hui ? Pourquoi, tout à coup ?

— On a découvert de nouvelles preuves.

— Pas à ma connaissance, bon sang. Et c'est moi qui suis chargé de l'affaire, vous avez oublié ?

Thoms ne répondit pas. Il affichait un air énergique et hyperactif comme s'il commençait à relâcher la bride.

— Vous avez qui à votre disposition ? Votre propre équipe d'investigation criminelle ? Un groupe d'intervention privé, peut-être ? Je considérerais comme une marque de politesse professionnelle que vous me fassiez partager vos informations.

— Le D.A. a réexaminé les preuves disponibles.

Thoms lui tendit un mandat de deux pages.

Cardozo le parcourut des yeux. Quelqu'un, avec un stylo-bille défectueux et un tremblement encore pire, avait estropié le nom de Montgomery à quatre reprises.

— C'est un mandat d'amener.

Thoms acquiesça.

— Techniquement, il y a suffisamment d'éléments pour considérer Montgomery comme suspect.

— A d'autres, Harvey. Je ne vois pas l'ombre d'une nouvelle preuve, c'est un changement de tactique. Pour quelle raison ?

— Les groupes de pression latinos s'agitent. Ils veulent voir l'affaire Cespedes progresser.

— Donc, c'est un coup médiatique. Honnêtement, vous croyez que la ville sera mise à feu et à sang si l'on permet au père Joe d'exercer librement quelques-uns de ses droits.

— Dans quel camp êtes-vous Cardozo ?

— Dans le même que le vôtre et celui du D.A. J'essaie seulement de clarifier quelques points et de veiller à ce que les méchants soient arrêtés.

— Pouvez-vous m'assurer que vous nous communiquerez toute info relative à l'endroit où se trouve le père Montgomery qui viendrait à votre connaissance.

— Sur-le-champ.

Cardozo ne put atténuer à temps le ton sarcastique de sa voix.

— Comptez-y.

Une étincelle s'alluma dans l'œil de Thoms.

— Ne jouez pas au plus fin, Vince.

— Jamais pendant mes heures de travail.

Thoms s'approcha de la fenêtre et regarda fixement à l'extérieur.

— Ce n'est pas vous qui l'avez prévenu, n'est-ce pas ?

Cardozo ne put s'empêcher de rire.

— Et merde, j'aurais fait comment ? Comment j'aurais pu savoir ce que vous mijotiez dans votre coin, vous les gars ?

— La réponse est non ?

— Et comment, c'est non.

Après le départ de Thoms, Cardozo téléphona à Bonnie au presbytère.

— Les hommes du D.A. sont venus arrêter le père Joe à l'hôpital. Ils n'ont pas réussi à le trouver. Il semble s'être envolé.

— Ce n'est pas possible.

Sa surprise n'avait pas l'air feinte.

— Vous n'avez pas eu de nouvelles de lui ?

— Il n'y voit *rien*.

— Si vous en avez, vous me le ferez savoir ?

La porte du bar, le Sea Shell, s'ouvrit à la volée. Eff leva les yeux de son verre. Une silhouette se dessinait dans le contre-jour du dernier soleil de l'après-midi. Eff lui fit un signe de la main.

Sandy McCoy aperçut son signe. Il s'approcha de la table, s'il ne louvoyait pas à proprement parler, il ne se déplaçait pas à proprement parler en ligne droite non plus.

— Nell m'a dit que tu voulais me voir.

— J'ai du boulot pour toi, mon frère.

Eff lui tendit la main en signe de bienvenue et tira Sandy sur une chaise.

Sandy portait un débardeur et un bandana noué autour du front. Ça faisait très « *j'suis né dans la rue* », très « *m'fais pas chier* », un look que les p'tits mecs blacks et latinos peuvent assurer, mais pas les blancs-becs style Sandy McCoy.

— T'as soif ? proposa Eff.

Les yeux étonnamment clairs de Sandy se réduisaient à l'iris, la pupille avait à peine la taille d'une tête d'épingle. Il sonda la pénombre où il distingua le bar et ses étagères de bouteilles miroitantes.

Le barman astiquait la caisse enregistreuse. Lui, Sandy et Eff exceptés, le Sea Shell était désert.

Eff fit signe au barman d'apporter un autre soda light.

— Et un tequila sunrise pour mon ami.

— C'est quoi le boulot dont tu parles ?

Sous sa frange brune qui lui tombait sur l'œil, Sandy avait les boules, flippait un max.

Eff s'aperçut qu'il avait pris une de ces doses d'Ectasy meurtrières, qui avaient déboulé dans la rue dernièrement.

— C'est un boulot d'acteur.

— Ça, j'peux pas. Y a un truc qui déconne avec ma queue. Ça me fait mal quand je jouis.

— J'ai dit acteur, pas actif, rectifia Eff. Le mec, c'est un prêtre. Faut que tu fasses semblant de te repentir de tes péchés, que tu te confesses et que tu communies.

Le barman apporta leurs verres et remporta celui d'Eff qui était vide. Eff et Sandy trinquèrent.

— Ça fait une paie que je suis pas allé à l'église.

Sandy irradiait une nervosité quasi électrique.

— J'me rappelle pas quand faut se lever quand faut s'asseoir et tout ce binz des signes de croix.

— T'auras qu'à lui dire que tu savais, mais que t'es trop défoncé pour t'en souvenir.

Eff lui tendit un joint parfaitement roulé.

— Va me fumer ça dans les chiottes des mecs.

Quand Sandy revint, il avait un sourire idiot sur le visage et la démarche chaloupée.

— Fais voir ta langue, dit Eff.

Sandy ouvrit la bouche.

Eff lui posa une pilule rose sur la langue et lui tendit un nouveau tequila sunrise.

Sandy avala.

— C'était quoi ?

Le garçon n'avait même pas une cervelle de moineau.

— Juste pour être sûr que tu resteras cool.

Eff se leva en repoussant sa chaise.

— Allez viens, faut qu'on y aille. Il se fait tard.

— Bordel ! hurla Eff. Tu l'as dépassé !

Le conducteur freina à mort. Le taxi vira sur la droite et pila violemment. Des tremblements et des frissons avaient saisi Sandy, le rendaient malade, lui donnaient le vertige. Il essayait de garder synchrones le son et l'image.

Eff jeta une poignée de biffetons d'un dollar à la tête du chauffeur.

— Apprends l'anglais, connard !

Sandy se retrouva sur un trottoir tranquille bordé d'arbres. Au-dessus des toits en pente des environs, une flèche traçait un filament de feu dans le soleil couchant.

Eff lui fit remonter un bloc d'immeubles, puis le poussa dans une impasse de service.

Des poubelles y étaient alignées, leurs colliers de plastique noir nettement visibles sous le couvercle.

Eff fit grimper à Sandy les trois marches de bois d'un

perron menant à une véranda. Leurs pas résonnèrent lourdement sur le plancher creux.

Eff appuya sur une sonnette.

Au loin, la sirène d'un ambulance hurlait.

Au bout de deux minutes, la porte s'ouvrit. Un prêtre se tenait dans l'encadrement de la porte, vêtu en habits sacerdotaux, prêt à célébrer la sainte messe.

— Entre, Sandy.

Le prêtre souriait, et tout son visage rayonnait.

— Eff m'a beaucoup parlé de toi.

Les vêtements brodés d'or avaient un friselis de chute d'eau. Sandy ne pouvait focaliser son regard sur aucun point fixe.

— Ceci est mon corps que j'ai donné pour vous.

Le prêtre fit un signe de croix.

Aux yeux de Sandy, l'image se décomposait en une série d'instantanés, qui se chevauchaient. La croix se recroquevilla en feuille de trèfle.

Une hostie lévita au-dessus d'un linge placé sur un plateau d'argent.

Sandy ouvrit la bouche pour la recevoir.

Mais le prêtre la lui remit entre les mains.

— Oups.

Sandy entendit sa propre voix comme si c'était quelqu'un d'autre qui gloussait.

— C'est ma faute.

Il savait qu'il merdait sérieux, trop impatient pour faire bien et trop débile quand il faisait mal. *Putain, c'était quoi cette pilule rose ?* se demanda-t-il. *J'ai jamais été comme ça avant.*

Son instinct lui souffla de ne pas rester agenouillé. Il prit appui sur la sainte table pour se remettre debout. Il s'éloigna en vacillant de l'autel.

Au-delà d'un océan de bancs vides, l'église était comme une caverne obscure. La porte à l'autre bout de l'allée centrale lui paraissait inatteignable, à des millions d'années-lumière de là, comme une étoile entrevue par le petit bout d'un télescope.

Des mains le soutinrent. Il flotta en avant, fendant le remous des ténèbres. De l'autre côté de la porte, la lune éclairait un soleil levant. Le soleil avait un visage, et ce visage souriait. En-dessous, des lettres blanches sur le flanc d'une fourgonnette bleue disaient « Dieu t'aime, moi aussi ».

Il flotta vers le haut ; et maintenant, ils roulaient le long d'une rue pointillée d'arbres.

— Dis-moi, mon fils, depuis combien de temps tu t'es enfui de chez toi ?

— Quelques années, s'entendit répondre Sandy.

Pas de gloussement, cette fois. Il s'en tirait mieux, avait retrouvé une prise sur les choses.

— Depuis quand tu prends de la drogue ?

— Quelques années.

— Si tu laisses la drogue te faire descendre au plus bas niveau de la société, tu brises le cœur de tes parents. Tu les voles, tu les trahis.

La tête de l'homme, assis à ses côtés, n'était pas tant tournée vers lui que braquée sur lui. Sa voix aurait pu aussi bien lui parler depuis un instant que depuis une heure.

— Tu emmènes ta petite amie sur les stands de tir et tu vends son corps contre de la dope, et pourtant tu sais que ce n'est pas bien.

— Oui, dit Sandy.

La fourgonnette franchit un portail et pénétra dans un garage.

— Dis-moi, mon fils, depuis quand tu te prostitues ?

— J'en sais rien, bordel...

Dis à ce cave ce qu'il veut entendre.

— Des années.

Des mains aidèrent Sandy, toujours flottant, à descendre de la fourgonnette puis à gravir une volée de marches. Il y avait un mur avec des inscriptions sur lesquelles on pouvait se concentrer :

Conduisez les jeunes pécheurs jusqu'à moi.
Laissez venir à moi les petits enfants.
Celui qui meurt dans la rémission de ses péchés...
...gagne la vie éternelle !

Une vague de nausée le saisit.

— J'ai besoin d'aller aux toilettes.

— C'est juste là.

Il s'agenouilla devant la cuvette et essaya de vomir. Des spasmes infructueux le ravagèrent au point qu'il en eut mal aux côtes. Rien ne vint. *C'est cette pilule. Je sais que c'est cette pilule rose.* Il revint en titubant dans l'autre pièce.

Sur un bureau, de l'encens brûlait dans une petite coupelle de cuivre. L'endroit empestait.

Une voix au ton cajoleur chuchota soudain à son oreille gauche :

— La paix du Seigneur ?

On aurait un dealer vous offrant dans la rue un truc interdit, mais délicieux.

Sandy se retourna.

— Ben ouais, merde, pourquoi pas ?

En ce dernier instant, il avait retrouvé une vision claire comme de l'eau de roche. Un bras drapé d'une chasuble blanche vola dans l'espace, flamboyant de tout l'or de ses ornements.

62

Bonnie se redressa d'un bond, complètement éveillée.

Les ténèbres de la chambre, remplies d'une multitude de silences, l'environnaient. Un rai de lumière s'insinuait à travers les stores. Comme agité d'une pulsation.

Un son rasait l'air, une sorte de couinement étouffé, lointain.

Elle reconnut ce qui l'avait tirée du sommeil : un crissement de freins — ou était-ce un cri humain ?

Elle retint son souffle, l'oreille aux aguets.

A l'extérieur de la fenêtre close, affaibli par le ronron de la climatisation, un bris de verre. Un engourdissement lui gagnait la nuque.

Elle s'extirpa du lit. Les jambes lourdes, elle contourna le fauteuil victorien cannelé à dossier droit. Relevant une lame du store, elle regarda à l'extérieur.

De l'autre côté de la rue, l'une des fenêtres du presbytère clignotait.

C'est le reflet d'un lampadaire, se dit-elle. *Il n'y a personne au presbytère. Si quelqu'un était entré par effraction, l'alarme anti-vol se serait déclenchée.*

Elle attendit. Les fenêtres du presbytère la regardaient comme des yeux morts. On ne voyait que la rue déserte et la voûte grisâtre miroitante de la nuit new-yorkaise.

Une lumière clignota à nouveau, au rez-de-chaussée, à la fenêtre du recteur.

En bas dans la rue, il y eut un gémissement de freins. Une fourgonnette Toyota d'un bleu métallique s'arrêta dans une embardée. Les pneus hurlèrent sur la chaussée. Un homme en uniforme de sécurité s'en expulsa et se précipita vers la porte du presbytère.

Elle laissa retomber le store. Elle s'empara d'un imperméable dans la penderie et le boutonna tout en descendant dans la rue.

Le vigile éclairait de sa torche l'une des fenêtres. Un talkie-walkie crachotait sur sa hanche.

— C'est de ma faute.

Bonnie reprit son souffle.

— J'ai oublié de réenclencher l'alarme.

Les yeux du Black l'examinèrent soupçonneusement.

— Quand ça ?

Il avait un fort accent du Sud, comme un shérif blanc.

— Il y a un petit moment.

Le pinceau de lumière balaya la façade de *brownstone*, les bow-windows, puis remonta jusqu'aux pignons et aux mansardes.

— Assurons-nous que les fenêtres n'ont pas été forcées.

Elle déverrouilla la porte. Une fraîcheur sentant légèrement le renfermé les accueillit. De minuscules points rouges dansaient sur le boîtier de l'alarme. Elle tapa le code.

— Vous voulez que j'aille jeter un œil ?

Il se tenait sur le seuil, lui souriant étrangement.

— Non. Merci. C'est de ma faute. Excusez-moi.

Elle sentait qu'il se posait des questions.

— Signez là.

Il lui tendit une planchette métallique.

Elle signa.

Il toucha sa casquette de la main.

Elle ferma la porte et l'entendit parler dehors dans son talkie-walkie. Un instant plus tard, la fourgonnette s'éloigna.

Ses yeux scrutèrent la pénombre. Elle retenait son souffle.

Au fin fond de la maison, il y eut comme un grincement. A mi-couloir, la porte du bureau du père Joe était entrouverte.

Elle avança dans cette direction. La lampe éclaboussait de

sa lumière tamisée la table de travail. Le fichier était ouvert et le père Joe fouillait dans les dossiers.

Son séjour à l'hôpital l'avait terriblement amaigri.

Comme il était très ordonné en matière de rangement, elle n'eut pas de mal à comprendre ce qu'il faisait : il feuilletait les dossiers de la section B du tiroir du haut, classés par ordre alphabétique, les comptant du pouce. Elle le vit sortir soigneusement celui marqué d'un M.

Puis il se retourna vers le bureau. Il paraissait s'orienter d'après la lumière. Ça lui serrait le cœur de le voir se déplacer avec les mouvements prudents d'un vieillard.

Au moindre pas, il tendait lentement la main devant lui avant de se risquer.

Sa main tendue était quelques centimètres au-dessus du dossier de la chaise. Il buta contre elle et, en grommelant, la repoussa avec impatience de son chemin.

Il atteignit le bureau et ouvrit le dossier. Il tint une page sous la lampe. D'abord, il se pencha, collant ses yeux sur la page, puis se releva et répéta le même manège. Il essaya à diverses distances, avant de pousser un soupir de frustration.

Elle ne l'avait jamais encore entendu soupirer ainsi. Avec exaspération. Cédant presque à la colère.

Presque, mais pas complètement.

— Mon Dieu, ayez pitié de votre serviteur mal luné.

Elle pouvait le sentir qui se calmait, se ressaisissait.

Il se tourna à nouveau, s'orientant cette fois à partir du bureau dans son dos. Il avança lentement en ligne droite jusqu'au mur. Sa main vint donner contre le lambris. Il gagna en tâtonnant sur la droite la tablette de la cheminée.

Il s'accroupit devant l'âtre. Il trouva à tâtons l'un des chenets et la coupe de cuivre jaune où se trouvaient de longues allumettes décoratives. Il en craqua une et la fit passer à plusieurs reprises devant ses yeux.

Il ouvrit le dossier et tendit le premier feuillet à la flamme. Quand il prit feu, il chercha à l'aveuglette du petit bois sous la bûche, qu'il enflamma à son tour avec le papier. Puis il remit le morceau de petit bois sous la bûche. Il froissa en boule le feuillet suivant et en alimenta le feu.

— Joe, fit-elle.

Il poursuivit sa tâche sans manifester de surprise.

— Bonsoir, Bonnie.

— Vous devriez être à l'hôpital.

— Il faut que je brûle tout ça.

— C'est quoi ?

— Des transcriptions de mes entretiens avec Martin Barth, et tous ceux qui ont M.B. pour initiales. J'aimerais être plus précis dans ma guerre-éclair, mais je ne peux pas.

Elle fut prise soudain d'une si violente migraine qu'elle eut l'impression que sa tête était lourde comme du plomb.

— Au fait, je me déplace avec moins de difficultés que je n'en ai l'air. C'est simplement d'être resté alité si longtemps qui fait que je suis faible sur mes jambes.

— Je ne peux pas vous laisser brûler ces papiers.

Il se tourna dans sa direction. Nonobstant sa perte de poids et sa pâleur maladive, il affichait un air de vigoureuse détermination.

— Tout ce qu'un paroissien me confie sous le sceau du secret doit rester confidentiel. Je me moque des diktats de la loi.

— Y a-t-il là quelque chose que vous dissimulez ?

— Absolument pas.

— Alors à quoi bon ?

— Eh bien, je ne suis pas un agent de l'État. Ces papiers auraient beau n'être que des listes de commissions, la police n'en aurait pas moins aucun droit d'y jeter un œil. Je ne vous demande pas d'être d'accord avec moi, je ne vous demanderai même pas de m'aider à détruire ces papiers. Mais, je vous en prie, ma chère, n'essayez pas de m'arrêter.

— Des nouvelles du père Joe ? demanda Cardozo.

— Il n'a pas appelé.

Il y avait quelque chose d'hésitant, presque d'apeuré dans la voix de Bonnie. Mais la communication était peut-être mauvaise.

— Prévenez-moi s'il le fait.

Cardozo raccrocha et resta assis là à tambouriner de ses doigts sur le bord de son bureau.

— Mauvaises nouvelles ?

Ellie pénétra dans le box, avec une pile de rapports tout frais, semblait-il. Aujourd'hui, elle portait une robe éclaboussée d'audacieux motifs orange sur fond gris, comme des graffiti sur un mur.

— Pas de nouvelles.

— Quelquefois ça vaut des mauvaises.

— C'est pire. C'est quoi ça ?

— Les résultats de l'enquête de voisinage 2-Highland.

— Ça a donné quelque chose ?

— Nada.

Elle regarda le bureau, puis lui. Sans un mot, elle dégagea un espace dans le chaos de paperasse et y laissa choir les rapports.

— A côté de Highland Avenue, Beyrouth c'est de la petite bière. Je n'imagine pas comment ceux qui y vivent arrivent à survivre.

Cardozo feuilleta la pile. Quelque chose arrêta son attention, comme le soupçon subliminal qu'il avait laissé échapper une possibilité. Il refeuilleta la pile et se concentra sur la liste des locataires de l'un des immeubles.

— Sam et toi vous avez interrogé une femme du nom de Delphillea Huttington ?

Ellie acquiesça.

— Une vieille adorable.

— Je me demande s'il pourrait pas y avoir une faute de frappe.

Il décrocha et composa le numéro. Une voix de femme répondit.

— Allô, madame Huttington — ou n'est-ce pas plutôt Huffington ?

— Mon nom, c'est Huffington.

— Je cherche un jeune homme du nom d'Eff Huffington.

— Eh bien, Francis, mon petit-fils, se fait quelquefois appeler Eff. C'est son surnom.

— J'ai envoyé une lettre à votre petit-fils à votre adresse. Est-ce qu'il l'a reçue ?

En entendant « petit-fils », Ellie se retourna.

— Bien sûr, mon père.

Le ton devint amical.

— Comme ça me fait plaisir de parler enfin avec vous, même si ce n'est qu'au téléphone.

— Tout le plaisir est pour moi, madame Huffington.

— Eff a reçu votre lettre hier. Il m'a dit qu'il allait s'occuper de tout immédiatement. Je lui dirai que vous avez téléphoné. Mais il va vous donner de ses nouvelles, j'en suis sûre.

— Comment puis-je joindre Eff ? C'est urgent.

— Mon Dieu, j'aimerais bien le savoir. Il a jamais eu d'adresse. Je ne suis en contact avec lui que lorsqu'il passe me voir.

— Merci beaucoup de votre aide, madame Huffington.

— De rien.

Cardozo raccrocha.

Ellie le dévisageait.

— Ça ne m'a pas effleuré l'esprit. Delphillea Huffington est noire, Eff est blanc.

— Elle l'a adopté.

— Mais c'est une personne tout ce qu'il y a de convenable. Et lui, c'est un monstre.

— Elle l'a récupéré trop tard. Le mal était déjà fait. Tout ce qu'il a appris de Delphillea Huffington, c'est comment pigeonner les gentilles vieilles dames.

Cardozo tambourinait sur le bureau avec la pointe de son stylo-bille.

— Dès que j'ai prétendu avoir envoyé une lettre à Eff, elle m'a appelé mon père.

— Ce qui signifie que le père Tartempion envoie des lettres à Eff à cette adresse.

Ellie regarda par la fenêtre.

— Les photos des victimes du Tueur de la Communion ont été expédiées à la même adresse.

— C'est donc le père en question qui envoie les photos.

Cardozo se leva d'un bond. Soudain, il ne pouvait plus tenir en place.

— Ce sont des bons de commande. Il dit à Eff : « Je veux celui-ci ou celle-là. Amène-les-moi. » Et Eff emmène ces gosses à l'abattoir.

L'appartement en sous-sol était bien tenu, mais sombre. Delphillea Huffington avait égayé l'endroit de peintures des Caraïbes. Une pendulette brillait sur la table à thé et à l'autre bout de la pièce, posé sur le piano droit, un calice garni de pierreries attrapait la lumière de la lampe voisine.

— J'espère qu'Eff n'a pas d'ennuis, dit Mme Huffington.

— Pas du tout.

Cardozo lui avait montré une fausse carte. Il lui avait déclaré faire partie du bureau de vérification du service de placement familial de la ville.

— Si quelqu'un a des ennuis à se faire, c'est l'une de nos assistantes sociales.

Delphillea Huffington renversa sa tête grise en arrière contre le coussin de dentelle au petit point de son rocking-chair. Elle contempla le plafond.

— Nous réexaminons la façon dont on s'est occupé du cas d'Eff, dit Cardozo. Son dossier a été égaré.

— Ça me surprend pas qu'on ait voulu égarer ce dossier.

— Vous rappelez-vous le nom de la personne chargée du cas d'Eff ?

— J'oublierai jamais cette femme. Elle s'appelait Ivy Melrose.

Cardozo prit note, au nom de la vraisemblance.

— Quelle raison vous a-t-elle donnée pour vous retirer la garde d'Eff ?

— Elle m'a dit que c'était à cause du règlement. Si vous voulez mon avis, c'était du racisme — ils veulent pas croire pas qu'un Noir puisse élever un Blanc. Je suis peut-être pas riche ni quelqu'un qui a de l'éducation, mais j'ai le bon sens avec lequel je suis née et je sais comment on aime un enfant. Il y a plein de Blancs qui adoptent des enfants noirs et, certains d'entre eux, ils savent aimer personne. mais vous verrez jamais un Noir autorisé à adopter un Blanc.

— Vous avez essayé d'adopter Eff ?

— Je l'ai adopté et je peux vous montrer les papiers qui le prouvent. Bien entendu, miss Melrose m'a dit que ces papiers valaient rien — la date allait pas, la signature non plus, les agrafes non plus, c'était tout quoi qu'allait pas. S'ils veulent vous mettre dans votre tort, ils trouvent le moyen. Alors ils m'ont enlevé mon p'tit ange pour le placer dans une famille blanche.

C'était encore le milieu de l'après-midi, mais le filet de lumière qui se coulait entre les barreaux du soupirail évoquait les derniers vestiges du jour.

— On m'a dit que les gens à qui ils l'ont confié participent à tous les programmes municipaux pour soutirer tous les dollars qu'ils peuvent. On m'a dit qu'ils vont en vacances aux Bermudes, chaque année — où ils ont une maison. Il y a des gens qu'ouvriraient pas leur maison à un enfant sans être payés. Gagner leur vie, c'est le problème, pas la solution. Personne m'a jamais donné un sou. J'aimais cet enfant. Et je l'aime toujours.

— Il y a combien de temps que le service vous a retiré Eff ?

Son visage se durcit, comme si elle avait encore du mal à croire que c'était arrivé.

— Ça fera six ans le 18 juillet, cette année. Il pleurait comme un bébé de cinq ans quand ils lui ont fait passer cette porte.

— Et vous êtes restée en contact avec lui ?

— Miss Melrose a essayé de me dire que je pouvais pas, mais j'ai pris un avocat qu'a mis les choses au point avec elle. Je vois mon Eff une ou deux fois par mois, au moins. Et à toutes les vacances. Il oublie jamais mon anniversaire.

— V is le contactez comment ?

Un instant, elle plissa le front.

— S'il veut me voir, il m'appelle.

— Vous n'avez pas son adresse ?

Le sujet parut la mettre mal à l'aise. Elle fit effectuer à sa tasse un demi-cercle sur la soucoupe.

— Il reste jamais nulle part assez longtemps. En fait, il vient chercher son courrier ici. Il fait pas confiance à ses parents nourriciers.

— Je parie qu'il reçoit beaucoup de courrier.

Elle lui lança un regard prudent.

— C'est pas ce que je dirais. Eff a du mal à se faire des amis. Mais il a un correspondant. Un prêtre qui lui envoie des lettres et des photos.

— C'est bien qu'Eff ait un ami de ce genre. Vous ne sauriez pas le nom de ce prêtre ?

— Eff me l'a jamais dit.

— Vous n'avez jamais remarqué l'adresse de l'expéditeur ?

— Y en a pas.

Cardozo brisa le silence en s'emparant de la pendulette sur la table à thé.

— Je parie que c'est Eff qui vous en a fait cadeau.

— Comment vous avez deviné ? fit-elle, agréablement surprise. Il a déniché ça dans un marché aux puces. La plupart de mes babioles, c'est des cadeaux d'Eff. Il a l'œil pour ce qui a de la valeur.

— Très jolie.

Cardozo se posait des questions au sujet du calice posé sur le piano, mais préféra taire ses remarques.

— Eff veut que j'aie des jolies choses.

Mme Huffington se balançait en souriant.

— Il dit que je suis la chérie de son cœur et qu'un jour, il me fera emménager dans un appartement à Peter Cooper Village. Peut-être qu'il rêve, mais c'est un beau rêve. Qu'est-ce qui nous reste à nous autres pauvres, au jour d'aujourd'hui ? On allume la télé, et quand on regarde la pub, on se sent en exil dans son propre pays.

Cardozo regagna Highland Avenue. Deux hommes habillés

pauvrement passèrent près de lui en titubant, clignant des yeux comme si la lumière du jour leur était un supplice. Ils avaient l'air de toxicos, de types qui faisaient la manche ou de braqueurs en chômage technique.

A l'extrémité du bloc, un petit garçon noir correctement vêtu se tenait à côté de la bouche d'incendie près de laquelle Cardozo s'était garé. Il se tenait là et regardait Cardozo approcher. Ce dernier était à cinq mètres à peine quand le petit garçon pénétra en courant dans un immeuble à l'abandon.

Ellie lui ouvrit la porte de la Honda.

— T'as vu la vitesse à laquelle ce gosse s'est tiré ?

Cardozo se glissa près d'elle sur le siège avant.

— Il fait le guet et quand il voit un flic, il entre dans ce nid à crack pour prévenir.

— Combien tu penses qu'il se fait ?

— Dans les huit cents dollars par semaine.

Ellie démarra, déboîtant en douceur.

— Ça s'est passé comment avec Mme Huffington ?

— Je crois qu'elle a pas été dupe, mais j'ai eu ce que je voulais. Tout ce qu'il nous faut savoir maintenant, c'est quand la prochaine lettre arrivera.

Au croisement, le feu était au rouge et Ellie ralentit, puis s'arrêta.

— Tu te rends compte que tout ce fric est net d'impôts ? Quand il aura seize ans, il sera à la tête d'un demi-million de dollars.

Cardozo tourna son regard vers elle.

— Tu me cafteras à Pierre Strauss si je fais mettre la ligne sur écoute ?

— Vince, je t'ai déjà cafté à qui que ce soit pour quoi que ce soit ?

Le feu passa au vert.

— Où va-t-on ?

— On revient au dock. C'est là que Tod Lomax zonait et ce doit être là que notre père se dégotte ses fugueurs. Et il vient juste de s'en dégotter un nouveau.

63

Cardozo trouva Nell Dunbar, près du mur de l'entrepôt, faisant une réussite sur sa couverture en patchwork toute tachée.

— Nell, c'est encore moi. Vince Cardozo.

Elle leva les paupières, lança un coup d'œil à Cardozo, puis retourna à ses cartes.

Cardozo se mit à croupetons et posa la photo d'Eff sur sa reine de cœur.

— Tu le connais ?

Elle jeta un œil sur la photo.

— Je l'ai déjà vu.

— Faut que je le retrouve.

— J'peux pas vous aider. C'est Eff qui contacte le dock. Le dock contacte pas Eff.

Elle couvrit la photo d'un valet.

— C'est comme ça qu'il fait son bizness.

— Quel genre de bizness ?

Elle essuya d'un revers de main un filet de moiteur sur sa lèvre.

— Un peu de tout.

— Il a fait du bizness avec toi ?

Elle ne répondit pas.

Il sortit cinq dollars de son portefeuille et les posa sur son valet de cœur. Elle fixa le billet.

— J'ai travaillé pour Eff.

— Quel genre de travail ?

— A votre avis ? C'est un mac.

Cardozo ajouta cinq dollars aux premiers.

Elle ramassa les billets et les fourra dans son débardeur.

— Il m'a donné cinquante dollars pour participer à une Omaha. De temps en temps, il y a plus de fric à se faire avec une spécialité.

— Est-ce qu'il y a certaines spécialités avec des prêtres ?

Elle hésita, baissa les paupières.

— Il y a bien un prêtre qui prend son pied à confesser les pécheurs et à leur donner la communion. Mais faut faire semblant d'être gay. J'ai jamais fait ça.

— Quand Eff est venu ici pour la dernière fois ?

— Hier. Mon ami Sandy a fait une spécialité pour lui.

— Avec le prêtre ?

— Sandy m'a pas dit avec qui. Je l'ai pas revu depuis.

— Sandy est parti quand ?

— Hier, vers 6 heures — il est allé au Sea Shell. Il avait rendez-vous avec Eff.

Le juke-box fredonnait *I'll be seeing you* quand Cardozo poussa la porte. Il n'y avait que trois clients dans le bar faiblement éclairé : deux hommes à une table, près de la fenêtre, et un jeune homme en chemise sport verte, biberonnant sa bière dans le coin.

Le barman rangeait des bouteilles de bière sur une étagère en miroir, une pour chaque marque que le bar servait. Il donna l'impression à Cardozo d'un vieil homme tâchant de préserver chaleur humaine et bon ordre dans un endroit et à une époque dépourvus des deux.

Cardozo commanda un Pepsi light.

— Vous voulez ça dans un verre ?

Le vieil homme portait une chemise à carreaux, dont les manches étaient roulées sur de puissants biceps. Sous des sourcils d'un blanc de neige, ses yeux étaient étonnamment bleus.

— Dans la boîte, ça ira très bien.

Le barman lui apporta une boîte glacée et l'ouvrit d'une chiquenaude.

Cardozo posa la photo d'Eff sur le bar.

— Est-ce que vous avez aperçu ce gosse ici, hier vers 6 heures ? Il aurait pu y être avec un ami.

Cardozo s'apprêtait à sortir son insigne, mais le barman lui signifia d'un geste que ce n'était pas la peine.

— Je me souviens de vous.

Il chaussa des lunettes pour voir de près, en fronçant le sourcil. Au bout d'un instant, il opina de la tête.

— Un gamin qui la ramène, avec une boucle d'oreille en forme de crucifix à l'oreille gauche. Baskets Nike, jeans noirs. Il se pavanait comme s'il avait cinq cents dollars en poche. Il m'a appelé « mon brave ». Il a bu un soda light, mais a commandé deux tequila sunrises pour son ami. Le genre qui claque.

— Décrivez-moi l'ami.

— Un petit peu plus âgé, brun, maigrichon, défoncé. L'air de zoner du côté du dock, là-bas.

Le barman fit un signe de tête vers la vitrine donnant sur la circulation qui obstruait West Side Drive.

— Une douche lui aurait pas fait de mal, ni un coup de rasoir ni plein d'autres choses.

— Vous avez une idée où ils sont allés ?

— Ils sont partis ensemble sur le coup de 7 heures, 7 heures et demie.

Le barman remit ses lunettes en place dans la poche de sa chemise.

— J'ai entendu le blond parler de prendre un ferry.

Le juke-box diffusait *Que sera, sera* quand Ellie Siegel pénétra dans le bar.

— Dieu bénisse la clim, dit-elle en se tamponnant le front d'un Kleenex. Cette jetée de Gansevoort Street, c'était une impasse. Très chaude, l'impasse. Vince, tu me cafteras pas si je prends une bière ?

— Je me mêle pas de ça. C'est une affaire entre toi et ta conscience.

— Ma conscience peut faire avec.

Ellie sourit au barman.

— Une Rolling Rock.

Il lui donna un verre et une bouteille couverte de buée.

— C'est la maison qui régale.

— Merci bien, mais c'est interdit.

Ellie posa trois dollars sur le bar et emporta sa bière à une table, près du juke-box.

Cardozo la suivit.

Ellie sirotait la mousse.

— Si tu n'as pas fait mieux que moi, on a perdu une demi-journée.

— Eff était ici hier au soir en compagnie d'un gosse appelé Sandy. On n'a pas revu Sandy depuis.

Ellie reposa son verre. Un rayon de soleil posait une légère vibration en travers de la table en formica.

— Tu as une idée de l'endroit où ils sont allés en partant d'ici ?

— Le barman les a entendus parler d'un ferry.

— Pour une fois, je me réjouis que les moyens de transports de New York soient en pleine déconfiture. Il n'y a que deux lignes de ferry qui partent de Manhattan — pour Staten Island et Hoboken.

Elle avala une longue gorgée de Rolling Rock et soupira.

— Laquelle tu prends ?

Cardozo fouilla sa poche à la recherche d'un cent.

— Je te joue Staten Island à pile ou face.

Cardozo calcula qu'Eff et Sandy ne pouvaient pas avoir atteint le ferry de Staten Island avant 8 heures.

Il posa deux postulats de départ. Petit a : les employés des transports municipaux ont tendance à travailler aux mêmes heures, cinq jours par semaine. Petit b : l'un d'eux était susceptible de se souvenir d'un ado blond à queue-de-cheval, avec un crucifix à l'oreille, et dont l'attitude passait à peu près aussi inaperçue que les piquants d'un porc-épic.

Cardozo fit tout sauf un tabac à deux différents guichets. Il demanda à l'employé de regarder la photo et récolta un grognement pour toute réponse — « Tu rigoles ! » Il sortit son insigne pour montrer que ce n'était pas le cas. Et remercia l'ensemble du personnel pour son aimable collaboration.

Il prit le ferry de 8 heures à Battery Park et questionna le personnel en marquant sensiblement quelques points : un homme armé d'un balai n'était pas sûr, mais croyait bien avoir eu des mots avec ce petit salopard à propos de l'usage des poubelles.

Comme le ferry touchait à l'embarcadère de Staten Island, le ciel s'assombrissait et des nuages frangés de rose changeaient de forme comme un kaléidoscope au ralenti.

Cardozo se joignit au flot des banlieusards dévalant la passerelle. Ils se pressaient pour aller faire la queue à l'arrêt du bus. Aucun bus n'était en vue. Deux taxis attendaient à une station et aucun client n'était en vue.

Il promena ses regards à l'entour, se mettant à la place d'Eff, pesant les options. *J'ai rendez-vous avec un prêtre dans cette île. J'ai un défoncé bourré en remorque, donc hors de question d'y aller à pied. Qu'est-ce que je fais ?*

Il y eut une bouffée de sirènes à l'ouest. Cardozo traversa en direction de la file de taxis.

Ellie Siegel était assise face à un bureau en bois tout crevassé au Q.G. de la compagnie de taxis d'Hoboken, dans la 3e Rue. Elle adressait son plus joli sourire au dispatcher qui menait une discussion à trois avec un téléphone et un micro radio.

— Weehawken, dit-il pour la seconde fois dans le micro.

Mais la radio ne répondit pas. Il dit alors au téléphone : Dans trois minutes. Puis il raccrocha violemment, adressant une grimace à Ellie.

— Excusez-moi de cette interruption. Où en étions-nous ?

— Je vous demandais si l'un de vos chauffeurs n'aurait pas pu charger ce jeune homme au ferry hier au soir. Probablement aux environs de 8 heures, 8 heures et demie. Il aurait été accompagné d'un autre jeune homme.

Le dispatcher farfouilla dans les papiers posés sur son bureau pour retrouver la photo qu'elle lui avait donnée. Il fixa un bon moment le garçon à cheveux longs et queue-de-cheval.

— Qu'est-ce qu'il a fait ? Il a tué quelqu'un ?

Le dispatcher portait une imitation de chemise hawaïenne des années cinquante, un pantalon de toile kaki et des mocassins. Ellie savait qu'il portait des mocassins parce qu'il avait un pied posé sur le bureau.

Elle émit un son qui n'était à proprement parler ni tout à fait un oui ni tout à fait un non.

— Nous aimerions l'interroger.

— Vous avez une idée de sa destination ? Je pourrais vérifier sur les feuilles de service.

— Une église, c'est possible.

— Une église ?

Le dispatcher darda son œil brun sur elle.

— A 9 heures du soir ?

— C'était une visite privée.

Le dispatcher se gratta le derrière de l'oreille.

— Combien de photos vous pouvez me donner ? Je les ferai circuler.

Ellie ouvrit son sac.

— Vous pouvez en utiliser combien ?

Assis dans le fauteuil, le père se laissait aller à la dérive. La climatisation donnait un doux élan au silence. Ce fut un long moment de contentement flottant.

Et puis il en fut tiré par quelque chose.

Il prit peu à peu conscience de la main de Sandy qui touchait la sienne, se rappelant à sa présence. Le père ouvrit les yeux.

— J'ai encore besoin d'un instant pour me ressaisir tout à fait.

Sandy lui répondit par un silence.

Le père tâcha d'ignorer ce silence. Il détestait qu'on le presse. Il porta le verre à ses lèvres et lampa les dernières gouttes de rhum. Une chaleur se répandit dans tous ses membres. Il tâcha d'en jouir. Il s'essuya les lèvres du dos de la main.

Il sentit à nouveau la pression des doigts de Sandy, cette impatience si agaçante.

— Vous, les jeunes, dit le père en secouant la tête, vous êtes un vrai paradoxe. Aucune raison de vivre et pourtant toujours si pressés.

Il se demanda ce que ça devait être d'être quelqu'un comme Sandy, d'appartenir à une génération façonnée par la pauvreté matérielle, le manque de spiritualité, la drogue et la violence.

Dieu merci, je ne suis pas Sandy. Dieu merci, j'ai un point d'ancrage.

Le verre vide tinta légèrement quand il le reposa sur la table. Il se mit debout, se concentra, et serra la main de Sandy.

— O.K., mon garçon, je te ramène.

Le père avait retrouvé son assise et c'est d'un pas ferme qu'il descendit les escaliers et se dirigea droit vers la fourgonnette, sans dévier, stimulé par une énergie et une volonté qui s'ajoutaient aux siennes. Il ouvrit tout grand la porte de la fourgonnette, dont les gonds grincèrent à peine. Il souleva le couvercle de la glacière en polystyrène.

Sandy le fixait de ses yeux remplis d'un effroi tranquille. Sa bouche n'était plus que le rond d'un O.

Le père rangea la main de Sandy avec les autres parties de son corps, en l'alignant soigneusement sur les avant-bras. Il ferma une paupière après l'autre, les embrassant tour à tour. Ses lèvres effleurèrent la bouche de Sandy.

— Dieu t'aime, murmura-t-il. Moi aussi.

64

Cardozo relut l'entrée de 1 heure et demie du matin. Suivant le rapport, Bonnie Ruskay était sortie de chez elle en toute hâte, en imperméable. Elle avait traversé la rue, discuté cinq minutes avec un garde de sécurité, et passé presque une heure dans le presbytère. Elle avait regagné son appartement à 2 h 25.

Cardozo téléphona à la compagnie Empire Security et déclina son identité.

— Vous avez envoyé un de vos hommes au 92, 69ᵉ Rue Est à 1 heure et demie ce matin. Vous pouvez vérifier pourquoi ?

— Un instant.

New York, New York, version Liza Minnelli, éclata dans l'écouteur. Cardozo l'éloigna de son oreille jusqu'à ce que la femme revienne en ligne.

— On a pénétré dans l'immeuble à 1 h 22 du matin. Le code de sécurité n'ayant pas été transmis, on a dépêché un de nos gardes sur place.

— Et qu'est-ce qu'il s'était passé ?

— Pas d'effraction. La dame avait simplement oublié de réenclencher l'alarme.

Cardozo reposa le récepteur. De son stylo-bille, il battait au rythme d'un boléro le bord d'un tiroir ouvert. Au bout d'un moment, il composa un numéro et compta sept sonneries.

— Henahan.

Une voix de zombie mal luné.

— Je t'ai réveillé, Jack ?

Cardozo avala une gorgée de café tiédasse tandis que Henahan grommelait.

— Désolé, mais écoute, j'ai vérifié ton rapport de planque et j'ai vu qu'un vigile a été dépêché au presbytère. D'après la compagnie, on est entré, mais sans effraction. T'as vu quelque chose ?

— Je matais pas le presbytère, Vince. J'étais de l'autre côté de la rue à veiller sur Ruskay.

— On dirait que c'est quelqu'un qui avait la clé, mais pas le code de l'alarme. Quelqu'un est sorti avec Ruskay quand elle a regagné son appart ?

— Elle était seule.

— Et plus tard ?

— Tu m'avais pas dit de surveiller aussi le presbytère.

— Je sais, mais t'aurais vu personne par hasard ?

Henahan soupira.

— Laisse-moi réfléchir. Ça devait être une heure, une heure et demie plus tard — il y avait plus de lumière dans son appart à elle —, j'ai vu une fourgonnette franchir le portail.

— C'est un homme qui conduisait ?

— Je sais pas si c'était un homme qui conduisait, mais c'est un homme qui a ouvert le portail.

— Tu peux me le décrire ?

— Désolé, Vince. Il faisait noir et je savais pas que c'était important.

Cardozo appela Harry Thoms au bureau du District Attorney.

— Vous avez eu de la chance dans vos recherches du père Montgomery ?

— Pas la moindre. Et vous ?

— Rien jusqu'ici.

La matinée grise promettait de la pluie. Cardozo appuya sur la sonnette. A travers le rideau de la fenêtre du presbytère, il aperçut une ombre s'approcher et reconnut la façon de se déplacer de Bonnie Ruskay, tout en glissando.

Elle ouvrit la porte et il vit ses yeux trahir une légère alarme, qu'elle dissimula derrière un sourire.

— Ne me dites pas que vous vous faites encore du souci pour moi.

— Je n'arrête pas de m'en faire.

— Entrez.

Il ne se fit pas prier.

— Je suppose que vous n'avez pas eu de nouvelles du père Joe ?

Elle s'activait à taper le code dans le boîtier de l'alarme.

— Il n'a pas téléphoné.

Cardozo prit conscience qu'elle ne répondait pas exactement à la question qu'il lui avait posée.

— Il est venu ici ?

— C'est chez lui.

Cardozo sentit qu'elle jouait sur d'infimes distinguos, comme un avocat.

— Récemment ?

— Je ne monte pas la garde devant le presbytère.

— Il est ici en ce moment ?

— Ça me surprendrait beaucoup.

— Verriez-vous un inconvénient à ce que je vérifie ?

— Vous ne me croyez pas ?

— A moins que vous n'ayez vérifié vous-même, vous ne pouvez rien affirmer avec certitude.

— Vous pouvez vous charger du boulot tout seul ou il vous faut du renfort ?

— Je peux me débrouiller tout seul.

Elle fit un pas de côté dans une sorte de pirouette dansée.

— Pourquoi ne pas aller voir ensemble ?

Dans le bureau du père Joe, sur la table de travail nue, on ne voyait que le porte-stylos, le buvard et le vase de cristal avec son unique jacinthe jaune.

— C'est une fleur fraîche, dit Cardozo.

Elle opina.

— L'un des petits rituels de la femme de ménage.

Sur la table à café étaient soigneusement empilés des livres et les derniers numéros de divers magazines. Malgré la climatisation poussée à fond, il régnait une chaleur presque lourde dans la pièce. La fenêtre était légèrement entrebâillée, et il comprit que l'appareil avait été mis en position *exhaust*.

— Vous aérez ?

— Ces vieilles demeures new-yorkaises sentent vite le moisi.

Il y avait des traces de cendres et des fragments de papier noirci et racorni dans la cheminée sous la bûche de cèdre.

Elle ouvrit la porte de la penderie.

— Bon, eh bien, il ne se cache pas là-dedans.

Cardozo la suivit à l'étage. Tout en montant les marches, il sentit que sa chemise blanche réclamait le pressing. Par une journée lourde comme celle d'aujourd'hui, la chemise blanche de n'importe qui réclamait le pressing.

Elle alluma une lampe dans la chambre du père Joe et Cardozo eut la sensation momentanée de se trouver dans une suite d'hôtel immaculée. On avait fait le lit et on y avait entassé des oreillers de soie. L'air fleurait l'encaustique citronnée.

— Quelqu'un a fait du sacrément bon boulot par ici, dit-il.

— Je suis très contente de la nouvelle femme de ménage.

La visite s'acheva dans le garage.

— Où est la fourgonnette ? demanda Cardozo.

— Aujourd'hui, elle sert de cuisine roulante. Vous n'êtes pas au courant ? On sert des repas chauds aux détenus.

Solomon Jones savait quand il avait besoin de souffler et sa famille de se reposer. Aussi prit-il une journée d'arrêt-maladie, une provision d'*arroz con pollo* à la *bodega* du coin et emmena sa femme et sa fille au Ramble, dans Central Park.

On était en semaine, et il avait plu ce matin-là, aussi personne n'avait réquisitionné la table de pique-nique en haut du monticule boisé. Solomon et Phoebe trinquèrent en choquant leurs boîtes de Coors glacée et goûtèrent avec délices le soleil et le bon air sur la peau.

Solomon regardait vers le bois où sa petite fille explorait les buissons derrière le belvédère en chêne. Mineola portait sa robe d'anniversaire ; elle venait d'avoir six ans et éclaboussait d'une tache jaune bondissante le vert du feuillage.

Il soupira.

— Voilà comme la vie devrait être. Sauf que cette salope à la radio m'oblige à écouter du Schubert. C'est qui elle d'abord ?

Avant qu'il ait pu atteindre le transistor et se brancher sur une station de rock, Phoebe rejeta ses cheveux sur ses épaules et se pencha pour l'embrasser. Elle portait un pantalon blanc en toile très fine et un chemisier blanc transparent noué à la taille, qui glissaient sur elle comme de la soie, et Solomon sentit que ses pensées changeaient de cours.

Là-bas, dans les bois, quelque chose s'ouvrit avec un craquement et Mineola poussa un hurlement étranglé. C'était drôle, un peu comme si elle n'avait hurlé qu'à moitié.

Solomon ouvrit un œil.

— Qu'est-ce qu'elle a encore fait ? murmura Phoebe.

— Mineola, cria Solomon. Arrive ici.

La fillette sortit des buissons en courant à toutes jambes. Sa robe était barbouillée de rouge.

— Mon Dieu, ma chérie, fit Phoebe, qu'est-ce que tu as a fait à ta jolie robe ?

La petite fille tortillait le bout de ses manches, ce qui aggravait les taches.

— Il y a une boîte là-bas.

— Ne va pas te salir avec les boîtes des autres.

Solomon sentit quelque chose murmurer comme une alarme entre les arbres. Il se leva de table et prit Mineola par la main. La fillette tremblait de tous ses membres. Elle serrait le poing si fort qu'il dut le lui rouvrir un doigt après l'autre.

Sa paume était rouge et gluante. Le rouge, c'était du sang, mais, Dieu merci, pas le sien.

Solomon lui parla gentiment.

— Montre-moi où tu as trouvé cette boîte, ma chérie.

L'ouvreur déverrouilla la porte de la loge d'honneur. Le cardinal y pénétra.

William Kodahl, le District Attorney, et ses invités étaient déjà là. Kodahl fit les présentations. Le cardinal salua chacun d'une légère inclinaison de tête. Inutile de leur tendre la main pour qu'ils baisent l'anneau, l'exiguité du lieu aurait rendu la chose malaisée.

Une dame du nom de Samantha Schuyler tenta de le forcer à accepter un siège sur le devant de la loge.

— Je vous en prie, Votre Eminence, je l'ai tenue au chaud pour vous.

Le cardinal déclina l'offre gentiment, mais fermement.

— L'un des contraintes de ma fonction, c'est que je ne dois pas me montrer à l'opéra. Si personne n'y voit d'inconvénient, je prendrai le siège du fond — et je le reculerai encore un peu.

Wallingford Amory, P.-D.G. de l'Americas Trust Company, lui céda sa place.

— Pensez à ce pauvre pape, Votre Eminence, qui adore la musique classique et ne peut se rendre au concert.

Amory plaça la chaise aux coussins de velours de manière à la dissimuler dans l'ombre.

— Pour le punir de s'être élevé à la tête de l'Eglise, Dieu l'a condamné à n'écouter que le chœur du Vatican.

— Ouch, fit le cardinal en s'asseyant.

Les autres l'imitèrent.

L'épouse du District Attorney se tourna sur son siège pour lui tendre un livre.

— J'espère que vous ne verrez aucun inconvénient, Votre Eminence, à la liberté que j'ai prise de vous le dédicacer.

Le cardinal eut un léger recul en lisant l'intitulé de la couverture : *La Symphonie Fantastique — la véridique histoire d'amour de la plus séduisante des héritières et du plus ardent des maestros.* En l'ouvrant et en ne voyant figurer nulle part ni *imprimatur* ni *nihil obstat,* il ressentit une pointe de frayeur. Le temps qu'il atteigne la page de titre et s'aperçoive qu'il ne s'agissait que d'une dédicace manuscrite, son esprit avait battu doucement la campagne. *Oserai-je dédicacer cet ouvrage au cardinal Barry Fitzwilliam ? Avec ma plus profonde admiration, Pamela Proulx-Martin Kodahl.*

— Eh bien, je vous remercie infiniment, dit le cardinal, accrochant son masque de gratitude souriante. Je compte bien me détendre en le lisant. Est-ce un roman léger ?

— Léger, je l'espère. Mais ce n'est pas un roman. Chaque mot m'a coûté beaucoup de recherches.

Les lustres de cristal, dont l'éclat diminua d'intensité jusqu'à la pénombre, remontèrent vers le plafond doré. Le maestro russe gagna en hâte la fosse d'orchestre. Des applau-dissements éclatèrent. Des bijoux étincelaient aux poignets dans l'obscurité.

La baguette du chef se leva prestement et l'orchestre du Bolchoï attaqua en fanfare l'ouverture de *Carmen*. La musique familière envahit le cardinal comme le flux confortable d'une marée montante. Des lambeaux de pensées lui traversèrent l'esprit. *Ah Carmen. Pour une belle œuvre, ça, c'est une belle œuvre...*

Il découvrit qu'en s'asseyant sur l'ouvrage de Pamela Proulx-Martin Kodahl, il pouvait distinguer quelque chose par-delà les coiffures de ces dames. Une mezzo-soprano bulgare, avec une perruque de gitane, était campée entre les arcades d'une rue de Séville. Des rayons de lumière tombaient derrière elle.

L'ombre portée de la Madone. J'aurais juré qu'elle était irlan-daise. En fait, j'aurais juré que c'était ma sœur.

Pendant la *Habanera*, la porte de la loge s'ouvrit. Un homme en costume sombre se pencha par-dessus le cardinal et chuchota quelque chose à l'oreille du D.A. Bill Kodahl, la gravité inscrite sur sa figure, se leva et fit signe au cardinal de le suivre. Ils gagnèrent le vestibule.

— Que se passe-t-il ? murmura le cardinal.

— Mauvaise nouvelle. Il vient d'y avoir un nouveau meurtre.

Le cardinal se sentit sombrer sur l'instant dans un abîme glacial. Derrière lui, Carmen chantait que l'amour est un oiseau rebelle que nul ne peut apprivoiser.

— Notre homme, encore une fois ?

— Oui.

Les lèvres serrées de Kodahl étaient en lame de couteau.

— Ça en fait deux depuis la mort du père Romero. Il va nous être difficile de garder le secret plus longtemps.

65

Dan Hippolito descendit le drap noir, juste assez pour que Nell puisse voir le visage, mais pas suffisamment pour lui permettre de s'apercevoir que la tête avait été coupée.

Elle prit un instant pour se préparer, puis avança d'un pas mal assuré. Ses sandales claquèrent sur le sol dallé. Elle regarda à travers la vapeur glacée qui s'élevait de la civière en inox.

Son visage déjà pâle devint blanc comme un linge. Elle se mit à trembler. Elle tendit la main derrière elle et agrippa celle de Cardozo. Elle émit un son pleurard, celui d'un animal attaché qu'on fouette.

Cardozo lui passa un bras autour de la taille et l'entraîna loin du casier. Il sentait son cœur cogner à grands coups. Elle tourna la tête et son nez vint donner contre sa paume.

Il lui parla d'une voix apaisante.

— Là, là, ça va aller. C'est fini.

Ses yeux de fleur des champs à l'iris bleu s'embrumèrent. Elle acquiesça, sans dire un mot. Sa douleur le traversait.

— Nell, je peux faire quelque chose ? Tu as besoin de quelque chose ?

Elle se mordit la lèvre.

— Je peux avoir quelque chose à boire ?

— Tu aimerais quoi ? Du café ? Un soda ?

— N'importe quoi.

Il l'emmena jusqu'au distributeur de boissons dans le couloir, lui acheta une boîte de Coca qu'il ouvrit pour elle.

Ils demeurèrent silencieux sous la lumière fluorescente du néon. Il la regarda boire à petites gorgées.

— Je peux te demander un service ? demanda-t-il. Tu veux bien laisser le Dr Hippolito t'examiner ?

— Pourquoi ?

— Tu m'as dit que tu avais fait certaines spécialités pour l'un des clients d'Eff. Ça t'a peut-être laissé des traces qui nous aideraient à retrouver l'assassin de Sandy.

Elle réfléchit un instant, indécise. Elle se passa la langue sur les lèvres.

— Ça me fera mal ?

Il ne put s'empêcher de sourire.

— Bien sûr que non.

Elle semblait inquiète, mais dans un sens, son attention la touchait.

— D'acc.

Ils se rendirent au bureau de Dan. Cardozo attendit en faisant les cent pas dans le couloir. Il pensait aux sept cent cinquante mille gosses qui grandissaient dans cette ville sans domicile fixe.

Quand Dan sortit de son bureau, son visage était sévère.

— Vas-y en douceur avec elle, Vince. Elle est dans un état déplorable.

— Je sais. Qu'est-ce que tu as trouvé ?

— Elle porte les mêmes marques que Sandy et les autres.

Dan avait un ton aussi dur que l'arête d'une règle métallique.

— Tu ne peux pas la laisser retourner sur ces docks.

Cardozo opina.

— Je sais.

— Qu'est-ce que tu vas faire d'elle ?

— Je suis en train d'y réfléchir.

— J'ai trouvé quelque chose dans la bouche de Sandy.

Ce fut comme si l'on venait de nouer serré l'estomac de Cardozo.

— Une hostie.

Ce fut au tour de Dan d'opiner.

— Elle ne le sait pas, mais elle a probablement été en contact avec le meurtrier. Et elle a été à deux doigts de finir comme son petit copain. Mets-la quelque part où elle sera en sécurité, Vince. Elle n'aura pas toujours la même chance.

— Qui t'a fait ces choses ? demanda Cardozo.

— Je l'avais jamais vu avant, répondit Nell. Eff a tout organisé pour moi. Je l'appelais « monsieur ».

Ils étaient seuls dans l'ascenseur qui les remontait au rez-de-chaussée.

— Il ressemblait à quoi ?

Elle dut y réfléchir un moment.

— Il était fort, dans la cinquantaine. Et il perdait ses cheveux.

— Couleur des yeux ?

— Il portait des lunettes, je crois. Je l'ai vu qu'une fois. C'était une Omaha, la spécialité. On est censé pas connaître et on peut pas le faire deux fois avec le même client. J'étais pas mal dans les vapes, Eff m'avait donné une pilule.

— Quel genre de pilule ?

— Rose, dit-elle en agitant la tête. Elle m'a fait planer un max. J'aimerais bien en avoir une en ce moment.

L'ascenseur s'arrêta en vibrant et la porte s'ouvrit brutalement.

— Au fait, dit-elle.

— Quoi ?

— Merci.

— Arrête.

Il la prit par le bras. Un homme de ménage passait un balai-éponge sur le sol de marbre et Cardozo lui fit contourner la zone glissante. Les portes de verre donnant sur la Première Avenue s'ouvrirent automatiquement devant eux. La nuit les frappa comme un gant de toilette passé sous l'eau chaude.

Il avait garé la Honda près d'une bouche d'incendie. Une femme boulotte en pantalon était appuyée à l'un des garde-boue. Elle lui fit signe de la main en l'apercevant.

— Vince ! Dieu soit loué !

Il n'y avait pas à se tromper à cette voix. C'était celle de sa sœur, Jill. Il sentit une douleur proche du mal de dents se propager dans tout son corps.

— Je t'ai cherché partout dans le commissariat.

Elle avait noué un bandana autour de ses cheveux, mais des mèches châtain clair flottaient en liberté. Elle l'embrassa et ce baiser eut le goût des cheveux qui s'y emmêlèrent.

— Jill, je te présente Nell. Nell, ma sœur, Jill.

Il déverrouilla la portière côté passager.

— Pourquoi tant de hâte ?

— J'ai plus de médicaments.

Elle portait une énorme couche de maquillage que son visage en sueur semblait vouloir éliminer.

— A la pharmacie, on m'a dit que je dois renouveler mon ordonnance.

Elle se tourna vers Nell pour lui fournir des explications.

— Sans mes médicaments, je peux pas fonctionner, je peux pas dormir.

Cardozo flaira plus qu'un soupçon de vodka dans le flot jaillissant de sa parole.

— Vince, faut que tu m'aides.

— D'accord, mais chaque chose en son temps. Nell a la priorité.

— Vous en faites pas pour moi, fit Nell en haussant les épaules. Je suis pas particulièrement pressée.

Le pharmacien inclina le flacon dans un cône de lumière halogène.

— Je regrette.

Asiatique de visage, il avait l'accent américain.

— Impossible.

— Elles sont pour ma sœur, dit Cardozo, en lui tendant sa carte à travers le comptoir. Elle leur fait une confiance aveugle et elle a épuisé sa réserve.

— J'aimerais pouvoir vous aider, dit le pharmacien en secouant son crâne chauve. Mais la législation est très stricte sur ces substances-là.

Cardozo baissa la voix.

— Vous devez bien avoir des pilules placebos. Vous pourriez pas en préparer un flacon avec une fausse étiquette dessus ?

L'expression de refus se fondit en un sourire.

— Ça ne prendra que quelques minutes.

Cardozo se retourna et examina la pharmacie ouverte toute la nuit. De la zizique sirupeuse et une lumière crayeuse tombaient du plafond en nid-d'abeilles. Au-delà de la pyramide de cosmétiques et des présentoirs de produits diététiques, Jill bavardait avec Nell qui manipulait le tourniquet de cartes-postales humoristiques. Elles paraissaient bien s'entendre.

Le pharmacien appuya sur un timbre posé sur le comptoir.

— Voilà, lieutenant.

— Je vous dois combien ?

— Oubliez ça. C'est pour moi.

Quand Cardozo donna le flacon à Jill, elle tiqua devant l'étiquette.

— C'est quoi ces pilules ?

Elle avait le regard soupçonneux de certains enfants.

— Des génériques. D'après lui, elles sont même plus efficaces.

— Bon.

Elles les laissa tomber dans son sac.

— Je pourrai au moins fermer l'œil cette nuit.

Elle se déplaçait maintenant avec le port d'une maharané, souveraine de son propre espace. Cardozo tint la porte, s'effaçant devant les dames.

Sur la Deuxième Avenue, la nuit pesait de tout son poids de grondement et de grisaille, traversés de lueurs. Quand ils atteignirent la voiture, la radio crachotait. Il décrocha le micro.

— Cardozo.

— Je viens de recevoir un appel de Staten Island.

C'était Greg Monteleone, qui appelait du commissariat.

— Un chauffeur de taxi a chargé deux ados au ferry hier au soir vers 22 h 45. L'un était brun, l'autre blond. Il les a emmenés à l'angle de Nylan Boulevard et Dungan Hills.

— Il y a quoi là ?

— Une église.

Cardozo raccrocha le micro sur son support. Il laissa le moteur tourner au ralenti.

— Y a un problème.

— Je suis tout ouïe, fit Jill.

— Faut que j'y aille.

— Où est le problème ?

— Nell a besoin d'un lit pour la nuit.

Nell, sur la défensive, lui lança un regard en dessous.

— Ah oui ?

— Oui, et y a pas de *ah oui* qui tienne.

— Alors aucun problème.

La voix de Jill pétillait d'un entrain à deux doigts de la panique.

— Nell peut dormir chez moi. Dans la chambre de Sally.

Le chauffeur arrêta son taxi en douceur.

— Je les ai déposés pile ici.

Cardozo regarda par la vitre la station Mobil en libre-service, éclairée de projecteurs comme l'ex-Mur de Berlin. Il se demanda si c'était vraiment le bon endroit.

— Vous êtes sûr de les avoir conduits ici ?

— Oui. Deux petits loubards. L'un m'a dit que mon anglais craignait. Ça fera quatre dollars.

Cardozo lui en donna cinq et descendit. Il regarda des deux côtés de la rue obscure.

— Il y a une église par ici ?

Le chauffeur montra du doigt.

— Faut prendre la ruelle.

Cardozo ne l'aperçut que le nez collé dessus. Deux magasins, après la station-service, étaient condamnés et un écriteau dans l'une des vitrines faisait encore de la pub pour des aliments pour chiens.

Une ruelle étroite et pavée courait entre les deux magasins. Au-delà d'une rangée de poubelles soigneusement alignée, une ampoule nue brûlait au-dessus de trois marches de bois.

Cardozo grimpa jusqu'à la véranda grillagée. Il évita une soucoupe d'aliments pour chat entamée et poussa le bouton de sonnette. Deux bonnes minutes s'écoulèrent avant qu'un homme frêle à la crinière blonde grisonnante n'ouvre la porte.

— Oui ?

Il était en manches de chemise et col ecclésiastique.

— Je suis désolé de vous déranger à cette heure, mon père.

Cardozo lui montra sa carte.

— Vince Cardozo, du 22e commissariat.

— Où est-ce ?

— A Manhattan.

— Vous êtes un petit peu loin de votre secteur, non ? Je suis le père Henry Shea, recteur de l'église du Rédempteur.

— Puis-je abuser et vous demander un petit renseignement ?

Le père Shea avait des yeux gris à l'éclat curieusement vif.

— Mais certainement. Que voulez-vous savoir ?

— Est-ce que deux jeunes gens sont venus à l'église ou au presbytère avant-hier soir.

Le père Shea ne répondit pas.

— Vers 9 heures.

— Peut-être feriez-vous mieux d'entrer.

C'était une agréable cuisine à l'ancienne, spacieuse et haute de plafond, avec des placards en bois et un antique fourneau à gaz à huit brûleurs.

— Avant-hier soir, c'était le quatre-vingtième anniversaire de ma mère. Je me trouvais à Brooklyn pour le fêter en famille.

— Quelqu'un se trouvait-il à l'église ou au presbytère ?

— Le sacristain, à l'église.

Une inflexion étrange mit la puce à l'oreille de Cardozo.

— Je pourrais lui parler ?

— J'ai bien peur que non.

Le père Shea plongea deux doigts dans la poche de sa chemise et en sortit un paquet de Marlboro.

— J'ai été obligé de lui donner son congé.

— Et où est-il allé ?

— Je ne sais pas.

Le ton de la voix disait clairement *Et je ne veux pas le savoir*.

Le père Shea offrit une cigarette à Cardozo.

Ce dernier refusa d'un signe de tête.

— Quand l'avez-vous renvoyé ?

— Hier.

Cardozo vérifia mentalement la chronologie.

— Et je peux vous demander pourquoi ?

Ça crevait les yeux que le père Shea se sentait mal à l'aise d'aborder le sujet. Il alluma une cigarette dont il tira une longue bouffée.

— Il s'est fait passer pour un prêtre.

— C'est-à-dire, pour vous ?

Le père Shea expira de la fumée qui décrivit des volutes dans tous les sens.

— J'ignore s'il se faisait passer pour quelqu'un en particulier, mais il a endossé mes vêtements sacerdotaux et célébré la messe.

— Quand a-t-il fait ça ?

— Avant-hier, dans la nuit, pendant qu'il avait l'église pour lui tout seul.

— A-t-il donné la communion à quelqu'un ?

Le père Shea parut surpris par la question.

— Naturellement. Puisque la communion ne fait qu'un avec la messe.

— Vous en avez la preuve ?

— La preuve ?

— Que votre sacristain a donné la communion, il y a deux nuits de ça.

— Oui, bien sûr. La preuve sautait aux yeux.

— Je peux la voir ?

66

Le lendemain, à midi, le père Henry regardait l'équipe d'investigation criminelle au travail. Il était visiblement mal à l'aise.

— Je regrette que cela prenne si longtemps, s'excusa Cardozo.

Au bout de trois heures, les techniciens exploraient encore le sanctuaire du Rédempteur, en quête d'empreintes, de cheveux, de la moindre particule de peau, de sueur, de salive.

— Vous n'y pouvez rien, dit le père Henry. Vous faites votre travail. Si j'avais fait le mien moitié moins sérieusement, rien de ceci n'aurait été nécessaire.

Il faisait dans l'église une chaleur presque étouffante. Les fenêtres étaient fermées et on n'avait pas branché la climatisation. Il fallait réduire les mouvements d'air au minimum de manière à ne pas déplacer les indices facilement en suspension. Les empreintes perdent de leur viscosité à température ambiante dans les soixante-douze heures, et tout rafraîchissement de l'atmosphère hâte le processus. Sans viscosité, les empreintes ne peuvent entrer en fluorescence.

— Ce n'était pas la première fois qu'il donnait la communion, dit le père Henry.

— C'était quand la première fois ?

— En avril dernier. Le 19. Et j'ai fermé les yeux.

— Pourquoi ?

— C'était un vétéran. Il en portait des stigmates. Mentalement.

Le père Henry battait son poignet des branches de ses lunettes.

— Quand je l'ai engagé, je n'avais pas idée que son dérangement était aussi profond.

— Le diocèse n'a pas de dossiers ?

— Pas sur les sacristains. Ils ne sont pas ordonnés. Et je n'ai pas eu le temps de le mettre à l'épreuve. C'était une situation d'urgence. L'église où il travaillait était en pleine ébullition. Draper avait craqué une fois déjà, à l'armée, et il donnait l'impression qu'il allait recraquer. Je déteste la façon dont notre pays traite ses anciens combattants et je voulais faire en quelque sorte amende honorable à mon modeste niveau. J'ai cru que, placé dans un environnement moins stressant, comme au Rédempteur, il retrouverait son équilibre.

Deux hommes et une femme descendaient de front le bas-côté. Le père Henry s'écarta pour les laisser passer. L'un enduisait au pinceau les accoudoirs des bancs de poudre carbonique, tandis que l'autre braquait une lampe à forte intensité lumineuse et que le troisième maniait un appareil photo.

Un autre trio examinait l'autel à l'aide d'un laser au mercure. La pure lumière blanche surnaturelle prenait dans son rayon d'infimes dépôts laissés par un contact humain et les rendait fluorescents. La graisse des empreintes digitales devenait violette. Les traces de salive au bord du calice faisaient comme de la rouille. Les taches de vin apparaissaient en bleu, comme des ecchymoses.

— Et quelle était cette situation d'urgence dans l'église où il se trouvait précédemment ? demanda Cardozo.

— Le prêtre avait été assassiné. Il y avait eu une enquête des plus déplaisantes et toute sortes d'insinuations.

— Comment s'appelle cette église ?

— Sainte-Véronique, dans le Queens.

— Le fief du père Chuck ?

— Oui.

Le père Henry leva vers lui un regard où la surprise le disputait à la circonspection.

— Vous le connaissiez ? demanda-t-il.

— Il a participé à l'intervention américaine au Panama. Je ne sais pas exactement ce qui s'est passé là-bas, mais quand il est rentré, il souffrait d'un grave syndrome commotionnel post-traumatique.

Le père Gus Monahan affichait une expression solennelle. Il était vêtu de manière décontract, en jeans, arborant néanmoins le plastron blanc de sa fonction.

— D'une façon ou d'une autre, il a viré à une sorte de groupie pathétique de l'Eglise. Il voulait être prêtre et sauver le monde. A défaut, il a voulu travailler quand même dans une église. Alors le père Chuck l'a pris comme sacristain. En un sens, le père Chuck a adopté Draper.

— Adopté, comment ça ? Qu'est-ce que vous entendez exactement par là ? demanda Cardozo.

Il était 2 heures et demie de l'après-midi. Ils étaient installés dans les fauteuils de cuir éraflés du presbytère de Sainte-Véronique.

— Qu'il a pris soin de lui, veillé sur lui, contrôlé qu'il ne boive pas, tenu sa main quand il avait besoin qu'on la lui tienne, grondé quand il fallait qu'il le soit, bien vérifié qu'il se rasait et se lavait. Et grosso modo, qu'il lui a évité bien des ennuis.

— A vous entendre, ce Draper était un bébé.

— Un enfant, disons. Draper était très dépendant du père Chuck, qui le guidait et le protégeait. Et bien sûr quand Chuck a été assassiné, Draper s'est effondré. A l'époque où j'ai été nommé en remplacement, il buvait et se droguait sans retenue. A vrai dire, et je ne confierais cela à personne d'autre qu'à un représentant de la loi, il devenait mythomane, se faisait passer pour ce qu'il n'était pas.

— Par exemple ?

— Il portait un col ecclésiastique et se prétendait prêtre auprès des étrangers.

Le père Gus paraissait parler avec détachement de son ex-sacristain, mais son pied gauche, qu'il tortillait, trahissait sa nervosité. Il avait les jambes croisées et portait des mocassins sur des chaussettes bleu layette. C'était visiblement les chaussures qui lui servaient de pantoufles.

— J'ai même soupçonné Draper d'utiliser mes vêtements sacerdotaux de temps en temps.

— Qu'est-ce qui vous a donné cette idée ?

— Je les ai retrouvés dans la penderie, rangés différemment.

— Pour quelle raison les aurait-il portés ?

— Pour se déguiser, peut-être. Ou ça aurait pu être plus sérieux. Il aurait pu célébrer la messe, ici même, dans l'église.

— Vous en avez eu la preuve ?

— Une fois ou deux, il m'a semblé qu'il y avait moins d'hosties consacrées dans le ciboire que je ne m'en souvenais. Et un calice aussi m'a paru avoir été sorti et utilisé. Mais jamais rien que je puisse affirmer.

— Quand cela se passait-il ?

— Quand je m'absentais.

— Et cela vous arrivait souvent ?

— Je prenais une semaine de vacances tous les ans. D'autres prêtres venaient célébrer la messe, mais du coucher du soleil à son lever, Draper avait l'église toute à lui.

— Et le père Romero lui en laissait souvent la garde ?

— Le père Chuck ne prenait jamais de vacances, mais se rendait souvent à des congrès ecclésiastiques.

— Je suppose que vous n'avez pas les dates de ces congrès.

— Les bulletins de l'église les recensent. Si vous avez le temps, je peux regarder. Je les ai dans mon bureau.

Le bureau du père Gus, de l'autre côté du presbytère, abritait un P.C. IBM, une imprimante laser, et des bibliothèques sur tous les murs. Les stores étaient baissés, et l'air sentait le tabac à pipe et le café trop longtemps resté dans la cafetière. Cardozo eut l'impression d'avoir pénétré dans l'antre du père Gus.

Pendant que ce dernier feuilletait une liasse de bulletins mensuels, Cardozo examina les dessins aux crayons de couleur d'enfants de la paroisse qui décoraient les murs.

En quelques minutes, le père Gus trouva les renseignements cherchés.

— Il y a trois ans, le père Chuck était l'un des délégués du congrès de San Francisco, qui s'est tenu du 7 au 14 novembre.

L'année suivante, il a été délégué de celui de Lima du 12 au 22 janvier et de celui de La Nouvelle-Orléans, du 3 au 17 mars.

Cardozo nota les dates dans son calepin.

— Comme c'est triste.

Le père Gus était tombé sur une lettre glissée dans l'un des bulletins.

— Elle est de Draper. J'avais oublié combien il a été malheureux après son départ d'ici.

Il tendit à Cardozo cette lettre manuscrite :

Mon cher père,

Je ne suis pas comme vous, je suis devenu un vrai solitaire, un tel raté. Je crois que Dieu m'a abandonné. Si je pouvais seulement célébrer la messe ou faire quelque chose de magnifique pour Lui.

Comme je brûle de risquer mon âme, quitte à la perdre, au service de Sa Gloire.

Et la lettre était signée *Votre ami, Collie.*

— De lui-même, il s'appelle Collie ? demanda Cardozo.

— C'est un surnom que les enfants lui ont donné, je crois.

— Vous pourriez me le décrire ?

— Tenez, j'ai une photo de lui.

Le père Gus la décrocha du mur. Elle représentait un pique-nique organisé par l'église dans un parc.

— C'est lui, Draper, dit-il en montrant du doigt un homme brun et mince portant une petite fille visiblement ravie sur ses épaules.

Cardozo eut un léger pincement au cœur en reconnaissant en lui l'ami de Bonnie Ruskay, celui qui servait de chauffeur à ses enfants.

— Je peux vous emprunter votre téléphone ?

— Je vous en prie, fit le père Gus en poussant l'appareil sur le bureau dans sa direction.

Cardozo composa le numéro de Bonnie. Il eut son répondeur. Il attendit le bip.

— Bonnie, c'est Vince. Je ne suis pas au commissariat, je vous rappellerai. C'est urgent. Assurez-vous que vos enfants se trouvent avec vous ou avec votre mari — mais avec personne d'autre. Vous m'avez bien compris ? Personne d'autre.

Quand il raccrocha, il s'aperçut que le père Gus l'observait, troublé.

— Je peux vous emprunter cette lettre ? dit Cardozo.

Le commissariat était aussi bruyant qu'une alarme de voiture, aussi Cardozo ferma-t-il la porte de son box. Il baissa le bras de sa lampe d'architecte vers la surface de son bureau et se mit à comparer les dates des absences du père Chuck avec les fourchettes temporelles que l'Institut médico-légal avait déterminées pour les meurtres.

Le téléphone entama son grésillement « *attention, si jamais tu me laisses sonner, je te bousille les oreilles* ».

— Cardozo.

— Les vêtements de Sandy McCoy sont imprégnés du même encens que ceux des autres victimes.

C'était Lou Stein, qui appelait du labo.

— Et, encore une fois, des fibres de moquette grise en acrylique y sont collées. Et encore une fois, ça ne signifie rien.

— Sauf que c'est la cinquième fois. Et la glacière ?

— Polypicnic, comme d'habitude. Le même modèle que celui dans lequel on a retrouvé les autres corps.

Le bouton de l'autre ligne clignotait.

— Merci, Lou.

Cardozo enfonça la touche et prit la communication.

— Cardozo.

— Pour la première fois, dit Dan Hippolito, la mort était assez récente pour que du vin apparaisse dans l'estomac de la victime.

— Alors, il a communié ?

— C'est très possible. On a retrouvé un petit bout d'hostie logé derrière une molaire.

— Qu'est-ce qui a provoqué la mort ?

— Pour le moment, c'est à pile ou face. Soit une asphyxie due à la paralysie du système nerveux cérébro-spinal provoquée par l'ingestion d'une trop forte dose d'azidofluoramine, soit une perte massive de sang due au sectionnement des quatre principales artères au moyen d'une scie électrique. Il lui en restait à peine deux litres. Il avait les mains attachées par des lanières de cuir. Il porte des traces de coups et de brûlures à la cire de bougie. Plus une marque de piqûre à la saignée du bras gauche, avec des résidus de cocaïne. Beaucoup d'alcool et de cocaïne dans le sang.

— Même assassin ?

— C'est toi qui mène l'enquête.

— Alors j'affirme que c'est le même.

— Je te suis.

Cardozo retourna à ses deux listes de dates. Les recoupements lui sautaient aux yeux à chaque page, comme autant de coups de poing.

— Tu ne devrais pas lire sous cette lumière.

Il n'avait pas entendu la porte s'ouvrir.

— Tu vas t'esquinter la vue.

Ellie, postée dans l'embrasure de la porte, le regardait.

— Tu pourrais t'acheter un nouveau tube de néon à la quincaillerie d'à côté et le facturer au service. Je peux m'en charger si tu veux.

Cardozo ne repoussa son siège du bureau qu'une minute plus tard, enfin satisfait.

— Le père Chuck était absent quand Richie Vegas a été assassiné. Sainte-Véronique était sous la garde de Colin Draper, son sacristain. Idem quand Wally Wills a été tué. Idem quand Wanda Gilmartin l'a été. Colin Draper pouvait chaque fois saisir l'occasion.

— Dans ce cas, tu seras intéressé par les premiers résultats de l'investigation criminelle, dit Ellie en lui tendant un fax inter-services.

« Ils ont retrouvé la trace de Sandy à l'église du Rédempteur une heure avant sa mort. »

Cardozo décrocha. Ellie le regarda composer le numéro de Bonnie.

Cette fois, elle répondit.

— Mes enfants seraient en danger, qu'est-ce que ça veut dire ?

— Où sont-ils en ce moment ?

— Avec leur père.

— Dites-lui de les garder près de lui. Et ne laissez pas Colin Draper s'approcher d'eux.

— Mais pourquoi ?

— Je vous expliquerai. J'arrive.

67

— Où je peux trouver Colin Draper ? demanda Cardozo.

— Il travaille à l'église du Rédempteur.

Bonnie se tenait de profil derrière son bureau, mince en blanc bleuté.

— A Staten Island.

— Est-ce l'adresse la plus récente que vous ayez de lui ?

— Oui.

— Quand l'avez-vous vu pour la dernière fois ?

Le ronronnement de la climatisation créait une atmosphère semblable à celle d'une grotte dissimulée derrière une cascade. Les stores vénitiens avaient été orientés contre le soleil aveuglant de la journée et la douce lumière de la lampe du bureau éclairait Bonnie de biais.

— Je l'ai vu la semaine dernière quand il a amené mes enfants ici.

— Et quand avez-vous prévu de le revoir ?

— La semaine prochaine quand il accompagnera mes enfants.

Elle se tourna.

— A moins qu'il n'y ait un changement de programme.

— Quand lui avez-vous parlé la dernière fois au téléphone ?

— Il y a deux jours, trois peut-être. Je ne sais plus.

— A-t-il fait allusion à quelque chose sortant de l'ordinaire ? A des projets de voyage ?

Elle secoua négativement la tête.

— Quelque chose le tracassait ? Il n'avait pas une voix bizarre ? Comme s'il était sous pression ?

— Pas plus que d'habitude. Collie a toujours l'air un peu bizarre et sous pression.

Une légère inquiétude perçait dans sa voix.

— Collie a l'air de vous intéresser terriblement.

Cardozo se tut un instant. Il se sentait comme un homme prêt à sauter d'un avion sans avoir la certitude que son parachute va s'ouvrir.

— Verriez-vous un inconvénient à me dire depuis exactement combien de temps vous connaissez cet homme, comment vous l'avez rencontré, ce que vous savez de lui ?

Une ombre rembrunit le visage de Bonnie.

— On s'est connus quand on était enfants. C'était à Mount Kisco, dans un camp de vacances parrainé par l'église et organisé par des trappistes. Il jouait de l'orgue et il m'impressionnait beaucoup.

Elle vint s'asseoir dans le fauteuil en face de Cardozo.

— Je suppose que c'était une passion enfantine. Ça n'est

jamais allé plus loin. On était comme frère et sœur, on se racontait tout. Je lui parlais de mes problèmes, et il me parlait des siens.

Une expression rêveuse traversa fugitivement son regard. Elle sourit. Ce n'était qu'un demi-sourire, mais destiné à son ami Colin, il blessa Cardozo. Il savait pourtant qu'un certain détachement était nécessaire ; il faisait de son mieux pour être détaché, mais ça ne marchait pas.

— Bien entendu, ajouta-t-elle, il a toujours eu plus de problèmes que moi.

— Quel genre de problèmes ?

— Des choses terribles. Ça n'a jamais très bien marché dans la vie pour lui.

— Et pourquoi ?

Elle parut se tenir sur ses gardes.

— Peut-être parce qu'il a eu un très mauvais départ. Peut-être parce qu'il venait d'une famille américaine aux dysfonctionnements habituels. Sa mère était alcoolique et son père les a abandonnés quand Colin avait cinq ans. Tout ce qu'il a réussi dans sa vie, il a dû se battre pour l'obtenir.

— Il est déséquilibré ?

Elle lui lança un coup d'œil. L'espace d'un instant, il perçut entre eux deux sa frayeur, tangible et compacte.

— Vous croyez que je lui confierais mes enfants si j'avais le moindre doute à ce sujet ?

— Il a écrit cette lettre au père Gus, dit Cardozo en la lui tendant.

Elle la lut attentivement. Il sentit qu'elle essayait d'y démêler quelque chose.

— Votre ami Colin y déclare qu'il est prêt à risquer son âme, et même à la perdre, au bénéfice de Dieu.

Elle releva les yeux.

— Qu'est-ce qu'il y a de si bizarre là-dedans ?

— Eff a joué les entremetteurs dans les meurtres du Tueur de la Communion, expliqua Cardozo d'un ton qu'il voulait calme et mesuré. Il rameutait les victimes qu'il amenait à un homme habillé en prêtre. Cet homme disait une sorte de messe avant d'assassiner les gosses.

Elle cligna des yeux, souffle coupé.

— Et qu'est-ce que la lettre de Collie vient faire dans tout ça ?

— Cette lettre pourrait signifier que Colin Draper, d'une façon plutôt tordue, croit que tuer ces ados, c'est venir en aide à Dieu.

Elle resta assise parfaitement immobile, puis après avoir respiré un bon coup, elle se leva d'un bond.

— Non, c'est impossible. Collie ne pourrait pas faire des choses pareilles. Je le connais. Mes enfants le connaissent.

Elle se dirigea vers la bibliothèque à grands pas. Puis obliqua vers la fenêtre. Sans mobile apparent. Simplement pour bouger.

— Vous faites une mauvaise interprétation de cette lettre. Ça peut vouloir dire des dizaines d'autres choses.

— Il vient en aide à Dieu.

Elle fit volte-face.

— Dieu n'a besoin de rien ni personne. Surtout pas qu'on l'aide. Vous n'êtes pas un théologien averti, Collie si. Il n'attribuerait jamais de manques à un être infini et tout-puissant.

Bonnie Ruskay posait un problème à Cardozo. Elle avait une intelligence qui lui faisait couper un cheveu en quatre, mais ne s'apercevait pas que le reste de la chevelure faisait masse et image.

— Vous avez eu des nouvelles du père Joe ? demanda-t-il.

— Depuis la dernière fois que je vous ai parlé ? Non.

— Et vous n'êtes pas inquiète ?

— Je suis constamment inquiète à son sujet.

Elle avait soudain adopté un ton juste un petit peu trop mondain.

— Et votre fourgonnette est rentrée au bercail ?

— Oui, dit-elle avec un sourire auquel il n'arriva pas à croire. Vous voulez que je vous la montre ?

— Quand vous l'a-t-on ramenée ?

— Je ne sais pas. Le chauffeur a la clé du garage.

— Qui la conduisait ?

Elle haussa les épaules.

— Ça varie.

— Vous ne semblez pas vous montrer très curieuse de qui rentre et qui sort du presbytère.

— Je suis moins curieuse que vous. Et je suis habituée à ce remue-ménage.

Cardozo se leva. Il lui avait dit pour l'heure tout ce qu'il avait à lui dire.

— Voudriez-vous bien me prévenir si jamais Colin vous contactait ?

— D'accord.

— Et si vous quittez le presbytère, voudriez-vous bien avertir mon bureau de votre destination ou faire un transfert d'appels ?

— Je suis sous protection ou sous surveillance ?

— Disons qu'on tâche de vous garder saine et sauve.

— Vous avez tort, vous savez. Au sujet de Collie. C'est un homme gentil et d'une haute spiritualité.

— Je sais combien il vous est cher. J'aimerais bien me tromper.

Après avoir reconduit Cardozo, Bonnie regagna en hâte son bureau et appela Collie à l'église du Rédempteur. Après beaucoup trop de sonneries, un homme lui répondit que Collie n'était pas là.

— Où est-il ?

— Parti.

Elle reconnut la voix du père Henry, mais décida de ne pas se faire reconnaître.

— Où puis-je le contacter ? C'est urgent.

— Je n'en ai pas la moindre idée.

Le père Henry avait un ton de colère froide.

— Il n'a pas laissé de nouvelle adresse.

Bonnie mit fin à la communication. Un instant, elle eut du mal à respirer. Elle chercha un numéro dans l'annuaire et tapa sept chiffres sur le cadran. Il y eut trois sonneries. Ses doigts jouaient avec le fil du téléphone.

— Pierre Strauss, fit une voix de femme.

— Pourrais-je lui parler, s'il vous plaît ? révérende Bonnie Ruskay à l'appareil. C'est urgent.

Elle attendit, ne tenant pas en place, regardant par la fenêtre le poirier strié par le soleil couchant.

— Ne venez pas me dire pas que vous avez décidé de poursuivre mon client, grommela Pierre Strauss. Je vous en prie.

— Je vous fais une proposition. Je ne porterai pas plainte contre Eff pour viol. Mais en échange, je veux le rencontrer face à face. Je serai seule. Ni avocats ni policiers, ce ne sera pas nécessaire. Il peut choisir l'heure et l'endroit.

— Vous voulez le rencontrer pour quelle raison ?

— J'ai besoin qu'il réponde à certaines questions.

— Quelles questions ?

— Je ne peux pas vous le dire. Mais il est au courant.

Pierre Strauss soupira.

— Je vous rappellerai.

La porte du presbytère claqua comme un coup de canon, provoquant un envol désordonné de pigeons dans le ciel.

A mi-chemin du bloc, aux aguets derrière le volant de sa Honda garée en double file, Cardozo vit Bonnie Ruskay se précipiter dans la rue. Il mit le moteur en route.

Bonnie leva le bras et un taxi s'arrêta dans un crissement de pneus. Elle y sauta et la voiture démarra en trombe.

Cardozo embraya et se coula dans la circulation derrière elle.

Le taxi la déposa à Broadway, au sud de Houston. Le bloc était criblé de magasins vides, d'écriteaux « A louer » et de vitrines condamnées. Les boutiques chicos et les galeries qui s'étaient ouvertes au moment du boom de Soho dans les années quatre-vingt avaient plié bagage devant la dureté des temps des années quatre-vingt-dix.

Bonnie régla la course et pénétra en hâte au numéro 474. C'était un immeuble de lofts en piteux état, et à plusieurs étages, des planches avaient été clouées aux fenêtres.

Cardozo se gara en double file et colla son macaron sur le pare-brise. Il traversa la rue et pénétra dans le minuscule vestibule. Des prospectus et des messages avaient été collés sur les murs : la liste de plats à emporter d'un restau chinois ; « Mamie — serai de retour à 17 heures — L. », gribouillé à la main. « Prière de verrouiller la porte d'entrée après 8 heures, suite aux incidents survenus dans ce vestibule », supplique tapée à la machine.

L'antique indicateur d'étage au-dessus de l'ascenseur désignait le chiffre huit. Cardozo examina le tableau des locataires.

Il y avait dix étages et dix locataires. Le nom de la plupart, ponctué d'étranges espaces, dus, c'était clair, à la chute des lettres, était imprononçable. Celui d'*Erbro*, cependant, se détachait nettement près du chiffre huit.

— Beverly s'adapte bien à vos nouveaux horaires de travail ? demanda Cardozo.

Il était 9 heures et demie du soir et il était assis dans le box qui servait de bureau à Esther Epstein à l'hôpital de l'Administration des vétérans.

— On ne peut pas dire qu'elle en raffole.

Mme Epstein traitait sa chatte abyssine comme une fille de substitution. Et le moyen le plus rapide d'entrer dans ses bonnes grâces était de s'enquérir de Beverly.

— Mais le boulot, c'est le boulot, et par les temps qui courent et à mon âge, j'ai de la chance d'en avoir un.

— Esther, j'ai besoin d'un renseignement. Pourriez-vous regarder pour moi dans le dossier militaire d'un certain Colin Draper ?

Il lui épela le nom.

Elle le fixa de ses grands yeux noirs.

— C'est quelque chose d'officiel ?

— Oui, c'est officiel.

— Car il nous est interdit de donner des renseignements à titre personnel.

— Je ne le connais pas personnellement.

Elle lissa le devant de son chemisier de coton blanc avant de s'asseoir. Il prit conscience qu'elle avait un sens poussé des convenances presque farouche ; et il prit conscience qu'il allait devoir aussi court-circuiter son sentiment de culpabilité.

— Il me faut une ordonnance du tribunal pour demander un service à ma voisine de palier ?

— Ne vous donnez pas cette peine. Je ne suis pas une criminelle, fit-elle. Du moins pas encore, ajouta-t-elle en soupirant.

Elle passa la tête hors du box et jeta un œil à droite et à gauche dans le couloir moquetté de gris. Elle tapa des instructions sur son clavier. Une série de petits points lumineux s'inscrivit sur l'écran, suivis d'une colonne imprimée en jaune ambré qui se déroula à partir du bas.

— Colin Draper a servi au Panama dans le 32e d'Infanterie.

— Quel grade ?

— Aumônier catholique.

Cardozo fronça le sourcil.

— Il était ordonné ?

— Bien sûr qu'il l'était, autrement comment il aurait pu être aumônier militaire ?

Cardozo savait reconnaître un fait quand il l'avait sous les yeux sur l'écran d'un moniteur IBM.

— Ils l'ont démobilisé sous quel motif ?

Sur l'écran, on sauta à une nouvelle page imprimée.

— Je ne devrais dire ça à personne sans ordonnance judiciaire. Si vous n'étiez pas un flic...

— Mais je suis flic, Esther.

— Colin Draper a été démobilisé pour raisons médicales. Il a fait une dépression psychotique. Il est encore sous traitement — thorazine, fluorizan, métamphétamine, zilboacine...

Elle s'arrêta. Le curseur clignotait sans se lasser au bas de l'écran.

— Votre ami ne s'est pas présenté à son dernier rendez-vous. Il y a un peu plus d'une semaine de ça.

— Colin Draper n'est pas un ami à moi.

— Bizarre, dit-elle en secouant la tête. Il ne peut pas se débrouiller sans son traitement, on dirait. Peut-être qu'il lui est arrivé quelque chose.

— Il ne pourrait pas le recevoir sous un autre nom ?

— Possible.

— Voyez si vous n'avez pas quelqu'un du nom d'Erbro là-dedans.

Il épela. Elle secoua à nouveau la tête.

— Pas d'Erbro répertorié.

Il rumina la chose.

— Ces dossiers sont remis à jour tous les combien ?

— Celui-là l'est chaque fois qu'il se présente pour son traitement.

— Dès qu'il se présentera et que ça apparaîtra sur l'ordinateur, vous pourriez me prévenir ?

Elle le dévisagea, bouche pincée.

— J'irai rendre visite à Beverly chaque soir, quand vous n'êtes pas là. Je jouerai avec elle.

— Elle aime qu'on lui fasse la lecture.

Cardozo l'embrassa.

— Je vous aime, Esther. Vous pourriez pas m'avoir ses empreintes ?

68

— C'est de plus en plus dur de te faire sortir, dit Pierre Strauss à Jaycee Wheeler, alors qu'ils descendaient les marches de béton de la maison d'arrêt de Lower Manhattan. L'ambiance sonore était encombrée par les sirènes de police et les marteaux-piqueurs de la Con Ed.

— Tes dernières frasques se chiffrent à deux mille dollars cash.

Jaycee leva les yeux vers le ciel où tournoyaient les pigeons. Elle se frotta les poignets, qu'elle avait encore gonflés.

— On va les attaquer. Ils m'ont même pas enlevé les menottes pour aller aux chiottes. Les hétéros y allaient sans. C'est de la discrimination. Essaie un peu de te torcher le cul avec des menottes.

— Je ne doute pas que j'en aurai l'occasion un de ces jours. Je peux te déposer quelque part ?

— Ouais.

Une fois à l'intérieur de la Porsche de Pierre Strauss, ce dernier demanda :

— Alors où je te jette ?

— A Saint-Pat'.

— Nom de Dieu, Jaycee. Recommence pas.

Le feu passa au vert et Strauss faufila sa Porsche bleue dans Canal.

— On ne lâchera pas le cardinal tant qu'il ne nous lâchera pas, nous.

Pierre Strauss ne répondit pas. Il n'avait encore jamais eu le dernier mot avec Jaycee. C'était pour ça qu'il l'aimait bien et qu'il avait payé sa caution pour la libérer avec l'argent de la petite caisse de son cabinet.

Elle regardait à travers la vitre teintée les devantures des magasins le long du Bowery.

— A ton avis, où je peux trouver de la pisse de chien en bocal ?

— Je doute fort que la S.P.A. en vende.

— Tu crois que quelqu'un ferait la différence si je me servais de Gatorade verte ?

Peu après 6 heures, ce soir-là, le cardinal Fitzwilliam gravit la chaire de la cathédrale Saint-Patrick pour lire un passage des Ecritures.

L'assistance était clairsemée. Il n'y avait pas plus de deux cents âmes éparpillées dans un espace conçu pour en contenir trois mille.

C'est alors que les clameurs commencèrent.

Ce qui surprit le plus le cardinal lors de cette interruption, ce fut le volume. Il semblait y avoir un millier de contestataires. Et pourtant, quand il leva les yeux de sa Bible en regardant par-dessus ses lunettes, il n'en aperçut qu'une dizaine environ, dispersés entre les bancs. Leurs visages étaient rouges et déformés par la colère. Ils élevèrent dans les airs des récipients pleins d'un liquide couleur d'urine et commencèrent à y laisser tomber des hosties.

Le cardinal, sous le choc, fut saisi d'une tristesse qui le transperça jusqu'aux os.

Il vit des policiers en civil des deux sexes se rapprocher des contestataires pour procéder à leur arrestation. Il prit conscience que plus de la moitié des fidèles, ce soir-là, étaient des flics en service.

La question s'imposa d'elle-même : *Y-a-t-il encore quelqu'un qui vient ici pour vénérer Dieu ?*

— J'ai eu des nouvelles du père Damien, fit Jonquille avec une nuance d'agacerie dans son ton traînant. Il a terriblement envie de me voir.

— Et tu vas le voir ? demanda Cardozo à l'autre bout du fil.

— Ça dépend.

Jonquille rectifia l'ordonnance de ses cheveux blonds, lavés et essorés de frais.

— T'es toujours intéressé de le rencontrer ?

— Très.

— Si je mets ça sur pied, qu'est-ce ça me rapporte — à part ton éternelle gratitude ?

— Qu'est-ce que tu veux ?

— Disons qu'on adoucisse ma conditionnelle, que je puisse quitter la ville légalement.

— Je pourrais peut-être arranger ça.

— Et — car il y a un *et* — qu'est-ce que tu dirais de mille dollars ? En liquide, O.K. ?

— C'est quoi ton numéro de téléphone ?

— Le George Washington n'est pas ce genre d'hôtel. Je te rappellerai dans une heure.

Jonquille raccrocha le récepteur. Elle attendit le *clink* étouffé de la chute de ses vingt-cinq cents, puis retira soigneusement de la fente-retour la serviette en papier roulée en cylindre qu'elle y avait glissée. Sa pièce était collée à la vaseline dont elle en avait enduit l'extrémité.

De l'autre côté du hall, le réceptionniste leva les yeux de son exemplaire en lambeaux de *Paris Review*. Il expédia un regard de légère réprimande à Jonquille. Elle glissa la serviette et la pièce dans son porte-monnaie, et lui envoya un baiser.

Ses mouvements étaient vifs et résolus à présent. Elle entra dans l'ascenseur et appuya sur le 5. Elle se reglissa dans sa chambre.

— Tout. L'asphalte. L'acier. Le comportement.

Le père poursuivait son monologue.

— Mon chou, t'as bien raison.

En plongeant comme pour une révérence, Jonquille récupéra son verre à lui, posé par terre. Il était tellement vautré dans le fauteuil que son cul touchait pratiquement le tapis.

— Il y a trop de pourriture dans cette ville.

— Mm-hm. Répète-moi ça.

Elle laissa tomber des glaçons dans leurs deux verres. Elle ajouta du thé glacé dans le sien et du rhum dans celui du père. C'est lui qui avait apporté la bouteille. Il l'apportait toujours. Il restait à peine deux doigts au fond.

Elle tint les verres à la lumière pour s'assurer que la couleur était la même dans les deux. Le père détestait boire en solitaire.

— Bien trop de gens ont déserté Dieu.

Renversant la tête en arrière, il fixa la fissure en forme d'éléphant au plafond.

— Ont déserté les sacrements.

— C'est ça le problème, mmm-hm.

Elle glissa des feuilles de menthe entre les glaçons. Chaque verre portait une rondelle de citron sur le bord. Elle traversa la pièce et lui campa fermement son verre en main.

— Les sacrements pourraient sauver cette ville.

Le père leva son rhum dans le rayon oblique de la lampe et avala deux longues gorgées cul sec.

— La communion et la confession pourraient faire tourner casaque à New York.

— A propos de confession...

Jonquille s'installa en amazone aux pieds du père.

— Il y a ce flic qui me pèse sur la conscience. Vince Cardozo ?

Le père resta silencieux un instant. Puis un autre.

— Il m'a posé beaucoup de questions sur toi.

Un bref regard du père l'arrêta.

— Sur moi ?

— Sur toi, Papa.

— Et tu lui as dit ce qu'il voulait savoir ?

— Il croit que oui.

Jonquille leva une main manucurée. De l'extrémité de l'index, elle caressa le contour amolli de la mâchoire du père.

— Je lui ai jeté un peu de cette bonne vieille poudre aux yeux.

— T'es douée pour ça.

Le père passa les doigts dans la perruque bouclée.

— Affreusement douée.

— C'est pas difficile. Quand un homme t'aime bien, il veut te croire. Il y est presque *obligé*.

Jonquille soupira.

— N'empêche que j'ai un poids terrible sur la conscience.

— Pourquoi ça ?

— Mentir c'est mauvais pour mon karma. Peut-être que je devrais lui dire la vérité.

Elle accorda au père un instant pour qu'il voie où elle voulait en venir.

— A moins que... à moins que t'aies un moyen de me persuader du contraire ?

Les yeux du père ne quittaient plus les siens. Ils reflétaient soudain une sobriété glaciale.

— Comment pourrais-je te persuader...

Il eut un léger rot.

— ...te persuader du contraire ?

Jonquille, la gorge nouée, se força à déglutir profondément sans avoir rien avalé de liquide. Bon Dieu, comme elle détestait les moments de vérité !

— Peut-être que tu pourrais m'avancer deux mille ?

Elle pressa la main du père sur la chair palpitante de son implant mammaire.

— Pour services... encore à rendre ?

— Il faudra que vous rendiez compte de l'utilisation de cette somme, vous savez, dit le capitaine Tom O'Reilly.

Il compta sur son bureau vingt-cinq billets de vingt dollars. Puis juste à côté, dix de cinquante.

— Merci, dit Cardozo.

— Vous allez avoir besoin de quelque chose où les mettre.

O'Reilly lui tendit une enveloppe commerciale du commissariat.

— J'espère que vous savez ce que vous faites. Parce que votre histoire a fait le tour de la maison. A vous écouter, je me fais l'effet d'être tombé sur la tête.

Cardozo fourra les billets dans l'enveloppe. Ils étaient usagés, froissés, fanés et doux comme du coton passé en machine.

— Vous n'êtes pas tombé sur la tête, monsieur.

Cardozo regagna son box. Il appela l'Hôtel Washington et demanda à parler à Jonquille.

— Je regrette, fit le réceptionniste. Il n'y a pas le téléphone dans les chambres.

— Ça vous ennuierait de monter la prévenir ?

— Je peux pas abandonner le comptoir. Et de toute façon, il y a un prêtre avec elle.

Le pistolet d'un starter éclata dans la poitrine de Cardozo.

— Retenez ce prêtre par tous les moyens.

— Mais merde, vous êtes qui, vous ?

— Je m'appelle Cardozo. Je suis flic. J'arrive tout de suite.

Cardozo attrapa son blouson au vol. Au moment de quitter le box, il se souvint de l'enveloppe avec l'argent. Il revint d'un bond jusqu'au bureau, fouilla dans la paperasse et la récupéra.

Il était au milieu de la salle de garde quand le téléphone se mit à sonner.

— Vince, lui cria Ellie. C'est ton poste.

— Prends le message, lui cria-t-il en retour.

Ellie souffla doucement et pénétra dans le box de Cardozo. On aurait dit qu'un typhon avait dévasté la surface de son bureau. Elle décrocha.

— Le lieutenant Cardozo est absent du commissariat en ce moment. Je suis le lieutenant Ellie Siegel, voulez-vous laisser un message ?

Il y eut une hésitation à l'autre bout du fil, puis une voix s'exprima avec nervosité et un accent irlandais à couper au couteau.

— Pouvez-vous lui dire que Olga Quigley a téléphoné ?

— A propos de quoi, madame Quigley ?

— Je faisais autrefois le ménage chez le père Joe Montgomery et j'ai quelque chose à dire au lieutenant Cardozo.

— Je travaille aussi sur cette affaire. Pourrions-nous en parler ?

69

Cardozo frappa à la porte de la chambre de Jonquille.
Pas de réponse.

Il essaya la poignée. Elle tourna avec un déclic et la porte s'ouvrit. Il sut d'emblée que l'obscurité n'augurait rien de bon.

Un rap d'Ice-T cognait à travers le mur. Les odeurs additionnées de désodorisant au citron, d'eau de Cologne au patchouli et de spray buccal au peppermint saturaient l'air avec une densité à asphyxier un mammouth. La fenêtre fermée avait dû faire grimper la température jusqu'à trente-cinq degrés.

Il découvrit l'interrupteur près de la porte. Il n'allumait qu'une lampe sur la commode, dont la lumière était adoucie par un foulard jeté sur l'abat-jour.

Ça lui prit quelques instants avant qu'il n'aperçoive Jonquille, qui le fixait dans l'ombre. Son regard était vide et sans vie. Elle était pour moitié sur la chaise et pour moitié répandue sur le sol. Le sang faisait une mare ovale autour de ses genoux.

Sa nudité offrait un spectacle saisissant. Du moins, aux yeux de Cardozo. Ses seins étaient trop parfaits pour être l'œuvre de la nature, à cela s'ajoutaient un pénis et des cheveux coupés ras, gris comme ceux d'une grand-mère. Il vit qu'on l'avait poignardée au ventre et en plein cœur.

Il lui tâta le pouls au poignet, à la carotide. Mais en vain. Il trouva la clé de sa chambre sur la commode, près du flacon d'eau de Cologne qui s'était répandu. Il verrouilla la porte et fonça dans le couloir.

L'ascenseur attendait et il songea que ce serait plus rapide que de dévaler l'escalier. C'était compter sans la femme qui monta au second étage nantie de deux enfants qui se chamaillaient. Il mit trois minutes pour atteindre le hall d'entrée.

Le réceptionniste s'envoyait une Rolling Rock derrière la cravate tout en regardant les pubs sur un Watchman Sony noir et blanc.

— T'as laissé filer le visiteur de Jonquille, dit Cardozo. Je t'avais dit de l'en empêcher.

Le réceptionniste reposa bruyamment sa bouteille.

— Cet hôtel a trois portes d'accès et j'ai que deux yeux.

Et deux yeux plus qu'injectés de sang, nota mentalement Cardozo.

— C'est moche pour ta taule. Il l'a tuée.

— Ah merde !

— Faut que j'utilise ton bigo.

Avec une concentration d'horloger, l'équipe d'investigation criminelle se livrait à sa cérémonie sans joie. L'appareil photo flashait, le caméscope ronronnait. La femme au mètre à ruban prenait des mesures et annotait un croquis du lieu du crime.

L'homme à la poudre noire en saupoudrait toutes les surfaces pour les empreintes.

Cardozo fouillait les tiroirs de la commode, épluchant les collants au passage.

— Elle portait un camée en ivoire au doigt, dit-il. Je le vois nulle part. Alors ouvrez l'œil tous tant que vous êtes.

Sa main heurta la tranche d'un truc compact. C'était trois petits agendas à reliure de cuir réunis par des élastiques. Cardozo les fit sauter et se mit à feuilleter. N'y étaient portés que les rendez-vous du jour.

— Eh, qu'est-ce que tu crois que c'est ?

Le représentant de l'Institut médico-légal éclairait la bouche de Jonquille avec sa torche.

— On dirait un biscuit d'apéritif. Du pain azyme, peut-être bien.

Cardozo aperçut une substance blanchâtre, fine comme du papier, posée sur la langue.

La femme au mètre à ruban traversa la pièce pour venir voir.

— C'est de l'hostie.

— Comment tu peux dire ça ? demanda le légiste.

— A cause de la forme. Les prêtres brisent l'hostie en quatre. Ne me demande pas pourquoi.

— Pas le mien, fit celui chargé des empreintes, qui se servait d'un atomiseur pour saupoudrer le contour d'un cendrier. On a droit à une hostie entière chacun.

— Ça paie d'aller dans une église qu'a les moyens, conclut la femme au mètre à ruban.

Cardozo referma la porte de son box, s'installa derrière son bureau et étudia les agendas de Jonquille. Ils remontaient trois ans en arrière.

Planant sur ses pages, il percevait une nuée de chuchotements, qu'il n'entendait qu'à moitié. Ce n'étaient que courses à faire, rendez-vous à respecter, boulots à mi-temps, coups uniques. Il y avait là-dedans de la souffrance et de la solitude, et en même temps, une détermination indéfectible.

Arriérés de loyer à payer, huissiers à éviter, médecins à consulter, clients à satisfaire. Un compte-épargne s'élevant pour l'heure à neuf mille deux cents dollars, chaque dépôt noté méticuleusement au cent près.

Ses clients étaient répertoriés par leur prénom — Bob,

Tom, Jack, Abdul. Sauf un — Wzn Rum. Ce M. Rum apparaissait trois fois dans l'année en cours, dont l'une était notée pour 16 heures, le jour même.

Ledit Rum paraissait être le dernier à l'avoir vue vivante.

Et le premier à la voir morte, c'était possible.

Le temps fila, et Cardozo prit conscience d'un léger tiraillement de son estomac et d'élancements bien plus accentués dans sa tête. Il se rendit aux toilettes pour hommes, humecta une serviette en papier d'eau froide et maintint cette compresse sur son front, le temps de compter lentement jusqu'à dix.

Il se regarda dans la glace, vit des yeux de beagle et un front sillonné de rides comme si notre mère Nature y avait griffonné à la truelle.

Est-ce bien la tête qu'un homme à responsabilités doit avoir ? Est-ce bien comme ça que le même doit se sentir ?

Ses doigts tambourinaient sur le rebord du lavabo. Il tâchait de se vider l'esprit rien qu'un instant de toutes les pensées et les questions qui lui donnaient des crampes. Une idée lui vint soudain — une sorte de surimpression mentale : il vit un calendrier transparent en recouvrir un autre, opaque. Deux séries de notations s'alignèrent. Et alors, ça fit tilt dans son cerveau.

Il essaya de ne pas courir pour regagner son box. Il fit place nette sur son bureau d'un revers d'avant-bras. Il posa la liste des dates, établies ou approximatives, de décès des fugueurs en regard de l'agenda de Jonquille.

Il commença par le plus récent, Sandy McCoy. La date était connue. 12 mai.

Il chercha à la date du 12 mai dans l'agenda. Son doigt parcourut la page.

Dix heures : promener le chien de Sheba.

Treize heures : Audition pour sexy show au Club 82.

Il glissa rapidement jusqu'au bas. Pas de M. Wzn Rum. Il tourna la page.

Dix heures : promener le chien de Sheba.

Et, ça y était.

Treize heures : Wzn Rum. Déjeuner/matinée.

La victime précédant Sandy était Tod Lomax. Date approximative de la mort, première semaine de mars. Il feuilleta l'agenda à rebours jusqu'au 1er mars.

Promener le chien de Sheba, comme d'habitude, mais pas de Wzn Rum.

2 mars. Pas de Wzn Rum, là non plus.

Ce ne fut qu'à la date du 10 qu'il trouva :

Vingt heures : Wzn Rum — dîner plus nuitathon !

Date approximative de la mort de Gilmartin : février ou mars, deux ans auparavant. Agenda, 12 mars : *treize heures : Wzn Rum — matinée.*

Date approximative de la mort de Wills : janvier ou février, deux ans auparavant. Agenda, 19 janvier : *treize heures : Wzn Rum — matinée.*

Date approximative de la mort de Vegas : entre octobre et décembre, trois ans auparavant. Agenda, 4 novembre : *treize heures : Wzn Rum — matinée.*

Cardozo tapotait le bureau de son stylo-bille, se demandant s'il avait vraiment trouvé quelque chose ou si ce n'était là qu'une série de coïncidences nourrie par une imagination carburant à la caféine.

Le téléphone grelotta. Il s'aperçut qu'il n'avait pas entendu le bourdonnement annonciateur. Il décrocha.

— Cardozo, j'écoute.

— Notre jeune ami Sandy était un self-service de drogues à lui tout seul, fit Dan Hippolito. Son sang charriait de l'alcool, du speed, du Valium, du crack, de l'herbe — et notre vieille connaissance, l'azidofluoramine.

Cardozo tiqua.

— Elle se prend sous quelle forme ?

— Une pilule rose de deux milligrammes.

— Nell m'a dit qu'Eff lui avait donné une pilule rose. Que ça l'avait fait planer un max.

— Une dose de deux milligrammes, pour te faire planer, ça te fait planer un max.

— Comment des gosses se la procureraient-ils ?

— Peut-être en baisant avec le même fournisseur.

— Mais lui, où se la procurerait-il en ce cas ? D'après toi, c'est une drogue qui court pas les rues.

— La seule chose que je sais là-dessus, c'est qu'on l'expérimente en double aveugle.

— Qui sont les médecins chargés de ces essais ?

— La F.D.A. a publié les protocoles hier. Je vais voir si je peux y avoir accès par informatique. O.K., ça marche. Un certain Dr Robles Milton, de San Diego.

— Jamais entendu parler de lui.

— Bienvenue au club. Puis nous avons le Dr Randolph Blanca, de Wichita.

— Jamais entendu parler de lui.

— D'elle.

O.K., se dit Cardozo. *Randolph Blanca est une nana.*

— Personne d'autre ?

— Si, encore un. Ici même, à New York. Le Dr Muller Vergil.

Une décharge électrique hérissa les poils follets de la nuque de Cardozo.

— Les noms sont inversés, s'pas ? C'est le nom propre qui vient en premier ?

— Oui.

— Donc Muller Vergil égale Vergil Muller.

— On dirait que tu le connais.

— Un peu, mon neveu.

70

— Elle a l'air en forme, dit Jill. Mais elle fait rien d'autre que regarder la télé. Je ne sais pas si je dois me faire du souci ou m'en réjouir.

— Laisse-toi souffler une minute, fit Cardozo. Et sois contente.

Il y avait du changement dans l'appartement, de petites touches de remise en ordre qu'il toucha du doigt presque instantanément. Plus de vêtements ni de journaux qui traînaient sur le canapé, ni de tasses à café sur la table. Plus aucun verre sale nulle part. Il y avait aussi une nouvelle odeur, celle de viande cuite au four, et il s'aperçut qu'il n'avait plus senti d'odeurs de cuisine chez sa sœur depuis qu'elle s'adonnait à la boisson et qu'elle se nourrissait de fast-food.

— Elle mange bien ?

— Mieux que dans la rue.

— Je suis sûre que tu lui as fait prendre cinq kilos.

— C'est loin d'être suffisant, répondit Jill, l'air vague.

Elle s'était fait couper les cheveux, qui étaient soigneusement coiffés — plus de foulard-camouflage ni de mèches folles. Il comprit qu'elle était heureuse et embarrassée de le montrer.

— Va lui dire bonjour, dit-elle en le poussant en avant. Elle est dans la chambre de Sally.

Nell Dunbar était vautrée comme une princesse boudeuse dans un fauteuil de velours. Elle portait un jeans de Sally et l'un des sweat-shirts de son lycée. Armée de la télécommande, elle zappait paresseusement.

Cardozo s'approcha et l'embrassa sur le front.

— Alors ça te plaît ta nouvelle vie ?

— Je peux dire la vérité ?

— Oui.

— M'éclater la tête, ça me manque.

Un sourire dérida l'expression butée de fille de la rue.

— Mais j'aime bien avoir une chambre à moi, avec une télé rien qu'à moi.

— Vous vous entendez bien, Jill et toi ?

— Pas de problème. Je me débrouille avec elle. Sauf que j'aimerais qu'elle s'abonne à Home Box Office.

— Demande-le-lui. Dis-lui que c'est ton anniversaire.

Cardozo lui prit la télécommande des mains et éteignit le poste.

— Enfile tes chaussures. Vous avez besoin de changer d'air toutes les deux, je vous sors.

A 6 heures tapantes, le visage sphérique du Dr Vergil Muller apparut comme une bouée à lunettes à la porte du Delilah's Pub. Apercevant Cardozo, il sourit et fendit la houle bruyante des clients salement éméchés.

— Bonsoir, lieutenant, fit-il en lui tendant la main. Quel plaisir. Je peux m'inviter ?

— C'est votre table, dit Cardozo. C'est moi qui me suis invité.

— En ce cas, faites comme chez vous.

Muller se laissa choir sur un siège.

L'hôtesse lui apporta son martini — un double, sec. Il lui désigna du doigt le Pepsi light bien entamé de Cardozo.

— La même chose pour mon ami.

Levant son verre, il trinqua avec Cardozo.

— Santé à nous tous.

— Vous avez l'air de tenir la forme, dit Cardozo.

Ce qui était un euphémisme ; Muller, rouge et en sueur,

donnait l'impression de ne pas en être à son premier verre de la soirée.

— L'été, c'est vraiment la pire période de l'année.

Muller se tamponna le front d'une serviette en papier estampillée Delilah en relief.

— Dès que le thermomètre frôle les trente degrés, la moitié de la ville devient dingue.

Cardozo avait installé Nell et Jill à une table d'angle. Nell lui faisait des signes : Muller lui tournant le dos, il ne lui avait pas été possible de bien distinguer son visage. Elle quitta sa place et se mit à contourner la table en se frayant un passage à travers la foule.

— Je ne sais plus combien d'examens j'ai dû faire aujourd'hui, dit Muller, l'air maussade. Mais l'été doit pas être une partie de plaisir pour vous non plus, je suppose.

— Ce n'est jamais une partie de plaisir, quelle que soit la saison, dit Cardozo.

— Voilà pourquoi je dis vive l'heure de l'apéro.

Muller prit le temps de savourer une longue gorgée.

— Qu'est-ce qui vous amène dans ces parages, lieutenant ? Certainement pas le Pepsi light de derrière les fagots de Delilah ?

— En fait, il se trouve que j'ai vu votre nom figurer sur un protocole de la F.D.A.

— Vraiment ?

Muller paraissait surpris.

— Ne me dites pas que vous avez le temps de lire ces trucs-là.

— Pas en temps normal, mais certains des meurtres dont je m'occupe ont à voir avec l'azidofluoramine.

Muller le fixait d'un regard étrangement vide.

— J'ai pensé que vous pourriez m'aider sur ce point.

— Avec plaisir.

Muller harponna une olive sur un cure-dent et se mit à la grignoter.

— Mais vous devez comprendre seulement que je...

— C'est lui, fit Nell, debout derrière la chaise de Muller. Je l'appelais « monsieur ».

Muller se retourna. En apercevant Nell, son martini eut du mal à passer. Il parut comprendre en deux temps qui furent comme deux coups de poing à l'estomac — il reconnut d'abord la fille, puis prit conscience qu'elle était avec Cardozo. Le deuxième temps fut le bon.

Muller se leva d'un bond. Sa chaise alla donner dans une serveuse. Un plateau de verres fut catapulté en chute libre alors que Muller filait déjà vers la porte.

Quand Cardozo gagna le trottoir après s'être faufilé dans la cohue, la marée montante du crépuscule balayait la rue. Son regard ratissa les flots d'employés de bureau rentrant chez eux, les voitures garées en infraction ou non des deux côtés.

Muller était au carrefour se disputant un taxi avec une vieille dame.

Cardozo le rejoignit et lui toucha le coude.

— Allez, montrez-vous gentleman.

— Pas de ça avec moi, supplia Muller.

— Ma voiture est là-bas.

Cardozo, le guidant, lui fit tourner l'angle.

— Ce n'était pas ce que vous croyez. Mais de la recherche. Ils disaient avoir plus de vingt-et-un ans. Ils ont signé une décharge.

— Où vous sentirez-vous le mieux pour parler ? dit Cardozo en déverrouillant la portière. Chez vous ou au commissariat ?

— Je peux vous servir quelque chose ? dit Muller. Je vais me préparer un martini.

— Non, merci.

Cardozo jeta un regard autour de lui. Le décor de l'appartement en copropriété que possédait Vergil Muller sur la Cinquième Avenue ressemblait à l'idée qu'un magazine de luxe se faisait de la maison de campagne d'un lord anglais. Tout n'était que brocart et antiquités orientales, larges tables en marqueterie et sombres tableaux de chevaux et de parties de chasse.

Muller s'approcha d'un buffet sculpté et s'y colleta avec carafes de cristal, bouteilles et glaçons. Les étagères dans son dos exposaient des pièces de porcelaine tendre qui donnaient l'impression de remonter à la bataille de Gettysburg.

Il revint vers le canapé avec son verre de martini, comme saisi par le trac d'un expert invité à participer à un talk-show télévisé.

— Vous vous demandez comment j'en suis venu à connaître Nell.

Cardozo opina.

— Disons que je suis curieux d'entendre votre version des faits.

— Tout ça remonte à une affaire sur laquelle le District Attorney m'a appelé en consultation. Un prêtre avait été assassiné. L'inculpé était un mineur du nom de Francis Huffington.

— Francis, plus connu sous le nom d'Eff.

Muller sourit comme s'ils venaient de se découvrir un lien de parenté.

— Alors vous le connaissez.

— Je sais des choses sur lui. Je ne peux pas dire que j'y comprends grand-chose.

— Eff a une intelligence bien au-dessus de la moyenne, mais c'est un sociopathe. Il ne s'est jamais complètement développé. Quelque part, en cours de route, quelque chose lui a fait défaut.

Muller se laissa tomber dans un fauteuil.

— Peut-être est-ce génétique, peut-être est-ce dû à l'entourage. Il n'a jamais appris à s'identifier aux autres — à sentir que leurs peines comme leurs joies pourraient être les siennes. Il considère les autres comme un matériau qu'on utilise, qu'on vend, qu'on pique, qu'on brûle — et cætera, faites votre choix. C'est ça son problème.

— Si ce n'était que le problème d'Eff, je dirais basta, qu'il se débrouille avec. Mais c'est aussi le problème de tous ceux qui ont la malchance de se trouver sur son chemin.

— J'en déduis que vous avez connu le père Romero ?

— Je ne connais que des bribes de cette affaire. Et j'aimerais en savoir davantage.

— Mon job, c'était d'évaluer si Eff était sain d'esprit et s'il disait la vérité.

— Et alors ?

— Parfaitement sain d'esprit.

— Et il disait vrai ?

— A mon avis, une grande part de ce qu'il disait était véridique.

Muller détourna le regard. Cardozo comprit qu'il avait honte de ce qui allait suivre.

— Il est apparu — au cours de mon examen d'Eff — qu'il dirigeait une sorte d'agence de placement. Il fournissait des jeunes à des... clients qui apprécient ce genre de choses. Or, il se trouve que j'effectue des recherches sur la prostitution des mineurs. Pour l'Institut national de la santé. Ce projet est parfaitement légal.

Muller avait haussé le ton et parut s'en apercevoir. Il rougit.

— J'ai passé avec Eff une sorte d'accord informel. Il m'envoyait des jeunes pour mes recherches, et en plus de son tarif habituel, j'ai fermé les yeux quand il m'a volé de l'azido-fluoramine.

En d'autres termes, traduisit Cardozo, *tu lui fournissais la drogue et il en fournissait à la moitié des fugueurs des docks.*

— Et à quel type de recherches vous livriez-vous avec ces jeunes ?

— Je les interrogeais sur le genre de services qu'ils fournissaient à leurs clients.

— Et vous est-il arrivé de leur demander de vous en faire la démonstration ?

— Une fois ou deux... ils me l'ont proposé spontanément.

Muller reposa son martini.

— J'ai consacré ma vie à effectuer des recherches sur la nature humaine, pourtant il y a encore certaines occasions où je ne comprends pas les êtres humains, où je ne comprends pas les choses qu'ils permettent qu'on leur fasse subir.

— Est-ce qu'ils ont toujours le choix ?

— Oui. Toujours.

Muller serra le poing et en frappa violemment son autre main ouverte, en un geste d'autopunition brutal.

— Et quiconque dit le contraire ne fait que barboter dans le cloaque du blabla psy. Mais attention, sur l'échelle de la paraphilie, ce que ces jeunes permettaient qu'on leur fasse ne dépassait pas une honnête médiocrité. Cependant, certains individus sont portés aux extrêmes. Et s'y portent souvent rapidement.

Cardozo trouvait ennuyeux que l'on en sache autant sur autrui que Vergil Muller, sans prendre cependant ses responsabilités face à sa propre vérité intérieure.

— Comment Eff savait-il quels jeunes vous envoyer ?

— Il me postait des photos et je lui retournais celles qui paraissaient... présenter un intérêt pour mes recherches.

— Et à quelle adresse les lui retourniez-vous ?

— A un numéro d'Highland Street, dans le Bronx.

— Vous avez encore une de ces photos ?

Ce soir-là, à 9 heures et demie pile, Ellie Siegel pénétra dans le Roy Rogers de la 23ᵉ Rue. La moitié des tables étaient occupées, et si on comptait six femmes seules, aucune ne portait une rose de soie jaune sur l'oreille.

Ellie se servit une tasse de café et hésita devant la tarte aux pommes chaude, mais sa conscience lui dit, *absolument hors de question*. Elle alla s'installer avec son café à une table d'angle d'où elle pouvait surveiller la porte.

Une femme, qui était assise de l'autre côté du restaurant, vint occuper la chaise à côté d'elle.

— Lieutenant Siegel ?

— Madame Quigley ? fit Ellie, se tournant vers elle.

La femme avait des cheveux bruns qui grisonnaient, retenus par une barrette, le front dégagé. Elle ne portait rien d'autre dans les cheveux.

— Je sais, pas de rose jaune. Je voulais vous voir sans que vous me remarquiez.

Elle était affublée d'une toile de tente feuille morte, assujettie à la taille par une écharpe de laine. Ellie se demanda si c'était par nécessité ou pour se donner un look.

— Rude journée, dit Mme Quigley. Il a fallu que je rapporte certains articles que j'ai achetés dans une braderie de Canal Street. Je vous dis pas la bagarre ! Puis une séance chez mon rebouteux. Pour mes genoux. Je peux plus m'accroupir pour nettoyer les sols comme avant.

— Pourquoi ne pas utiliser un balai-éponge ?

Mme Quigley lui lança un regard qui signifiait *Ah ça non, jamais de la vie*.

— Les balais-éponges, ça ne récure pas. C'est pas vous qui faites le ménage chez vous, hein ?

— Si, quand j'ai le temps.

— Les trois quarts des femmes de ménage, elles choisissent la facilité. L'encaustique en spray. Un coup je te spraye et un coup je t'aspire. Chaque fois que je me suis occupé d'une maison, j'ai jamais utilisé de spray. Ni pour le père Montgomery, ni pour le père Monahan, ni pour le père Romero. On m'a dit que la nouvelle femme de charge du père Montgomery utilise des balais-éponges en caoutchouc mousse.

Olga Quigley plongea la main dans son sac.

— C'est pour le père Romero que je suis là. Vous le connaissiez ?

Ellie secoua la tête.

— Vous avez jamais vu ses spectacles ? Ils étaient sensationnels.

— Jamais.

— C'était un homme bon, même s'il buvait. Et il n'a jamais levé un doigt sur ces enfants. Je ne vous dis pas que c'était un saint pour autant, mais il n'a jamais touché un enfant — ou un jeune. Ni qui que ce soit. Tout ce qu'il voulait, c'était aider les gens. Le Département de la Justice et ce D.A. de malheur, le tort qu'ils ont fait à la mémoire du père Chuck, ça me rend malade.

Mme Quigley sortit un sac en plastique de son sac. Il était bourré de papiers brûlés.

— Quand les choses ont commencé à tourner au vinaigre pour le père Chuck, il s'est mis à brûler des papiers. Ses fichiers, ses agendas, ses lettres. Toute sa vie, quoi. J'ai sauvé ce que j'ai pu.

— Qu'est-ce qu'il essayait de cacher ?

— Je crois qu'il en savait rien. Mais il a senti qu'on allait enquêter sur lui. Alors il a essayé de cacher tout et n'importe quoi.

Ellie ouvrit le *doggie bag* et fouilla dans les bouts de papier noircis.

— Ce morceau-là que vous tenez, dit Mme Quigley, c'est une des premières choses qu'il a brûlées.

Ellie baissa les yeux sur un morceau de bristol, où l'on pouvait déchiffrer ALLY MANFRE. L'adresse et le numéro de téléphone étaient encore lisibles. Elle eut comme un étourdissement.

71

Après le dîner, Terri jeta un œil par-delà l'espace séparant leurs deux fauteuils.

— Qu'est-ce qui va pas, P'pa ?

— J'ai dit que quelque chose n'allait pas ?

— Pas la peine que tu le dises.

— Désolé d'être aussi transparent.

— C'est la façon que tu as de respirer. Tu retiens ton souffle trop longtemps, et puis tu grognes.

— J'essaie de deviner quelque chose. Je crois que c'est un code. Wzn Rum.

— Wzn Rum ?

Quand elle se leva, elle lui parut avoir dépassé la barre moyenne de sa taille pour son âge. Elle prit son calepin de travail sur ses genoux.

— W-Z-N-R-U-M. Et t'as trouvé ça où ?

— Dans l'agenda de quelqu'un. Qui a déjeuné et dîné plusieurs fois avec ce type.

Elle plissa les yeux, pinça les lèvres, faisant accomplir à sa physionomie un exercice isométrique. Elle arracha une des pages blanches du carnet et plia la feuille par le milieu dans le sens de la longueur.

— Qu'est-ce que tu fais ? Un avion en papier ?

— Ça va t'en boucher un coin.

La pointe de son stylo-bille se déplaçait rapidement, écrivant l'alphabet en colonne descendante du côté gauche de la pliure. Puis le stylo fit la même chose en remontant le long du côté droit. Cette fois, de Z jusqu'à A. Puis elle se mit à tracer des flèches horizontales. La lettre W sur la gauche fut relié au D sur la droite. Le Z au A.

— C'est un code alphabétique inversé.

Cardozo ressentit une légère stupéfaction. Il fut stupéfait, d'abord, de ne pas avoir reconnu le code utilisé dans les B.D. de son enfance pour crypter les messages de Superman et du Captain Marvel. Stupéfait, ensuite, que des individus y recourent encore pour dissimuler leurs secrets.

Terri traça une flèche entre le N et le M. Quand elle traça la suivante, R à I, tout s'éclaira.

— Damien.

Terri traça les dernières connections, U à E et M à N.

— C'est quelqu'un que tu connais ?

— Pas personnellement, mais je commence à me familiariser avec son œuvre.

Cardozo s'approcha du bureau de Greg Monteleone.

— Je peux ?

Il ouvrit le rapport-filatures Bonnie Ruskay. Il fit courir son doigt le long des entrées de la veille.

— Qui a filé Ruskay hier au soir, toi ou Henahan ?

Greg fit claquer l'une de ses bretelles rouge camion de pompier.

— Moi, et à moins que mes yeux me trahissent, toi. Henahan a pris la relève à 8 heures.

Le doigt de Cardozo s'arrêta sur 5 h 10 de l'après-midi, quand le taxi de Bonnie l'avait laissée devant le 474, Broadway. A en croire le rapport, elle avait passé pas loin de sept heures dans l'appartement d'un certain W. Erbro au huitième étage.

— C'est qui ce W. Erbro ?

Greg haussa les épaules. Il manifestait un manque d'intérêt plus que désinvolte, monumental.

— Je l'ai cherché dans l'annuaire. Il n'apparaît ni comme simple particulier ni comme raison sociale.

Cardozo fronça le sourcil. Son doigt glissa plus bas. Un peu après minuit, la révérende Ruskay avait pris un taxi pour regagner son appartement.

— C'est quel genre d'immeuble ?

— Un vieil immeuble complètement délabré, avec des lofts, à Soho.

— Ça, j'ai pu m'en assurer moi-même. Qui vit là ? Qu'est-ce qu'on y trouve ?

— Des artistes et des ateliers de confection.

Greg affichait un rictus. Il semblait avoir en tête une petite plaisanterie à usage interne.

— D'après le tableau des locataires, Erbro est au huitième, mais on ne précise pas le genre de business dans lequel il est.

— Y a un truc qui t'amuse ?

Greg eut un haussement d'épaule dédaigneux.

La contrariété était comme un morceau de beignet brûlant dans la gorge de Cardozo.

— Essaie de me découvrir qui est cet Erbro.

Greg fit claquer son autre bretelle.

— Je ne fais que ça.

Cardozo gagna son box. Il ouvrit sa serviette et en sortit les photos que le Dr Vergil Muller lui avait livrées. Il examina attentivement chaque visage l'un après l'autre.

Il y avait huit photos. Il les étala à la surface du bureau côte à côte, comme des cartes à jouer. Cinq filles, trois garçons, tous des ados. Leurs noms, vrais ou faux, étaient écrits en capitales d'imprimerie dans la marge du bas.

Leurs charmes n'avaient pas suffi à attirer le Dr Muller. Ce qui signifiait probablement, qu'on ne les avait pas encore attachés avec des lanières de cuir, lardés de coups de couteau ni brûlés avec de la cire chaude. Ils étaient même probablement encore en vie.

Puis Cardozo aligna les photos des fugueurs du père Joe au-dessus de celles de Muller.

Les capitales d'imprimerie sur les deux séries de photos étaient les mêmes. Il ne voyait qu'une seule différence : les noms sur celles du père Joe étaient suivis d'un numéro. Aucune de celles de Muller n'en portait.

Il examina à la loupe la photo d'un garçon édenté du nom de Barry Bone. Et, en particulier, le mur derrière Bone.

D'abord, il eut du mal à accommoder sous la lumière crue du néon, et ne vit rien. Puis en déplaçant un peu la loupe vers le haut, un défaut apparut dans le coin supérieur droit.

Il rapprocha encore la loupe et le défaut se révéla être un zigzag en forme d'éclair.

Les sept autres photos présentaient le même défaut au même endroit.

La patience n'était pas le moindre défaut de Cardozo. Il décrocha le téléphone et composa le numéro de Deborah Fairchild au bureau du D.A.

— Fairchild, j'écoute, dit-elle d'une voix harcelée.

— Cardozo. On ne dit plus bonjour ?

Elle soupira.

— Bonjour, Cardozo.

— Bonjour vous-même. Vous avez une minute ?

— Non.

— Notre ami le Dr Vergil Muller a opéré dans une sorte de zone éthique grisâtre. Tandis qu'il examinait Eff Huffington pour le D.A., il a passé un marché personnel avec lui.

— Ai-je vraiment envie d'apprendre les termes de ce marché ?

— J'en doute. Muller a loué les services d'Eff pour qu'il l'approvisionne en ados fugueurs pour des jeux sado-maso. Il payait Eff en liquide et avec un médicament sous protocole de la F.D.A.

— Je m'attendais à un truc abominable de ce genre.

— Il y a pire. Eff envoyait à Muller les photos des candidats et candidates au titre de proie de la semaine. L'appareil utilisé pour ces photos est le même que celui qui a pris en photo les fugueurs morts figurant dans le fichier du père Joe Montgomery. J'ai comme un pressentiment que le D.A. se prépare à distribuer le père Joe Montgomery dans le rôle du Tueur de la Communion, et l'affaire, si je ne me trompe pas, repose sur ces photos.

— Non, vous ne vous trompez pas. Et j'aimerais bien que oui.

Elle demeura silencieuse un instant.

— Je n'ai pas été tout à fait franche avec vous.

— Je le savais.

— Je ne vous ai pas parlé d'un justicatif du groupe d'intervention — une facture de Fabrikant Gems, 47ᵉ Rue Ouest, d'un montant de mille deux cents dollars.

Cardozo tiqua.

— Qu'est-ce que le groupe d'intervention du D.A. peut bien acheter chez un marchand de pierres précieuses ?

— Si l'on en croit la facture, un anneau plaqué or. Je préfère ne pas penser à ce que cela signifie.

— Retrouvez-moi chez Fabrikant Gems dans un quart d'heure.

Cardozo pénétra dans un passage couvert donnant sur la 47ᵉ Rue Ouest, en plein cœur du quartier des diamantaires de Manhattan.

L'endroit fourmillait de touristes, d'acheteurs, de hassidim qui étaient la plupart des courtiers en diamant de la place, de livreurs des magasins de *delicatessen* voisins. Tout ce beau monde faisait du lèche-vitrines, cherchait la bonne affaire, vantait la marchandise, discutait les prix, contestait les estimations, et tout ça en criant et gesticulant. Les murs de granit canalisaient un brouhaha assourdissant où l'anglais et l'espagnol se mêlaient à l'hébreu et au yiddish.

Si Deborah Fairchild n'avait pas fait signe à Cardozo du seuil de l'une des boutiques, il n'aurait jamais repéré Fabrikant Gems Inc., tellement l'échoppe était minuscule.

— Vince, je vous présente Aryeh Fabrikant.

Un homme trapu en manches de chemise, accroche-cœurs blonds et kippa noire, était assis derrière un petit établi jonché de pièces de joaillerie. Il parlait au téléphone en hébreu, et son débit était rapide. Il salua Cardozo d'un signe de tête. Son langage du corps était cool, minimal. Deborah, c'était évident, lui avait tracé une esquisse de la situation et il savait qu'il ne s'agissait pas d'une vente. Ce qu'il ignorait, c'était s'il devait faire face à une accusation quelconque.

Quand finalement il raccrocha, Deborah déposa une facture sur l'établi.

— Nous avons besoin de connaître les détails de cette transaction.

Aryeh Fabrikant regarda la facture d'un air maussade et

l'emporta avec lui jusqu'à un classeur métallique appuyé contre le mur. Il ouvrit un tiroir et se mit à feuilleter les doubles au carbone d'anciennes quittances. Il fouilla dans trois tiroirs et ramena une feuille de papier pelure jaune. Il régla le bras de la lampe de joaillier de l'établi et examina les écritures à demi effacées.

— C'était une commande pressée. Ils voulaient que je fasse une copie d'un anneau plaqué or.

— Quel genre d'anneau d'or ? demanda Cardozo.

— *Plaqué* or, précisa Aryeh Fabrikant. C'était une breloque, de la camelote — pas même en bon état.

— Alors pourquoi la copie a-t-elle coûté mille deux cents dollars ? demanda Deborah.

Les yeux rieurs d'Aryeh Fabrikant disaient assez que les caprices des hommes étaient inexplicables, du moins dans le bizness des bijoux.

— Ce devait être une copie parfaite et à exécuter dans les vingt-quatre heures.

— Pourquoi ce délai si court ?

— Ils ne voulaient pas me laisser l'original plus longtemps. Pourquoi, ça ils l'ont pas dit. Et je le leur ai pas demandé. A vrai dire, je tenais pas à faire ce boulot ; je leur ai demandé ce prix grotesque pour les décourager. Mais ils l'ont payé.

— Faites-moi voir la date de la commande ?

Aryeh Fabrikant tendit la feuille jaune à Cardozo.

La commande était datée de quatre semaines et demie après qu'on eut découvert le corps de Wanda Gilmartin.

Cardozo poussa le jeans, le T-shirt, la bougie, les dix centimètres de chaînette, sur un coin du comptoir. Il mit à part les deux petits anneaux.

Il tourna la lampe. La forte ampoule éclaboussa le comptoir d'une lumière grésillante, presque bleue.

L'un des anneaux étincelait comme si le plaqué or était incrusté de microscopiques éclats de brillants. Il portait l'étiquette 408-H-307-5, et c'était l'anneau qu'on avait trouvé dans le sac à dos de Martin Barth.

Le second, 408-H-307-1, n'étincelait pas quand on l'exposait à la lumière. C'était l'anneau qu'on avait trouvé passé au bout du sein droit de Wanda Gilmartin, et le plaqué or avait quasiment disparu.

Cardozo contempla les deux anneaux. Similaires, ça oui. Identiques, pas franchement.

Il replaça anneaux et autres articles dans leur dossier. Il ôta ses gants de plastique jetables et retourna au guichet de l'employé du local des scellés.

La climatisation faisait régner comme toujours dans la pièce un froid arctique, et aujourd'hui le préposé portait un pull de ski tricoté main.

— Il faut que je jette un œil sur les registres d'il y a deux ans, lui dit Cardozo.

L'employé disparut derrière un rack de rangement, non sans avoir lancé à Cardozo un regard qui le sacrait roi des emmerdeurs.

Une télé, quelque part, diffusait à plein tube les voix faussement enfantines d'une rediffusion de *Sesame Street*. Le bipeur de Cardozo se déclencha et ce dernier mit quelques instants à s'apercevoir que le bip-bip ne faisait pas partie de l'orchestre de *Sesame Street*.

Il gagna le taxiphone et fit le numéro du commissariat. Les voix de fausset de *Sesame Street* bêlaient une chanson sur une girafe bleue. Le commissariat finit par répondre. Cardozo dut hurler.

La standardiste lui passa Ellie.

— L'écoute téléphonique de Delphillea Huffington a enregistré un nouvel appel d'Eff, fit Ellie. Mais bon Dieu où tu es ? On dirait que tu parles du fond d'un tonneau plein d'écureuils.

— Ça décrit assez bien la situation.

— Delphillea dit à Eff qu'elle a reçu une autre lettre de son ami prêtre. Qu'elle a reconnu l'écriture sur l'enveloppe. Eff lui répond qu'il va passer.

— De quand date cet appel ?

— On a reçu l'enregistrement il y a cinq minutes.

— Help, lieutenant.

L'employé des scellés avait réapparu, porteur d'un registre. Cardozo prit congé d'Ellie et essuya une couche de poussière de deux ans sur la reliure.

Il examina la date du reçu d'Aryeh Fabrikant — 3 mai. Puis ouvrit le registre. Une sorte d'obscurité semblait s'élever d'entre ces pages. Il les tourna jusqu'à celle du 03/05, et étudia un notation portée tout en bas.

A 10 heures et demie du matin, Harry Thoms du Bureau du D.A. avait retiré l'article 408-H-307-1, c'est-à-dire l'anneau passé au téton de W.Gilmartin. Il l'avait restitué à 4 h 20, le lendemain après-midi. Dix jours plus tard, l'anneau du sac à dos de M. Barth avait été enregistré par l'employé des scellés comme pièce à conviction sous le numéro 408-H-307-5.

Cardozo referma le registre. La certitude était chevillée à la moindre cellule de son corps.

Cardozo se gara derrière un conteneur à ordures, à un bloc et demi de l'immeuble de Delphillea Huffington. Il avait la porte d'entrée directement dans sa ligne de mire.

Le garçon blond à queue-de-cheval ne se montra pas.

En fin d'après-midi, il y eut un regain de mouvement — les honnêtes citoyens se pressaient de regagner leurs pénates avant que loubards, putes et marchands de dope ne prennent possession de la rue.

Un peu après 9 heures, une bande de gosses chauffés au crack déboula en skate-board, se moquant de risquer leurs vies aussi bien que celle des autres.

Dix minutes plus tard, un toxico arriva en titubant et dégueula dans une poubelle. C'était un gentleman de la vieille école — il remit le couvercle de la poubelle en place.

Toujours aucun signe d'Eff. Pas le moindre ado de race blanche à l'horizon.

Un peu avant 10 heures, la radio de la voiture de Cardozo s'anima en crachotant. C'était Greg, au commissariat.

— Mauvaises nouvelles.

— Tu peux y aller, je suis assis.

— On vient de découvrir que l'alimentation de l'écoute était naze.

Merde, songea Cardozo.

— Depuis combien de temps ?

— Un peu plus de quatre heures. Tu comprends ce que ça veut dire ? On a capté cet appel quand le courant a été rétabli, mais il a pu avoir lieu avant la coupure de courant.

— Je comprends ce que tu veux dire, Greg. Il a pu venir relever le courrier quatre heures avant que je vienne planquer ici.

72

— **V**oilà la manœuvre, dit Cardozo. On téléphone à chaque église catholique de la zone urbaine. On explique la situation, en peu de mots, et en évitant de parler d'un *tueur*.

— Qu'est-ce qu'on leur dit, alors ? demanda Sam Richards.

Il était appuyé contre le classeur métallique. Près de lui, l'inspecteur O'Bannon était assis sur le coin du bureau. Ellie se tenait, debout, près du climatiseur, prenant garde de ne pas arrêter le filet d'air frais.

— Tout ce qu'ils ont besoin de savoir, c'est qu'un criminel utilise les églises vides. Faut me trouver quelles églises seront vides et sans surveillance ce soir. Suppliez-les d'y poster un prêtre. S'ils peuvent pas, on y postera un flic, mais soulignez bien que c'est en dernier recours, parce qu'on a pas les hommes nécessaires. Ellie, tu te charges du Bronx. Sam, de Brooklyn. Tom, de Manhattan. Moi, je m'occupe du Queens. Le premier qui a terminé prend Staten Island. O.K. ? On y va.

Moins d'une heure de téléphonite non-stop fit apparaître une cloque à l'extrémité du doigt de Cardozo qui appuyait sur les touches.

— Vous ne comptez pas rester dans les parages de l'église, ce soir ?

Il était en communication avec le père Malloy de Notre-Dame-du-Carmel.

— Mais c'est la soirée bingo de Sainte-Anastasie, fit le père Malloy d'un ton désolé.

L'autre ligne se mit à clignoter.

— Excusez-moi un instant, mon père.

Cardozo prit l'autre appel.

C'était le lieutenant Ross qui allait au charbon pour le capitaine O'Reilly.

— Votre ligne était occupée.

— Parce que je l'étais.

— O'Reilly veut vous parler. Tout de suite et en personne.

Quand Cardozo pénétra dans le bureau de O'Reilly, la fraîcheur qui y régnait le frappa comme un bloc de glace en pleine figure. Le climatiseur du capitaine était l'un des deux seuls à fonctionner à l'étage.

— Putain, Vince, vous cherchez à faire quoi ?

Et les yeux tristes et imbibés de whisky d'O'Reilly ajoutaient comme une note en bas de page : *Vous voulez me faire sauter ma retraite ?*

— A sauver la vie d'un gamin, rien que ça.

— Vous causez des ravages. Le bureau de presse diocésain déclare que le Tueur de la Communion n'existe pas, le D.A. affirme qu'il n'y a pas de Tueur de la Communion.

— Et à eux deux, ils ont permis au Tueur de la Communion de vaquer tranquillement à ses occupations depuis trois ans.

— Le préfet de Police m'a dit que le maire n'a pas besoin qu'on crée une panique de ce genre.

— Le préfet m'a l'air de se borner à répercuter tout ce que lui dit le maire.

— Le préfet m'a dit qu'aucun flic ne serait assigné à la garde des églises ce soir.

Cardozo expira très lentement.

— Tenter de faire son boulot correctement sous cette administration, c'est comme essayer de gerber contre le vent.

— Et la voie hiérachique, vous connaissez, Vince ?

La capacité de Cardozo à la boucler céda soudain.

— J'ai prêté serment de faire respecter la loi et de protéger les citoyens, pas de ménager l'ego d'un bureaucrate pétochard. Sa Grâce a une trouille bleue que les flics n'offensent quelqu'un. Alors faut qu'on se couche au premier coup de poing et qu'on attende que l'arbitre compte jusqu'à dix. Très bien, il y aura peut-être suffisamment de flicophobes dans cette ville pour le réélire, mais la seule chose dont il sera le maire ce sera d'une maousse foire d'empoigne.

O'Reilly se contenta de rester là sans rien dire. Mais sa colère se lisait en rouge vif sur son visage et son cou.

— Excusez-moi, monsieur. Je me suis laissé emporter. J'ai parfaitement compris ce que vous m'avez dit. Je peux me retirer ?

— Oui, bordel de merde — et arrêtez de téléphoner à ces églises.

Cardozo montra sa carte à la réceptionniste.

— J'ai un message urgent pour le cardinal. Mais je préférerais le lui communiquer moi-même.

— Vous avez rendez-vous ?

— Je suis désolé, non.

Elle lui lança un regard cerclé de fer qui ne donnait pas cher de son état mental.

Il prit une feuille de papier sur son bureau et écrivit très lisiblement en grosses lettres : *Le Tueur de la Communion frappera ce soir.* Il ne plia pas le mot, posa son insigne dessus et retourna le morceau de papier de façon que la réceptionniste puisse le lire. Il fit glisser le tout jusqu'à elle.

Elle jeta un œil sur la petite note, puis le dévisagea encore une fois.

— Un instant, je vous prie.

Elle disparut dans un fracas de talons paniqués.

Les voyants lumineux dansaient sur son poste téléphonique. Les visiteurs s'entassaient derrière Cardozo. Trois minutes s'écoulèrent avant qu'elle ne réapparaisse en compagnie d'un *monsignore* à la carrure imposante. Il invita Cardozo à le suivre en lui adressant un sourire amical.

Ils longèrent un couloir moquetté où étaient accrochés les portraits des vingt-deux derniers cardinaux de New York. Aucun d'entre eux ne respirait la félicité. Monseigneur salua d'un signe de tête deux autres réceptionnistes et un vigile en uniforme. Il fit halte devant une porte lambrissée.

— Puis-je vous demander de me remettre votre arme de service, s'il vous plaît ?

Quelque chose dans la manière dont cette requête fut formulée dérangea Cardozo. Un instant plus tard, il comprit que ce n'était pas tant la formulation que le regard qui l'accompagnait qui avait causé son trouble. Monseigneur avait l'œil gauche marron clair et l'œil droit, bleu clair.

Cardozo lui tendit son revolver.

— Merci.

Monseigneur frappa et ouvrit la porte.

— Son Eminence va vous recevoir.

Cardozo pénétra dans un cabinet de style victorien, dont les hautes fenêtres étaient masquées par de lourds rideaux de dentelle. L'éclairage était assuré par deux lampes posées sur le bureau de chêne.

Leurs pieds montraient deux négresses en livrée exécutant une danse. Le mot et l'insigne de Cardozo se trouvaient entre elles.

Près de l'une des fenêtres, le cardinal Fitzwilliam ajustait sa barrette.

— Il n'est peut-être pas très approprié de vous remercier pour une note aussi importune que la vôtre, lieutenant, mais je ne vous en remercie pas moins.

Quand Son Eminence lui fit face, il ne parut pas plus âgé à Cardozo que sur ses photos, seulement un petit plus las.

— Elle partait d'une bonne intention, je n'en doute pas.

— Merci de me recevoir, Votre Eminence.

— Je prends un intérêt tout particulier à cette affaire, car jusqu'à présent, pour autant que nous ayons pu l'établir, le Tueur de la Communion n'est qu'une rumeur.

— Une rumeur qui se solde par cinq cadavres.

Cardozo déposa autopsies et photos sur le bureau.

La robe du cardinal, quand il traversa la pièce, fit un bruit froufroutant. Il chaussa avec gravité une paire de lunettes et s'installa devant le bureau. Il examina attentivement les documents. Il sépara les photos en deux groupes : d'un côté, les trois morts d'avant le meurtre du père Chuck. De l'autre, celles des deux morts depuis.

— Vous affirmez qu'un seul homme est responsable de tous ces crimes ?

— Oui, Votre Eminence.

— Connaissez-vous son identité ?

— Non, Votre Eminence, mais nous croyons que c'est un prêtre.

Le cardinal marqua une hésitation.

— Un prêtre épiscopalien ?

— Nous n'avons pas déterminé une chose pareille, mais nous connaissons sa façon de procéder. Il se sert d'églises catholiques vides pour y donner la communion à ses victimes. Et il va tuer sa sixième victime ce soir.

— Ce soir ? fit le cardinal, avec un léger recul de frayeur. Ça ne vous laisse guère de temps pour l'en empêcher.

— Suffisamment, si vous voulez bien nous aider.

Le cardinal remit maladroitement les photos en un seul tas, face retournée.

— Bien entendu, je ferai tout ce qui est en mon pouvoir. Mais comment ?

— Il faut faire surveiller toutes les églises catholiques de la ville et vous seul possédez les effectifs nécessaires pour ça.

Cardozo se gara dans la ruelle voisine du commissariat. Le soleil n'était plus qu'une traînée embrasée dans le ciel. Il monta deux sacs en papier kraft à la salle de garde : plat chinois pour Ellie, cheeseburger royal pour Greg. Ils avaient accepté de rester après l'heure près du téléphone au cas où une église signalerait une effraction.

Greg fit la grimace.

— Ce cheeseburger a été cuit comme on nettoie les voilages — à la vapeur.

Ellie dévora son poulet aux noix de cajou avec les baguettes, qu'elle maniait avec une dextérité qui laissa Cardozo pantois.

Il lui rendit la tasse vide.

— Ne me dis pas que tu en veux encore.

— Je ne sais pas ce que je veux. Dormir, dit-il en bâillant. Aucune nouvelle d'aucune église ?

— Rien pour le moment, Dieu merci.

Elle se retourna sur le pas de la porte.

— On nous a communiqué un truc bizarroïde par radio. Ça s'est passé ici même à Manhattan, 93ᵉ Rue. Mais ça ne nous concerne pas. Quelqu'un est entré par effraction dans une église grecque orthodoxe.

Cardozo donna un coup de poing sur son bureau.

— Je suis con !

Il s'était redressé sur sa chaise, pleinement éveillé.

— Ils se reconnaissent mutuellement.

— Je te demande pardon ?

— Les catholiques et les orthodoxes grecs. En cas d'urgence, ils peuvent recevoir la communion les uns des autres. Il n'a pas pu entrer dans une église catholique, alors c'est là qu'il est allé.

73

Le père s'aperçut que son pouce et son index avaient laissé des demi-lunes roses sur la glacière.

Il traversa la pièce et retira la scie électrique du baquet en tôle. Il la déposa soigneusement sur le sol cimenté. Il tourna le robinet d'eau chaude et tint l'éponge de cellulose sous le jet, le temps de bien l'humidifier.

Il revint à la glacière et en nettoya le polystyrène blanc.

Trois mèches blondes dépassaient du couvercle.

Il ouvrit la glacière. Le visage, jeune, le regardait, gentiment à présent, d'un œil tranquille, hors d'atteinte de toute affliction.

Du doigt, le père épousa la courbe des lèvres qu'il sépara, entrouvrant la bouche.

— Dieu t'aime, murmura-t-il.

De la poche de sa blouse, il tira un ciboire d'où il tira à son tour une hostie fine comme du papier. Il la glissa entre les lèvres.

— Et moi aussi.

Il embrassa les lèvres avant de les clore.

A 6 h 32 du matin, une voiture de patrouille à deux occupants roulait vers l'est sur la voie express qui coupe Central Park à hauteur de la 87ᵉ Rue. Comme le conducteur passait devant le poste de police qui se trouve côté sud, il ralentit.

— Qu'est-ce qu'il y a ? demanda son coéquipier.

— Rien, peut-être.

Le conducteur fit grimper la voiture sur le rebord du trottoir, avant de l'arrêter et d'en descendre.

Il balaya de sa torche les murs de pierre du poste de police de plain-pied. On l'avait abandonné suite aux restrictions budgétaires des années quatre-vingt. On en avait scellé les fenêtres et la porte au moyen de plaques de tôle pour empêcher les S.D.F. de le squatter.

Il suivit du pinceau de lumière le toit d'ardoises et éclaira l'arrière du bâtiment. Revenant vers la chaussée, le faisceau se brisa sur le bord de ce qu'on pouvait prendre pour un bloc de glace d'un mètre cinquante de côté.

Le policier s'assura d'abord que son arme était parée sur sa hanche droite. Puis il avança. Le rayon de la torche s'écrasa sur le flanc d'une glacière en polystyrène blanc, sans marque aucune. Un filet rouge fuyait lentement d'une brèche à la base.

Au-delà de la tête du policier, la nuit sans étoiles parut soudain chimiquement empoisonnée.

Ses doigts trouvèrent le creux où l'on avait enfoncé le couvercle de la glacière. Il prit un stylo-bille parmi ceux rangés régulièrement dans sa poche, le cala dans le creux et poussa.

Ça lui prit une dizaine de poussées supplémentaires pour libérer le couvercle. Qu'il souleva.

Il regarda à l'intérieur de la glacière et sentit avec écœurement le sang se retirer de son visage.

Il se tourna vers la voiture de patrouille.

— Eh, Joey !

Dan Hippolito enfonça la clé dans la serrure de la porte

métallique saupoudrée d'une mince couche de givre, qui s'ouvrit. Il tira la civière et souleva le drap de nylon noir.

La lumière frappa la morte en plein visage.

Cardozo baissa les yeux, puis les ferma.

— Tu la connais ? fit Dan.

— Je la reconnais. Elle s'appelait Jaycee Wheeler.

— Le décès remonte à moins de dix heures.

— Elle est morte comment ?

— Suite à d'énormes pertes de sang. Sept des grosses artères ont été sectionnées à la scie électrique. La scie est la même que celle qu'on a utilisée pour Sandy McCoy.

— Elle était vivante quand il a fait ça ?

— Je doute fort qu'elle ait senti quelque chose, il n'y nulle part de blessure prouvant qu'elle s'est défendue. Ce qui suggère qu'elle était sous l'effet d'un sédatif puissant.

— J'espère que tu veux dire par là qu'elle était inconsciente.

— C'est ce que je dirais.

— Tu as trouvé de l'hostie dans sa bouche ?

— Ce que j'ai retrouvé y ressemble furieusement. Le labo nous le confirmera.

— Des marques de pratiques sado-maso sur le corps ?

— Non, aucune.

Cardozo tendit la main vers le drap.

Dan lui retint le bras.

— Vince, ne regarde pas ça. On l'a découpée comme la carcasse d'un animal, sauf que c'est pas l'œuvre d'un boucher professionnel.

— Je veux voir sa main.

— Elle est là-dedans, dit Dan en ouvrant le casier voisin.

Les bras et les jambes avaient droit à une civière particulière. Choqué de les voir en pièces détachées, Cardozo mit un moment à distinguer la droite de la gauche. L'annulaire se dressait, sans bijou aucun.

— Elle portait pas une bague ? Un drôle de truc fait avec des languettes de métal ?

Dan secoua négativement la tête.

— Je ne l'ai pas vue. Mais il y avait des vêtements pliés dans la glacière, près d'elle — une chemise bleue en guingan et un pantalon kaki. Et des fibres de moquette acrylique grise y étaient collées. Tout ça est parti au labo.

— On dirait qu'elle s'est faite belle pour lui. Et on dirait qu'il l'a étendue au tapis, sur le même que les autres.

Cardozo détourna les yeux. Il voulait oublier ces membres coupés. Il regarda à nouveau son visage. Même morte, elle conservait cet air provocant et m'as-tu-vu, fait pour qu'on la remarque.

Il sentait une tristesse pesante qui le tirait vers le bas.

— Fais-moi une fleur, Dan. Préviens-moi si on lui découvre une drogue quelconque ou de l'azidofluoramine dans le sang.

— J'ai de mauvaises nouvelles, dit Cardozo. Très, très mauvaises. Peut-être vous feriez mieux de vous asseoir.

L'œil marron de Scott Rivera, sur ses gardes, devint inexpressif.

— Jaycee ?

Cardozo acquiesça.

— Elle est blessée ?

Cardozo ne dit mot.

Une vague d'incrédulité déferla dans les yeux de Rivera, sous le choc. Il se laissa glisser sur un tabouret qui bascula en arrière. Il évita de justesse de s'affaler.

Cardozo l'observa un instant. Il portait un sweat-shirt sans manches couleur Maïzena. Il s'étreignait les bras très fort. Pour quelqu'un d'aussi frêle, il avait des bras puissants et musclés, aux longs tendons. C'étaient les bras de salle de gym d'un converti à l'autodéfense.

— Comment est-elle...

La question se perdit dans le silence.

— C'est lui, dit Cardozo. Le Tueur de la Communion.

— Je lui ai dit de ne pas faire cette interview. Pas en solo.

— Pourquoi elle a passé outre ?

— Sa petite pute de copain lui a dit que c'était la condition posée par Damien.

— Et sachant ce qu'elle savait, elle lui a fait confiance ?

— Pour Jaycee, la vie était comme un match. Il lui fallait saisir toutes les occasions de marquer un but.

— Quand a eu lieu cette interview ? Et où ?

— Je ne sais pas où. Son contact lui a téléphoné hier en lui demandant de le retrouver à 7 heures du soir, dans un bar près des docks.

— Le Sea Shell ?

— Possible. J'ai pas pris le message, et elle m'a pas donné tous les détails.

— C'est qui ce contact, la petite pute ?

— Je connais pas son nom.

— Vous l'avez déjà vu ?

— Il est venu ici une fois — un ado blond, avec une queue-de-cheval.

Eff, se dit Cardozo et il eut la nausée. *C'était Eff, son informateur. Elle est morte dans la chasse au scoop.*

— Ce mec, c'était de la racaille, dit Scott. Un mac. Il fournissait des ados à tout plein de barjos.

— Comment Jaycee l'a décidé à l'ouvrir ?

— Avec du fric. Elle a coiffé Damien au poteau.

— Damien payait combien ?

— Le marché, c'était deux cents dollars pour chaque coup. En trois ans, il en a livré cinq, donc il s'est fait mille dollars. Jaycee lui en a offert cinq mille s'il lui racontait tout ce qu'il savait là-dessus.

— Elle a appris quoi ?

— Elle était extrêmement discrète sur cet article. Ça devait la lancer, le premier Pulitzer d'investigation pour un canard gay.

— Elle gardait des notes ?

— Si on peut appeler comme ça deux sacs poubelle pleins de papiers froissés.

— Et où ils sont ces sacs ?

— Par ici.

Rivera ne plaisantait pas : le placard contenait deux énormes sacs de plastique noir, bourrés de papiers déchirés ou roulés en boule.

— Vous permettez que je déballe ?

— Je vous en prie.

Cardozo vida les sacs au beau milieu du loft. Au cours des deux heures qui suivirent, il passa au peigne fin numéros de téléphone, listes de courses, reçus de Mastercard, phrases griffonnées qui auraient pu être tout aussi bien de la poésie que du reportage.

Une ombre s'allongea sur les piles de papiers triés. Cardozo leva les yeux et vit Rivera qui tenait un sac de cassettes audio.

— Elles étaient dans son bureau. Je sais foutre pas ce que c'est, mais quelquefois, elle enregistrait ses interviews.

74

Cardozo se carra dans son fauteuil pivotant et appuya sur la touche *play* de son lecteur de cassettes. Il déchiffrait les cassettes de Jaycee, et celle-ci était la troisième d'une série de huit dont aucune ne portait d'étiquette.

Dix-neuf minutes durant une chorégraphe ouvertement lesbienne parlait du sida dans le milieu de la danse, puis surgissait soudain une voix masculine.

— Je l'ai rencontré en septembre de cette année-là, en thérapie de groupe. Je lui ai dit que je connaissais les gays qui avaient interrompu la messe à Saint-Pat et lui m'a dit qu'il était prêtre, qu'il serait intéressé de les rencontrer et de les aider, est-ce que je pouvais lui arranger ça.

Cardozo remit son fauteuil d'aplomb, écoutant attentivement. Jaycee avait réenregistré la cassette en effaçant le début d'un entretien avec Eff : il était évident que c'était le milieu de la discussion qu'il entendait.

— Je m'suis dit que c'était rien d'autre qu'un enculé de prêtre qui voulait se vider les couilles. Je lui ait dit que ces gays étaient des putes qui feraient n'importe quoi pour du fric. Alors il m'a dit qu'il payerait deux cents dollars. Il était condamné qu'à huit semaines de thérapie de groupe et comme il finissait huit jours plus tard, je suis allé sur les docks et j'ai photographié huit personnes. Le deal c'était qu'il m'enverrait la photo du gay qu'il voulait et les instructions sur le moment et l'endroit de la livraison.

La voix qui parlait ensuite était celle de Jaycee.

— Est-ce qu'un de ces individus a vraiment pris part aux happenings de Saint-Pat ?

— Merde, est-ce que je sais, moi ? dit la voix masculine.

— Est-ce qu'ils étaient même gays ?

— Si t'allonges la thune, ils sont tout ce que tu veux.

— Tu peux me présenter ce prêtre ?

— Ouais, mais arrête d'abord ton magnéto.

Le blanc grésillant qui suivait avait un côté horriblement irrévocable.

Le téléphone sonna. C'était Dan Hippolito. On avait trouvé de l'alcool mais ni drogues ni azidofluoramine dans le sang de Jaycee.

— Du vin dans son estomac ?

— Gagné.

— Ce salopard lui a donné la communion.

— Une Église à lui tout seul, ce type.

Cardozo raccrocha. La blague de Dan entraîna le cours de ses pensées encore plus loin dans la direction initiée par l'interview de Jaycee. Il inclina la lampe de son bureau vers le cahier à reliure spirale où elle jetait des notes pour son travail. Elle y avait rapporté dans l'ordre, et soigneusement mis à jour, les divers happenings dans la cathédrale. En épluchant les dates, il s'aperçut que les médias n'avaient cité que les « actions » des douze derniers mois. En fait, elles avaient débuté plus de trois ans en arrière.

Il s'intéressa aux dates les plus anciennes : le premier happening de Jaycee à Saint-Pat remontait au 27 octobre, trois ans auparavant. Le second, au 10 janvier, deux ans plus tôt ; le troisième, au 27 février de la même année.

Les dates n'obéissaient apparemment pas à un dessein précis. Cependant, quelque chose en elles dérangeait Cardozo, quelque chose de familier.

Avant qu'il ait pu mettre le doigt dessus, le téléphone sonna à nouveau.

— Cardozo, à l'appareil.

— Les vêtements de Jaycee étaient imprégnés d'encens.

C'était Lou, au labo.

— Le même que pour les autres victimes ?

— Le même, et une fois encore, ça ne nous apprend rien. Par contre, ce qui nous apprend *quelque chose*, c'est le calice de l'église orthodoxe grecque. Les empreintes correspondent à celles du V.A.

— Ce sont celles de Colin Draper.

— Je sais qui est Colin Draper ?

— Maintenant, tu le sais.

Au moment où Cardozo raccrochait, Ellie franchit la porte, un fax à la main.

— Tout chaud.

Cardozo jeta un œil sur l'analyse chimique du contenu des pots de cosmétique sans étiquette trouvés chez Jonquille.

— J'espérais qu'un membre de l'équipe d'investigation criminelle aurait mis la main sur ce camée en ivoire.

— Peut-être qu'elle l'avait mise au clou, sa bague ?

— Je pense pas. C'était son porte-bonheur. Elle m'a dit qu'elle la quittait jamais.

Il lui rendit le fax.

— Dis-moi, Ellie, si ces dates t'évoquent quelque chose.

Elle tiqua devant la page du cahier où Jaycee prenait ses notes.

— Six dates. Un dimanche et deux mercredis. Un trou de trois mois, puis d'un seul, ensuite un intervalle de quinze mois.

Elle secoua la tête.

— Non, je ne distingue aucune logique. Peut-être qu'un ordinateur le pourrait. A moins que, peut-être...

Elle réfléchissait.

— Les meurtres ?

— Aucune date ne correspond.

— Mais les intervalles, si, je me trompe ?

— Si l'on reste dans l'approximation...

Cardozo saisit un stylo-bille et retourna un formulaire de commande, bleu, du service. Il écrivit au dos deux colonnes : dans l'une, les dates des happenings de Jaycee et en regard, celles approximatives de la mort des six victimes connues du Tueur de la Communion.

Le rapport de cause à effet lui explosa à la figure.

— Il rendait coup pour coup.

Cardozo fit sa démonstration à Ellie.

— Dans les trois semaines qui suivaient chaque happening, un nouveau meurtre du Tueur de la Communion. Et c'était Eff qui lui fournissait les victimes.

Ellie tourna vers Cardozo des yeux calmement inquisiteurs.

— D'où tu tiens ça ?

Il rembobina la cassette de Jaycee et lui fit écouter la partie où Eff répondait aux questions.

— A ce que j'entends, dit Ellie, tu ne peux pas parler au passé. Il *fournit* les victimes. Il n'a pas cessé.

— Comment lui mettre la main dessus ? fit Cardozo, tapotant le formulaire bleu de son stylo.

— Par Pierre Strauss.

— Impossible, dit Cardozo en secouant la tête. C'est un enragé des libertés civiles. Il aimerait mieux que vingt gosses soient tués qu'empiéter sur un seul des droits d'Eff.

Au bout d'un instant, Ellie dit :

— Et Sy Jencks ?

— Jencks ne sait pas où se trouve Eff.

Le stylo cessa de tambouriner.

— Il m'a dit que tous ceux qu'il a en probation sont enrôlés dans l'opération Seconde Chance.

— Paula Moseley ?

— Tout juste, dit Cardozo en claquant des doigts. Paula.

Le vigile à l'entrée de l'immeuble de l'opération Seconde Chance demanda à Cardozo s'il avait rendez-vous. Ce dernier lui montra son insigne. Le garde jeta un œil soupçonneux sur la veste froissée et les pantalons en accordéon de Cardozo, mais le laissa passer.

L'ascenseur était occupé ; Cardozo escalada quatre à quatre l'escalier de marbre. Il frappa à la porte du bureau de Paula Moseley qu'il ouvrit.

Elle était assise à son bureau dans une robe mousse de saumon. Elle le fusilla d'un regard vert glacial.

— Il faut que je vous parle, madame Moseley.

— Vous ne voyez pas que je suis occupée ? fit-elle en se levant.

Sa voix crépitait littéralement d'impatience.

— Ce n'est ni le lieu ni le moment.

— Vous avez Eff Huffington en traitement ?

— Oui, et alors ?

— Où est-il ?

Une adolescente noire, à l'air anorexique, était assise sur l'un des sièges en cuir. Paula Moseley lui jeta un sourire crispé qui se voulait rassurant.

— J'en ai pour un instant, Charlène.

Elle repoussa Cardozo dans le couloir et ferma la porte.

— Vous n'avez pas le droit d'entrer ici comme dans un moulin.

Elle chuchota ces mots en sifflant entre ses dents.

— Je m'en vais dès que vous m'aurez dit où je peux trouver Eff.

— Je ne vous le dirai pas.

— Son prochain rendez-vous est prévu quand ?

— Il y a une tradition dans ce pays qu'on appelle les droits civils.

— Ça vous intéressera peut-être d'apprendre que pendant que vous traitiez Eff en sauvegardant ses droits civils, il a violé une femme prêtre de l'église épiscopalienne.

Les yeux de Paula étincelaient d'une rage froide.

— Je n'en crois pas un mot — il a dû arrêter de prendre ses antidépresseurs.

— Parce que les antidépresseurs que prend Eff expliquent

pourquoi il a fait le mac pour un prêtre qu'il a rencontré dans vos séances de thérapie de groupe ? Ou pourquoi les gosses qu'il lui a fournis sont tous morts ?

Paula Moseley eut un mouvement de recul.

— Vous êtes dingue ou simplement drogué ?

— Qui était ce prêtre, madame Moseley ?

— Vous n'obtiendrez aucun renseignement de moi par la contrainte.

Cardozo en avait soupé des « travailleurs » sociaux sur-payés à la Paula Moseley qui croyaient que n'existaient aucune limite ni aucune loi auxquelles ils ne pouvaient faire d'entorse.

— Eff Huffington et Pablo Cespedes se connaissaient-ils bien ? C'étaient des délinquants associés ou simplement des potes pour la baise ?

Paula Moseley baissa les paupières, marquant une pause, histoire de reprendre souffle intérieurement. Cardozo sentit que c'était aussi une façon de marquer une barrière de classe.

— C'est une insinuation homophobe des plus perfides. Je refuse de faire l'honneur d'une réponse à une telle question. Et vous feriez mieux de déguerpir, car je vais téléphoner au maire immédiatement.

Elle fit volte-face et claqua la porte sur ses talons.

A trois blocs de là, Cardozo dénicha un tabac dont l'un des quatre taxiphones fonctionnait. Il composa le numéro de Sy Jencks.

— Sy, ici Vince Cardozo. C'est urgent. Est-ce qu'Eff aurait fait allusion à un prêtre qui était dans son groupe de thérapie pendant huit semaines ?

— Je me souviens pas qu'Eff m'ait parlé d'un prêtre. Tout ceux qui bénéficient de l'opération Seconde Chance doivent relever du tribunal pour enfants, un prêtre me paraît bien âgé pour être passé par le tribunal pour enfants.

— Il me faut le nom de ce prêtre. Et vite.

— Il y a peut-être un moyen, dit Sy d'un ton songeur. Je pourrais éplucher les condamnations et voir qui a écopé de huit semaines de thérapie de groupe avec Paula Moseley.

— Vous pourriez vous y atteler tout de suite ? Je vous rejoins dans deux minutes.

75

— J'ai examiné les registres de l'opération Seconde Chance. Sy Jencks, cravate dénouée et manches de chemise retroussées, avait un pied posé sur le tiroir du bas de son bureau.

— Eff a rejoint ce groupe de psychothérapie il y a trois ans. C'est un groupe de douze personnes. Au cours des trois dernières années, compte tenu des entrants et des sortants, cinquante et un individus soumis à la probation au total ont été envoyés dans ce groupe. J'ai parcouru la liste. Aucun n'est prêtre.

Il se pencha pour sélectionner un fichier sur l'ordinateur.

— Mais un seul délinquant, et rien qu'un seul, a été condamné à passer huit semaines dans le groupe. Un type du nom de Damien Cole.

— Damien Cole ?

Cardozo s'approcha du moniteur pour mieux voir ce qui était imprimé sur l'écran.

— Vous êtes sûr qu'il ne s'agit pas du *père* Damien Cole ?

— Il n'y aucun père répertorié ici, ni aucune mention d'une quelconque profession. Ce qui n'a rien d'inhabituel pour nos délinquants en probation — ni le vol ni le trafic de drogue ne sont considérées comme des professions par le bureau du travail de cet État. Pourquoi, vous connaissez un père Cole ?

— Non, mais j'ai beaucoup entendu parler d'un père Damien.

— Rien n'affirme ici que c'est un prêtre. Et encore une chose, il avait trente et un ans — treize ans au-dessus de l'âge de la majorité.

— Trente et un ans et on l'a jugé comme mineur ?

— C'est ce que ça dit ici. Il est évident qu'on lui a réservé un traitement spécial.

— Quel était le délit commis ?

— Harcèlement d'une militante gay.

Des pièces de puzzle se mirent en place dans l'esprit de Cardozo.

— Elle s'appelait Jaycee Wheeler ?

— Le fichier ne donne pas le nom de la victime.

— Est-ce que ce harcèlement n'aurait pas pris par hasard la forme d'un viol ?

— Le fichier ne précise pas la nature de ce harcèlement. Votre prêtre a violé une lesbienne militante ?

— Elle n'a pas expressément dit qu'il était prêtre, mais qu'il avait des accointances avec l'Eglise — et qu'il avait été condamné à trois fois rien, huit semaines de programme thérapeutique pour ados.

— Donc, ça collerait.

Sy Jencks fit défiler le déroulant vers le haut. En dépit de sa coupe de Marine, il avait l'air d'un singe espiègle faisant joujou avec les touches de l'ordinateur.

— Si l'on lit entre les lignes, le délit m'a tout l'air d'un rendez-vous qui aurait dégénéré en viol. Mais un prêtre ne donnerait pas de rendez-vous.

— Un prêtre normal, non. Mais dans le cas de votre Damien, ça me paraît très possible.

Cardozo sortit son calepin.

— Pourquoi ne pas me donner son téléphone et son adresse.

Sy Jencks secoua négativement la tête.

— Ni adresse ni téléphone. Damien s'est présenté sur l'honneur.

— Qui est son agent de probation ?

— Aucun n'est répertorié.

— C'est inhabituel ?

— Très.

— Putain, comment un violeur peut s'en sortir comme ça ?

— Ben, si c'est un prêtre, il a des relations, non ?

— Des relations avec qui ?

— Vous le demandez ?

— Je vois.

Cardozo réfléchit quelques instants.

— Donc le seul moyen d'atteindre Damien, c'est de passer par Eff. Mais Eff ne vit pas chez ses parents nourriciers et Paula Moseley n'a pas voulu me dire quand avait lieu sa prochaine séance de psychothérapie.

— Le mardi et le jeudi, à 3 heures de l'après-midi. Mais il ne s'y est pas présenté depuis plus d'une semaine. J'ai comme dans l'idée qu'il a disparu dans la nature.

Le cardinal Barry Fitzwilliam ne répondit pas. Il resta simplement là à regarder par la fenêtre.

— Je connais le nom qu'utilise le Tueur de la Communion, répéta Cardozo.

Le cardinal se retourna.

— Vous dites qu'il se sert d'un faux nom ?

Cardozo eut l'impression que tout ce que le cardinal avait jamais désiré de sa vie se trouvait de l'autre côté de la vitre.

— Oui, Votre Eminence. Mais les vôtres connaîtraient son véritable nom.

La cardinal traversa la pièce jusqu'à son bureau. Il prit une feuille de papier à en-tête du diocèse dans le tiroir et une pointe bic sur le porte-stylo de marbre. Il regarda Cardozo en soupirant.

— Quel nom utilise-t-il ?

— Damien Cole.

— Lieutenant, je vous remercie du zèle que vous déployez.

Le cardinal reposa le stylo.

— Mais ce renseignement est bien trop vague pour nous être utile à vous comme à nous. Le nom de Damien Cole est un code convenu. On s'en sert pour sortir d'embarras un prêtre placé en désintoxication. A n'importe quel moment, il y a environ neuf cents Damien Cole dans ce pays affiliés à l'Eglise.

— Comment faites-vous quand un prêtre s'appelle vraiment Damien Cole ?

— Le problème ne s'est pas encore posé.

Le cardinal se leva, signifiant par là que l'entretien était terminé.

— Merci de votre sollicitude, lieutenant.

— Merci de m'avoir consacré du temps, Votre Eminence.

Au moment où Cardozo prenait congé, le prélat aux yeux vairons lui rendit son revolver.

Il était 4 heures du matin et Cardozo ne trouvait pas le sommeil. Trop de choses lui trottaient dans la tête. Quand des gouttes de pluie commencèrent à tomber sur la caisse du climatiseur, avec des pings et des pongs semblables aux riffs répétés d'un voisin pas doué à la batterie, il se leva et alla se préparer une tasse de lait chaud à la cuisine.

Il arpenta le salon de long en large. L'éclairage public s'insinuait entre les rideaux tirés de la fenêtre, jetait sa lueur oblique dans cette immobilité. Un instant, il regarda la bruine mouiller les automobiles garées en dessous de lui.

L'alarme d'une voiture se mit à glapir quelque part.

Il se laissa choir dans le fauteuil, s'empara de la télé-commande et alluma la télé. Une femme affublée d'une chou-croute d'un roux flamboyant faisait l'article pour un gadget de cuisine. Le son coupé, on aurait dit une malade mentale qui se moquait de lui. L'image se déversait en papillotant sur le piano.

L'œil de Cardozo fut attiré par la partition que Terri avait laissée sur le pupitre. C'était un *Nocturne* de Chopin, posé devant une autre partition, dont il ne pouvait déchiffrer que la moitié droite de la couverture : *-ubert/-sitions/-quatre mains* et en dessous, une partie d'étiquette portant le nom du proprié-taire : *-tenant à W./-erbrook.*

Puis il vit ce qui crevait les yeux : W.Erbro.

Il se dirigea vers le piano où il prit la partition à épaisse couverture, douce au toucher. *Franz Schubert. Compositions pour piano à quatre mains. Appartenant à W. Vanderbrook.* W. Erbro n'était pas une personne, ce n'était qu'un nom sur un tableau dont la moitié des lettres étaient tombées et n'avaient jamais été remplacées.

Cardozo frappa à la porte de Terri et ouvrit. Elle gémit, clignant des yeux face à la soudaine irruption de la lumière du couloir.

— Wright Vanderbrook avait un appartement à lui ?

Elle se redressa, un peu groggy.

— Hein ?

— Il avait un loft à Broadway ?

Elle se frotta les yeux, hochant la tête.

— Un studio, dit-elle étouffant un bâillement. C'est là qu'on avait l'habitude de répéter.

— C'était quoi l'adresse ?

Elle s'extirpa du lit, en lissant sa chemise de nuit froissée.

— T'en as besoin maintenant ?

— Tu peux la trouver ?

Elle alluma la lampe de son bureau, dont elle ouvrit un tiroir. Silencieuse, d'une joliesse brune, elle fouillait dans des boîtes de pièces de monnaie et de bracelets porte-bonheur. Elle tint en l'air un trousseau de clés, sourcils froncés, et examina l'étiquette à la lumière de la lampe.

— L'adresse, c'était 474, Broadway.

— Il t'a donné les clés ?

Terri secoua la tête en souriant à son père.

— On répétait des duos au piano. Point trait.

— Il faut que je te les emprunte.

76

Là-haut dans le ciel, l'aube commencait à poindre à l'est. A l'exception de deux sans-logis vautrés dans une encoignure de porte, le bloc était désert.

Cardozo se tenait sur le trottoir face au 474, Broadway, de l'autre côté de la rue. Il compta à partir de la vitrine de la librairie ésotérique aux volets clos jusqu'aux fenêtres du huitième étage. Elles étaient toutes les deux plongées dans l'obscurité.

Il traversa jusqu'au 474. La porte extérieure en acier était verrouillée. Le trousseau que lui avait donné Terri comptait trois clés. La première qu'il essaya poissait les doigts, mais elle tourna, et il pénétra dans le petit vestibule.

La plus petite des deux clés restantes ouvrait le minuscule ascenseur brinquebalant. Son plafonnier diffusait une lumière juste suffisante pour lui permettre d'apercevoir la porte au bout du couloir du huitième étage.

Il frappa. N'obtenant pas de réponse, il mit à contribution la troisième clé. Il entra dans la pénombre d'un loft dont l'espace n'avait pas été divisé. Il resta immobile, l'oreille tendue. Quelque chose respirait doucement dans le noir, hoquetant à l'occasion. Il comprit assez vite que ce devait être un réfrigérateur.

Les deux fenêtres faisaient deux rectangles pâles sur le mur du fond. Il ferma les rideaux, dénicha l'interrupteur sur le mur, sur lequel il appuya. Une lampe s'alluma derrière un paravent à claire-voie, treillissant le loft de lumière et d'ombre.

Il regarda autour de lui.

Le confort était minimal. Un piano à queue de concert Steinway était poussé contre le mur, couvercle relevé. Il y avait un ensemble de quatre chaises Mission autour d'une table Mission.

Il examina le placard qui faisait office de salle de bains. Les toilettes à l'ancienne avaient un réservoir en hauteur et la douche de fortune était l'œuvre d'un amateur. Serviettes, gant de toilette, savon, brosse à dent, et un rasoir avaient tous été utilisés récemment.

Il partit en exploration derrière le paravent : il y avait un petit sac de couchage soigneusement roulé et un réfrigérateur miniature où étaient stockés eau minérale, yaourts et légumes verts. Ces derniers étaient flétris, mais à en croire la date de péremption, les yaourts avaient encore dix jours devant eux.

Trois livres étaient posés sur le frigo : un livre de prières en anglais moderne, un livre de prières en anglais du temps du roi Jacques, et un exemplaire en lambeaux de *Winnie l'Ourson*.

Près des livres, il y avait une épaisse liasse de lettres attachée par un ruban de soie rose pâle.

Cardozo feuilleta les lettres. Elles étaient toutes de la même écriture enfantine.

Il défit le ruban.

— Miséricorde, dit une voix de femme. Vous êtes un voleur ?

La voix venait de l'ombre, et il mit un petit moment à reconnaître la fille des Vanderbrook qui sortait en rampant de sous le piano.

— Excusez-moi, dit-il. J'ai frappé.

— J'ai dû m'assoupir un peu.

Pierrette se frottait les yeux comme une petite fille qui a sommeil, pour avoir veillé toute la nuit dans l'espoir de surprendre le père Noël.

— Je vois que Mère vous a donné les clés. Elle doit vous faire confiance.

— Votre frère a donné ces clés à ma fille, il y a deux ans de ça.

— Vraiment ? fit-elle en avançant, pieds nus. Et pourquoi vous en servez-vous ? Et d'abord qui êtes-vous ?

— Vince Cardozo, police de New York. Nous nous sommes déjà rencontrés.

— Ah oui ?

— Je pensais trouver peut-être ici Bonnie Ruskay ou l'un de ses amis.

— Ce n'est pas une raison pour entrer par effraction chez les gens.

— Quand on a les clés, on ne peut pas à proprement parler d'effraction.

— C'est quand même une violation de domicile. Vous devez avoir drôlement envie de voir Bonnie pour violer la loi.

Elle portait une nuisette en soie noire et un rang de perles si long qu'il faillit la faire trébucher.

— Je ne répondrai pas à vos questions. Mais vous ne trouverez pas Bonnie ici, parce qu'elle n'y vient que lorsque Mère a besoin de soutien psychologique.

— Et votre mère a besoin de soutien psychologique à quelle dose ?

— Voilà-t-y-pas une question indiscrète ?

— Vous n'êtes pas obligée d'y répondre.

— Bien entendu que je vais y répondre. J'adore les cancans. Au fait, je vous remets maintenant. Enchantée de vous revoir.

Elle se mit sur la pointe des pieds et lui effleura la joue de ses lèvres.

— Quelle est la dose de soutien psychologique dont Mère a besoin en temps normal ? Je ne sais pas, mais récemment, c'est à haute dose.

Elle aperçut les lettres qu'il tenait.

— Quand on parle du loup.

Elle lui en retira une d'entre les mains.

— Mère ne devrait pas laisser traîner les bijoux de famille.

— Alors pourquoi le fait-elle ?

— Trop ennuyeux de les mettre sous clé pour les ressortir. En plus, elle aime bien venir dans ce pied-à-terre pour les relire. Ça la rend si malheureuse et elle adore ça. Elles vous ont plu ?

— Je n'ai pas eu le temps de les lire.

Pierrette le poussa vers une chaise.

— Asseyez-vous donc et prenez connaissance de ces épîtres d'un million de dollars. A vrai dire, père n'a payé que cinq cent mille dollars pour qu'elles restent secrètes.

— Qui a-t-il payé ?

— La femme de ménage de l'église les a trouvées et les a vendues à Samantha Schuyler. Père les a payées toutes les deux. Sa façon à lui d'honorer la mémoire de Wright.

Cardozo se plongea dans leur lecture.

— Vous aimeriez boire quelque chose ? Il n'y a que du vin blanc.

Pierrette disparut derrière le paravent. Il l'entendit ouvrir le réfrigérateur et en tirer un bac à glaçons. Elle revint avec de la glace dans deux verres et une bouteille.

— Pas frappé, j'en ai peur. Mais il y a de la glace. Je vais m'en servir un autre.

Elle remplit les deux verres.

— Quand je dis *un autre*, l'exactitude ne m'étouffe pas. Je me suis déjà enfilé toute une bouteille. Je noie mon chagrin.

Elle se percha sur l'accoudoir d'une chaise telle une chanteuse de l'époque de la prohibition sur le bord d'un piano.

— Mon amant m'a quittée pour une riche divorcée. Mais vous êtes au courant de tout ça.

— Non, je ne suis au courant de rien.

— Non ? Mais c'est étalé dans tous les journaux, à longueur de colonne ! Buvez avec moi, s'il vous plaît.

Elle lui tendit un verre.

— C'est très impoli de ne pas tenir compagnie à une dame soûle, et je suis sûre que vous êtes un homme bien élevé.

Il prit le verre et le posa sur le sol près de lui.

Pierrette ne le quittait pas des yeux.

— J'ai toujours trouvé ces lettres délicieuses. Monotones, mais délicieuses.

— Alors vous avez dû trouver aussi la liaison de votre frère délicieuse.

— Ç'aurait été délicieux, s'il avait eu une liaison *pour de bon*. Mais il était plus imaginatif qu'actif. Surtout dans ce domaine. Tout le contraire de moi.

— J'ai entendu dire qu'un prêtre de Saint-Andrew et lui étaient amants.

— Les qualifier d'amants, c'est montrer bien peu de respect pour la signification de ce mot. Bonnie le conseillait et ils passaient beaucoup de temps ensemble. La belle affaire !

Cardozo en entendant citer Bonnie sentit le sol se dérober sous lui.

— Je croyais qu'on soupçonnait le père Joe ?

— De quoi ?

— D'avoir séduit Wright et d'avoir provoqué sa mort.

— Cet amour de vieux père Joe ? Grand Dieu, non. C'était Bonnie. Bonnie si moderne, si libérée, la première femme à intégrer le clergé.

Elle eut le sourire cachottier des alcoolos.

— Et les poursuites se sont perdues dans les sables. Notre famille n'a pas de chance avec les tribunaux. Ce qui est d'une tristesse, étant donné les honoraires de nos avocats.

— Pourquoi votre mère rencontre-t-elle Bonnie ?

— Je suppose qu'elle veut comprendre.

— Comprendre quoi ?

— Ce qui s'est passé et comment pardonner. N'est-ce pas ce dont nous avons tous besoin ? Simplement de comprendre et de pardonner ?

Bonnie ouvrit la porte. Elle portait un blue-jeans et un sweat-shirt léger avec « Séminaire de théologie générale », écrit en grosses lettres bleues.

— J'ai essayé de vous joindre toute la matinée, dit Cardozo.

— Je suis désolée. J'ai dû mal programmer le transfert d'appel.

Elle le regarda.

— Il se passe quelque chose ?

— Plutôt.

Ils allèrent dans son bureau.

— Vous deviez prévenir mon service si vous aviez à vous absenter du presbytère.

— Je ne pense pas que je vais supporter ce ton accusateur, dit-elle. Pas en ce moment.

— Vous connaissez des milliers de façons de dissimuler, n'est-ce pas ? Et c'est ce que vous faites depuis le début.

Un instant, sa bouche fit un O d'étonnement muet.

— Que croyez-vous que je vous dissimule ?

— J'ai vu les lettres que Wright Vanderbrook a écrites à sa maîtresse.

Il put voir qu'elle était secouée.

— Comment avez-vous fait pour les voir ? dit-elle.

— Il y en a toute une collection dans le studio de Wright Vanderbrook, au 474, Broadway.

— Qu'êtes-vous allé faire là-bas ?

— Et vous, qu'alliez-vous y faire ?

— Vous m'avez suivie.

— Oui, je vous ai fait suivre.

— Pourquoi ?

— A l'origine, c'était pour vous protéger.

— Et maintenant, c'est pour une autre raison ?

— Pourquoi m'avoir laissé croire que le père Joe avait eu une liaison avec Wright Vanderbrook, alors qu'il l'avait eue avec vous.

De l'incrédulité se lut dans ses yeux, puis de la résolution.

— Je n'ai jamais dit qu'il s'agissait du père Joe. Personne n'a eu de liaison avec Wright au sens où vous l'entendez.

— Il a pourtant écrit un sacré paquet de lettres érotiques à quelqu'un.

— J'ai couché par écrit le contenu de nos séances. La femme de ménage m'a volé mes papiers.

O.K., décida-t-il. *C'est pousser le bénéfice du doute un peu loin, mais soit, disons que ces notes existaient.*

— Avez-vous signalé ce vol ?

— Non.

— Pourquoi ?

— Je ne m'étais pas aperçue qu'on me les avait volées jusqu'à ce que la famille de Wright ne les produise lors des poursuites.

— C'est du pareil au même. Vous m'avez induit en erreur.

— Jamais de la vie.

— Bon, d'accord. Vous me laissez m'induire en erreur tout seul. Et puisque vous m'avez laissé m'induire en erreur sur Vanderbrook, comment croire que vous ne m'avez pas laissé le faire sur tout le reste.

Le silence s'éternisa.

— Qu'est-ce que vous entendez par tout le reste ?

— Je vous ai demandé où se trouvait le père Joe.

— Comment vous répondre, puisque je ne le sais pas.

— Vous ne mentez jamais à proprement parler, mais vous ne dites qu'une partie de la vérité, ce qui me fait tirer de fausses conclusions. C'est une technique qu'on vous apprend au séminaire ? Est-ce qu'elle porte un nom savant ?

Elle prit une profonde inspiration et ne respira plus.

— Pour ce que j'en sais, vous cachez peut-être le père Joe. Et votre ami Collie, par-dessus le marché.

— Pourquoi aurais-je besoin de les cacher ?

Elle avait un regard dur à présent. Et elle le défiait.

— Pourquoi quelqu'un en ressentirait-il le besoin ? Dans un monde idéal, les prêtres n'auraient pas besoin de se cacher.

Elle recourait à nouveau à la même tactique. *Absolument pas un mensonge*, prit-il conscience. *Elle ne procède que par insinuations.*

— Vous ne m'aviez pas dit que Colin Draper avait reçu l'ordination.

— Vous me dites ça comme si j'en avais fait mystère.

— Quelqu'un en faisait mystère. Le père Henry de l'église du Rédempteur l'ignorait. Tout comme le père Gus de Sainte-Véronique. Ils l'ont pris pour un groupie de l'Eglise qui enfilait des vêtements sacerdotaux pour s'en faire accroire.

— C'était ni leurs oignons ni les miens. Ni ceux de personne, d'ailleurs.

Elle fixait l'autre bout de la pièce. La colère émanait d'elle en ondes drues.

— Collie a fait une dépression nerveuse en zone de combat. Il s'est mis en tête qu'un vrai prêtre n'aurait pas craqué sous le feu. Il a senti qu'il ne pourrait pas continuer à exercer son sacerdoce et il n'a plus jamais soufflé mot de son ordination. Je me suis contentée de l'imiter.

Un soupçon titillait toujours Cardozo. Elle se montrait extrêmement inventive pour couvrir ses arrières, mais les preuves ne se rangeaient jamais de son côté.

— Il a abandonné la prêtrise ?

— Pas exactement, dit-elle en soupirant. Il s'est radié de lui-même de l'annuaire des prêtres. Je ne pense pas qu'il ait jamais exercé à nouveau cette fonction, sauf pour...

Elle s'interrompit.

— Sauf pour quoi ?

— Il a aidé de jeunes fugueurs de temps en temps — il les a entendus en confession, leur a donné la communion.

Cardozo se leva de sa chaise et se mit à tourner lentement en rond dans le bureau.

— Pourquoi de jeunes fugueurs ?

— Il s'identifie à eux. Il ressent d'une certaine façon qu'il est semblable à eux.

— C'est le cas ?

— Il a eu une existence très très dure.

— Comme chacun de nous.

Cardozo lui fit face.

— Où sont Joe et Collie ?

— Ce n'est pas eux. Ce n'est aucun des deux. Le père Joe est *aveugle* !

— Les assassins aveugles, ça existe.

Elle ne répondit pas. Elle était ailleurs.

— Sont-ils ensemble ? demanda-t-il.

— Si je le savais, vous ne croyez pas que je vous le dirais ?

Mon Dieu, donne-moi le don du silence, pria-t-il. Mais Dieu lui fit don de la parole.

— Au point où j'en suis, je ne sais vraiment pas ce que vous feriez.

Elle le regarda, complètement bouleversée, blessée. Il ne put s'empêcher de penser qu'elle était très douée pour paraître blessée et complètement bouleversée.

— Vous ne m'avez jamais fait confiance, n'est-ce pas ?

— Ce n'est pas vrai, dit-il. Je vous ai fait confiance jusqu'à aujourd'hui.

— Et maintenant ?

— Et maintenant, c'est fini. J'ai le regret de vous le dire.

77

Bonnie, seule dans son bureau, l'arpentait de long en large. Elle était inquiète, et elle avait peur. Elle savait qu'il lui fallait y voir clair dans ses pensées.

Son regard tomba sur la photo de ses enfants.

Elle décrocha, composa un numéro.

Il n'y eut pas de réponse. Elle coupa la communication et se remit à faire les cent pas.

L'image du père Damien prêchant aux lépreux lui sauta aux yeux. Tandis qu'elle la fixait, l'air autour d'elle lui parut plein de murmures.

Elle prit une décision et s'empara à nouveau du téléphone. Elle fit un autre numéro.

— Bureau de Pierre Strauss.

Toujours la même voix de femme. Sa secrétaire.

— Puis-je lui parler, s'il vous plaît ?

— Bien entendu, révérende Ruskay. Veuillez patienter un instant.

Elle entortilla le fil autour de ses doigts, d'impatience.

— Quoi encore ? grommela Pierre Strauss.

— Il faut que je parle à Eff.

— Je vous l'ai déjà dit. Il n'a pas peur de l'accusation de viol. Il se moque que vous engagiez ou pas des poursuites.

— Je suis prête à lui donner l'argent qu'il réclame.

— De quel argent parlons-nous ?

— Communiquez-lui simplement le message. Je viendrai où et quand il voudra. J'aurai la moitié de la somme sur moi, en liquide. Il aura l'autre après avoir répondu à mes questions.

Pierre Strauss soupira.

— Je vous rappellerai.

Le téléphone de Cardozo retentit.

— Cardozo, à l'appareil.

— Je t'appelle d'une cabine, fit la voix de Greg Monteleone. Tu devineras jamais ce que vient de faire notre chère révérende et que j'ai vu de mes yeux vu.

— Dis toujours. Je ferai un effort.

— Elle vient de payer sept dollars et d'entrer dans l'Arcadia Cinéma.

Il était évident à entendre le ton de sa voix que Greg gardait quelque chose de croustillant pour la bonne bouche.

Cardozo mordit à l'hameçon.

— Et où est situé ce temple du septième art ?

— Au coin de la 9e Rue et de la 44e Rue.

Cardozo ressentit une pointe d'agacement du côté du cœur.

— C'est dans un quartier chaud.

— Tu tombes à pic, puisque c'est un cinéma porno. Double programme : *De toutes les couleurs* et *Les Choix très spéciaux de Sophie.*

— La révérende Ruskay était seule ?

— Seule avec une boîte-repas. Apparemment, elle compte dîner là-dedans.

— Apparemment.

— Ou bien, c'est son baise-en-ville et elle s'en va donner la communion aux humiliés et aux offensés.

Cardozo fut pris d'une envie irrésistible de faire rentrer à Greg Monteleone son ironie dans la gorge.

— Tu veux que je la suive à l'intérieur ? demanda Greg.

— Donne-lui vingt minutes. Si elle est pas ressortie à ce moment-là, va la chercher.

Le prix affiché était de sept dollars. Bonnie glissa l'argent sous la vitre pare-balles.

La caissière la dévisagea comme si elle la soupçonnait d'avoir perdu la tête.

— Vous savez quel genre de films on projette ici ?

Bonnie se força à sourire.

— Oui, des films porno, je sais.

— Oui, mais vous savez quel genre de *salle* c'est ?

— Le droit d'entrée est de sept dollars. Les voilà. Donnez-moi mon billet, s'il vous plaît.

— O.K.

Une fente de cuivre cracha le billet, que la femme poussa sous la vitre.

Bonnie passa de la chaleur de l'après-midi à une zone d'obscurité totale à l'humidité glacée de forêt tropicale. Elle se donna un grand coup à l'estomac contre un tourniquet. Quelqu'un la bouscula. Elle serra la boîte-repas contre son flanc et attendit que ses yeux accommodent dans le noir.

Une odeur de renfermé et de sueur l'assaillit. Cette odeur avait une pointe secrète d'autre chose que son odorat ne tenait pas à reconnaître.

Elle sentit quelque chose aux aguets dans la pénombre. Son corps l'avertit : *N'y va pas*.

Une lueur grisâtre et changeante tachetait le vide devant elle. Petit à petit, elle distingua des ombres glissant dans les ténèbres, le gouffre d'une allée jalonnée de veilleuses. Les rangées de sièges se dessinaient à peine. Des têtes flottaient au-dessus, couronnées du halo des rayons trichromes du projecteur télé.

Elle balança l'espace d'un instant, paralysée soudainement par l'incertitude. Les instructions étaient *huitième rangée en partant du fond, troisième siège à gauche*.

Elle entendait son cœur cogner à grands coups. Elle s'aligna sur son rythme et avança, à raison d'un pas pour deux battements de cœur. L'important, c'était de ne pas montrer d'hésitation.

L'allée était légèrement en pente et elle compta huit rangées en descendant. Le spectateur en bout de rangée somnolait. Son pantalon avait des chatoiements de reptile et elle s'aperçut qu'il urinait dans son sommeil. Elle passa devant lui en s'efforçant de ne pas le toucher et s'installa dans le troisième fauteuil.

Et elle attendit.

La rangée basculait à chaque ronflement de l'homme.

Elle inclina sa montre de manière que l'écran éclaire le cadran. Elle discernait à peine les aiguilles. Eff lui avait dit 3 h 20. Il était déjà 25.

Elle surveilla l'allée. Des silhouettes masculines montaient et descendaient. Certains s'arrêtaient pour la fixer d'un œil vitreux, tout en hochant la tête.

Elle regarda sur sa gauche. A trois fauteuils d'elle, un

homme s'enfonçait une aiguille dans le bras, garrotté par sa ceinture. Elle détourna rapidement la tête. Son cœur battait la chamade.

Elle se demanda si Eff l'avait piégée, si tout ça n'était pas une gigantesque plaisanterie.

Non, il ne laisserait pas filer cinq mille dollars.

Pas s'il croyait à la réalité de ces cinq mille dollars.

Son bras se referma sur la boîte-repas bourrée de billets d'un dollar et d'annuaires déchiquetés. Ses yeux se portèrent sur l'écran.

Une armoire à glace avec une coiffure de chef indien était assis à califourchon sur une femme flic. Il lui menottait les poignets aux montants d'un lit. Elle se tordait en se débattant de toutes ses forces. Il entreprit de la garrotter avec un slip.

La femme flic cambra le dos violemment. Des taches rougeâtres apparurent sur son visage.

Le rap de la bande-son encourageait le tueur à poursuivre son œuvre : *J'vais m'buter un poulet, j'm'boufferais du blanc pour dîner, euh heu, mm hmm...*

Autour de Bonnie, ça s'agitait sur les sièges. Elle entrevit des sourires de malades et des applaudissements. Elle ne put s'empêcher de se demander si elle était encore en Amérique.

Les paroles du théologien Martin Buber lui revinrent en mémoire : « Dieu se montre dans la moindre chose. » *Où est la présence apaisante de Dieu dans tout ça ?* se demanda-t-elle.

On lui tira soudain la tête en arrière par les cheveux, contre le dossier du fauteuil.

— Yo, salope.

C'était sa voix, il chuchotait. C'était son odeur, qui lui tombait dessus brutalement — son haleine puant le thon et la cigarette, sa sueur d'une tièdeur âcre.

— File-moi mon blé.

Il se pencha en avant depuis la rangée de derrière, s'appuyant de tout son poids sur son crâne. Sa main agrippa la boîte-repas. Elle ne la lâcha pas.

— Lâche ça, sale pute !

Quelque chose de froid et de tranchant pressait sur sa trachée-artère. Elle eut l'impression qu'elle se noyait, et comme un goût de sel dans la bouche et le nez.

— Maintenant !

— Je veux...

Elle avait du mal à sortir les mots, le rasoir sur la gorge.

— Veux... savoir...

— Tu veux crever, saleté.

— Qui... est... Damien ?

Il relâcha sa prise sur ses cheveux. Mais le rasoir ne bougea pas d'un pouce.

— Putain, tu me dis quoi là ?

— L'homme à qui tu as amené les fugueurs... qui c'est ?

Eff lui tapota la joue avec le rasoir.

— Si un mec y m'dit qu'il s'appelle Damien, il s'appelle Damien, point barre.

Ses yeux incendiés par la drogue la foudroyaient du regard.

— T'as dit que t'avais ma thune, alors t'as ma thune.

— C'est un prêtre ?

— Le mec, y m'a dit qu'il est prêtre, alors il est prêtre.

— C'est Joe Montgomery ?

Des veines se gonflèrent aux tempes d'Eff.

— File-moi mon fric, salope !

— C'est Colin Draper ?

La main d'Eff s'abattit à nouveau sur la boîte-repas. Comme elle ne lâchait toujours pas, le rasoir décrivit un arc de cercle de sa gorge à son poignet où il s'enfonça.

Ce fut comme si elle avait été touchée par un jet d'eau bouillante.

Eff empoigna la boîte-repas et la lui fracassa sur le coin de la tête. Sa vision fut déchirée par trente-six chandelles. Et elle piqua du nez en travers de la rangée.

78

Ce ne fut qu'en début de soirée que Bonnie quitta le service des urgences. Quand elle ouvrit la porte de son bureau, le voyant rouge des messages clignotait sur le répondeur. Elle alluma la lampe du bureau et appuya sur la touche retour.

Les six premiers appels étaient ceux de paroissiens. Puis :

— Allô, Bonnie. C'est Collie.

Le ton de sa voix était pressant comme celui d'un enfant. Elle connaissait ce ton de voix et il lui donna la chair de poule.

— Je voulais juste entendre ta voix. J'ai besoin d'un conseil. Je suis en pleine confusion. Je crois que le problème, c'est que j'ai de gros problèmes. T'auras de la matière à analyser, O.K. ? Si t'es là, décroche, je t'en prie... bon, tu dois pas être là. Je t'appelle parce que j'ai peur de ce qui m'arrive et des choses que je suis en train de faire. C'est plutôt dur à dire. Je suis... euh... j'ai bu.

Oh non, songea-t-elle, se laissant tomber sur une chaise. *Mon Dieu, non, je vous en prie.*

— Je crois que ça veut dire que j'ai recommencé à boire. Bonnie, t'es là ? J'aimerais qu'on en parle. Je rappellerai.

Le répondeur se tut. Le silence la frappa comme le ricochet d'une balle. Elle prit le temps d'inspirer profondément, de reprendre ses esprits. Puis elle décrocha. Elle tapa tant bien que mal de ses doigts bandés le numéro de la ligne directe de son frère à son travail.

— Ben, c'est moi.

— Sans blague.

Il y avait un sourire dans sa voix.

— Comment va ma petite sœur, la téméraire tête en l'air ?

— Collie a laissé un message sur mon répondeur. Il a bu.

— Bon Dieu.

— Tu sais où il est ?

— Il n'est pas à l'église du Rédempteur à ce moment de la journée ?

— On l'a renvoyé.

— Oh non ! Mais pourquoi ?

— Je ne sais pas.

— Le pauvre.

— Tu as des relations avec la hiérarchie ecclésiastique. Tu ne pourrais pas t'informer autour de toi ? Peut-être quelqu'un sait-il où il est. Peut-être qu'on le cache quelque part.

— Pourquoi le cacherait-on ?

— Ce ne serait pas la première fois — c'est ce qui s'est passé quand il a eu ces problèmes émotionnels.

— Ecoute, sœurette, c'est pas quelque chose du ressort d'un avocat ? Pourquoi tu t'adresses pas à David Lowndes ?

— Il ne s'agit pas de lui faire récupérer son boulot. Il faut que je le voie en personne.

— Tu te mets beaucoup trop martel en tête pour ce type.

— Après toi, c'est mon meilleur ami.

— C'est un adulte, comme toi et moi.

— Mais c'est bien ça le problème. Il n'est *pas* comme toi et moi.

— O.K., fit Ben en soupirant. Je désapprouve, mais si ma petite sœur doit se sentir mieux, je vais essayer de localiser Collie. Je te rappellerai.

— Non, Ben. Pas par téléphone. Je passerai chez toi.

— Tu te conduis comme si ta ligne était sur écoute.

— Soyons prudents. D'autres personnes sont... à sa recherche.

— Il va bien falloir qu'un jour, dit Ben, tu cesses de te porter au secours de Collie. Jamais rien de bon n'en résulte.

— Ben, je t'en prie, fit-elle.

Il grimaça un sourire, Bonnie ne changerait jamais et il l'acceptait telle qu'elle était.

— Qu'est-ce que tu t'es fait à la main ?

Elle baissa les yeux vers le gros pansement.

— Je me suis... blessée.

Le bureau de Ben respirait la tranquillité. La pièce avait quelques touches de confort personnel, mais en petit nombre : un tableau représentant une tempête en mer, des bibelots sur une petite table et des photos des enfants de Bonnie, un mur de livres, le rocking-chair sur lequel Bonnie était assise.

— Tu t'es fait piquer contre le tétanos ? dit-il.

Oui, fit-elle de la tête.

— T'es en train de te crever, sœurette. Faut que tu lèves le pied.

Elle sentit qu'il aiguillait la conversation vers des sujets frère-sœur, d'une familiarité reposante, comme les paroles d'une vieille chanson.

— Je lèverai le pied un jour ou l'autre — quand il sera temps. T'as découvert quelque chose ?

Ben, assis derrière son bureau, ne broncha pas. Et ne répondit pas. Un ordre rigoureux, à l'image de Ben, régnait à la surface de son bureau. Ses papiers étaient classés et empilés par catégories, les crayons dans un pot et les stylos dans un autre. Tout était visible au premier coup d'œil. Il fit passer un crayon avec les stylos. Elle sentait sa désapprobation émaner de lui comme la chaleur d'une lampe infrarouge.

— Où t'es-tu fait vacciner contre le tétanos ? demanda-t-il avec sérénité.

— Arrête de me prendre pour un bébé, Ben, et de noyer le poisson.

Le sang lui monta au visage et elle baissa aussitôt les paupières.

— Je m'excuse. Je ne voulais pas passer ma colère sur toi. Je suis dans la panade et je ne sais pas comment je m'y suis retrouvée.

Elle releva les yeux.

— C'est pas vrai. Je le sais. Je le sais parfaitement.

Se sentant trop agitée pour s'asseoir, elle gagna la fenêtre.

— Un jour, j'ai levé le nez de mon ouvrage et j'ai cru que Dieu voulait que je devienne prêtre.

— Et il le veut encore.

Elle s'approcha de Ben et, se penchant, l'embrassa sur l'amorce de tonsure au sommet de son crâne. Elle le remerciait ainsi de sa certitude tranchée.

— Mais dans quel chaos une décision aussi simple a précipité la vie de tout un chacun.

— Arrête de te sentir responsable du monde entier.

Elle ne put réprimer un sourire.

— D'accord. Dès que je l'aurai sauvé.

Il la regarda en hochant la tête.

— J'ai parlé avec l'évêque du père Henry.

Elle sut immédiatement à son air pincé qu'il avait du nouveau.

— Et ?

— Il pense que Collie a été placé à Saint-Kerry.

Bonnie arrêta sa Mazda à peine le portail du presbytère franchi. Elle descendit et alla en refermer les battants, avant de le verrouiller. Ses talons claquèrent vivement sur le trottoir.

Elle remonta dans le coupé vert deux portes et s'engagea dans la rue, jetant un regard à droite et à gauche.

Une Pontiac bleu foncé était garée en double file à mi-bloc, clignotant allumé. L'habitacle était faiblement éclairé, comme si on avait laissé la boîte à gants ouverte, et elle aperçut une ombre se déplacer derrière le volant. Elle attendit pour voir ce qu'allait faire la Pontiac. Et quand elle comprit qu'elle ne bougerait pas de là, elle se faufila dans le flot de la circulation.

Il y eut des crissements de pneus dans son dos. Elle lança un coup d'œil dans le rétroviseur. A trois voitures derrière elle, la Pontiac avait déboîté devant un taxi.

Un klaxon hurla.

Au coin de Madison Avenue, elle jeta un nouveau coup d'œil dans le rétroviseur. La Pontiac lui collait toujours au train. Elle prit Madison Avenue en direction du nord.

La Pontiac l'imita en tout point.

La situation lui paraissait décalée, frappée d'irréalité. Elle enfila la première à droite. Un camion poubelle du service de la voirie collectait les ordures. Elle le dépassa.

A l'extrémité du bloc, une enseigne « Parking places libres » clignotait comme la marquise d'un théâtre. Elle ralentit.

— Salut, Mel à vot'service.

Un bonhomme trapu, coiffé d'un panama, s'était penché à la vitre du conducteur.

— J'suis vot'chanteur d'rues préféré.

Sa voix était délibérément haut perchée, comme s'il imitait un personnage de dessin animé.

— Et un peu que j'le suis.

Faisant sonner de la monnaie dans un gobelet en papier, il entonna la chanson du Mickey Mouse Club.

Elle ouvrit son sac et en tira de la main gauche un billet de dix dollars.

— Vous voyez la Pontiac bleue qui essaie de dépasser le camion poubelle, Mel ? Elle me suit.

— Vrai ?

— Vous voulez me rendre service ? Sautez-lui sur le capot, jetez-vous sous ses roues, faites tout ce qui est nécessaire pour la retarder pendant que je me sauve.

— J'vais t'lui pousser quat'couplets, dit Mel en cueillant délicatement le billet entre ses doigts. Par l'début.

Bonnie dévala la rampe qui menait au parking. Elle prit le ticket au distributeur. Un instant plus tard, la barrière se levait. Le parking s'étendait sur toute la largeur du bloc et elle se dirigea tout droit avec sa voiture vers la sortie de l'autre côté.

L'employé dans sa guérite jeta un œil sur le ticket.

— Sûr que vous avez fait court.

— J'ai changé d'idée.

— C'est quand même le minimum, sept dollars soixante-dix-neuf.

Elle sortit un autre billet de dix dollars et n'attendit pas la monnaie.

Cardozo s'était assoupi devant un Spécial Etranger du Canal Treize quand Terri l'appela.

— Papa, téléphone.

Il baissa le son de la télé et passa dans le couloir. Elle lui tendit l'appareil.

— Cardozo.

— Je l'ai paumée, dit Greg Monteleone.

— Me dis pas que tu l'as paumée au ciné porno ?

— Non, elle est ressortie de l'Arcadia et s'est rendue au Saint-Clare's Hospital.

— Tu l'as paumée à l'hosto.

— Non, elle en est ressortie au bout de deux heures avec un bandage à la main droite.

— Qu'est-ce qui est arrivé à sa main ?

— Je sais pas. Elle est retournée au presbytère et environ une demi-heure plus tard, elle s'est rendue dans le centre, dans un magasin d'articles de pêche et de chasse.

— D'articles de pêche et de chasse ?

— Le Poisson et le Renard.

— Le Poisson et l'Agneau.

— C'est ça. Elle y est restée une demi-heure à peu près, puis retour au presbytère. Une heure plus tard, elle est ressortie avec sa voiture.

— Elle allait où ?

— Je sais pas. Je me suis retrouvé coincé derrière un camion poubelle, puis un barjo a commencé à me seriner la chanson du Mickey Club et je l'ai paumée.

— Dans le genre excuse à la con, j'ai jamais entendu mieux.

— C'est pas une excuse, c'est ce qui s'est passé.

— Trouve-la et appelle-moi quand tu l'auras trouvée.

Cardozo raccrocha violemment.

Il passa le reste de la soirée devant la télé, à guetter la sonnerie du téléphone, broyant du noir.

Terri avait l'habitude de ses coups de cafard. Elle ne lui demanda pas ce qui n'allait pas, n'essaya pas de lui remonter le moral. Comme il éteignait après les infos de 11 heures, elle posa une tasse de lait chaud près de lui et lui dit bonsoir en l'embrassant.

— Tu devrais aller dormir, dit-elle.

Il essaya. A 2 heures du matin, le téléphone n'avait toujours pas sonné. Il se prépara une nouvelle tasse de lait chaud. Elle ne lui fit pas plus d'effet que la première.

A 4 heures et demie, il entendit frapper et sonner à la porte d'entrée.

— J'ai pas réveillé Terri, au moins ?

Esther Epstein, tout feu tout flamme, pénétra dans l'appartement.

— Je voulais seulement vous réveiller, vous.

— C'est bon. Terri dort et moi, je ne dormais pas.

Elle portait une robe rose pâle qui faisait un effet bœuf sur elle, comme une robe rouge en lamé en aurait fait un sur une femme plus jeune.

— Vince, vous devinerez jamais. Ce mélange de médicaments que prend votre ami — Colin Draper, c'est ça ? J'ai fait faire des recherches à l'ordinateur pour savoir si quelqu'un d'autre a commencé à utiliser le même mélange quand Colin Draper a laissé tomber.

Ouvrant son sac, elle en sortit un mouchoir bordé de dentelle. Elle s'en tamponna les lèvres un long moment, faisant durer le plaisir.

— Esther, c'est vraiment pas le moment de faire du cinéma. Vous ne seriez pas ici si vous n'aviez rien trouvé.

Elle souriait derrière son mouchoir.

— Juste avant que je quitte mon service, l'ordinateur en a trouvé un. Il est au V.A. Hospital de Mount Kisco. Il a commencé il y a deux jours — première fois qu'il figure dans nos fichiers. Pas d'antécédents médicaux, ce qui est possible. Absolument aucun antécédent militaire — ce qui est impossible. Il prend exactement le même mélange, plus du Benzetac.

— C'est quoi, le Benzetac ?

— Un médicament générique. Il aide à s'abstenir de boire de l'alcool.

— Et comment s'appelle cet homme ?

— Je pense que c'est un faux nom.

— Et c'est quoi, ce faux nom ?

— Je me trompe peut-être. Damien Cole. Ça vous paraît pas un faux nom à vous ? A moi, oui.

— Esther, vous venez de me sauver la vie.

— Bon, fit-elle en lui prenant la main et en la posant sur sa joue. Peut-être que vous allez fermer l'œil, maintenant.

Deux minutes plus tard, Cardozo téléphonait au V.A. Hospital de Mount Kisco. On lui confirma que Damien Cole était bien l'un des patients, mais qu'on ne pouvait lui donner aucun autre renseignement en dehors des heures ouvrables.

79

A 9 h 5 du matin, Cardozo, campé devant le bureau de réception du V.A Hospital à Mount Kisco, usait de tout son charme sur une femme du nom de Mlle Sheridan, à en croire son badge.

— Vous avez dans vos murs un patient du nom de Damien Cole.

Il posa sa carte et son insigne sur le comptoir.

— Je vous serais infiniment reconnaissant si vous m'autorisiez à lui faire une petite visite.

Le hall empestait l'ammoniaque, et Mlle Sheridan restait insensible au charme comme à l'insigne de Cardozo.

— Comme vous le voyez écrit là, les heures de visite ne commencent qu'à 14 heures.

Elle appuya sur les touches d'un clavier et s'en rapporta à l'écran d'un ordinateur.

— En outre, Damien Cole n'est pas ici.

— On m'a dit qu'il l'était.

— On vous a mal renseigné. Damien Cole est un malade ambulatoire.

— Vous avez une idée de l'endroit où je pourrais le trouver ?

— C'est bien parce que vous êtes de la police... il est au monastère de Saint-Kerry.

Cardozo fixa Mlle Sheridan d'un air ahuri.

Elle jouait avec une boucle de ses cheveux roux, qu'elle repoussa de son front.

— Vous voulez dire qu'il va falloir que je dessine un plan à un flic de New York ?

— Ce serait pas de refus.

Saint-Kerry, maison à colombage à un étage au milieu de quatre hectares de bois, à la périphérie de la ville, avait l'air flambant neuf d'un parc à thème monastique construit l'année précédente par Disney. Cardozo appuya sur la sonnette et un carillon enregistré retentit.

Le quinquagénaire baraqué qui ouvrit la porte ne correspondait pas à l'idée que Cardozo se faisait d'un moine. Ni robe de bure ni tonsure ni chapelet de bois cliquetant à la ceinture. Mais des blue-jeans, des baskets Nike et un T-shirt qui proclamait Gold's Gym. Il avait l'air non seulement de soulever de la fonte, mais de s'éclater aux stéroïdes.

— Salut, je suis frère Tom. Vous désirez ?

Cardozo lui montra sa carte.

— Je cherche Damien Cole.

Frère Tom prit un temps de réflexion.

— Nous n'avons pas parmi nous de frère de ce nom.

— Il pourrait vous servir de sacristain ou occuper une autre fonction de service.

— Non, certainement pas une fonction de service.

Derrière ses doubles foyers, frère Tom avait le regard d'un bleu profond et injecté de sang.

— Mais il est possible qu'il soit venu faire retraite chez nous. Nous sommes très courus pour les retraites.

Il précéda Cardozo dans un petit bureau très ordonné. Sur l'écran d'un P.C., les options d'un menu s'affichaient. Il touchota le clavier et regarda le résultat.

— Désolé, je ne vois aucun Damien Cole sur la liste de nos anciens retraitants. J'ai orthographié son nom correctement ?

Cardozo se plaça de manière à lire par-dessus l'épaule mastoc du frère Tom. S'il ne vit figurer aucun Cole sur l'écran, par contre tout en bas, il remarqua un C. Draper, adresse c/o B. Ruskay, Queens.

— Vous avez un retraitant du nom de Colin Draper ?

— Oui, il vient souvent.

— Il est ici en ce moment ?

— Colin a abrégé son séjour. Il est parti hier au soir après les infos de 10 heures.

Frère Tom hocha la tête.

— Les retraitants ne devraient pas regarder la télé. Il y a eu un nouveau happening à Saint-Pat.

Cardozo sentit son cœur couler comme une pierre au fond de l'eau.

— *OutMag* a organisé un nouveau happening dans la cathédrale ?

— Hier. A la mémoire de Jaycee Wheeler. C'est passé sur Canal Cinq.

— Je l'ai raté. Je regardais Canal Sept.

— C'est un petit plus animé sur le Cinq.

— Savez-vous où est allé M. Draper ?

— Il a dit qu'il devait rentrer chez lui.

— J'ai remarqué qu'il est domicilé chez B. Ruskay. Auriez-vous cette adresse, par hasard ?

— Bien entendu.

Le frère Tom fit se dérouler la liste jusqu'aux R.

— 810, Spellman Drive, Russell Gardens. En fait, miss Ruskay est passée le prendre.

— Bonnie Ruskay ? Hier au soir ?

Frère Tom opina.

— Oui. La révérende.

Cardozo appela le commissariat depuis une cabine. Il dit de mettre en surveillance *live* vingt-quatre heures sur vingt-quatre l'écoute téléphonique du poste de Delphillea Huffington.

— Damien va mettre en branle un autre meurtre de la Communion.

— Il ne réussira peut-être pas cette fois.

Cardozo espéra qu'Ellie disait vrai.

— Bonnie Ruskay a remontré son nez ? Greg l'a paumée hier soir.

— Attends une seconde, je demande.

Il y eut un silence, puis Ellie revint sur la ligne.

— O'Bannon planque devant le presbytère. Elle n'est toujours pas rentrée.

La demeure d'un étage des Ruskay était située en retrait d'un chemin boisé, dans un jardin paysager luxuriant. Les asperseurs des pelouses traçaient paresseusement leur arc de cercle dans la lumière du soir. Les feuilles des rhododendrons luisaient comme si on les avait astiquées de frais.

Cardozo se gara dans l'allée et alla sonner à la porte d'entrée. Une femme de chambre en tablier blanc ouvrit la porte.

— Je désirerais parler à Colin Draper, s'il vous plaît.

Elle l'introduisit dans une entrée sentant l'encaustique. Les chaises avaient des pieds dorés. La bonne s'éclipsa et revint aussi vite en lui demandant de le suivre.

Dans une salle de séjour encombrée de cristaux taillés et de fleurs coupées, une dame à cheveux blancs vêtue de bleu se leva d'un canapé. Elle s'avança vers lui en prenant appui sur une canne d'ivoire à pommeau d'argent.

— Vous êtes un ami de Collie ? Je n'ai rencontré âme qui vive qui le connaisse, à part mes enfants. Il est comme leur grand frère. Peut-être un grand frère auto-proclamé, mais ils ont accepté cette proclamation.

Elle marqua une pause, et son silence disait clairement qu'elle, elle ne l'avait pas acceptée.

— Je suis policier, dit Cardozo en lui montrant son insigne. Je m'appelle Vince Cardozo.

— Vraiment ?

Elle le fixait, ses yeux bleus brillant de curiosité.

— Quelque chose ne va pas ?

— J'aimerais parler à M. Draper. C'est urgent.

— Ça m'a l'air un peu inquiétant. Il n'est pas ici pour le moment. Voulez-vous vous asseoir ?

— Je ne tiens pas à vous déranger. Quand l'attendez-vous ?

— Avec Collie, c'est difficile à dire. Il n'a jamais été du genre à déposer un plan de vol.

Cardozo ne put réprimer un sourire.

— Quand lui avez-vous parlé pour la dernière fois ?

— *Quand ?* Je n'ai pas parlé à Collie depuis des années.

— Mais il est domicilié à cette adresse.

— Il est domicilié dans le logement du chauffeur, au-dessus du garage. Il s'en sert comme boîte à lettre pour ses allocations. Il est à la charge de l'Etat. On ne va pas loin de nos jours avec un salaire de concierge.

— Est-ce qu'il habite là en ce moment ?

— Je n'en sais vraiment rien. Il a la clé et il aime bien faire mumuse avec les roses. Mais ça fait une éternité que je ne l'ai pas vu.

— Cela vous dérangerait beaucoup si je jetais un coup d'œil sur ce logement ?

— Oui, si vous tenez à ce que je vous le montre moi-même. Je suis fâchée avec les escaliers.

— Je peux très bien me débrouiller tout seul.

Elle lui prit la main et il devint soudain son bâton de vieillesse. Elle le guida jusqu'à la dépense et passa en revue les clés accrochées à un tableau, tenant ses lunettes devant ses yeux sans les chausser. Elle évoquait un artiste peintre examinant à la loupe un détail de son œuvre. Elle décrocha une clé du tableau et la lui remit.

— Je vous avertis. Ça doit être un foutoir épouvantable. Personne n'a mis les pieds là-haut depuis des années.

80

Des ombres violettes s'allongeaient sur la pelouse et au-dessus des arbres, le ciel assombri regorgeait d'oiseaux croassants. Cardozo ne voulut pas courir le risque qu'en cas de retour de Collie, ce dernier aperçoive des lumières dans le logement. Il revint à sa voiture et prit la lampe-torche dans la boîte à gants. Puis se dirigea vers le garage.

Le rideau était baissé. Et la clé que lui avait donnée Mme Ruskay n'entrait pas.

En contournant le bâtiment, il découvrit une autre porte, près d'un buisson de roses jaune et rose en fleur.

Salut, les Linda Porter, songea-t-il.

La clé tourna facilement dans la serrure. La porte s'ouvrit avec un couinement de souris.

Une odeur d'humidité faisait bloc dès qu'on entrait. Il alluma la torche. Des atomes de poussière dansèrent dans le faisceau lumineux.

Il lui fit lentement décrire un cercle. Le rayon de lumière se faufila parmi outils de jardinage, tuyaux d'arrosage, mobilier de jardin et toute une pile de caisses recouvertes d'une bâche.

Au-delà de ces caisses, une fourgonnette était garée le long du mur du garage. L'écho de ses pas résonnait sur le sol en ciment. Il contourna la camionnette.

Le pinceau de la torche glissa sur un hublot, puis mit en lumière un soleil souriant qui était peint sur la portière conducteur. Sous le soleil se détachèrent les mots « Dieu t'aime — moi aussi ».

Le silence devint palpable.

Il recula jusqu'au tas de caisses. Au moment où il saisissait l'extrémité de la bâche, une faible odeur chimique s'en dégagea. Il souleva la bâche.

Une blancheur réfléchissante l'aveugla. Il baissa le rayon de la lampe électrique, qui joua sur une surface portant de légers creux semblables à des traces de pas dans la neige. Il reconnut au toucher la granulation du polystyrène et s'aperçut que ce qu'il avait pris pour des caisses était des maxi glacières emboîtées les unes dans les autres comme des tasses géantes dans un placard non moins gigantesque.

La torche révéla que les creux formaient les quatre lettres K-A-L-A. En soulevant la bâche, il lut : M-A-Z-O-O.

Le faisceau lumineux poursuivit son tâtonnement sur le sol. Une tache de rouille reliait un tuyau d'écoulement à une porte. Au-delà de cette porte ouverte, un escalier, et derrière l'escalier, une seconde pièce. La lampe-torche révéla deux énormes éviers jumeaux joints par un égouttoir cannelé. Des baquets à lessive à l'ancienne, tachés de rouille.

Il examina les deux éviers. Des cheveux et des fragments de peau s'étaient pris dans les bondes. Il se détourna rapidement et s'engagea dans l'escalier, escaladant prudemment les degrés de béton, l'un après l'autre, dans l'air raréfié.

Au sommet de la volée de marches, la tache de lumière se posa sur les roses d'un papier mural. Des résidus d'épaisses vapeurs d'encens lui emplirent les poumons. Le faisceau illumina un rayon de livres.

Il ouvrit les *Confessions* de saint Augustin. La page de garde portait une dédicace : « Pour Damien, avec amour, de la part de Damien. » Il ouvrit *La Cité de Dieu*, puis *Le Chien du ciel*, *La Montagne aux sept degrés* et *Jésus, es-tu avec moi ?* Tous portaient la même dédicace : « Pour Damien, avec amour, de la part de Damien. »

Le pinceau lumineux courut sur de la moquette grise et vint cogner contre le bas d'une porte fermée.

Il appuya sur la poignée. La porte était verrouillée. Pas de clé sur la serrure, qui avait l'air des plus primitives.

Il poursuivit son exploration. La lampe-torche dénicha un couloir. Une lueur liquide à hauteur d'œil lui sauta à la figure. Son propre visage le regardait, réfléchi dans du verre.

Derrière la glace, des lettres gothiques prirent sens peu à peu : *Conduisez jusqu'à moi les jeunes pécheurs.* Derrière une autre, *Laissez venir à moi les petits enfants.*

Le faisceau rebondit sur le mur opposé. *Mon royaume n'est pas de ce monde.*

Dans la salle de bains, une autre inscription en gothique sous verre était placardée : *Le Royaume des Cieux vous appartient.*

Dans la cuisine, encore deux : *Il vous faudra redevenir comme l'enfant qui vient de naître.*

Celui qui meurt dans la rémission de ses péchés... gagne la vie éternelle !

Il ouvrit un tiroir et, en cherchant parmi les ustensiles de cuisine, découvrit un petit couteau, qui lui parut solide. Il regagna la salle de séjour et inséra la lame dans la serrure de la porte fermée. Il la fit jouer de biais, et de haut en bas. Il y eut un déclic, la porte s'ouvrit et il se retrouva face à l'intérieur d'une penderie.

Il commença par éclairer le haut. Des boîtes et tout un bric-à-brac remplissaient l'étroite étagère.

Puis il déplaça le faisceau le long de la tringle, où étaient suspendus pardessus, imperméables et vestes d'hommes. Enfin, en bas, parmi les pantoufles, chaussures de tennis, caoutchoucs et autre chose qui cligna dans la poussière.

Il s'accroupit, reconnut une demi-douzaine de bouteilles vides de rhum Bacardi. Et quelque chose encore. Un petit Minolta et le cochon-tirelire du bureau de Bonnie.

Comme il soulevait la tirelire, un truc tinta.

Il la secoua. Il y eut un cliquetis dans le tiroir-caisse. Il fronça le sourcil et fouillant dans sa poche, en sortit un penny. Il mit la pièce dans la fente.

Un extrait argentin de *Swanee River* retentit.

Il y eut un couinement, tel celui d'une chauve-souris empalée sur une aiguille, et le tiroir s'ouvrit brusquement.

Il y braqua le rayon de la lampe.

Outre la pièce d'un penny, il y avait quatre autres objets à l'intérieur. Trois d'entre eux étincelaient, et il vit que c'étaient des bagues. L'une d'elles était un camée en ivoire. En l'examinant à la lumière, il distingua un paon gravé. Une autre était faite de languettes de boîtes de soda. La troisième, trop étroite pour être glissée au doigt de quiconque sauf à celui d'un nouveau-né, était un anneau d'or légèrement terni. Le dernier objet à se trouver dans le tiroir était une boucle de cheveux noirs retenue par un élastique.

Cardozo tira un sac de mise sous scellés de sa poche et y vida le contenu de la tirelire.

Puis il fouilla sous les caoutchoucs. Sa main heurta le bord d'un objet lourd et rectangulaire. Un album photos.

Sur les dix premières pages, des vues de New York — la Statue de la Liberté, le Chrysler Building. Puis venait une série de photos de la cérémonie d'inauguration des Jardins Vanderbilt. Sur l'une d'elles, deux jeunes hommes tiraient hors des buissons une maxi glacière de pique-nique. Les autres photos étaient des portraits au flash de divers jeunes : endormis ou évanouis, dans un fauteuil à oreillettes dont la housse en chintz portait des perroquets.

Cardozo contempla leurs visages, décolorés et inexpressifs

comme du bois flotté. Ils réveillèrent une zone endolorie de sa mémoire. Il reconnut les jeunes morts du fichier du père Montgomery.

Il tourna la page. Des papiers avaient été glissés entre les feuillets. Il les récupéra. Il s'agissait de trois feuilles de papier à lettre à en-tête du presbytère de Saint-Andrew.

On y avait méticuleusement tracé plusieurs lignes en majuscules d'imprimerie, qu'on avait raturées tout aussi soigneusement. Il les déchiffra lentement ; « LES ENFANTS MORTS ASSASSINÉS LES ADOS MORTS ON TROUVERA LES PHOTOS DES FUGUEURS ASSASSINÉS SONT DANS LE BUREAU DU PÈRE JOE LA BOÎTE DANS LA BOÎTE À CHAUSSURES. »

Et puis, enfin, sans rature aucune : « LES PHOTOS DES FUGUEURS ASSASSINÉS SONT DANS LA BOÎTE À CHAUS-SURES DU BUREAU DU PÈRE JOE. »

L'une des feuilles lui glissa des mains. En se baissant pour la ramasser, le rayon de la torche balaya le bord d'un fauteuil. A oreillettes. Avec une housse de chintz. A motif de perroquets.

Il resta là bêtement, à écouter les battements de son propre cœur, n'entendant plus rien d'autre comme si les échos du monde s'étaient affaiblis et qu'il avait intégré une nouvelle dimension.

Il dirigea à nouveau vers la penderie le faisceau lumineux qui révéla, en venant se réfléchir sur elle, une seconde tringle derrière la première. Il glissa la main entre les vêtements et sentit comme un pli de drap.

Il le tira à la lumière et reconnut une chasuble. Des fleurs de sang séché émaillaient les parements de dentelle. Le reste du vêtement était taché, souillé, comme un tablier sur lequel un boucher se serait essuyé les mains.

Au fond, tout au fond de la penderie, soutanes et étoles avaient été roulées en boule. Il s'accroupit pour les tâter. L'étoffe noire était enduite d'une croûte et toute collée.

Il se sentit violemment oppressé. Avec un goût de bile dans la bouche. Il se précipita dans la salle de bains, alla rebondir contre le mur comme une boule de billard et vomir dans la cuvette des toilettes.

Il demeura là, arc-bouté au mur. Les yeux lui piquaient. Les spasmes s'espacèrent. Il tâtonna jusqu'au lavabo et se rinça la bouche à l'eau froide. Il se passa de l'eau sur le visage, se lava les mains et les secoua pour les sécher.

— C'est toi, Collie ? dit une voix.

Il braqua la lampe-torche.

Le père Joe Montgomery se tenait dans l'embrasure de la porte. L'un de ses yeux était recouvert de gaze. L'autre clignait vivement de la paupière.

— Je dormais. J'ai entendu du bruit. Ça va ?

— Ce n'est pas Collie, dit Cardozo.

Le père Joe resserra la ceinture de sa robe. Il semblait mobiliser tous ses sens à sa disposition, oreille tendue, nez au vent.

— Qui êtes-vous ?

— Vince Cardozo.

Le père Joe parut réfléchir un instant. Son visage reflétait une profonde confusion.

— Que faites-vous dans le noir ?

— Je vous y cherche.

Cardozo téléphona à Ellie au commissariat.

— T'as un crayon sous la main ?

— Oui.

Il lui donna l'adresse.

— Envoie l'équipe d'investigation criminelle avec un mandat de perquisition. Et quatre hommes pour garder l'endroit.

— Qu'est-ce que tu as trouvé ?

— Le lieu du crime.

Ellie émit un sifflement d'appréciation.

— Est-ce qu'Eff a contacté sa grand-mère ?

— Pas encore, dit-elle, mais les ouailles de la révérende Bonnie peuvent respirer, elle est rentrée au bercail.

81

Au-dessus du presbytère, des nuages se pressaient dans un ciel sans soleil. Cardozo s'appuya de tout son poids sur la sonnette. La femme de ménage ouvrit la porte. Il la poussa de côté et gagna d'une traite le bureau de Bonnie.

Elle leva les yeux de sa table de travail, saisie et furieuse.

— Si ça ne vous fait rien, cet entretien est privé.

Comme elle lui faisait signe de se retirer, il aperçut un épais bandage à sa main droite qui, telle une mitaine, lui laissait les doigts libres.

— Attendez à l'extérieur, voulez-vous ?

Une grande femme au teint pâle, apparition embijoutée, se leva de l'un des fauteuils.

— Non, Bonnie. Il est temps que tout ceci soit porté au grand jour.

— Pas un mot, Irène.

Cardozo reconnut Irène Vanderbrook.

— Vous m'avez protégée assez longtemps.

Irène Vanderbrook se tourna vers Cardozo.

— Allez-vous poursuivre Bonnie ?

— C'est le D.A. qui décide, pas moi.

— Bonnie n'est pas responsable. C'est moi qui le suis.

— Vous n'êtes rien obligée de lui dire, fit Bonnie.

— Que reste-t-il à dire ? reprit Irène Vanderbrook. Il a vu les lettres que mon fils a écrites.

— Ce n'est pas la raison de ma présence ici, dit Cardozo.

— C'est à moi qu'il les a écrites, fit Irène Vanderbrook, ses yeux verts enfoncés dans leurs orbites posés sur lui. C'est pour cette raison que Wright a cherché l'assistance d'un prêtre. C'est pour cette raison qu'il s'est donné la mort. Je suis prête à le déclarer publiquement. Bonnie ne peut pas se défendre. Elle est liée par le secret de la confession. J'en ai discuté avec elle et elle est au courant de ma décision.

Cardozo se sentit saisi d'un embarras paralysant.

— Madame Vanderbrook, la mort de votre fils ne donnera pas lieu à des poursuites.

Elle cessa de le regarder et jeta un coup d'œil à Bonnie, troublée.

— Mais vous vous êtes rendu à l'appartement, vous l'avez à nouveau fouillé.

— Oui, je l'ai fouillé, mais croyez-moi, la révérende Ruskay ne court aucun danger de ce côté-là.

Irène Vanderbrook baissa les yeux. Sa honte était palpable.

— En ce cas, ma conscience se sent un peu plus légère sur ce point. Je vais vous laisser.

A l'instant où la porte se refermait, Bonnie fit volte-face.

— Comment avez-vous pu faire ça à cette pauvre femme ?

— Qu'est-ce qui est arrivé à votre main ?

— Ça ne regarde que moi.

Cardozo l'observa mettre tous les éléments en place : la juste colère, le port de l'école de maintien, la vulnérabilité féminine, les particularités du discours à la limite de l'arrogance.

— Vous m'avez dit que ces lettres de Wright Vanderbrook étaient des notes que vous aviez prises.

— Non. Je vous ai dit que j'avais pris des notes et qu'on me les avait volées.

— Alors vous m'avez induit en erreur.

— Vous vous êtes induit en erreur tout seul.

— Vous êtes vraiment passée maître en la matière. Vous jouez sur les mots. Vous dissimulez la vérité, vous faites tout ce qui est nécessaire pour protéger votre innocence, techniquement parlant.

— Je suis navrée que vous ayez une telle opinion de moi après un seul malentendu.

— Ce n'était pas un malentendu et il n'y en a pas qu'un seul. Vous saviez que je recherchais le père Joe et vous saviez aussi qu'il se trouvait dans le logement au-dessus du garage de votre mère.

Elle eut un tressaillement réflexe dans le regard.

— Qu'avez-vous fait de lui ?

— Il est à nouveau à l'hôpital — et sous bonne garde.

Elle s'efforça de garder une certaine neutralité.

— Je ne vous ai pas menti.

— Mais Collie et vous l'avez caché.

— Je veux bien être damnée si, en tant que prêtre, je justifie mes actes auprès de vous ou de quiconque.

— Un mandat d'arrestation était lancé contre le père Joe.

— Ce mandat était immoral, illégal, non valide, et il a quitté l'hôpital avant qu'on l'ait délivré.

— Comment un aveugle fait-il pour quitter un hôpital ?

— Sonya Barnett l'a aidé.

— Donc, vous êtes tous complices.

Elle avait une lueur de défi dans l'œil maintenant.

— Il se trouve que David Lowndes est en désaccord avec vous sur l'interprétation de cette ordonnance.

— Vous avez eu du moins le bon sens de consulter votre avocat. Quand avez-vous fait ça ? Quand vous avez compris que je recherchais Collie ?

— Je ne vous ai pas fait obstruction.

— Vous saviez qu'il était à Saint-Kerry et vous me l'avez caché.

— Je ne le savais pas.

— Pour l'amour du Ciel, vous êtes allée là-bas et vous l'avez ramené !

— Je n'en savais rien jusqu'à ce que mon frère ait retrouvé sa trace.

— Et votre frère s'est contenté de le retrouver, comme ça ?

— Je le lui ai demandé. J'étais malade d'inquiétude. Quand Collie a perdu son emploi, il s'est remis à boire.

— Et vous savez pourquoi il a perdu son emploi ?

— Il ne s'en cache pas. Il a célébré la messe pour un jeune fugueur et le recteur s'en est aperçu.

— Et ça ne vous semble pas bizarre qu'on célèbre une messe en solo pour un fugueur ?

— C'est peut-être bizarre et atypique, peut-être que Collie lui-même est bizarre et atypique. Il a choisi d'aider les fugueurs, comme le père Joe a choisi aussi de les aider. C'est un crime d'aider les sans-défense ? De faire entrer Dieu dans leurs vies ?

— Oui, si vous les tuez ensuite.

— Il n'a pas fait ça !

— Nous avons obtenu les empreintes de Collie grâce à la V.A. Elles étaient sur le même calice que celles de Sandy McCoy. Elles étaient sur le même calice que celles de Jaycee Wheeler. Sandy et Jaycee sont morts tous les deux quelques heures après avoir communié.

— D'abord vous dites que c'est le père Joe, et maintenant vous dites que c'est Collie. Pourquoi ne pas jouer à pile ou face pour choisir entre les deux ? Ou bien est-ce que vous êtes devenu si gourmand qu'il vous les faut tous les deux, maintenant ?

— Qui est Damien ?

Elle le regarda, perplexe.

— Damien soignait les lépreux.

— Je ne parle pas de saint Damien. Le Damien qui s'offre des livres à lui-même. Collie en a toute une collection.

— Damien est un prénom qu'utilisent les prêtres qui suivent un traitement pour des problèmes embarrassants comme l'alcoolisme.

— Et c'est le nom que Collie se donne quand il déjante. Et quand il déjante, il tue des fugueurs parce qu'il pense qu'ils bafouent l'Eglise — et je me demande depuis quand vous savez ça ?

— Vous ne connaissez pas Collie. Moi si. Il n'a jamais fait de mal à âme qui vive.

— Alors pourquoi l'avoir averti que je le recherchais ?

— Parce qu'il est innocent et que vous ne voulez pas le croire.

— Qu'est-ce qui peut ébranler votre foi ? J'ai trouvé des vêtements sacerdotaux pleins de sang dans la penderie. Des souvenirs des victimes dans votre cochon-tirelire, des photos des cadavres dans l'album, des brouillons de cette lettre anonyme rejetant la faute sur le père Joe — et à vos yeux, il est encore innocent et vous le cachez toujours.

— Il est innocent et il ne se cache pas !

— Alors où est-il ?

Elle hésita.

— Il est allé à Saint-Patrick.

— Afin d'assister à un nouveau happening ?

— Il n'a jamais...

Le téléphone sonna. Elle traversa la pièce pour aller répondre.

— Ici, le presbytère. Oui, il est là.

Elle tendit l'appareil, l'air contrarié, à Cardozo.

— Cardozo.

— Eff vient de téléphoner à sa grand-mère, dit Ellie. Elle lui a dit qu'une lettre pour lui est arrivée ce matin par Federal Express. Il est parti la récupérer.

— Alors, c'est le compte à rebours. Attendez-moi.

Cardozo raccrocha et se tourna vers Bonnie.

— Nous finirons cette conversation plus tard.

82

Le temps que Cardozo passe prendre Ellie et Greg Monteleone au commissariat et déjoue les pièges de la circulation en remontant jusqu'au Bronx, le soleil avait commencé à baisser dans le ciel et des ombres à grimper le long de la façade du 322, Highland Avenue. Il arrêta sa Honda aux abords d'une bouche d'incendie, suffisamment près pour surveiller le perron d'entrée, suffisamment loin pour ne pas se faire repérer.

La chaleur miroitait au-dessus de la rue comme les reflets d'une paire de lunettes noires bas de gamme. Des ghetto-blasters et des pétarades de pots d'échappement résonnaient dans l'air immobile.

— J'ai oublié de t'annoncer les mauvaises nouvelles. L'équipe d'investigation criminelle ne pourra pas se rendre au garage avant demain.

— Merde, pourquoi ? dit Cardozo.

— Ils veulent pas entendre parler d'heures sup.

— Qui ça, ils ?

— Un rond-de-cuir du Palais du Désordre.

— Et un garde ? On peut pas au moins faire protéger le lieu du crime ?

— Pas de fric pour eux non plus. A propos, ça me fait me rappeler — le capitaine a retiré son garde à Bonnie Ruskay. Elle est livrée à elle-même.

— L'incompétence de ces peigne-cul, ça me dépasse !

Greg cracha à pleine bouche des pépins d'orange par la vitre.

— Alors cherche pas.

— Et si Eff décide de l'agresser encore un coup ?

— Le capitaine dit qu'il fera pas ça.

— Le capitaine pense avec son cul.

— Mauvais signe, si tel est le cas, dit Ellie. Par ailleurs, Eff a ses priorités, non ? Et pour l'instant présent, sa priorité, c'est sa grand-mère, pas la révérende.

— Espérons qu'il n'inversera pas ses priorités, dit Cardozo, maussade.

— Et n'oublions pas les bonnes nouvelles, dit Ellie. J'ai obtenu un mandat de perquisition pour le garage.

— Voilà qui nous est d'un grand secours, répliqua Cardozo.

A l'instant même, une casquette de base-ball bleue tourna le coin de la rue. Une queue-de-cheval dans son sillage, elle fonçait direct vers le 322.

Cardozo fit un signe de tête.

— C'est lui.

Ellie vérifia une fois encore le chargeur de son revolver. Puis décocha à Cardozo et Greg un sourire faussement enjoué.

— On sait jamais, les mecs.

Mamy ouvrit la porte, emmitouflée dans un châle couleur

de sang. Eff, un coude appuyé contre le montant, arborait sa casquette des NY Mets enfoncée sur les yeux, se donnant un faux air de dur qui connaît la rue.

Un grand sourire éclaira le visage de Mamy, qui l'embrassa. Il entra sans se presser dans l'appartement. Il prit sur la table l'enveloppe Federal Express de très grande dimension.

— Ça doit être terriblement important, dit-elle.

— J'crois pas, fit-il en souriant jusqu'aux oreilles.

Elle le regarda déchirer l'enveloppe. Elle en contenait une seconde. Qu'il n'ouvrit pas.

— Tu as du temps ? Je faisais justement du café.

— T'aurais pas de l'eau fraîche ? Je peux utiliser la salle de bains ?

— Evidemment que tu peux.

Eff s'y rendit et ferma tranquillement la porte à clé. Il ouvrit la seconde enveloppe. Elle contenait la photo d'une ado prenant le soleil, les seins nus, sur le dock. Il observa la photo un instant, les taches de rousseur qui éclaboussaient l'intervalle entre ses seins, puis son regard glissa sur son nom et le numéro en caractères d'imprimerie, dans la marge du bas.

Il abaissa le couvercle des toilettes, monta dessus et passa la main dans l'interstice du montant de la fenêtre. Il en retira le sac planqué là, où il prit l'une des pilules roses.

Quand il revint dans la salle de séjour, Mamy tapota le coussin du canapé près d'elle.

— Viens t'asseoir et parlons.

— Dans un instant, Mamy. Je peux me servir de ton téléphone ?

Il sentit le léger poids de sa sollicitude pendant qu'elle le regardait décrocher et composer le numéro.

Une voix de jeune fille lui répondit.

— Salut, dit Eff. Tu te souviens du p'tit boulot dont on avait parlé ? Vaudrait mieux que tu te prépares, ça marche.

— Quand ?

— Tout de suite. Je passe te prendre.

En raccrochant, il surprit une lueur d'inquiétude dans les yeux de sa grand-mère.

— Mon chéri, dit-elle, je suis sérieuse. Il faut qu'on parle.

— La prochaine fois, Mamy. Je suis pressé.

Elle lui tendit le verre d'eau glacée. Son regard lui en imposa.

Il s'assit.

— Quand on élève un enfant, il y a des choses qu'on ne sait jamais vraiment.

Ses yeux étaient tristes.

— Des choses qu'on préfère ne pas savoir vraiment. Des choses qu'on doit vraiment savoir.

— Je sais pas de quoi tu parles, Mamy.

— Un flic blanc est venu ici, il a fait semblant d'être du placement familial. Il m'a posé des questions sur toi et sur ton ami prêtre. Qu'est-ce que tu fais, mon chéri ? Dans quoi t'es-tu fourré ?

— Tu sais ce que je fais, Mamy. Je gagne de l'argent, que je mets de côté pour que tu puisses partir d'ici pour aller à Peter Cooper Village.

Mamy secoua la tête.

— C'est chez moi ici, Eff. J'ai pas besoin de déménager.

— Je veux pas que ma Mamy enjambe des toxicos et des barjos, et passe entre les balles, pour rentrer chez elle.

Elle parut ne pas l'avoir entendu.

— Eff, j'ai un mauvais pressentiment sur cet homme. J'ai peur pour toi.

Il éclata de rire.

— T'inquiète pas pour ton petit Eff. Il a la frite. Et il prendra bien soin de lui.

Bonnie ignorait depuis combien de temps elle tournait en rond dans son bureau. Un front du refus passait à travers elle. Elle ne voulait pas penser. Du moins elle essayait de ne pas penser.

En vain. Le battement de son sang ralentit et l'idée lui trotta dans la tête comme la mélodie d'une chanson détestable : *Je sais la vérité maintenant.*

Elle voyait mourir le jour par la fenêtre, les ombres du cornouiller et du poirier s'étendre sur le mur de brique du jardin.

Je sais qui. Je sais pourquoi. Que Dieu me pardonne.

Elle se glissa dans la voiture, boucla sa ceinture et passa la marche arrière. Les nerfs de sa main bandée l'élançaient jusqu'au cri.

Une station de rap tonna dans les haut-parleurs stéréo. Elle tua la radio. Elle ignora la douleur qui lui transperça la main encore un coup. *Pas le temps d'avoir mal. Ça va. Chaque petite douleur à sa place.*

Elle recula dans le jardin. Elle attendit que la porte du garage retombe en place avec un craquement avant d'ouvrir le portail et s'engager dans la rue.

Aujourd'hui, pas de Pontiac bleue dans le rétroviseur. Pas de crissements de pneus derrière elle quand elle se coula dans la circulation. Personne pour la garder. Personne pour la filer.

Elle revit les yeux noirs et sévères de Vince Cardozo, et ressentit de la compassion pour lui. *Pauvre homme. Il croit vraiment qu'il a la réponse.*

83

Ellie donna vivement un coup de coude à Cardozo. *Le voilà.*

Eff Huffington, super cool, descendait d'un pas syncopé les marches graffitées et incrustées de poussière du perron, claquant des doigts, queue-de-cheval à l'avenant.

— Mister Wonderful *himself*, marmonna Cardozo.

Eff héla un taxi en maraude et sauta à l'intérieur. Le taxi décolla dans un hurlement de pneus dingue, l'arrière chassant comme un poisson-chat hors de l'eau.

— Attachez vos ceintures, conseilla Cardozo.

— La mienne marche pas, grommela Greg Monteleone depuis le siège arrière.

— Désolé. Accroche-toi à un truc qui n'est ni le cou d'Ellie ni le mien, et tiens bon.

Cardozo fit ronfler le moteur et la Honda démarra sur les chapeaux de roue.

Le taxi d'Eff brûla trois feux, prit deux sens interdits, et fonça vers l'ouest dans une rue à sens unique direction est.

— Eff a dû lui promettre un pouboire massif, dit Ellie.

Cardozo brûla les mêmes feux et prit les mêmes sens interdits, mais s'en tint là. Il tourna au sud, puis à l'ouest, dans la première rue dans le bon sens.

— Il est en train de nous semer, avertit Ellie.

— Je crois qu'on peut deviner où il va.

Cardozo rattrapa le taxi à hauteur de la rampe d'accès au West Side Highway. Le trajet vers le sud fut un saute-voie non-stop, à fond le klaxon.

Il perdit le taxi quand celui-ci brûla un nouveau feu sur la 42e Rue. Il le réaperçut à la 23e, négociant un furieux virage à gauche, coupant la rue aux voitures qui venaient en sens inverse.

— Il ne se dirige pas vers les docks, dit Ellie.

— A moins qu'il connaisse une nouvelle façon de s'y rendre.

Cardozo jouant du klaxon, et non de la sirène, effectua un demi-tour abrupt pour enfiler la voie de gauche vers l'est. Un concert de klaxons retentit. Quelque part derrière lui, de la tôle froissa de la tôle.

Le taxi où se trouvait Eff zigzaguait vertigineusement entre les ambulances, les camions de déménagement et les macmobiles. Ellie fronça le sourcil.

— Merde, où il va ?

Au niveau de la Cinquième Avenue et de Madison Square Park, Cardozo n'avait toujours aucune idée. En voyant le taxi traverser à fond la caisse la Deuxième Avenue, un vague soupçon commença à lui venir. Mais quand le taxi s'arrêta tout vibrant à l'extrémité nord de Peter Cooper Village, il fut saisi d'une certitude nauséeuse.

Ellie scruta l'immeuble d'habitation de brique rouge propret.

— C'est pas là qu'habite ta sœur ?

— Impossible que je laisse ça se faire.

Cardozo déboucla sa ceinture et fut dehors en deux temps trois mouvements. Il traversa la pelouse en direction de l'immeuble de Jill. Il approchait de la porte quand il entendit une voix héler :

— Eff ! J'suis ici !

Cardozo pivota sur lui-même et aperçut Nell Dunbar, qui attendait de l'autre côté de la 23e Rue, faisant de grands signes.

Il était trop tard pour l'arrêter, et même trop tard pour crier. Le taxi fit demi-tour pour venir s'arrêter une nouvelle fois dans un hurlement de pneus au bout de deux secondes. Il y eut un claquement de portière, et quand le taxi fonça vers l'ouest, la fille aux taches de rousseur, en jeans et chapeau de paille, avait disparu.

Cardozo revint en courant vers la voiture et embraya.

Le taxi, qui avait presque un bloc d'avance, tourna au nord dans la Troisième Avenue.

— Comment Eff a fait pour savoir où elle créchait ? dit Ellie.

Cardozo vira au nord.

— Nell a dû le joindre d'une façon ou d'une autre.

— Qu'est-ce qui ne tourne pas rond chez cette fille ? Son petit copain a suivi Eff sur un coup du même genre et elle ne l'a plus revu. Elle n'est pas capable de faire le rapprochement ?

— Peut-être pas. Là où Nell a vécu, des petits copains disparaissent chaque semaine.

Des nuages d'orage s'amoncelaient et le jour n'était plus qu'une rayure embrasée à l'horizon du New Jersey, quand le taxi d'Eff, traversant le Willis Avenue Bridge, s'engagea dans le Bronx.

— J'ai encore jamais rencontré d'ado, disait Greg, qui se croie pas immortel.

Cardozo suivit le taxi dans Willis Avenue. La pluie éclata.

Ellie secoua la tête.

— C'est drôle qu'il ne continue pas sur le Bruckner.

Le taxi vira à droite dans la 132e Rue et atteignit ensuite une zone où la plupart des immeubles avaient brûlé.

A Brown Place, un camion de pompiers coupa la route à Cardozo, qui freina à mort.

— Putain !

Il fallut trente secondes pour que le camion de pompiers dégage la rue, ce qui avait amplement suffi au taxi pour disparaître.

La pluie tombait sans discontinuer à présent, comme une mince feuille gaufrée de plastique d'emballage.

— L'église doit être par ici, dit Cardozo. Ils n'auraient pas quitté l'avenue s'ils n'étaient pas dans le voisinage.

Ellie regarda au-delà du pare-brise.

— Je n'aperçois pas de flèche.

— Mieux vaut se renseigner dans cette *bodega*, conseilla Greg.

Cardozo se rangea le long du trottoir, attendit pendant qu'Ellie entrait dans la boutique. Elle revint avec trois coupes de glace italienne.

— Tout droit pendant deux blocs, puis tourner à gauche, continuer sur quatre blocs jusqu'au feu rouge naze, pas tenir compte de la barrière de police. Encore un bloc et on peut pas la louper.

Elle tendit à Cardozo et à Greg une des coupes.

— J'espère que vous aimez le citron vert, les mecs.

Un lampadaire éclairait un soleil souriant, peint sur la porte d'une fourgonnette Toyota Camray bleu foncé. La fourgonnette était garée devant une petite église aux fenêtres barricadées de planches. La rue finissait en impasse dans un champ de décombres.

Greg, plissant les yeux, parvint à déchiffrer l'inscription : *Dieu t'aime — moi aussi.*

— C'est notre homme.

Cardozo ralentissait déjà quand la porte de l'église s'ouvrit. Il freina en douceur et alla s'arrêter à un demi-bloc de là.

Sur les marches de l'église, trois silhouettes se détachaient sur un fond de lumière rougeâtre. Malgré l'épais brouillard qui enveloppait l'atmosphère, Cardozo reconnut Eff et la fille. L'homme de haute taille en leur compagnie portait la soutane. Sa main était posée sur l'épaule de Nell.

Elle avait l'air troublée, mal à l'aise. Elle était sanglée dans un imperméable maintenant et se mouvait comme si elle avait du mal à contrôler ses jambes, trébuchant presque.

— Ils lui ont donné quelque chose, dit Cardozo.

— Elle est complètement défoncée, renchérit Ellie.

Nell faillit tomber sur la chaussée, Eff l'aida à retrouver son équilibre. Elle secouait violemment la tête. Le prêtre ouvrit la portière de la fourgonnette. Eff essayait de la pousser à l'intérieur.

Cardozo appuya sur l'accélérateur, mais le moteur cala.

— Bordel. Ellie, prends le volant. Bloque la rue et empêche-les de passer.

Il piqua un sprint.

Il y eut un claquement de portière et une pétarade. Les pignons d'un changement de vitesse crièrent. La fourgonnette fit une embardée vers le bout de l'impasse. Dans son dos, Cardozo entendit geindre le moulin de la Honda.

La fourgonnette manœuvra, mais au lieu de faire un demi-tour complet, elle vira derrière l'église. Cardozo se précipita en avant.

Ellie alluma les phares qui éclairèrent Eff, seul sur le trottoir. Il s'immobilisa. Il jeta un regard à droite et à gauche, évaluant par où ses chances de se sauver étaient les meilleures. Il mit une demi-seconde à se décider et cette demi-seconde lui fut fatale.

Cardozo le heurta de tout son poids et l'envoya dinguer sous le choc. Greg était déjà là, paré à toute éventualité, quand Eff vint s'écraser contre lui. Son poing droit cueillit le garçon en plein visage. Avant qu'Eff ait eu le temps de pousser un cri, Greg fit prendre à son gauche le même chemin. Puis lui en balança un autre. Eff alla s'affaler dans la rue, et resta assis, bouche ouverte, comme un clown.

Cardozo le saisit par-derrière, sous les épaules et au colback, en un double nelson. Puis soulevant le garçon qui ruait des quatre fers, il le traîna jusqu'à la Honda et l'expédia sur le siège arrière.

Eff haletait comme un chien hors d'haleine.

Cardozo se glissa près de lui.

— Où va cette fourgonnette ?

Eff lui lança un regard noir.

— Je veux voir mon avocat, lança-t-il d'un ton de défi.

— Greg, aide-moi, tu veux.

Greg maintint les jambes d'Eff et Cardozo le fouilla. De la poche gauche du pantalon, il tira un portefeuille bourré de cartes de crédit. De la poche droite, un sac plastique de joints déjà roulés et de pilules. De la chaussette gauche, un rasoir. Il jeta le tout sur le siège avant.

— Raconte-moi, Eff. Ils vont où tes amis ?

Cardozo sortit son revolver de service de son holster.

— J'sais pas ! hurla Eff. J'sais pas où ils vont !

Cardozo fit jouer la chambre, qui cliqueta comme les maracas d'un orchestre de rumba.

— Ils vont au sud ! hurla Eff. A Manhattan !

Ellie passa la marche avant.

— Quel pont ? demanda-t-elle.

— Eff, quel pont ?

— Triboro !

— On y sera avant eux, dit Ellie.

— Parlons un peu du presbytère, Eff, fit Cardozo. La première fois. Pourquoi t'es entré par effraction ?

— Qui dit que j'ai fait ça ?

— La première fois, Eff. Pourquoi t'as fait ça la première fois ?

La lumière des lampadaires balafrait le visage d'Eff, au passage.

— C'était pour mettre les photos dans le fichier du père Joe ?

Cardozo fit joujou encore une fois avec le canon de son flingue.

— O.K. O.K. C'était pour mettre les photos.

— Qui t'a dit de faire ça ?

— Personne.

— Arrête, Eff. T'as juste décidé comme ça de faire un cadeau au père Joe ? Arrête tes conneries, Eff.

Cardozo arma le 38

— C'était pas ton ami Damien, des fois ?

Eff réfléchit un instant.

— Je me rappelle pas.

— Déconne pas, Eff.

— Je me rappelle pas son nom.

Cardozo fourra le canon du flingue dans l'oreille d'Eff.

— Alors c'était qui ?

— O.K. C'était Damien.

— C'est qui Damien ? C'est quoi son vrai nom ?

— Tout ce que je sais, c'est qu'il se fait appeler comme ça.

Cardozo frappa de son revolver le siège, tout près de la tête d'Eff.

— Dis-moi son nom, ducon.

— Cole. Damien Cole, c'est son nom.

La Honda, conduite par Ellie, passa sur un ralentisseur, les envoyant se cogner la tête au plafond, et après une embardée, s'engagea sur la rampe d'accès au Triboro Bridge.

— Comment t'es entré dans le presbytère ?

— La fenêtre du premier.

— T'as numéroté les photos. Pourquoi ?

— Damien voulait des gens d'*OutMag*. Alors je lui ai dit, ça c'est le numéro un, ça c'est le numéro deux.

— Pourquoi t'as fait suivre Pablo ?

Eff ne répondit pas. Les lumières du pont fouettaient la vitre.

— Tu ferais mieux de pas me faire de cachotteries, Eff.

— Y avait trop de marchandise à transporter pour une seule personne.

Cardozo approcha le canon de la tempe d'Eff.

— Pourquoi t'es revenu pour laisser la photo de Pablo dans le bureau ?

Un filet de sueur souligna soudain les pommettes d'Eff.

— Pablo faisait pas partie de ta smala de tapins.

Cardozo caressa du canon le front d'Eff à la racine des cheveux.

— Pourquoi t'es retourné et t'as laissé sa photo ?

Eff ouvrit la bouche, et pendant un court instant de

panique, rien ne sortit sinon le souffle laborieux de sa respiration.

— Pourquoi, Eff ?

— Parce que...

Eff baissa la voix.

— Parce qu'il était mort.

En vue du péage, Ellie ralentit et prit une voie réservée aux véhicules ayant la monnaie.

— Vince, dit-elle. Regarde. Là-bas.

A deux voies de là, la Toyota faisait la queue. Des rots de fumée s'échappaient en tourbillons de son pot d'échappement.

— Comment est mort Pablo ? demanda Cardozo.

— Il est tombé sur un piège et ça l'a tué.

Eff tressaillit en anticipant le prochain coup.

— Fallait pas qu'on remonte jusqu'à moi, *man*. Je suis en probation. Et de toute façon, on allait soupçonner ce pédé de prêtre. Qu'on le soupçonne pour un de plus ou de moins.

La fourgonnette franchit le guichet de péage. L'ombre de trois passagers glissa sur la vitre latérale.

— Alors tu savais que ces autres gosses étaient morts.

— Non, putain ! se rétracta Eff. Je sais rien de tout ça !

Mais Cardozo lut salement la réponse sur son visage.

— D'après les constatations, c'est toi qui as tué Pablo.

— Non, bordel ! Et je t'emmerde !

Ellie laissa la fourgonnette prendre dix voitures d'avance, puis démarra sa filature.

— Il a été prouvé que la souricière du père Joe n'a fait que le blesser.

Cardozo empoigna la queue-de-cheval et tira dessus, lentement mais fortement.

— Un témoin a entendu Pablo crier. T'as eu peur que les voisins préviennent les flics. Alors tu l'as tué !

— Lâche-moi ! Aïe ! T'as tout faux !

— Alors t'as cassé un carreau pour faire croire à une effraction.

— Non, bordel de merde, je te dis qu't'as tout faux.

Cardozo tira sur la queue-de-cheval comme sur la chaîne des chiottes.

— Déconne pas, *man*, beugla Eff. Tu m'arraches les tifs !

— Dis-moi la vérité.

— Le fer à repasser lui avait salement amoché le crâne. Il m'a supplié d'abréger ses souffrances. J'ai eu pitié de lui, je l'ai aidé à mourir.

— Tu l'as tué par pitié ? Tss, tss, fit Cardozo. Ça par exemple, mais t'es un mec avec un cœur gros comme ça, Eff.

Devant, la fourgonnette se garait au bord du trottoir d'une rue *midtown* de Manhattan.

— Arrête-toi par ici, dit Cardozo à Ellie.

84

U n homme de haute taille descendit de la fourgonnette, suivi par une fille. Ils portaient tous deux des imperméables.

Ellie et Cardozo sortirent de la Honda.

A vingt mètres de là, l'homme et la fille dévalaient le trottoir à grands pas élastiques, imper au vent. Ils tournèrent à un coin.

Cardozo et Ellie se mirent à courir. Ils atteignirent le coin juste au moment où, à mi-bloc, une porte se refermait sur les deux impers.

Ils piquèrent un sprint.

Au moment où ils atteignaient l'immeuble, l'homme ver-rouillait la boîte aux lettres et la fille tenait la porte intérieure. L'homme passa sous un plafonnier et Cardozo reconnut Colin Draper, l'ami de Bonnie Ruskay. Colin et la fille pénétrèrent dans le dernier appartement sur la droite.

Ellie appuya sur l'interphone des appartements des étages supérieurs.

— Qui est-ce ? fit une voix.

— Pizza, cria Cardozo.

Un bourdonnement leur livra accès à l'immeuble. Il gagnèrent vivement la porte au fond du couloir.

De l'autre côté du battant, des pas s'approchèrent, d'abord étouffés par la moquette, puis claquant avec précipitation sur du carrelage. Il y eut un déclic métallique quand on mit en place un verrou. Les pas s'éloignèrent, inversant le processus sonore.

On entendit une voix d'homme. Si Cardozo ne distingua pas ce qu'il disait, il perçut comme une résonance criée. Une voix de femme hurla quelque chose.

Ellie lui lança un regard prudent.

Il colla son œil au judas. Le bois, sombre, luisait d'anciennes couches de vernis. A travers la courbure du minuscule œilleton, il voyait comme un tunnel débouchant sur le néant.

Les voix n'arrêtaient pas. Deux personnes semblaient poursuivre une conversation d'un bout à l'autre de l'appartement. Ou bien se disputer, le ton montant avant l'explosion.

Une giclée de musique tonitruante brailla soudain, supplantée par le babil hystérique d'une émission de télé-achat. Des pas claquèrent et le son baissa rapidement d'intensité.

L'homme cria encore quelque chose. La femme répondit sur le même ton. Mais cette fois, c'était différent. Cardozo sentit qu'il se passait quelque chose.

Un objet lourd ou tout comme cogna sourdement contre le battant de la porte, plus une résonance qu'un bruit proprement dit. Il y eut une demi-seconde de silence, puis la femme émit un cri d'alarme de voiture.

Cardozo arracha son revolver de son holster, visa et tira à deux reprises, faisant sauter la serrure. Il se jeta de tout son poids contre la porte, qui s'ouvrit en grand vers l'intérieur.

Ellie avança, tenant son arme à deux mains, levée.

— Police !

D'un wok fumant s'échappaient, évoquant la queue d'une comète, des légumes coupés en dés, répandus sur le sol de la cuisine. Une femme accroupie s'abritait derrière le réfrigérateur. Dans la pièce d'après, Colin Draper faisait de même derrière un vieux fauteuil à bascule.

Cardozo brandit son insigne.

— Qui a crié ?

— Moi, dit la femme avec des yeux craintifs, sous ses boucles châtain clair.

— Pourquoi ?

— Il y a une loi qui interdit de crier ?

Elle se redressa. Elle portait un T-shirt d'homme de l'Ecole de théologie de Yale, dont on avait arraché les deux manches.

— Je me suis brûlée avec le wok.

Cardozo avait déjà vu ce visage, sur une photo du bureau de Bonnie Ruskay.

— Vous êtes la fiancée de Ben Ruskay.

Avec dix ans de plus dans les dents, ajouta-t-il mentalement.

— Si c'est un crime, dit-elle. Je suis innocente.

— Anne et Ben n'ont jamais officialisé. Ça faisait plaisir à Ben de le laisser croire.

Colin Draper s'avança, les mains en l'air.

— A quoi rime tout ceci ? Sommes-nous en état d'arrestation ? Et pour quelle raison ? Parce que j'ai le droit de savoir ce dont vous nous accusez.

— J'espère que vous n'avez pas eu le temps de faire quoi que ce soit, dit Cardozo.

Ellie revint des autres pièces et signala du regard à Cardozo qu'ils contrôlaient la situation.

— Nell est là-bas ? Saine et sauve ?

Ellie secoua la tête.

— Il n'y a personne d'autre là-bas.

Cardozo sentit un coup au cœur.

— Je vous ai vu descendre de la fourgonnette avec Nell. Vous l'avez fait rentrer ici. Putain, qu'est-ce que vous en avez fait ?

— Je suis descendu de la fourgonnette avec Anne, répondit Colin Draper. Nell est restée dans la fourgonnette et a continué avec Ben.

— Ben Ruskay était lui aussi dans la fourgonnette ?

— Bien sûr.

— Qu'est-ce qu'il fabrique avec Nell ?

— Ben prodigue aide et conseil aux fugueurs.

La voix d'Anne trahissait de l'impatience, maintenant.

— Et il la leur prodigue comment ? explosa Cardozo qui, à l'instant même, venait de comprendre.

Le visage de Colin Draper s'assombrit.

— Ben m'amène ces jeunes et je leur donne la communion.

— Et quel rôle jouez-vous là-dedans ? demanda Cardozo à Anne. Vous êtes leur acolyte ?

Elle se raidit.

— Je communie. Il se trouve que j'adore le mystère de l'Eucharistie.

— A d'autres, dit Cardozo. Cette fille était raide défoncée. Putain, vous croyiez qu'il se passait quoi ? Aucun de vous n'a jamais soupçonné qu'il se passait autre chose en dehors de la communion ?

— La drogue est une composante importante du mode de vie de ces fugueurs, dit Colin Draper. Ça n'a pas à entrer en ligne de compte entre Dieu et eux.

— Comment pouvez-vous être aussi naïfs, bordel de Dieu ? Je comprends simplement pas ce que vous vous imaginiez faire.

— Venir en aide à ceux que personne n'aide, fit Anne.

— Vous savez pas ce qui arrive à ces gosses ? hurla Cardozo. Vous comprenez pas ce que ce type va faire à Nell ?

Colin Draper avait l'air sincèrement éberlué.

— La ramener chez elle, c'est tout.

Nell Dunbar ferma la porte de la salle de bains. Une vague de nausées l'agitait. Elle s'agenouilla devant les toilettes, appuyant ses bras sur le rebord glacé de porcelaine blanche.

Elle était déchirée de spasmes.

Elle ouvrit la bouche. La cuvette lui renvoya son reflet qui bâillait. Elle ferma les yeux, pour ne plus le voir. Les ténèbres l'environnèrent aussitôt.

De la sueur ruisselait sur son visage et le long de ses bras. Elle sentait son cœur tambouriner furieusement dans sa poitrine. Ses minuscules boucles d'oreille, une faucille et un marteau en argent, tintinnabulaient comme des mobiles dans le vent.

Elle fut saisie d'un haut-le-cœur, mais rien ne vint. Elle fit des efforts pour vomir, encore et encore. Ses larmes l'étouffaient.

Elle rouvrit les yeux et se remit debout. Sa tête bourdonnait de toutes les drogues qu'elle avait prises — et en particulier, cette pilule rose qu'Eff lui avait donnée. Y avait quoi, merde, dans cette pilule ?

Elle se jura de ne plus jamais prendre une de celles-là.

En trois pas chancelants, elle atteignit le lavabo, le souffle coupé. Elle ouvrit à la volée l'armoire à pharmacie et n'y trouva qu'une bouteille d'after-shave Brut. Elle s'en mit quelques gouttes derrière l'oreille et aux poignets, puis passant la main sous son ample sweat-shirt Georgetown, entre les seins.

Elle revint cahin-caha dans l'autre pièce. Un mur se dressa devant elle comme le flanc d'un paquebot. Et elle se retrouva à contempler des parchemins couverts de lettres gothiques. Elle essaya de déchiffrer quelque chose. L'expression *béni soit* flottait devant ses yeux.

Une main se posa sur son épaule.

— Dites-moi, mon enfant, fit le père, à quand remonte votre fugue ?

Elle dut faire violence à son cerveau pour qu'il oblige sa langue à produire un son.

— A quelque temps.

Ses vêtements sacerdotaux étaient striés de rouge. Il allumait de l'encens dans une coupelle de cuivre et déjà la pièce était noyée sous l'odeur de miel sucré.

— Dites-moi, mon enfant, depuis quand prenez-vous de la drogue ?

— Huit ou neuf ans.

— Et depuis quand vous prostituez-vous ?

— Je sais pas. Depuis que j'ai...

Elle voulait dire dix ans, mais en elle quelque chose se scella et mourut. Et elle bascula en avant sur le canapé.

La main du père la soutenait derrière la nuque. Toutes les cinq secondes, à peu de chose près, elle soupirait en respirant et il sentait la tiédeur de son souffle sur son visage. Il ressentait tant d'amour, de sympathie et de joie que ses yeux lui piquaient.

Il l'étendit dans le baquet à lessive. L'égouttoir cannelé lui servit d'oreiller. Elle regardait le plafond à présent, de ses yeux fixes qui ne voyaient plus rien.

Il inclina son bassin de telle sorte que les genoux passent par-dessus le rebord du baquet. Ses jambes se balançaient paresseusement dans l'air humide et sombre. Les jambes d'une petite fille qui s'ennuie.

L'écho de ses pas retentit sur le sol cimenté. Il avait tout son temps. Un calme absolu régnait en lui. Il était parfaitement en accord avec le rythme de la cérémonie. Il ouvrit la caisse à outils et en sortit la tronçonneuse. Il introduisit la fiche à trois broches dans la prise de courant murale.

La prise électrique et le baquet étaient aux deux extrémités opposées de la pièce vide. En la retraversant, armé de la tronçonneuse, il laissa filer le cordon qu'il tenait en main, pour qu'il se déroule.

Il appuya sur le bouton de mise en marche, testant le courant. Le petit moteur gronda. La lame devint floue et un fin brouillard de poussière couleur rouille tomba sur le visage de Nell.

Il l'entendit soupirer, mais ses soupirs étaient accompagnés d'un frisson cette fois. L'iris bleu clair de ses yeux parut se réactiver. Son regard vacant luttait pour accommoder.

Il leva la tronçonneuse qui vrombissait et un éclair de compréhension traversa le regard de la fille.

Les tendons de son cou trahirent un violent effort de torsion.

— Du calme, l'encouragea-t-il. Dieu t'aime. Moi aussi. On t'aime beaucoup tous les deux. Tu ne peux pas être aimée davantage qu'en ce moment.

Ses yeux presque blancs, révulsés dans les orbites, lui donnaient le regard sournois et évasif d'une enfant fautive prise sur le fait.

Sa gorge émit un gargouillis de protestation.

Il pressa le bouton marche rapide. Le gémissement geignard de la tronçonneuse devint un cri déchirant.

D'une main, il lui tourna la tête sur le côté, là comme ça. Une ombre minuscule battait à sa jugulaire.

Il leva la tronçonneuse puis la redescendit lentement, suivant un arc de cercle précis. Il commencerait par la gorge. Il commençait toujours par la gorge. Il mit la lame en position.

Le hurlement du moteur vira au glapissement. Le glapissement céda la place à un gémissement. Qui lui-même fut suivi d'un... *silence*.

Puis d'une voix.

— Ben, qu'est-ce que tu fais ?

85

La voix le fit se retourner vivement. Il ne distingua d'abord que la silhouette d'une femme, sur les marches, qui tenait à la main la fiche à trois broches d'un cordon électrique.

— Je fais mon devoir.

Quelque part dans sa tête, Ben savait pourquoi il était ici avec cette tronçonneuse qui ballait à son côté. Mais tout au choc de la voir, il dut faire un effort pour se rappeler de la raison.

— Je fais la volonté de Dieu.

— Tu te souviens quand on était petits ? Tu te souviens comme on jouait à faire semblant qu'on était le père Damien ? Et quand on se faisait des cadeaux, qu'on signait « de Damien, pour Damien » ? Mais je ne suis pas Damien, je suis Bonnie. Et tu n'es pas Damien, mais Ben. Tu es mon frère et je t'aime. Et tu n'es pas prêtre.

— Mais je suis diacre. Je ne peux pas donner la communion ni entendre en confession. Mais je peux célébrer des mariages et servir la messe.

— Ben, qu'est-ce que tu fais avec cette petite ?

— Je l'envoie à Dieu tant qu'elle est en état de grâce.

— Et comment l'as-tu choisie, *elle* ?

— Parce qu'elle est l'une d'entre eux.

— Qui, *eux* ?

— Ils ont envahi la cathédrale, interrompu le cardinal, jeté des hosties consacrées par terre.

Elle lâcha la fiche électrique.

— Mais ce n'était pas elle. Elle n'était pas parmi eux.

Elle parlait d'une voix qui lui rappelait son enfance, une voix d'admonestation, une voix qui réprimandait, mais sans méchanceté.

— Eff t'a trompé. Aucun des jeunes qu'il t'a amenés n'était un agitateur. C'étaient des fugueurs. Ils n'ont jamais mis les pieds à Saint-Patrick.

Le sol cimenté se mit à tanguer sous lui comme une passerelle de corde.

— Mais ils m'ont dit...

— Ils mentaient. Ils faisaient ça pour l'argent.

Il la regarda au fond des yeux.

— Alors, c'est moi qui suis le pécheur ?

Elle ne détourna pas le regard.

— Et pas eux ? fit-il, frappé d'une certitude terrifiante. Comment Dieu m'a laissé faire ça ?

Il lui saisit la main.

— Tu es prêtre. Aide-moi. *Je t'en prie.*

Il tomba à genoux.

— Entends ma confession.

— Ben, non.

Mais il s'agrippait à sa main.

— Je confesse à Dieu tout-puissant et à vous mon père, que j'ai péché.

Elle poussa un long soupir.

— Quand vous êtes-vous confessé pour la dernière fois ?

— Je me suis pas confessé vraiment depuis... je m'en souviens plus. Ça fait des années. Je confesse que j'ai violé le commandement « tu ne tueras point ». J'ai tué six jeunes gens. Mais j'ai fait ça pour eux, par amour. Ils sont morts absous de leurs péchés. Je leur ai donné une sépulture chrétienne. J'ai porté des fleurs sur leurs tombes.

Il regarda le visage de sa sœur. Il était impénétrable. Mais elle paraissait si fatiguée, comme absente. Une vague de panique le balaya.

— J'ai commis les péchés d'envie et de colère. Après ton ordination, j'ai violé une femme.

— Pourquoi ?

— Parce qu'elle s'opposait aux enseignements de l'Eglise. Tant de gens contestent l'Eglise. Il fallait faire un exemple.

— Tu ne crois pas que Dieu peut faire ses exemples lui-même ?

— Je confesse que j'en ai douté. Je confesse que j'ai violé le commandement « tu ne mentiras point ». J'ai dit que j'avais arrêté de boire. Mais c'était faux, je n'ai jamais arrêté. Quand tu m'as cru en désintoxication, j'étais en fait au tribunal.

— Pour le viol ?

— Oui. Le juge m'a obligé à la dédommager en la payant. Elle s'est servi de cet argent pour attaquer l'Eglise et profaner la cathédrale. Je ne pouvais pas croiser les bras et laisser faire, n'est-ce pas ?

Sa sœur ne répondit pas.

— Elle faisait pécher des jeunes gens, mais j'ai sauvé leurs âmes. Elle a péché contre moi, mais je lui ai pardonné — et je l'ai envoyée à Dieu, elle aussi.

Sa sœur le scrutait d'un œil incrédule.

— Je confesse que j'ai calomnié le père Joe. J'ai fait mettre des photos dans son bureau et j'ai écrit une lettre anonyme sur ton papier à en-tête.

— Pourquoi, Ben ? Pourquoi le père Joe ?

— A cause de ce qu'il faisait aux jeunes et à toi.

— Il essayait simplement d'être utile.

— A coups de *préservatifs* ?

Sa sœur recula d'un pas. Il s'agrippa à sa main.

— Mais mon plus grand péché, c'est la méchanceté. Tous les cadeaux d'anniversaire que tu m'as demandé de donner à maman... les livres, les boutures de rosier... le cochon-tirelire...

Il avait les yeux pleins de larmes.

— Je confesse que je les ai gardés pour moi, parce que j'étais jaloux de toi. Au fond de mon cœur, je t'ai détestée parce que tu es devenue ce que je ne serai jamais, un prêtre.

Il baissa la tête, de honte. Un océan de profond silence l'enveloppa.

Une lumière tomba dans le silence, et il entendit la voix de sa sœur prononcer la formule du pardon.

— *Ego te absolvo*. Je t'absous.

Cardozo franchit la porte latérale du garage. Il entendit des voix. Il s'approcha de la seconde porte, revolver dégainé.

Bonnie se tenait de profil, absolument immobile. Un homme était agenouillé devant elle, tête baissée. Malgré sa barbe noire mal rasée, Cardozo reconnut Ben tel qu'il l'avait vu dans la boutique d'articles religieux.

Son corps se raidit en position de tir. Le tenant à deux mains, il leva son revolver à hauteur de son œil. Il visa l'homme à genoux plein guidon. Et ne dit qu'un mot :

— Bouge plus.

Ben se leva.

Cardozo le suivit dans la visée.

— Bouge plus, j'ai dit.

Ben tenait une tronçonneuse.

— Tuez-moi, dit-il calmement.

Cardozo demeura immobile, gardant Ben dans sa ligne de mire.

— Allez-y, tuez-moi ! hurla Ben.

Bonnie se retourna vers Cardozo. Elle lui fit non de la tête.

— Non, Vince.

Elle entra dans la ligne de tir. Elle s'interposait maintenant entre Ben et le revolver.

— Ecartez-vous, Bonnie, dit Cardozo très lentement.

— Tuez-moi, dit encore Ben avec un trémolo de mélopée funèbre dans la voix, avant de laisser tomber. Ou bien je la tue, elle.

Il brandit la tronçonneuse en l'air. Il y eut un ricochet de lumière sur la lame.

— Bonnie, éloignez-vous.

Elle lança un coup d'œil derrière elle, puis regarda à nouveau Cardozo.

— Elle n'est pas branchée ! s'écria-t-elle.

Inutile qu'elle le soit. Ben abattit la tronçonneuse, qui la frappa avec la force d'une masse dentée, lui déchirant un côté de la tête.

Crac, fit l'écho.

Elle resta immobile un moment, bouche entrouverte. Puis, d'une entaille en biseau au niveau de la tempe, le sang se mit à gicler sur ses yeux et son visage.

Le choc la déporta sur le côté et un instant, Cardozo eut Ben dans sa ligne de tir.

Il fit feu.

Un éclair blanc jaillit du canon. Un coup de tonnerre ébranla les murs de ciment.

La balle ouvrit un troisième œil dans le front de Ben. La tronçonneuse dégringola avec fracas sur le sol. Il recula en chancelant, tourna sur lui-même et s'écroula.

86

Cardozo entra dans la chambre d'hôpital portant une douzaine de roses. Il vit qu'il arrivait un peu tard. La chambre était si pleine d'arrangements floraux qu'elle ressemblait à une vitrine de fleuriste.

Une infirmière privée était assise sur une chaise près de la fenêtre et lisait un thriller médical en livre de poche. Elle leva les yeux et, posant le livre sur la tranche et sur la table, quitta sa chaise.

— Vous désirez ?

— Comment va-t-elle ?

— Je regrette, mais le médecin souhaite que la révérende Ruskay ne reçoive pas de visites.

Sur son lit d'hôpital, Bonnie ouvrit les yeux. Elle avait la tête enveloppée d'un turban de gaze blanche et un bandage descendait en biais jusqu'à l'œil gauche. Une perfusion était plantée dans son bras. Le lit avait été levé en position semi-assise.

— Bonnie, fit-il.

Bonnie parcourut la pièce du regard par degrés, délibérément, comme s'il devait trouver appui sur chaque objet qu'il
effleurait avant de sautiller jusqu'au suivant. Ses yeux ren-
contrèrent enfin les siens. Ils étaient las, sous sédatifs, au-delà
du choc, au-delà du chagrin. Pourtant leur beauté le frappa
avec la violence d'un coup porté par un instrument bien affûté.

— S'il vous plaît, disait l'infirmière.

Et Cardozo la sentait prête à s'interposer.

— Vous pouvez dénicher un vase pour ça ? lui dit-il, en lui
poussant les fleurs dans les bras.

Il contourna le lit.

— Vince, murmura Bonnie, d'une voix à peine audible.

Il rapprocha une chaise.

— Vous vous sentez comment ?

— J'ai causé tellement d'ennuis à tout le monde.

Ses mains étaient posées côte à côte, les pouces joints, sur
la mince couverture bleue d'hôpital. Il prit sa main droite. Elle
resta inerte dans la sienne, puis la pressa.

— Si seulement je m'étais aperçue combien Ben souffrait,
et qu'il buvait — et qu'il utilisait tous ceux qui l'entouraient.

Elle se détourna et regarda vers la fenêtre.

— Nous ne sommes que des humains. Parfois, nous nous
trompons nous-mêmes. Vous aimiez votre frère. C'était naturel
de croire ce qu'il vous disait. C'était naturel de croire en lui.

— Je l'aimais, mais je connaissais la vérité. Je l'ai sue
quand vous m'avez dit que Collie avait donné la communion à
Sandy McCoy, ce garçon assassiné.

Sa main se détacha de celle de Cardozo, glissa.

— Les seules personnes auxquelles Collie donnait la
communion, c'était aux fugueurs de Ben. J'aurais dû tout vous
dire à ce moment-là. Ben serait peut-être encore vivant. Et
cette petite fille, aussi.

— Nell est vivante. Elle est à l'hôpital. Elle se rétablit.

— Dieu soit loué, dit Bonnie qui ne détachait pas les yeux
de la grisaille de la fenêtre. Mais j'ai fait du mal à tant d'autres.

Il sentit une blessure en elle, blessure qu'elle s'infligeait
elle-même.

— Arrêtez de vous faire des reproches. Prenez-moi, par
exemple. Regardez l'enfer que j'ai fait subir au père Joe.

— Vous faisiez votre travail. Il comprend.

Un ange passa.

— Vous lui avez parlé ?

Elle fit oui de la tête.

— Comment va-t-il ? demanda Cardozo.

— Il est merveilleux, stupéfiant, comme toujours. Il s'inquiète de ce qu'il va advenir d'Eff.

— Avec une négociation de peine, Eff récoltera trois ans pour avoir tué Pablo. C'est pas beaucoup, mais une fois dehors, il sera majeur et au prochain crime qu'il commettra, il écopera peut-être de la perpétuité.

— Pauvre gosse.

— Je crois que sur certains sujets, vous et moi ne serons jamais d'accord.

— Pas dans cette vie, dit-elle en souriant.

Il sentit l'infirmière lui toucher le bras, doucement mais fermement.

— Le docteur vient d'arriver. Il faut que vous partiez maintenant.

Il embrassa Bonnie sur le front, près du bandage. Il s'éloigna du lit à reculons. Et elle le suivit des yeux.

Il se retrouva dans le couloir. Il était vidé, soudain. Ses jambes le soutenaient à peine.

L'infirmière courut après lui.

— Il ne reste plus de vase.

Elle tenait ses fleurs.

— Pas même un broc.

— Gardez-les.

— Ce n'est pas permis...

— Moi, je les prends.

Ellie Siegel se glissa en douceur entre eux et récupéra le bouquet.

— Voilà qui va égayer mon bureau. Merci, Vince. Ça fait six ans qu'un homme ne m'avait pas offert de fleurs pour mon anniversaire.

— C'est ton anniversaire ? s'exclama Cardozo, lui lançant un regard qui en disait long, se demandant comment elle avait fait pour le retrouver et pour quelle raison.

— Comme chaque année, au mois de juillet. Réglé comme une horloge.

Un ascenseur attendait. Ils y pénétrèrent. La porte se ferma en chuintant, et la cabine descendit dix-huit étages dans un silence murmurant.

— Vince, arrête de broyer du noir, dit Ellie le prenant par le bras. Tu devais tirer. N'importe quel flic aurait fait pareil. J'étais là, j'ai vu ce qui allait se passer.

— Elle aussi était là, et je ne crois pas qu'elle soit d'accord.

— Voilà pourquoi les gens comme elle ont besoin de gens comme nous.

Il regarda Ellie, ses doux yeux noirs et ses cheveux dans lesquels s'accrochait la fluorescence de la lumière.

— Bon anniversaire, dit-il, heureux qu'elle soit là. Désolé d'avoir oublié.

Ils marchèrent jusqu'à sa voiture où ils s'engouffrèrent.

— Où va-t-on ? demanda-t-il.

— Je connais un chinois du feu de Dieu sur la 49ᵉ. Ils ont un menu spécial famille. Ça peut marcher pour nous, tu crois ?

— On peut toujours essayer.

Ils roulaient vers l'ouest sur la 49ᵉ, quand Ellie dit :

— Le D.A. a falsifié et dissimulé des pièces à conviction. Il devrait en rendre compte.

— Me regarde pas comme ça. Je ne suis qu'un flic.

Cardozo contourna un taxi en rade.

— C'est à Fairchild de voir. Elle dit qu'elle peut prouver qu'il y a eu fraude passible de poursuites.

— Elle ira jusque-là ?

— Ça n'aurait pas beaucoup d'effet. Kodahl déclarerait qu'il n'était pas au courant, que se servir d'une couverture était une idée de Thoms.

— Et si Fairchild ne dévoile rien ?

— Ça, c'est une alternative intéressante. Si c'est ce qui se passe, on verra dans pas très longtemps Kodahl prendre une retraite anticipée et Linda Fairchild devenir D.A.

— Tu crois qu'elle serait bonne ?

— Sacrément meilleure que ce qu'on a à l'heure actuelle.

— Ralentis, je vois une place où nous garer, dit Ellie, la lui montrant du doigt.

Tout New York avait dû entendre parler du menu spécial du chinois. Le restaurant, brillamment éclairé, était bourré de dîneurs qui bavardaient à de minuscules tables.

— Regarde qui est là-bas, dit Ellie, avec un signe de tête.

Cardozo, par-dessus les têtes qui mastiquaient en tricotant des baguettes, aperçut Terri assise à une table près de la fenêtre du fond. Soudain, tout prit des allures de guet-apens : l'anniversaire d'Ellie, dont il ne se souvenait pas qu'il tombait en été, et maintenant, ce restaurant où Terri se trouvait comme par hasard.

Ellie, esquivant plateaux voltigeurs et serveurs mandarins, ouvrit la voie jusqu'à la table de Terri. Ils étaient assez près pour compter les morceaux de ciboulette flottant sur la soupe won-ton quand Terri leva les yeux.

— Salut, P'pa.

— J'savais pas que c'était une de tes cantines, fit Cardozo.

Terri était en compagnie d'une amie, une fille brune légèrement plus âgée qu'elle, avec des lunettes d'étudiante. L'amie se fendit d'un grand sourire et, il n'y avait pas le moindre doute, ce sourire ironique s'adressait à Cardozo.

Tiens, se dit-il, *je fais rire les jeunes filles.*

L'amie se leva de table.

— T'as l'air en pleine forme.

Sa voix éveilla un écho dans ses souvenirs.

— En super forme, Oncle Vince.

Le mot « oncle » le frappa avec une violence presque physique.

— Sally ?

Elle lui tomba dans les bras.

C'est bien là la petite fille de ma sœur ? s'étonna-t-il. Mais son embrassade lui disait que ce n'était la petite fille de personne, que ce n'était plus une petite fille du tout.

— C'est vraiment toi ?

— Mais oui, c'est moi, dit-elle en continuant à sourire. En chair et en os.

— Et ça va ?

— Bien sûr que ça va.

— Si c'est pas trop te demander, où étais-tu passée, bon sang ?

Elle se détacha de lui et se rassit.

— A Sawyer's Island, dans l'État de New York.

— C'est une île ?

Elle fit oui de la tête.

— Où ça ?

— Sur le lac Erié.

— Mais pourquoi ? Pourquoi tu n'as pas écrit ? ou téléphoné ?

— Je ne sais pas pourquoi. Je n'ai pas arrêté de remettre à plus tard.

Elle tisonnait de ses baguettes un monticule de riz brun.

— Et au bout d'un moment, je ne pouvais plus parce que je ne l'avais pas fait avant.

Son geste rappela quelque chose à Cardozo, qui revit une

fillette de seize ans s'attaquer à la petite cuillère à un monticule de yaourt glacé.

— Je ne peux même pas me l'expliquer à moi-même, dit-elle. Je savais par quoi maman devait passer. Et je me sentais coupable de ne pas me sentir coupable. Si j'avais eu des nouvelles de toi ou de maman, peut-être que je me serais sentie assez coupable pour téléphoner.

— On ne reçoit pas de nouvelles des gens quand on ne leur laisse pas sa nouvelle adresse.

Elle lui lança un regard espiègle.

— Mais Oncle Vince, t'es inspecteur.

— Je croyais l'être.

Il sentit ses yeux se voiler, puis les choses autour de lui tanguer quelque peu.

— Comment Mlle Sherlock ici présente t'a retrouvée ?

Ellie tira une chaise et s'assit.

— Comment se résoud une affaire au bout de six ans ? Un coup de bol. Une sorte de témoin s'est présenté. Ou comme qui dirait.

Cardozo exerça sa mémoire, tâchant de faire coïncider l'ici avec l'ailleurs, l'avant avec l'après, essayant de revoir sa nièce aux longs cheveux, sans lunettes, le visage un peu moins plein, la silhouette un peu moins enrobée.

— Sally, tu peux me dire pourquoi tu es partie ? Pourquoi on n'a pas eu de tes nouvelles ?

— J'étais enceinte.

C'était un simple énoncé des faits. Peu importait qui se trouvait à table. Aucune gêne.

Cardozo se laissa choir sur une chaise.

— Alors, c'était ça. Et c'est le père Joe qui t'a aidée à disparaître.

Elle fit non de la tête.

— Le père Joe m'a dit de retourner chez maman. Le père Chuck m'a dit d'avoir le bébé et de décider ensuite. Il m'a donné de l'argent et une adresse.

— Qu'est-ce que tu as fait du bébé ?

— Il est toujours avec nous. Il a cinq ans.

— Nous ?

— Je suis mariée.

— A un pompier, dit Terri. Sally m'a tout raconté.

— Et nous avons eu une petite fille ensemble.

Sally ouvrit son sac et en sortit des photos couleur de deux enfants s'amusant dans un jardin.

Cardozo eut un choc à retardement. Tout ce qui se disait autour de la table lui semblait ne pas avoir de rapport avec la réalité. Les photos qu'il tenait dans sa main n'avaient aucun lien avec sa vie. Il aurait pu aussi bien regarder un écran de télévision et écouter une bande de speakerines babillardes lui réciter la météo.

— Moi aussi je travaille à la caserne.

La voix de Sally avait une sorte de fierté tranquille.

— Je suis une femme pompier.

Il ne savait plus si elle avait vraiment dit ça ou s'il entendait des voix.

— Ah, c'est donc ça ? Je te trouvais aussi bien...

Il chercha à faire preuve de tact.

— Grosse ? fit-elle, éclatant d'un rire sans regrets.

Cardozo perçut dans ce rire, dans le fait de s'autoriser à rire sans retenue, quelque chose qui, sans être plouc, n'en était pas loin. Elle n'était plus une fille de la grande ville. Il ne savait pas vraiment ce qu'il ressentait. Il était heureux pour elle, à n'en pas douter ; triste en son for intérieur, peut-être.

— Il a fallu que je prenne du poids pour passer l'épreuve d'aptitudes physiques, précisa-t-elle. Les mecs me détestent parce que je suis la première femme à être entrée dans le corps.

Si c'était la vérité, une partie de lui allait se rebeller contre.

— Est-ce que tu peux faire partie des pompiers et porter des lunettes ?

Elle les tripota.

— C'est pour lire le menu.

— Et comédienne, tu n'y penses plus ?

Elle baissa le nez sur son riz. Très brièvement, puis elle releva les yeux.

— La vie m'a mise dans la réalité. J'ai dû faire avec le réel.

— On ferait mieux de ne pas oublier de manger, intervint Ellie. Pour le menu spécial, il faut passer commande avant 1 heure de l'après-midi.

— Ça ferait plaisir à ta mère d'avoir de tes nouvelles, dit Cardozo.

Sally marqua une hésitation.

— Je suis ici en coup de vent. Faut que je sois de retour demain à Sawyer's Island. Je suis de l'équipe de l'après-midi.

— Tu as le temps d'y faire un saut, de l'embrasser et de lui apprendre que t'es en vie.

Les yeux de Sally étaient deux sombres points d'interrogation.

— Je ne sais pas, Oncle Vince. Si elle recommence à m'asticoter comme avant, ça va me rendre encore dingue.

— Ta mère a changé. Elle a Nell maintenant pour se faire du souci.

— C'est qui, Nell ?

— Une petite fille perdue que ta mère a décidé de sauver. A mon avis, c'est la rescapée qui a sauvé son sauveur. Mais c'est une longue histoire.

Cardozo saisit la main de Sally à travers la table.

— Prends seulement une demi-heure et dis-lui salut maman, je suis vivante.

— D'accord, dit Sally avec un sourire mi-figue mi-raisin. Une demi-heure, pas plus.

Ellie leva sa tasse à thé chinoise.

— Je bois à ton retour.

— A ton retour, dit Cardozo.

Quatre tasses s'entrechoquèrent.